Plants
that
Heal

Plants
that
Heal

George D. Pamplona-Roger, M.D.

*Author of the 'Encyclopedia of Medicinal Plants' and the 'Encyclopedia of Foods and Their Healing Power'
published in English, French, German, Portuguese, Italian, and Spanish*

REVIEW AND HERALD®
PUBLISHING ASSOCIATION

editorial safeliz

Copyright © 2004 by **REVIEW AND HERALD PUBLISHING ASSOCIATION**
55 W. Oak Ridge Drive
Hagerstown, Maryland 21740
Phone: (301) 393 3000
e-mail: info@rpha.org – www.reviewandherald.org

ISBN 0-8280-1863-4 paperback
ISBN 0-8280-1933-9 hardcover

PRINTED IN THE UNITED STATES OF AMERICA

10 09 08 07 06   7 6 5 4 3

Editorial and Design by the editorial team of Safeliz S.L.
All drawings, images and pictures are owned by Editorial Safeliz S.L.

This magabook is an excerpt of the Encyclopedia of Medicinal Plants,
ISBN 84-7208-157-5, published in two volumes.
Copyright © 1995 by Editorial Safeliz S.L.
Pradillo, 6 – Polígono Industrial La Mina
28770 Colmenar Viejo, Madrid, Spain
Phone [+34] 918 459 877 – Fax [+34] 918 459 865
e-mail: admin@safeliz.com – www.safeliz.com

Notice to Readers: This magabook is designed to give information on the medicinal value of certain plants. Although the recommendations and information given are appropriate in most cases, they are of a general nature and cannot take into account the specific circumstances of individual situations. Any plant substance, used externally or internally, can cause allergic reactions in some persons. The information given in this book is not intended to take the place of professional medical care either in diagnosing or treating medical conditions. Do not attempt self-diagnosis or self-treatment for serious or long-term problems without consulting a qualified medical professional. Always seek a physician's advice before undertaking any self-treatment or if symptoms persist. Neither the publisher nor the author can assume responsibility for problems arising from the mistaken identity of any plant or from the inappropriate use made of it by readers. Advice is given in page 36 on the safe use of medical herbs.

Table of Contents

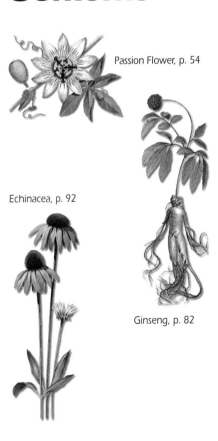

Passion Flower, p. 54

Echinacea, p. 92

Ginseng, p. 82

Meaning of the Icons of Botanical Parts
Used in This Work

In this magabook there are a number of icons, symbols,
and tables which describe plants, body organs, and ailments.
We describe these icons on the following pages so the reader can be familiar
with them and interpret their meaning more easily.

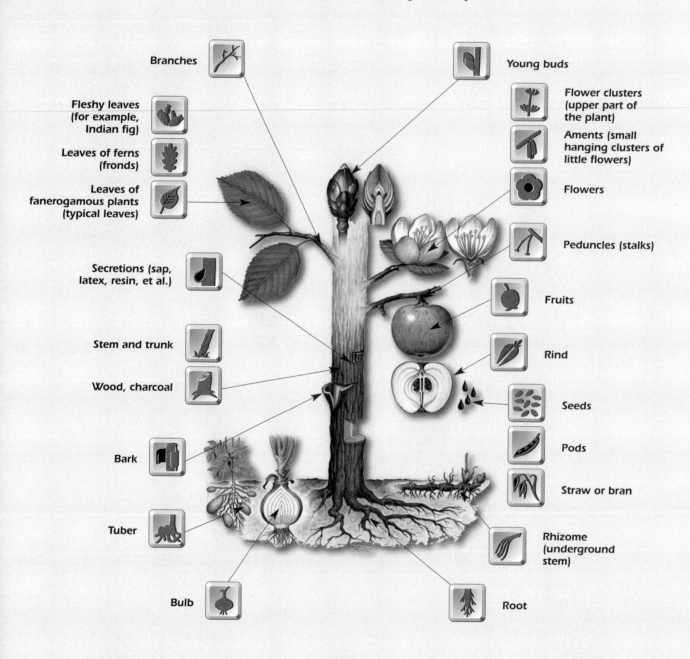

Branches

Young buds

Fleshy leaves
(for example,
Indian fig)

Flower clusters
(upper part of
the plant)

Leaves of ferns
(fronds)

Aments (small
hanging clusters of
little flowers)

Leaves of
fanerogamous plants
(typical leaves)

Flowers

Secretions (sap,
latex, resin, et al.)

Peduncles (stalks)

Fruits

Stem and trunk

Rind

Wood, charcoal

Seeds

Bark

Pods

Straw or bran

Tuber

Rhizome
(underground
stem)

Bulb

Root

Thallus
(vegetative part of
algae and moss)

The whole plant

The whole plant
except the root

Meaning of the Icons of Anatomical Parts
Used in This Work

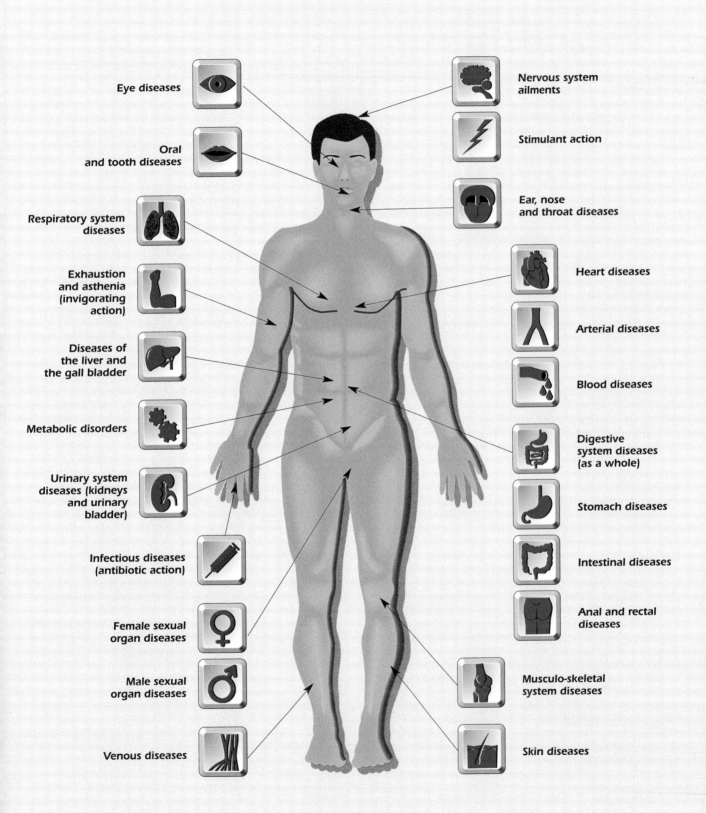

Eye diseases

Oral and tooth diseases

Respiratory system diseases

Exhaustion and asthenia (invigorating action)

Diseases of the liver and the gall bladder

Metabolic disorders

Urinary system diseases (kidneys and urinary bladder)

Infectious diseases (antibiotic action)

Female sexual organ diseases

Male sexual organ diseases

Venous diseases

Nervous system ailments

Stimulant action

Ear, nose and throat diseases

Heart diseases

Arterial diseases

Blood diseases

Digestive system diseases (as a whole)

Stomach diseases

Intestinal diseases

Anal and rectal diseases

Musculo-skeletal system diseases

Skin diseases

Plant Pages: Description and Format

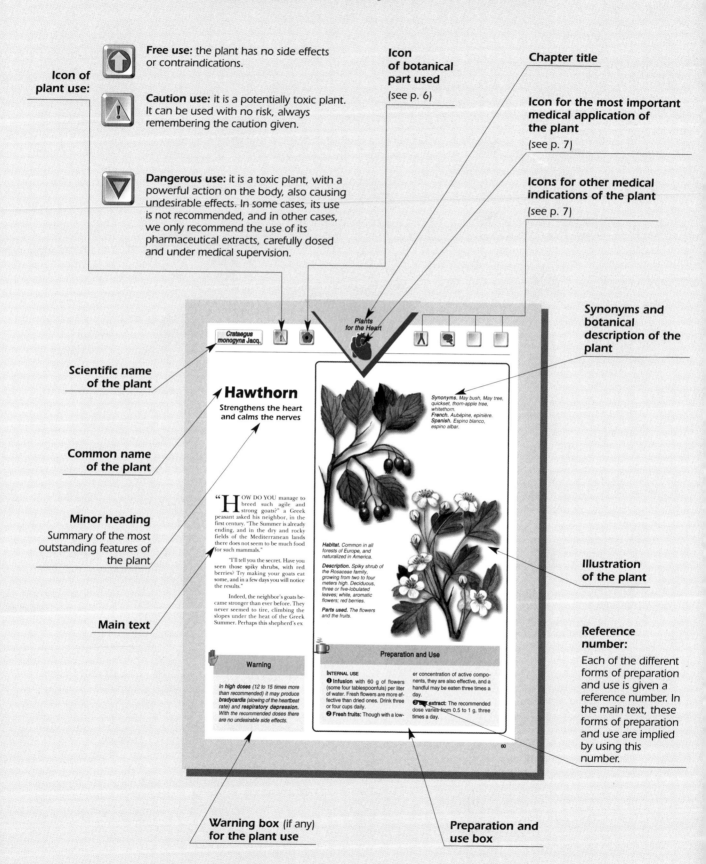

Icon of plant use:

Free use: the plant has no side effects or contraindications.

Caution use: it is a potentially toxic plant. It can be used with no risk, always remembering the caution given.

Dangerous use: it is a toxic plant, with a powerful action on the body, also causing undesirable effects. In some cases, its use is not recommended, and in other cases, we only recommend the use of its pharmaceutical extracts, carefully dosed and under medical supervision.

Icon of botanical part used

(see p. 6)

Chapter title

Icon for the most important medical application of the plant

(see p. 7)

Icons for other medical indications of the plant

(see p. 7)

Synonyms and botanical description of the plant

Scientific name of the plant

Common name of the plant

Minor heading

Summary of the most outstanding features of the plant

Main text

Illustration of the plant

Reference number:

Each of the different forms of preparation and use is given a reference number. In the main text, these forms of preparation and use are implied by using this number.

Warning box (if any) for the plant use

Preparation and use box

Page content (plant page)

Crataegus monogyna Jacq.

Plants for the Heart

Hawthorn

Strengthens the heart and calms the nerves

"HOW DO YOU manage to breed such agile and strong goats?" a Greek peasant asked his neighbor, in the first century. "The Summer is already ending, and in the dry and rocky fields of the Mediterranean lands there does not seem to be much food for such mammals."

"I'll tell you the secret. Have you seen those spiky shrubs, with red berries? Try making your goats eat some, and in a few days you will notice the results."

Indeed, the neighbor's goats became stronger than ever before. They never seemed to tire, climbing the slopes under the heat of the Greek Summer. Perhaps this shepherd's ex

Synonyms. May bush, May tree, quickset, thorn-apple tree, whitethorn.
French. Aubépine, epinière.
Spanish. Espino blanco, espino albar.

Habitat. Common in all forests of Europe, and naturalized in America.

Description. Spiky shrub of the Rosaceae family, growing from two to four meters high. Deciduous, three or five-lobulated leaves; white, aromatic flowers; red berries.

Parts used. The flowers and the fruits.

Warning

In **high doses** (12 to 15 times more than recommended) it may produce **bradycardia** (slowing of the heartbeat rate) and **respiratory depression**. With the recommended doses there are no undesirable side effects.

Preparation and Use

INTERNAL USE

❶ **Infusion** with 60 g of flowers (some four tablespoonfuls) per liter of water. Fresh flowers are more effective than dried ones. Drink three or four cups daily.

❷ **Fresh fruits:** Though with a lower concentration of active components, they are also effective, and a handful may be eaten three times a day.

❸ **Dry extract:** The recommended dose varies from 0.5 to 1 g, three times a day.

60

*T*hroughout the ages, plants have been used by humans as a source of food, cosmetics and medicines, and have provided raw materials for the construction of shelters and the manufacture of clothing. The significance of tropical forests in the maintenance of the earth's ecological balance is only now being fully appreciated and understood. There is an urgent need to conserve and use these resources in an environmentally sustainable and economically beneficial manner.

Plants have served as the basis of sophisticated traditional medicine systems for thousands of years in countries such as China and India. These plant-based systems continue to play an essential role in health care. It has been estimated by the World Health Organization that about 80% of the world's inhabitants rely mainly on traditional medicines for their primary health care.

Plant products also play an important role in the health care systems of the remaining 20 percent of the population who mainly reside in developed countries. Analysis of data on prescriptions dispensed from community pharmacies in the United States from 1959 to 1980 indicates that about 25 percent contained plant extracts or active components derived from higher plants. At least 119 chemical substances, derived from 90 plant species, can be considered as important drugs currently in use in one or more countries.

The United States National Cancer Institute (NCI) was established in 1937, its mission being "to provide for, foster, and aid in coordinating research related to cancer." The NCI has screened well over 100,000 plant extracts for anticancer activity and over 30,000 for anti-AIDS activity.

The development of clinically effective anticancer agents such as taxol, and the discovery of potential anti-AIDS agents such as michellamine B, demonstrate the value of plants as sources of potential new drugs, and highlight the importance of conserving these valuable resources.

TESTIMONY

DR. GORDON M. CRAGG
Natural Products Branch, U. S. National Cancer Institute

THE VEGETAL WORLD

"What a surprise! This piece of cork is formed by thousands of tiny cells, joined together. It resembles a honeycomb!" said Robert Hooke, a famous seventeenth century English physicist, astonished by what he saw through his microscope.

His scientific spirit surprised him at what others would not even have noticed. Hooke had just discovered that living tissues are not a uniform and continuous mass, such as stones or minerals, but a mass made of innumerable little independent units.

"Since these little cavities form cork, I will call them cells," Hooke said. "Besides, the Latin word *cellula* means little cavity."

Cells: The Units of Life

When studying other plants under the microscope, scientists noticed that not only the bark of cork oak trees was formed by cells. All living beings, vegetals and animals, are formed by one or many grouped cells.

Each cell is a life unit. It is the smallest part of a living being that has its own life, that is to say, cells are born, get fed, grow, reproduce themselves and die.

The size of cells generally varies in a range between five and 50 microns (a thousandth of millimeter), which means that in one millimeter there may be from 20 to 200 cells, depending on their size.

Some cells will only live for a few minutes, continually being renewed, while others live as long as the living being of which they are part.

Cell Constitution

Each and every cell is formed by:

- A **nucleus,** which keeps the genetic information it has inherited, and in which all its features are printed under the guise of chromosome and genes. These will be transmitted to the next generation of cells.

- **Cytoplasm,** of viscous consistency, similar to egg white, where all biochemical processes take place.

- A cytoplasmic **membrane,** which com-

The Vegetal Cell

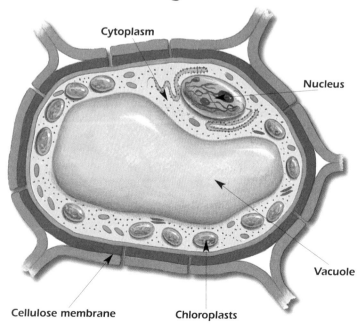

Cytoplasm

Nucleus

Vacuole

Cellulose membrane

Chloroplasts

By observing cork, which comes from cork oak tree bark, through the microscope, Robert Hooke discovered in the seventeenth century that living tissues are made of tiny units called cells.

pletely surrounds the cell and filters in a selective way all those substances which may penetrate the interior.

Features of Vegetal Cells

Vegetal cells present two basic features which cannot be found in animal cells:

1. A Cellulose Membrane

It is a thick cell wall, located outside and around the cytoplasmic membrane and is made of cellulose. It is like a porous case which isolates and protects the cell, and remains when it dies, becoming a kind of sarcophagus. Animal cells do not have any such thick cellulose membrane, therefore when they die they rot and leave no remains.

Adult cell membranes may contain other substances apart from cellulose:

- **Lignin** in wood cells.
- **Suberin** in suber, or cork cells.
- **Pectin** or **cutin,** in the cuticle which covers young stems and leaves.

Thus, what Hooke observed through the microscope—cork—were not bark cells of the cork oak tree, but their cases or cell membranes, which remain after the cell dies. Wood is also formed by the thick cellulose and lignin walls which once covered the now-already-dead stem cells.

2. Plasts

This is another peculiar feature of vegetal cells. Plasts are corpuscles located inside the cytoplasm, which contain diverse coloring substances. The most common ones are **chloroplasts,** green-colored because of their chlorophyll content.

Photosynthesis takes place inside the chloroplasts. This is an extraordinary chemical reaction where the inorganic mineral substances of air and soil turn into starch and other organic substances, thanks to sunlight energy.

Vegetal cells differ from animal cells in that they are surrounded by a thick cellulose wall which covers them, and contain chloroplasts filled with chlorophyll. Thus, cellulose (also called vegetal fiber) and chlorophyll are the most representative substances of the vegetal world.

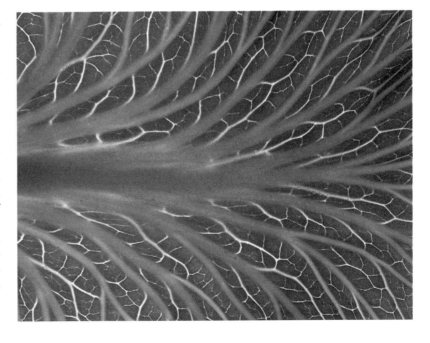

Left: **The huge sequoias of the Californian forests are regarded as being some of the tallest trees on our planet.**

Right: **The island of Tenerife, Canary Islands, houses several dragon trees such this one, trees old up to 5000 years.**

Cells are fantastic chemical laboratories. In each of them, despite their tiny size, thousands of chemical reactions take place, and their result is the synthesis of sugars (carbohydrates), lipids (fats), and proteins, which either accumulate inside the cell or flow outside it.

Alkaloids, essences and other active principles, also produced in vegetal cells, are stored inside cavities located in the cytoplasm which are called **vacuoles.** When these vacuoles break because of pressure exerted on any of the vegetable parts, the active principles they contain break free.

Diversity of the Vegetal Kingdom

"These bricks are for building the outer walls, those for covering the inner rooms, those tiles are for the kitchen floor...."

An architect gives appropriate orders so that each and every one of the hundreds and even thousands of elements that form the house goes to its appropriate place. When the building is finished, everyone will acknowledge the work of the man who designed the house and supervised the work.

However, very few people are conscious of the admirable fact that the billions of "bricks," that is to say, cells, that form a plant or any other living being are perfectly disposed each one in its place, and all of them in good working order. Who was the architect or engineer that designed this? Who directed the work? Why do epidermic cells always gather in order to cover leaves and stems? Why do hollow and elongated cells join each other to form the vessels through which sap flows?

Vegetables are living beings made of vegetal cells. Some vegetables consist of a single cell **(unicellular),** such as bacteria and certain types of fungi and algae. Others consist of many cells **(multicellular)**, such as common seaweeds and mushrooms, and all superior vegetables or plants.

Size Diversity

The size of vegetables may range from a few microns, such as microorganisms, to more than 80 meters, such as the huge Californian sequoias, and to even 150 meters such as the giant Australian eucalyptus, which are regarded as being the tallest trees in the world. But there is a vegetable which still exceeds these sizes: the giant sargasso, a seaweed that may reach up to 300 meters.

Volume Diversity

As for volume, the biggest tree in the world, and probably the oldest (it is supposed to be from 4000 to 5000 years old) is the Cypress of Moctezuma, which grows in the cemetery of Santa María de Tule, in the Mexican state of Oaxaca. The spanish conquistador Hernán Cortés and his troops camped under its immense, unique crown with a diameter of 132 meters, in the year 1519.

Habitat Diversity

Some plants grow in water, such as watercresses and water lilies; others grow in desert areas, such as the agave and the aloe; some of them grow in cold climates, such as blueberries and raspberry canes; others grow in warm climates, such as the lavender and the fig tree; some in polar zones, such as moss and lichen; others in tropical areas, such as the avocado tree and the guaiac.

Diversity of the Life Span

Vegetable life widely varies. Some bacteria live only for a few minutes; Bermuda grass and other lawns may just live for a few days when there is drought. However, fir

The famous "Cypress of Moctezuma," also known as "Tree of Tule," grows in the beautiful Mexican state of Oaxaca. According to the information offered to visitors, it is 41.8 meters high and its gigantic trunk reaches 14 meters in diameter. Its volume is calculated to be 816.8 cubic meters, weighing 636.1 tons, and is thus the most voluminous tree in the world (though not the tallest), and probably the heaviest and most voluminous living thing on planet Earth (the largest whales do not exceed 150 tons in weight).

Botanically it is an ahuehuete, a variety of cypress, of the family of Taxodiaceae.

The whole earth is an immense garden, or at least that was the wish of its Creator. However, besides being ornamental, flowers and plants, many of them with medicinal properties, greatly contribute to the welfare and health of humanity.

size. Among them, the spirulin (an alga) has outstanding medicinal properties. When we eat it, we are consuming millions of individual cells, all of them identical. It is quite logical that we are unable to distinguish any different parts in these living beings.

- **Thallophytes** are vegetables whose body or thallus usually consists of multiple different cells, yet similar to each other. These plants do not have true tissues and organs, nor roots, stems, leaves or flowers. This is demonstrated in algae, fungi and lichens. The thallus of kelp, of Iceland moss, of Irish moss, and of bladder fucus, also called wrack, are used for medicinal purposes.

- **Embryophytes** are superior vegetables, commonly known as plants. They consist of millions of cells, and seventy or eighty classes may be observed in these vegetables. Each type of cell specializes in certain functions, thus forming the diverse organs or parts of the plant: the root, the stem, the leaves, the flowers, etc.

Shape Diversity

The shape of vegetables also presents a wide range of contrasts, varying from the delicacy of a violet to the aggressiveness of a cactus; from the simplicity of thyme to the sophistication of an orchid. And what could we say about their color, about all the different green tones of their leaves, all of them similar but not exactly the same? What about the wide color range of flowers, which are made up of the entire light spectrum?

Have you ever seen an unpleasant plant? In all of the immense richness of their shapes, colors and tones, each vegetable keeps harmony, a charm and a balance of its own. Besides, many of them serve as food and heal our diseases.

trees live up to 800 years, and chestnut and olive trees can live for one thousand years.

In a graveyard in Yorkshire, England, there is a yew tree which is supposed to be 3000 years old. There are sequoias in California and baobabs in Africa which are over 4000 years old. These venerable trees are still alive having witnessed the rise and fall of great empires and civilizations, as well as many different human works.

However, the lifetime record is held by a dragon tree which grew in La Orotava Valley, on the island of Tenerife, Spain. This tree was uprooted in 1868 by a hurricane. In its trunk, more than 5000 rings were observed (reflecting 5000 years of age!). No other tree is known to have exceeded that age.

Structure Diversity: From a Single Cell to Millions

- The simplest vegetables or **schizophytes** consist of a single cell of microscopic

Diversity of Medicinal Properties

The great richness of the vegetal world can be seen in the many medicinal substances that plants synthesize; in a range that goes from antibiotics, such as garlic and capuchin to heart-stimulants, such as cactus and foxglove, as well as sedatives such as poppy and valerian, antirheumatics such as devil's claw, energizing such as ginseng and rosemary. Their scope of properties practically meets all needs. "Prairies and hills are the best pharmacies," said Paracelsus, the renowned sixteenth century Swiss naturalist and physician.

Only One Origin

Are we conscious of the merit of our house's architect? Order cannot ever be born from chaos, even after millions of years. Pure chaos just gives birth to increasing disorder.

In order to cause and keep harmony, the direct action of a Superior Intellect is needed. When penetrating deeper into the study of the vegetal world, we cannot help but acknowledge the action of the universe's Creator, who designed the "buildings" (living entities) and distributed their "bricks" (cells) in perfect order.

Parts of the Plants

Active substances are unequally distributed among the diverse parts or organs of a plant, because of the specialization of its cells. Knowing that valerian has sedative properties is not enough: we must know which part of the plant should be used. In some cases, all parts of a plant contain the same active principles, and there is no difference in which part we use. However, of it, we may also find the following cases:

- That medicinal active ingredients are concentrated in **a single part** of a plant, for instance, only ginseng root contains invigorating substances.

- That **each part** of a plant produces **different substances,** and therefore has different properties. On orange trees, the flowers are sedative and the fruits are invigorating, while the orange tree bark has digestive and appetizer properties.

- That **some parts** of a plant produce **medicinal substances,** while **other** produce **toxic elements** instead. This is the case with the root of common comfrey, which is an excellent cicatrizant (wound healing agent) because of its content in alantoine, while its stem and leaves contain a toxic alkaloid that makes these parts quite poisonous.

The WHO (World Health Organization) considers as a "medicinal herb" any vegetable containing in one or more of its organs, any substance that can be used with therapeutical aims, or as raw material for chemical-pharmaceutical synthesis.

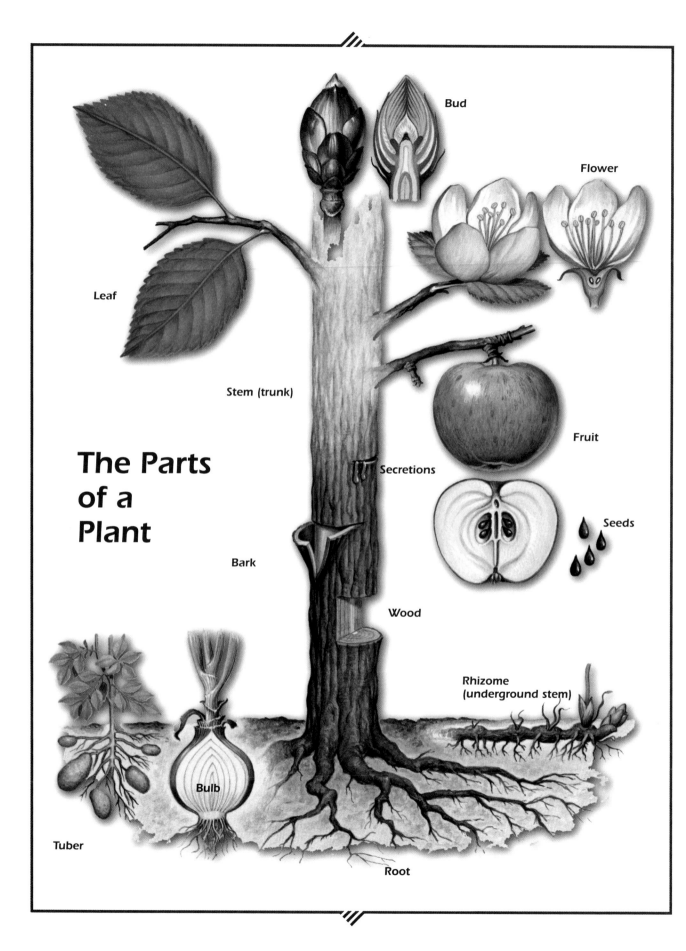

Bud

Flower

Leaf

Stem (trunk)

Fruit

The Parts of a Plant

Secretions

Seeds

Bark

Wood

Rhizome (underground stem)

Bulb

Tuber

Root

Therefore, and according to what we have said, you should know and be able to identify each one of the parts or organs of a plant.

The Root

The root is the organ in charge of absorbing water and minerals from the soil, and pumping them up to the leaves in order to feed the whole plant. All plants usually produce starch, inuline and other sugars (also known as carbohydrates), which are stored in the roots, as in the case of chicory, artichokes, burdock, carline, dandelion, echinacea, jalap, rhatany, and yellow goatsbeard.

The root of other plants, however, also synthesize alkaloids (for example, ipecac, rauwolfia), glycosides (for example, monkshood, hound's tongue, echinacea, saxifrage) or vitamins (such as carrots).

In some cases only the root bark is useful, because the active components are more concentrated in it. This is the case of the guava tree, common barberry, boxwood, and New Jersey Tea.

The Rhizome

The rhizome is an underground stem which looks like a root, but actually grows horizontally instead of vertically. It also stores carbohydrates and nutrients as well as active components. In many cases (bistort, sweet flag, turmeric, witch grass, iris, female fern, rhubarb), the rhizome is preferred to true roots.

The Bulb

The bulb is an underground stem which consists of many overlaying layers. Sulphur essences (garlic, onion), aromatic substances (Madonna lily) or alkaloids (meadow saffron) can be found in bulbs.

The burdock ("Arctium lappa" L.) is one of the plants whose root is richest in active components: it contains antibiotic, diuretic and hypoglycemiant (which diminish the level of sugar in the blood) substances.

The Tuber

A tuber is an underground stem which specializes in storing reserve substances, for instance, that of the early purple orchid, whose tubers produce a medicinal flour.

The Bark

The bark is a layer which covers the stem and the roots. Many active substances are stored in it (common alder, cinnamon tree, sacred bark, condurango, alder buckthorn, cinchona, oak tree, yaw tree, etc.)

Apart from beauty and a fine scent, flowers provide diverse active components with medicinal action: essential oils, alkaloids, pigments, and glycosides.

Bud

Each bud is a would-be branch, leaf or flower. It contains essences and resins. Phytotherapy uses, for instance, buds of the silver birch, the fir tree, the black poplar and the pine tree.

Leaves

The leaves are a kind of chemical laboratory for the plant, where **photosynthesis** takes place. Photosynthesis is the whole set of chemical processes by which the plant produces complex chemical substances from inorganic substances of the air and the soil. The cells of leaves contain chlorophyll, a substance that absorbs sunlight energy, turning it into chemical energy.

The leaves **produce most of the plant's active components,** especially alkaloids, essences, glycosides and tannins. Therefore, leaves are **the most used parts of medicinal herbs.** Some of the most useful leaves in phytotherapy are those of aloe, hazelnut tree, boldo, Mexican damiana, foxglove, bearberry, witch hazel, laurel, mistletoe, chestnut tree, olive tree, grapevine and bramble.

Flowers

Flowers are the reproductive organs of plants. They contains many active components: **essential oils** (false acacia, Madonna lily, capuchin, tansy, yaw tree), **alkaloids** (poppy, sand spurry, passion flower), **pigments** (corn-flower, rose), **glycosides** (cactus, calendula, hops, orange tree, black elder), and many others.

- **Stigma.** From some flowers, as in the case of saffron or corn, only stigmas are used (stigmas are the upper parts of the female reproduction organs of flowers, called pistils).

- **Amentus.** These are pendular bunches of almost always unisexual flowers, those of hazelnut trees are an example of the most used ones.

The Stem

The stem is a kind of highway connecting the root with the other parts of the plant. In some cases it contains active components (artichokes, sugar cane, spiked alpinia, horsetail, ephedra, asparagus). Stems can be **herbaceous** (in so-called herbaceous plants) or **woody** (made of wood) as in trees and shrubs. Wood is used because of its essences (camphor tree, cypress, quassia, guaiac), besides serving as charcoal after being burnt (black poplar, common beech).

Fruits contain, generally, vitamins, mineral salts, sugars and organic acids. Some fruits, such as those of the rowan ("Sorbus aucuparia" L.) also contain pectin, a vegetal fiber with a laxative action, and tannins with astringent properties. The result of such a combination of active components is a regulating and normalizing effect for intestinal digestion.

Fruits

The fruits are those vegetal organs which grow from flowers and cover seeds.

Fleshy fruits contain abundant **organic acids,** sugars and vitamins (common barberry, bilberry, caimito, cherry, hawthorn, black elder, bramble). Others are **dry fruits,** such as those of the *Umbelliferae* family, and contain **essential oils** (anise, cumin, parsley), while some are used because of their **latex** (opium poppy).

Berries are fleshy fruits which do not have pits.

Stalks

Stalks, also called peduncles, are the parts which hold flowers, fruits, or leaves (in this case called **petioles**) from a branch or stem. Those of the cherry and Venus' hair are used in phytotherapy.

Clusters

Clusters are the upper parts of a plant in which little leaves and flowers grow together. These are used together (wormwood, heather, wild marjoram, rosemary, thyme, European golden-rod, and in general all plants of the family of *Labiatae*). When these clusters consist of flowers in their main part, they are called **flower clusters.**

The Seed

In each seed there is a future plant, as well as one or two **cotyledons** containing nourishing substances. Seeds give **sugars and lipids** (hazelnut tree, oat, cocoa, corn, chestnut), **mucilages** (fenugreek, flax, fleawort) and **oil** (opium poppy, flax, fever plant, castor bean, grapevine).

Cereal seeds are called **grains.**

Secretions

Secretions cannot be regarded as proper parts of a plant, because they consist of liquid substances, more or less viscous, produced by vegetables.

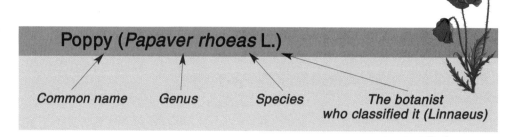

Poppy (*Papaver rhoeas* L.)

Common name   Genus   Species   The botanist who classified it (Linnaeus)

- **Latex,** milky in color and different from sap (opium poppy, celandine, fig tree, bitter lettuce, papaya).
- **Resin,** which is rich in balsamic essences (fir tree, asafetida, copal tree, guaiac, lentiscus, pine tree, etc.).
- **Sap,** which is the nutritive liquid of the plant (silver birch, agave, grapevine).

The Names of the Plants

How can the great variety of plants in the vegetal world be named in an orderly manner? And, how can they be classified? According to the color of their flowers, to the shape of their leaves, or maybe to the chemical substances they produce?

In ancient Greece, *Aristotle,* Theophrastus and Dioscorides thought about some plant classification and naming systems. Since then, other researchers and scientists have also tried to establish a universal system, however, with no success. Thus, the increasing number of used names and classifications made difficult any exchange of experiences, data and knowledge among botanists, pharmacists and physicians from different regions and countries.

In order to overcome this chaos, in 1753 the great Swedish naturalist and botanist Carolus Linnaeus, introduced a name and classification system for plants which has obtained worldwide recognition and success. It is called the **binomial system,** because it gives each species two names: the first is the **genus** name, while the second is the name of the **species.** Linnaeus had, like Adam in Eden, the privilege of giving names to all known plants. He used the Latin language, which, being a dead language, would not allow any deformation in names.

The common names of plants differ from one language to another. Even in the same linguistic region or area, plants are given different names. However, their Latin names, given by Linnaeus, remain

unchanged and were used worldwide. An homage to this great observer of Nature is the capitalized "L", followed by a full stop ("L.") after the scientific name of many medicinal herbs. This means that these plants were named and classified by him.

The Classification of Plants

Linnaeus classified plants according to the features of their reproduction organs. However, as botany progressed, especially by observation through microscope, the original system of Linnaeus was modified and improved till reaching its present form.

Species and its Varieties

The unit for classification is the species, which groups individuals with many similar features. Thus, the poppy (*Papaver rhoeas* L.) is, for instance, a species.

All poppies in a wheat field are alike. However, when we compare poppies growing, let us say in Spain, with those growing in Mexico, we will notice some differences. All of them are poppies, and belong to the same species, but they form different varieties.

The varieties that any species may present are a consequence of the kind of soil it grows in, of the climate and of the possible hybridizations or cross-pollinations it may have undergone. Its chemical composition is the same for all varieties, though there may be differences in the concentration of active components. Thus, for instance, the opium poppy that grows in Asia and the Middle East produces a larger amount of morphine than the European variety.

Genus

Similar species are grouped in genera. For instance, the poppy (*Papaver rhoeas* L.)

For each species there are many varieties.
For instance, the species "Rosa gallica" L. (the rose) has more than 10,000 varieties, and each of these produces roses with different features.

and the opium poppy (*Papaver somniferum* L.) belong to the same genus, *Papaver*. Both species produce similar alkaloids, though those of the opium poppy are more active.

Family

Several genera are grouped in a family. For instance, the poppy and the opium poppy, along with the greater celandine (*Chelidonium majus* L.) belong to the family of *Papaveraceae*. All of them produce a latex rich in more or less narcotic alkaloids.

Orders and Phylum

Several families are grouped in an order, the latter in classes, and classes are grouped in phylum.

According to Their Shape

Heart-shaped
Its shape resembles a heart.

Lanceolated
Its shape
resembles a spear.

Arrow-shaped
The shape of
these leaves
resembles
an arrow.

Bilobulated
This type of leaf is cut into
two lobules.

Hand-shaped
This is a compound
leaf, in which the
divisions are shaped
like the fingers of a
hand.

Ellipsoidal
With shape of ellipse.

Oval
Shaped as
an oval.

According to Their Nerve System

Parallelinerve
The nerves run parallel
along the leaf.

Penninerve
The nerves stem
from a central axis.

Curvinerve
The nerves
form a curve
along
the leaf.

Radial
The nerves stem as a radius
from a common center.

# of Leaves

According to the Edges

Whole
The border is straight.

Toothed
The border has tiny teeth.

Lobulated
The border has cracks which form lobules.

Divided
The cracks of the border reach the central nerve.

Split
The cracks of the border almost touch the central nerve.

According to the Position on the Stem

Petioled
These leaves join the stem by means of a petiole.

Alternated
These are petioled leaves which grow one at a time along the stem.

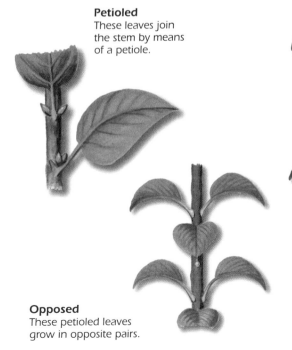

Opposed
These petioled leaves grow in opposite pairs.

Sessile
These leaves do not have petiole. When they grow embracing the stem their are called decurrent leaves.

Anatomy of Leaves

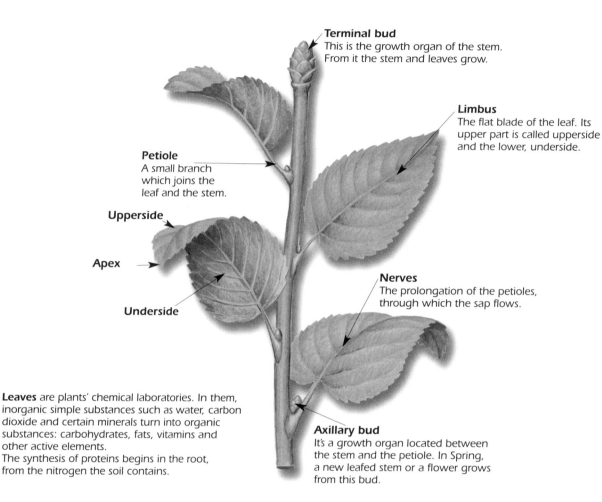

Terminal bud
This is the growth organ of the stem. From it the stem and leaves grow.

Limbus
The flat blade of the leaf. Its upper part is called upperside and the lower, underside.

Petiole
A small branch which joins the leaf and the stem.

Upperside

Apex

Underside

Nerves
The prolongation of the petioles, through which the sap flows.

Leaves are plants' chemical laboratories. In them, inorganic simple substances such as water, carbon dioxide and certain minerals turn into organic substances: carbohydrates, fats, vitamins and other active elements.
The synthesis of proteins begins in the root, from the nitrogen the soil contains.

Axillary bud
It's a growth organ located between the stem and the petiole. In Spring, a new leafed stem or a flower grows from this bud.

Microscopic Section of a Leaf

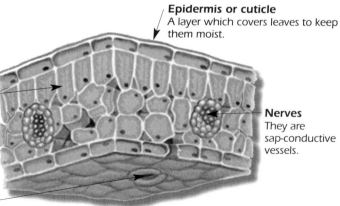

Epidermis or cuticle
A layer which covers leaves to keep them moist.

Parenchyma
Formed by cells containing abundant chlorophyll, which give leaves their green color.

Nerves
They are sap-conductive vessels.

Stomas
Little holes located in the underside of the leaf, through which carbon dioxide is absorbed and water vapor and oxygen eliminated. Stomas are surrounded by lips which act as valves, opening and closing to control the flow of gas, according to the plant's needs.

Types of Roots

Besides attaching the plant to the ground, the root absorbs nutrients and water
from the earth through tiny absorbent hairs located at the tips of its branches.

Common root

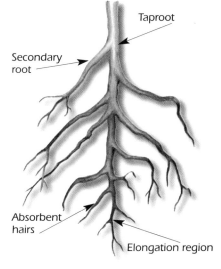

Taproot

Secondary root

Absorbent hairs

Elongation region

Tuber root
It produces swellings called tubers,
in which carbohydrates, proteins and
other reserve nutrients are stored.

Turnip-shaped root
With a conic
shape, it also
stores reserve
nutrients.

Woody root
With gross, hard
ramifications.

Fasciculated root
The secondary roots grow
together at the base of the
stem and are all similarly
sized.

Bulb
The bulb is not
actually a root,
but an underground
bud which
consists of fleshy
leaves arranged in
superimposed layers.

Adventitious roots
Those which grow directly from an air stem or
an underground stem or rhizome.

Types of Stems

The stem connects the root and the leaves,
and contains conductive vessels through which the sap flows.

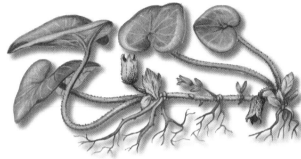

Woody stem
The cellulose which covers
the cells of woody stems
(trunks) is soaked with
lignin.
This substance gives
the cellulose
the thickness of the wood.

Underground stem or rhizome
This is a stem which grows underground. Though it resembles
a root, actually it is not.

Herbaceous stem
A fragile stem, because
the cellulose covering
its cells is not soaked
with lignin. Chicory
and other annual
plants have
this type of stem.

**Succulent
stem**
It is sizable,
spongy and
without leaves.
This stem stores
a high amount
of water, such
as the cactus
and other
desert plants.

**Climbing
stem**
This one
is not
consistent
enough to
keep itself
upright, thus
it grows on
other plants,
securing itself
by means of
tendrils.

Cane
An herbaceous stem,
cylinder-shaped
and hollow, with
well-marked nodes.

Creeping stem
It grows horizontally on the ground.

Types of Inflorescences

Inflorescences are groups of flowers which grow from a common peduncle.

Spiked
It consists of groups of flowers growing directly from the stem.

Flowerheads
Flowerheads are groups of small flowers joined by the same peduncle. Flowerheads appear to be a single flower, however they consist of many.

Corimbus
It consists of flowers whose peduncles grow from different points, however reaching the same height.

Aments
A hanging spike, consisting of very small flower.

Umbels
Umbels consist of flowers whose peduncle grows from a common point.

Compound umbels
It consists of several simple umbels.

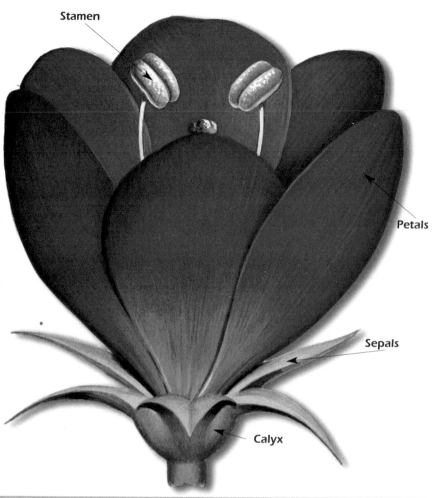

Stamen

Petals

Sepals

Calyx

The flower is the reproductive organ of **fanerogamous** plants (with flowers). These plants are divided into two groups: **gymnosperms,** whose seeds are uncovered (with no fruit, such as the pine tree and other Coniferae) and **angiosperms,** whose seeds are covered by a more or less fleshy fruit. The flowers of angiosperm plants are the largest and most beautiful.

Types of Flowers

Bell-shaped
Its corolla (the compound of petals) resembles a bell.

Lip-shaped
The petals form two lips, an upper one and a lower one.

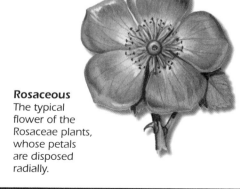

Rosaceous
The typical flower of the Rosaceae plants, whose petals are disposed radially.

# of a Flower

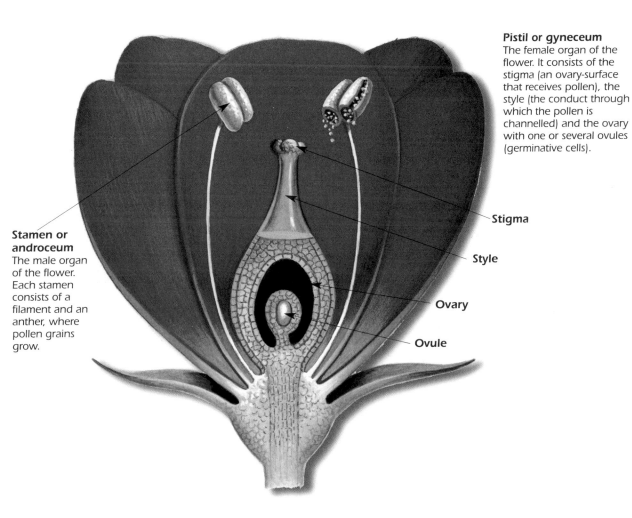

Pistil or gyneceum
The female organ of the flower. It consists of the stigma (an ovary-surface that receives pollen), the style (the conduct through which the pollen is channelled) and the ovary with one or several ovules (germinative cells).

Stigma

Style

Ovary

Ovule

Stamen or androceum
The male organ of the flower. Each stamen consists of a filament and an anther, where pollen grains grow.

A Grain of Pollen

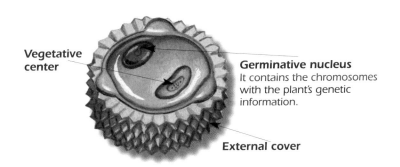

Vegetative center

Germinative nucleus
It contains the chromosomes with the plant's genetic information.

External cover

The fecundation of flowers
In order for fecundation (fertilization) to take place, to form the seed and then the fruit, a grain of pollen must Fall on the stigma of the flower. When the pollen and the flower belong to the same species, the pollen produces an elongation which goes down the style to the ovary. There, the male pollen chromosomes join the female ovule chromosomes, thus forming the seed and the fruit.
Plants with flowers reproduce sexually. This means that there are two parts, male or female, which must join to give birth to a new plant.

Guardians or Killers?

Endangered Plants

Plants are *indispensable* life agents of the Earth. All animals and human beings depend on green plants for food, because plants are *the only* living beings able to take advantage of solar energy and which produce carbohydrates, proteins, fats, vitamins and other organic substances.

Plants make decisive contributions to the *ecological balance* and to the preservation of the *environment.* They prevent soil erosion, store water and fertilize the ground.

Plants are a very important source of medicinal substances.

Each one of the 390,000-odd vegetal species living on the Earth is a different living form, with its own, unique genes. When any species disappears or becomes extinct, there is an irreparable loss in mankind's biological heritage.

Human beings, who should be the guardians of this biodiverse legacy conferred upon us by the Creator, often become its killers. According to the International Union for Nature Preservation, 20% of the 390,000 species all over the world (some 78,000) are endangered and may disappear. The Smithsonian Institution of the United States calculates that out of the 20,000 different seed or flowering species living on the continent of the United States, ten percent (some 2,000) have already disappeared, are endangered, or at risk.

What are the causes of such vegetal species disappearing? According to the *Red Book of Endangered Vegetal Species*, published by the Ministry of Agriculture of Spain, these are some of them:

- Forest **fires.**

- **Tourist development** of coasts and mountain lands.

- Water, soil and air **pollution** (because of farm herbicides).

"Forests appear before civilizations. Deserts follow civilizations."
François-René Chateaubriand (1768-1848), French author and politician.

Gathering, not Plundering

- *Gather only in those **places** where this practice is **allowed,** never in natural or national parks, nor in biological reserves.*

- ***Respect protected species,** for they are endangered (get information from the agriculture authorities of the area first).*

- *Gather only **small amounts** of plants, especially when they are not abundant.*

- *Gather, but do **not kill or uproot** the plants if possible.*

When we maintain and protect the plants of our planet, we are helping to cure and alleviate many present and future illnesses, among other things.

- Amateurs **gathering** rare species.
- **Building** of dams, highways and roads.

Could we imagine how significant the loss of the *Cinchona* trees in South American forests would have been, if they had been razed by bulldozers before quinine, which prevents malaria, was discovered? What if those beautiful flowers of the foxglove family had been prematurely gathered before the heart-stimulant glycosides which have healed so many people with heart disease had been discovered?

Let us *all* do our part to preserve vegetal species in the best way. And if we go out gathering plants, let us bear in mind the advice for gathering, not plundering.

Gentian ("Gentiana lutea" L.) is one of many endangered plants, so it never must be picked.

The picture on the left shows the fantastic Iguazu Falls, on the border between Brazil and Argentina. South America houses the largest forests on the planet, a true vegetal reserve which hides many botanical-medicinal secrets. This is why the Amazon forest has been called "the largest pharmacy in the world."

According to the Holy Bible, plants were the first to be created and could thus exist without animals and human beings. However, animals and human beings could never survive without plants.
To respect and protect them is one of our duties as inhabitants of the Earth.

Photosynthesis
The Chemical Basis of Life on Earth

Photosynthesis takes place in two phases:

First phase:

$$6 H_2O + 6 CO_2 \longrightarrow C_6H_{12}O_6 + 6 O_2$$

Water + Carbon dioxide = Glucose + Oxygen

Second phase:

$$n (C_6H_{12}O_6) \longrightarrow n (C_6H_{10}O_5) + n (H_2O)$$

Several glucose molecules together = Starch + Several water molecules

From two inorganic substances, water (which plants absorb from the soil) and carbon dioxide (a gas which is absorbed from the atmosphere), plants produce first glucose and then starch, two organic substances that are part of living beings. From the glucose, the mineral nitrogen, and other soil elements, vegetables produce all substances that form them through a complex series of chemical reactions.

This formidable chemical reaction, photosynthesis, is possible only due to chlorophyll, a green pigment which is only found in green plants and acts as the catalyst for the reaction.

Photosynthesis is the chemical basis of life on earth, and though it seems quite simple, it has never been reproduced in a laboratory by any means. Thanks to photosynthesis, simple elements become complex: inorganic substances become organic substances. In other words: dead elements—from the soil and the atmosphere—are transformed into living compounds—vegetables.

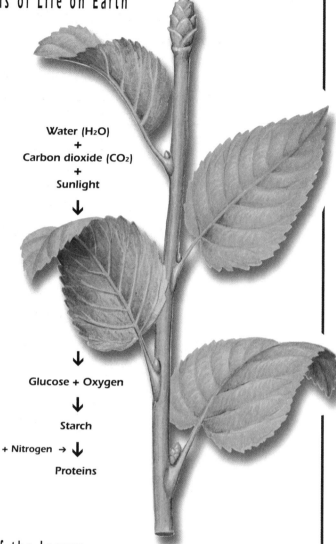

Water (H₂O)
+
Carbon dioxide (CO₂)
+
Sunlight
↓

Glucose + Oxygen
↓
Starch
+ Nitrogen → ↓
Proteins

Functions of the Leaves

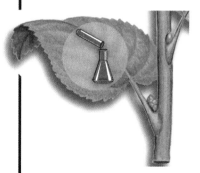

1. Production of sap from the substances absorbed by the root.

2. Production of oxygen and water vapor, as result of photosynthesis.

3. Storage of nutrients such as starch, sugars, vitamins, etc.

Methods for Distilling Essences

• **Distillation:** It is done by means of a device called a still. The water inside the still is heated to boiling point. The volatile active ingredients of the plants which lie over the water are carried by the water vapor. That vapor, which contains the active principles of the plants, passes through a refrigerating circuit where it cools and condenses, forming a liquid. Once the process has ended, when steeping the distilled liquid, two fractions are separated by decanting the liquid into:

- **essential oil** (essence), which forms the upper layer because of its low density, and its insolubility in water, and;

- **floral water** (hydrosol), which is the condensed water vapor, along with the watersoluble substances it has carried. There are also small amounts of essential oils present in suspension in the flower water. Floral waters are used mainly to make perfumes, although research is currently examining their medicinal applications.

• **Expression:** The application of pressure on the active parts of the plant until the essence is extracted. This method is especially used to obtain the essences of citrus rind (orange, lemon and tangerine).

• **Extraction with solvents:** The aromatic elements of plants are dissolved into a volatile solvent, which is later evaporated, leaving a dry residue called **absolute essence.**

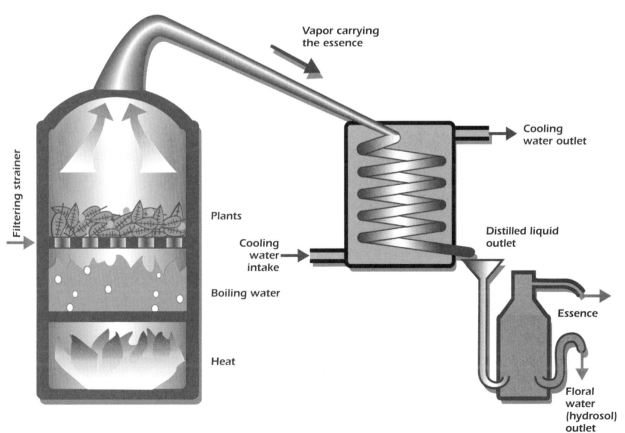

Still for the Distillation of Essential Oils or Essences

The Art of Preparing Herbal Teas

1. Put the part of the plant to be used in an suitable container. The plants may be loose or placed into a tea strainer or a small bag. The usual method is to first introduce the plants, and then pour water over them, but this can also be done the other way round.

2. Blanch the plants with almost boiling water.

3. Drink the infusion after letting it steep and cool in a covered container to avoid loss of active ingredients through evaporation.

Fomentations
Method of Application

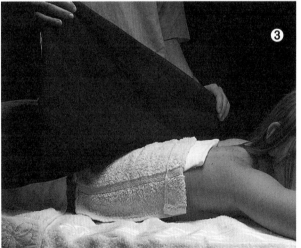

1. Prepare one or two liters of **infusion or decoction** of the plant. It is usually better if they are slightly **more concentrated** than usual (50 to 100 g per liter of water). From five to ten drops of **essence** of the plant may be also added to one or two liters of hot water.

2. When the liquid is **hot,** soak a **cotton cloth or towel** (picture ❶).

3. **Wring** out the cloth, then apply it to the affected area, protecting the skin with **another dry cloth** (picture ❷).

4. **Cover** these two cloths with a **woollenblanket** to maintain the heat. Wool preserves heat better, even when wet or soaked (picture ❸). Care should be taken that the person is not burned.

5. After **three minutes**, when the cloth begins to cool, soak it again in the hot liquid.

6. The application of fomentations must take place for **15 to 20 minutes.** To finish, **rub cold water** on the affected area.

Safe Use of Medicinal Herbs
The first step is to adopt a healthy lifestyle

Before applying any plant regularly or continuously (as with any other medicine), one must bear in mind the following points:

1. **Look for the causes of the disease,** even when symptoms seem to lack significance. Taking any plant (as with any other medicine) with the sole aim of easing or neutralizing certain symptoms may merely produce a temporary healing.

However, when the cause of the symptoms is not attacked, the disease will continue to develop until it appears with greater intensity, and then it may be too late to cure it.

When a strange symptom appears, it is better to ask for a *professional medical diagnosis* to be carried out, with *scientific* means and procedures. Only after that can a medicinal herb based treatment or any other cure be safely applied.

2. **Give up bad health habits.** When disorders or symptoms are due to unhealthy habits, or to an unhealthy lifestyle, treatment with plants will be less than useless, and it even may be harmful by masking certain symptoms while their cause develops.

The **first step** to restoring health should be the adoption of a **healthy lifestyle,** and the avoidance of bad habits. Taking mucolythic or expectorant plants to heal bronchitis is useless if a person continues smoking or breathing polluted air.

Most of the chronic diseases in developed countries are directly related to poor eating habits and the consumption of toxic substances such as tobacco, alcoholic beverages, and other drugs.

3. **Use only well-identified plants.** It is recommended and safest to make sure that plants are bottled and correctly labelled under the auspices of a pharmaceutical laboratory or professional.

The laws of many countries, including the European Union, forbid the sale of medicinal herbs by peddlers.

4. **Avoid self-prescriptions.** It is best that plants are prescribed or recommended by a competent physician.

Notwithstanding, the health laws of most countries list certain plants which may be freely used without a medical prescription. In this case, we recommend **responsible self-prescription:** one decides which plants are going to be taken, but in a responsible way. First, educate yourself on the properties of the plants as well as the precautions that their use requires.

5. **Be cautious when taking a plant for long periods of time.** As a rule, avoid the continuous use of any plant for more than two or three months. When the condition seems to require this, it is better to be informed on possible undesirable side effects of the plant. Requesting medical counsel is also advised.

6. **Care must be taken with pregnant women and with children.** As with all medicines, extreme caution is required when any medicinal herb is to be given to pregnant women and children (see pages 101-102).

Practical Cases

1. Look for the cause of the illness

John was a robust man, aged 55, who had never suffered serious illness. More than a year ago, he lost his appetite, and certain foods, such as meat, made him nauseous.

He prescribed for himself some plants that a neighbor recommended. He was assured they were quite effective in the recovery of appetite. During the first months he improved. However later, though he had no pain, his appetite did not improve, and he lost weight. Finally he decided to see a doctor.

An endoscopic exam of his intestine revealed that the cause of his lack of appetite was stomach cancer. The tumor was too large for successful surgical results.

This is a typical case of stomach cancer. Had John consulted the cause of his symptoms when they appeared, the prognostic of his disease would have been more favorable.

2. Avoid bad health habits

Steve was a truck-driver, who spent many hours driving. He suffered from hemorrhoids, which quite often became swollen and bled.

Steve liked spicy foods with chili and pepper. He seldom ate fruit. When he ate spicy meals, he noticed that his hemorrhoids worsened. He discovered some plants recommended at a natural remedy store. Using them in hip baths, he obtained much relief. He continued eating spicy meals and taking hip baths.

Nonetheless, the hemorrhoids worsened and one day he felt an intense pain which neither the plants nor any other remedy could alleviate. His doctor sent him to a surgeon: the diagnosis was hemorrhoid thrombosis, a very painful complication of hemorrhoids.

Had Steve adopted healthier eating habits, his hemorrhoids would not have worsened, and the medicinal hip baths he used would have been enough to improve and even heal his ailment.

An adequate use of medicinal herbs, as well as the adoption of healthy life style habits may prevent weakness of our bodies from evolving into open diseases.

Aromatherapy (1)
The Therapeutical Use of Essential Oils (Essences)

The Power of Aroma

Before reaching the lungs and passing into the blood, the molecules of the essence stimulate the olfactory (smell) cells in the **nostrils** [1].

These cells are actually neurons, which through the olfactory nerve send electric pulses with the coded smelling message. The **smell nerve** [2] carries the stimulus to different parts of the brain: the amygdala and the hippocampus of the **temporal lobe** [3], where scent memory lies; the **thalamus** [4], where emotions lie, and overall, the **hypothalamus** [5], and, throughout it, the **hypophysis** [6], the regulating center of hormone production for the whole body.

The relationship between the olfactory nerve, the thalamus, the hypothalamus, and the hypophysis could explain the well-known regulative effects of aromas on the neuro-hormonal system.

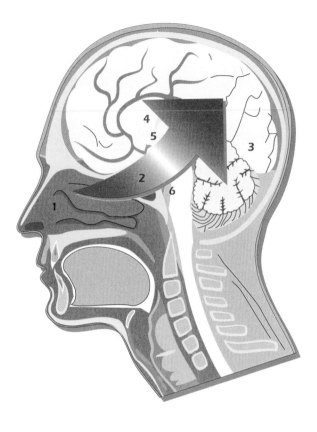

Aromatherapy, which literally means "treatment by means of aromas," is actually one of the methods of phytotherapy ("treatment by means of plants"). The healing properties of essential oils were known in ancient times, though only in an empirical way. Today, we know the reason why essential oils produce certain physiological effects on the body. However, there is much research still needed on how certain aromas influence the state of mind and even behavior.

In order to obtain good results, treatment with essential oils must last from one to three weeks, applied in any of the following four ways:

1. atmospheric diffusion
2. massaging the skin
3. essence baths
4. internal use

1. Atmospheric Diffusion

This is the most important way to take advantage of the healing properties of essential oils. These can pass into the air in several ways:

- By simple **evaporation,** by putting some drops on the back of the hand or over a **heat source,** such as a heater, and smelling the aroma. Also, a handkerchief or even a pillow may be impregnated with some drops of essence.

- By means of an **electric diffuser,** a small device which uses a vibrating mechanism to produce **vaporization** of the essential oil it contains. It has the advantage of working without heat, then the essence turns into vapor without undergoing the undesirable effects of heat. Ten to fifteen minutes of work are enough to fill a room with microparticles of vaporized essences.

(continued on next page)

The simple act of smelling the aroma of a flower affects the hormonal balance, the nervous system, the respiratory system, and even our state of mind.

Essential oils are mainly obtained by means of distillation in stills, as in the picture, which belongs to the Aroma and Perfume Museum (La Chevêche de Graveson-en-Provence, France).

In order to produce a good essence, certain degrees of art and patience are required. From one hundred kg of eucalyptus leaves, for instance, only two liters of essential oil are obtained.

Aromatherapy (2)

Create Your Own Environment Using Essences

*It is better to use **only one essential oil** at a time instead of mixing several of them.*
Depending on the desired effects, some environments may be created with one of the following essences:

- **Balsamic** environment for cases of sinusitis, laryngitis and certain respiratory diseases, with essence of eucalyptus, pine tree, thyme, or rosemary.
- **Relaxed and sedative** environment, for nervousness or insomnia, with essence of English lavender or orange. Both essences are especially recommended for nervous children who do not Fall asleep easily.
- **Stimulating** environment, with the essence of lemon, rosemary, peppermint or Winter savory.
- **Antiseptic** environment to prevent contagion in the case of influenza or colds, with essence of thyme, sage, eucalyptus, or cinnamon.
- An environment to **repel mosquitos** and other insects, with essence of balm or lemon verbena.
- **Anti-tobacco** environment, with the essence of lemon verbena, geranium, sassafras or English lavender.

Massage Using Essences

Depending on the desired effect, massage using one of the following essential oils:

- **Stimulating** massage, preferably in the morning, after a cold shower, with essence of rosemary, geranium, lemon or pine tree.
- **Relaxing** massage, applied at night after a hot shower or bath, with essence of English lavender, marjoram, camomile or orange.
- **Digestive** massage, applied to the stomach after every meal in order to avoid gases and digestive problems, with caraway, marjoram, or English lavender oil.
- **Respiratory** massage, applied to the chest and back, and recommendable in case of colds, bronchitis, asthma, and cold coughs, with essence of pine tree, eucalyptus, English lavender, rosemary or cypress.
- **Analgesic** massage, on the legs or the back, to alleviate muscular or joint aches, with essence of rosemary, juniper, pine tree or marjoram.
- **Circulatory** massage, to improve the return of venous blood in the case of varicose veins, swollen legs, or cellulitis, with essence of cypress or lemon.

(continued from previous page)

2. Topical Application

Rubbing essential oil on the skin makes it penetrate, soaking the tissues and passing finally to the blood and lymphatic system. The proper effect of the essential oil is enhanced by rubbing, which is when the results are notable. When essential oils are applied by friction to the skin, the following points should be remembered:

- **Massage** the chest, the stomach, the back, the neck, the arms, and the legs.
- **Avoid any contact** of the essential oil with the mucosa of eyes, mouth, and genitals.
- For normal application, **20 to 30 drops** of essential oil are enough. The oil must be applied to the hands of the person rubbing.
- In the case of **sensitive skin,** the essence may be **diluted** by mixing it 50/50 with olive, wheat germ, or bitter almond oil.

Besides producing a pleasant sensation of well-being, the inhalation of essences (aromatotherapy) may exert notable medicinal actions: restore sleep in cases of insomnia, balance the nervous system when dealing with depression or fatigue, increase breathing capacity, and normalize blood pressure, among other things.

3. Baths with Essences

The essential oils mentioned in previous treatments may be also added to bath water. Three to ten drops per bathtub are used.

Essences are also added to the water of vapor inhalations. In this case, two or three drops are enough.

4. Internal Use

Though it is not the ideal method of application, essential oils may be also taken orally as a complement to any of the previous treatments. The same essence used for diffusion, massage, or baths may be taken to reinforce its effect, but it should be noted that:

- Essential oils are highly concentrated active principles, consequently **their doses must not be exceeded.** Generally these doses are one to three drops, three or four times a day.

- Never take an essential oil for **more than three weeks.**

- **Children under six** should not take essential oils. They should rather take hydrosols.

- Essential oils should be taken in any of the following ways:
  - Pouring drops on the back of the **hand.**
  - Pouring them on a spoon **with honey.**
  - Pouring them into a glass with **lukewarm water** (never hot water, because the active components decompose with heat).

Abortive Plants

Warning: None of the so called abortive plants suffice to produce an abortion. There is an old sentence attributed to Hippocrates which reads: "There are no abortive substances, but those which are toxic for both the mother and the fetus."

Provoking an abortion with any of these plants requires such a high dose that they will surely cause intoxication in the mother with severe undesirable effects such as intestinal colics, vomiting, nervous excitation, convulsions, etc. There have been cases of pregnant women who have died when trying to produce an abortion with plants.

When we point out "abortion risk" in the table of plants to avoid during pregnancy (p. 43) we do not mean the plant is abortive in absolute terms, but that it increases the risk of an abortion in women who are already predisposed to it because of any other reason, known or unknown.

Trying to produce an abortion with toxic plants puts the mother, as well as the fetus, at a severe risk of death.

The Importance of Correct Dosage

For **toxic plants** (such as foxglove) the **toxic dose** is **very close to the therapeutic dose,** thus the margin of safety is very narrow. A **double** dose of that recommended as therapeutic may provoke **toxic effects,** and a **triple** dose may cause **death.**
However, in **non-toxic plants** (such as thyme) one can take **ten times the recommended dose** without suffering significant symptoms, as there is no fatal dose: no matter what the amount of plant is taken, as **there is no risk** of it causing poisoning.

Plant	Used part	Therapeutic dose	Toxic dose	Deadly dose
Foxglove (example of **toxic** plant)	Dried leaves powder	1 g (daily)	2 g (vomiting, bradycardia, diarrhea)	3 g (cold sweat, convulsions, arrhythmias of the heart, heart failure)
Thyme (example of **non-toxic** plant)	Flower clusters	20 g (daily)	200 g (minor symptoms: excitation, nausea)	None

Plants to Avoid During Pregnancy

Sage

During pregnancy all toxic plants, as well as the following, must be avoided.

Plant	Reason
Alder buckthorn	Laxative/purgative, produces pelvic congestion
Aloe	Oxytocic, produces uterine contractions
Boldo	Not proven, but it can affect the fetus
Boxwood	Can produce vomiting and nervous irritation
Cascara sagrada	Laxative/purgative, produces pelvic congestion
Coffee tree	Decreases fetal growth
Fraxinella	Emmenagogue, risk of abortion
Jalap	Purgative and emmenagogue, risk of abortion
Licorice	Produces hypertension and edema when used for long periods
Mugwort	Emmenagogue, risk of abortion
Parsley	Emmenagogue, risk of abortion
Pomegranate	Toxic alkaloids, possible fetal alteration (bark)
Rhubarb	Purgative, produces pelvic congestion
Saffron	Risk of abortion when taken in high doses
Sage	Oxytocic, contracts the uterus
Tansy	Emmenagogue (tuyone), risk of abortion
Tinnevelly senna	Purgative, produces uterine contractions
Watercress	Risk of abortion
Wormwood	Emmenagogue, risk of abortion

Children, like pregnant women, must be careful when using any plant or medicine.

Plant Toxicity

Accidents related to the use of diverse plants in general, and with medicinal herbs particularly, are not rare. Children mostly suffer from this kind of poisoning, which may be deadly. It is important to know how to prevent plant poisoning, and how to act when the event occurs.

Causes of Toxicity

Plant toxicity usually occurs due to:

- **mistaking** a poisonous plant for a medicinal one, or
- administering an **excessive dose** of a potentially toxic plant.

Prevention

It is better to avoid poisoning rather than treat it. In order to avoid toxic reactions one must:

1. Positively **identify** any plant before taking it. Be very careful with plants other people give us, or that of alleged botanical experts.

2. **Weigh the dose** of the plant to be administered.

3. **Watch children** when going to the countryside. Most cases of poisoning occur in children who suck or chew on flowers and plants.

4. **Never plant toxic species** in gardens, or in places where children may visit.

How To Obtain the Best Results From Plants

The best results are obtained by using plants combined with other natural agents that offer medicinal action, such as **water** (hydrotherapy), **the sea** (talasotherapy), **the sun** (heliotherapy), **medicinal soils** (geotherapy), **physical exercise** and **healthy food** based on vegetal products.

Moreover, a healthy lifestyle is required, which means **avoiding tobacco,** alcoholic beverages, and other drugs.

The **combined action** of all these factors is a notable stimulant on the defensive and health mechanisms of the body, which will finally overcome the disease.

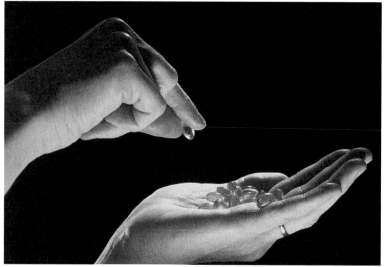

In vegetal remedies, the active components have the advantage of being combined with many other substances that appear to be inactive. However, these complementary components give the plant as a whole a safety and efficiency much superior to that of its isolated and pure active components.

Furthermore, the efficiency of medicinal herbs increases when they are used within the frame of natural revitalizing treatment.

A Pioneer of Modern Phytotherapy

In the late nineteenth and early twentieth centuries, physicians still prescribed medicines based on very energetic chemical substances, some of which were recently discovered and at present are regarded as poisonous: **calomel** or mercuric cyanide (with strongly purgative action), **tartar emetic** (vomitive), **strychnine** (toxic excitant), or **arsenic salts** (against syphilis and other infectious diseases).

The developments of the newly-born **chemical and pharmaceutical industry,** both in Europe and in the United States, had brought about great social enthusiasm. The ongoing discovery of more and more powerful new medicines, though not less toxic, seemed to promise a near future in which there was to be a specific pharmacological product to treat every disease.

Within that environment of pharmacological euphoria, when all scientific interest was placed on chemically synthesized medicines, Ellen G. White, an outstanding American author with great teaching and preventive ability, wrote: *"There are simple herbs that can be used for the recovery of the sick, whose effect upon the system is very different from that of those drugs that poison the blood and endanger life."* *

This pioneer of modern phytotherapy recommended the popular use of certain medicinal herbs, advancing the current laws of most Western countries by more than 100 years, which allow the free use of certain plants without medical prescription, such as **hops** infusion (sedative), **foot baths with mustard** (to clear the head), **charcoal** (because of its detoxifying effect), and **pine, cedar,** and **fir trees** (for respiratory diseases).

Besides promoting the rational use of medicinal herbs as an alternative to the aggressive medicinal remedies used at that time, Ellen G. White emphasized a fact currently well-known in medical science, which however was a real novelty a century ago: **Health does not come naturally,** but through a healthy way of life, and especially, from nutrition.

Today, her central idea about health is truer than ever: the intelligent use of **natural agents** such as water, the sun, air, medicinal herbs, healthy food, as well as the adoption of healthy habits (physical exercise, adequate rest, good mental health, and trust in God) may do more for health than all powerful, chemically synthesized medicines or aggressive treatments.

* *Selected Messages*, Book 2, p. 288, Review & Herald Publishing Association, Washington D.C., 1958.

The adequate use of medicinal plants, along with other healthy life style habits, may prevent our inherent body weaknesses from becoming manifested diseases.

Cocoa, a stimulant, diuretic, and wound healing agent.

Aloe, an excellent healing agent for wounds.

Corn, a diuretic meal.

Nasturtium, an antibiotic plant.

One of the Mayan pyramids of Palenque (Chiapas, Mexico). The great native cultures of the American continent, such as the Mayan and the Aztec in Mexico, or the Inca in Peru, attained expertise in the knowledge and applications of medicinal herbs. The whole world has benefited from American medicinal herbs and vegetables, such as the cocoa tree, aloe, corn, and nasturtium, besides others, such as the tomato, or the potato.

"I request Your Majesty that no more physicians are ever allowed to enter New Spain (Mexico), as there are already sufficient medicine men there."

These were the words of the Spanish conquistador Hernán Cortés to Emperor Charles, the first of Spain and the fifth of Germany, in 1522, after having been successfully treated by Aztec physicians of a head wound which Spanish physicians were not able to heal.

It is evident that native medicine men knew well how to take advantage of the rich Mexican medicinal flora, a fact which gave them a notable advantage over their Spanish colleagues.

Medical science in general, and the use of medicinal herbs in particular, were truly developed in the Aztec, Mayan and Inca cultures, as well as among the North American natives.

In **Mexico,** capital of the Anahuac region, large botanical gar-

America

Echinacea, a natural stimulant of body defenses.

A view of the Bryce Canyon (Utah, USA). North American natives knew and respected the resources of nature, especially medicinal herbs. Modern scientific research has proved the effectiveness of many plants used by natives, such as echinacea, goldenseal, and witch hazel.

Goldenseal, quite effective against colds.

Witch hazel, which invigorates the veins and makes the skin more beautiful.

dens surrounded the Emperor's palaces, in which plants from the whole empire were grown.

Dr. José María Reverte Coma, professor of history at the Universidad Complutense of Madrid, recounts that in ancient Mexico there were different health science professionals:

• The *tlama-tepati-ticiti,* general physicians who healed with plants, baths, diets, and purgative or laxative substances.

• The *texoxo-tlacicitl,* who were expert surgeons.

• The *papiani-panamacani,* who were herb experts.

The Spanish explorers were astonished by the great diversity of new medicinal herbs—and food herbs—which the "New World" grew.

Dr. Diego Alvarez Chanca, a Spanish physician who accompanied Cortés on his first journey to America, was first to describe the potato, cocoa, corn, cassava, copaiba, guaiac, and brazilwood. Other people discovered cinchona, sarsaparilla, aloe, mandrake, rhatany, quassia, nasturtium, and many other medicinally interesting plants.

During the seventeenth and eighteenth centuries, different botanical expeditions left Europe in order to study the medicinal flora of America. Perhaps the most important of these expeditions was the one led by José Celestino Mutis in 1760. The arrival of the new medicinal herbs brought about a truly enriching revolution in the Old World therapeutics. Cinchona was to medicine what gunpowder was to war.

At present, research on the healing properties of American plants is still being conducted, based on the traditional uses that natives give to plants. The Amazon forest is an immense pharmaceutical store for mankind, many of whose resources are still unknown. This is another reason why, apart from the ecological and environmental ones, the rain forest must be preserved.

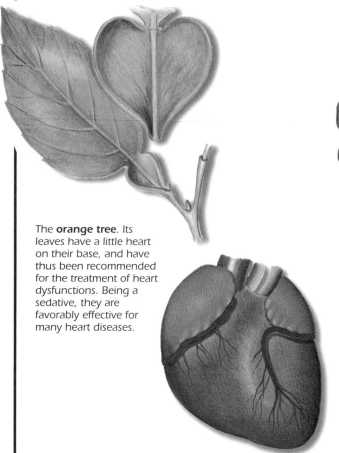

The **orange tree**. Its leaves have a little heart on their base, and have thus been recommended for the treatment of heart dysfunctions. Being a sedative, they are favorably effective for many heart diseases.

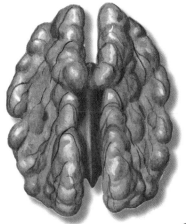

The **walnut tree**. The interior of its fruits resembles a human brain. Actually, walnuts contain phosphorus, an important element in the biochemistry of the brain and nervous system.

Ancient civilizations believed that from the features of plants they could discern their properties. This idea was already put into practice at the time of Hippocrates (fifth century B.C.): it was the so-called "theory of signs." Dioscorides himself was one of its fervent defenders. Paracelsus, a renowned Swiss physician and naturalist of the sixteenth century, said: *"Each and every vegetable is marked by nature, and to us, it is good for."*

The Theory of Signs

Like many of his contemporary colleagues, the sixteenth century Spanish physician Andrés de Laguna, who translated the *De Materia Medica* of Dioscorides into Spanish, believed that the duty of man was to discover the signs that the Creator had printed on plants as a means to decipher their virtues. Other great botanists and physicians also accepted this theory of signs during more than two thousand years. At present it seems just a historical anecdote with no scientific proof. However, it is interesting to observe how some of its propositions have been scientifically proven, for instance:

- **Walnuts** are good for the brain, because they contain considerable amounts of phosphorus and unsaturated fatty acids.

- **Birchwort** or aristolochia contains an alkaloid whose oxytocic action causes uterine contractions.

- **Sand spurry** is a diuretic plant which favors the expulsion of stones.

- **Henbane** has analgesic properties.

- **Orange tree** leaves are sedative, and are recommended for invalids.

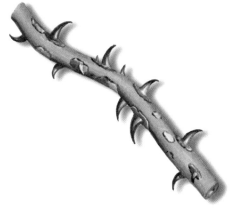

Brier hip.
Its branches resemble a dog's teeth, and thus the plant was used to heal the wounds caused by dogs' and wolves' bites. This alleged healing action has not been proven.

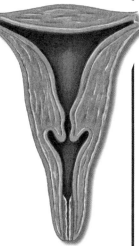

Birchwort or aristolochia.
Its flowers are similar to the female genital organs (both external and internal), thus the plant has been used to ease childbirth. We now know that the oxytocic substances it contains stimulate uterine contractions.

Of course, in many cases the theory of signs fails, in spite of being so attractive and suggestive. For instance:

- The seeds of **brier hip** do not serve in the treatment of gall stones, despite their similarity in form.

- **Clover** leaves do not cure cataracts, in spite of the white stain they have, which resembles a cataract halo.

In other cases, the allegedly deduced properties of a plant have been hyperbolized; for instance, the leaves of the **common comfrey** grow attached to its stem, and Dioscorides deduced that the plant could be a powerful wound healing agent. He was not completely wrong: the common comfrey contains alantoine, a substance which nowadays is present in many lotions. However, the enthusiastic Greek scientist affirms that the root of the common comfrey, "when cooked with chopped meat, gather and fix the meat restoring its original form."

It would not have been difficult to prove the exaggerations of Dioscorides, but ancient science was based more on conjecture than research. Thus, for many centuries, physicians recommended bathing with common comfrey water the day before marriage, for brides who wished to feign virginity when they were not virgins.

From Intuition to Experiments

Nowadays, the advanced progress in chemical and pharmaceutical research makes intuition and the tradition the theory of signs was based on unnecessary. However, the use of medicinal herbs based on superstition and sorcery, which still is alive in some social sectors, is greatly discouraged and even dangerous.

The rational and scientific use of plants, based on chemical and pharmacological research, is truly the only way to correctly use medicinal herbs.

Brier hip. In the interior of its fruit there are heavy seeds which resemble gall stones. Moreover, the surface of the fruit resembles the bladder. Thus, the plant was recommended for "stone illness" (gall stones). Today, however, no scientific data is available to prove that the fruit or seeds of the brier hip are effective in fighting lithiasis.

Lungwort. Lungwort leaves are in the shape of a lung. People in ancient times used it empirically to treat respiratory diseases. We currently know that lungwort contains mucilage and alantoine, with an emollient (soothing) effect on the respiratory mucosal membrane, as well as saponins which act as expectorants.

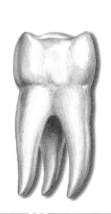

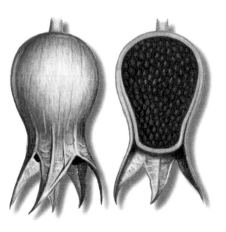

Black henbane. In ancient times, henbane was used to ease the pain of toothaches, because its fruits resemble a tooth, the calyx being the tooth roots. Today its analgesic and narcotic properties are well-known.

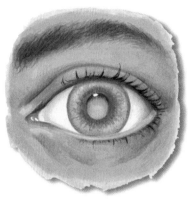

Common clover. The white stain on its leaves gave the idea that it was useful in the treatment of cataracts, but this has not been proven.

The **fig tree**. Some people have interpreted the image of hemorrhoids in figs. No experimental data has proven the effectiveness of figs on hemorrhoids.

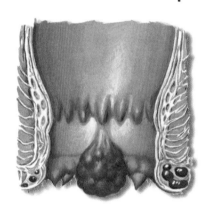

Water lily. Since it grows in cold places, its use was recommended to weaken sexual instinct (an anaphrodisiac). It is currently used for the same purpose. Besides, people who defended the theory of signs saw a symbol of virginity in its white flowers.

Cornflower

A good remedy for your eyes

CORNFLOWER covers the golden grain prairies from late Spring onwards with its gracious blue flowers. From ancient times, the seeds of crops have been mixed with cornflower seeds, and have been dispersed all over the world. Pliny the Elder, a first century Roman naturalist, described the cornflower as "an annoying flower for reapers," who surely tried not to cut it with their sickles and scythes. A few other words have reached us from the classical writers about this delicate plant.

Its medicinal virtues were discovered by Mattioli, a sixteenth century botanist who declared that "the blue flowers of the cornflower alleviate reddened eyes." The healing virtues of the plant were due, according to Mattioli, to the combination of opposed colors, blue versus red, in compliance with the theory of signs.

At present, herbicides and selection processes of crops are terminating with cornflower as if it were another weed.

PROPERTIES AND INDICATIONS. *FLOWERS* contain anthocyanins and polyines,

Preparation and Use

INTERNAL USE

❶ **Infusion.** 20-30 g of young flowers per liter of water. Have one cup before each meal.

EXTERNAL USE

Cornflower water. In order to obtain it, preferably fresh flowers are decocted in a proportion of 30 g (2 tablespoons) per liter of water. Boil for five minutes. It is applied on eyes when warm, in one of the following ways:

❷ **Compresses.** Soak a gauze and maintain it for 15 minutes over the affected eye, twice or three times a day.

❸ **Eye bath.** In an suitable container, or simply wringing out a soaked cloth over the affected eye. Cornflower water must fall from the temple to the nose.

❹ **Eye drops.** A few drops of cornflower water into the eye, three times a day.

Synonyms. Bluebottle, cyani, bachelor's button, bluebonnet, blue centaury.
French. Bleuet.
Spanish. Azulejo, aciano, ojeras.

Habitat. It mostly grows in crop fields all over Europe, though it has reached America as well. It is less frequent in the southeastern regions of Europe.

Description. The plant belongs to the family of the Compositae. It has a thin, stiff stem, which grows up to 50 cm high. It has composite, bright blue-colored flowers, and narrow leaves which appear to be covered with a smooth velvet layer.

Parts used. Flowers.

Cornflower flowers contain anthocyanins, which have antiseptic and anti-inflammatory action. Their infusion produces an improvement in the blood circulation in the retinal capillaries, besides having appetizing and eupeptic effects.

many places this plant is given the name of "bags-under-eyes." People who wash their eyes with cornflower water obtain a limpid and shimmering gaze, which flashes just like the cornflower's little blue flowers in golden wheat fields.

These are the most important indications of cornflower water.

• **Conjunctivitis** (inflammation of the mucous membrane that covers the anterior part of eyes) [❷,❸,❹]. Eye cleansing with cornflower water, as well as eye drops, will help to eliminate eye secretions (sleep) and to make eye congestion disappear.

• **Blepharitis** (inflammation of the eyelids) and **styes** (little furuncles which appear in the edge of the eyelids) [❷,❸]. In this case, the application of cornflower water in compresses or in eye baths is recommended.

In ancient times, the cornflower was supposed to clear and preserve vision, although only that of blue-eyed people. Thus, in French this plant is called *casselunettes* (glasses-breaker). Today we know that this was merely a myth, nevertheless we should remember that cornflower is good for the eyes.

whose action is **antiseptic** and **anti-inflammatory,** bitter substances which act as **appetizers** and **eupeptics** (that facilitate digestion), and also flavonoids that have a mild **diuretic** effect.

Flowers should be taken in infusions before meals [❶]. It is better not to sweeten the infusions.

CORNFLOWER WATER, obtained by the decoction of its flowers, is primarily used in applications on the eyelids, due to its notable **anti-inflammatory** effect.

Eye irrigation and baths with cornflower water ease itching and eye irritation, besides giving a fresh and smooth look to tired eyelids. Thus, in

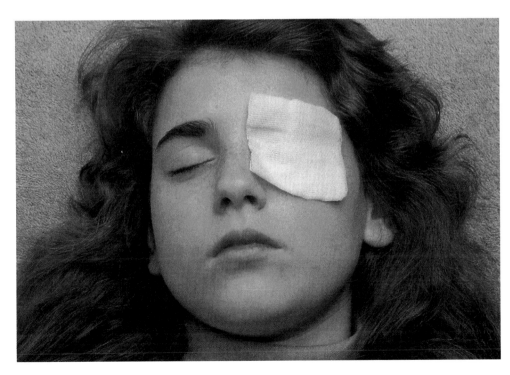

Compresses with cornflower water on the eyes reduce eyelid weariness and give a clear and shiny gaze to those who use them.

Passion Flower

An American anti-stress plant

THIS PLANT attracted the attention of European travellers to the New World, who saw in the diverse organs of its beautiful flowers the representation of the instruments used in the Crucifixion: whip, nails and hammer. The plant was introduced in Europe and grown as an ornamental vine, until in the late nineteenth century it was found to have a strong sedative effect on the nervous system.

PROPERTIES AND INDICATIONS. The *FLOWERS* and *LEAVES* of maypops (another name for this plant) contain small amounts of indole alkaloids, flavonoids, diverse steroids and pectin. It is not well known to which of these substances the plant owes its **sedative, antispasmodic and narcotic** (inductive of sleepiness) actions, though it is likely due to the combination of them all. Its main indications are:

• **Anxiety, nervousness, stress (❶).** The passion flower acts as a mild anxiolytic, without the risk of addiction or dependence. It is the **ideal plant** for those people who are under nervous **pressure.** The *Larousse Dictionary of Healing Plants* states that: "A gift which comes from the ancient Aztec empire, the passion flower seems to be the most necessary plant in our civilization."

Synonyms. *Maypops, passion vine.*
French. *Passiflore, fleur de la passion.*
Spanish. *Pasionaria, granadilla, maracuyá.*

Habitat. *Native to the southern United States and Mexico, it is widespread in the tropical regions of Central and South America, mainly in the West Indies and Brazil. It grows on dry, protected areas. Naturalized in southern European Mediterranean countries.*

Description. *A woody-stem vine of the Passifloraceae family, with beautiful white or red flowers, divided into three lobes. The fruit is oval, fleshy, orange-colored, and its seeds are black.*

Parts used. *Flowers, leaves and fruits.*

Preparation and Use

INTERNAL USE

❶ **Infusion.** The ideal way to take passion flower is with an infusion of flowers and leaves, prepared with 20-30 g per liter of water, left to rest for two or three minutes before drinking. Two or three cups daily are recommended, if desired they may be honey-sweetened. One more may be taken before bedtime in the case of insomnia.

❷ In **alcohol or drug-withdrawal treatment** the infusion is more concentrated (up to 100 g per liter), sweetened with honey. The dose depends on the patient's requirements.

• **Insomnia [❶].** The plant induces natural sleep, without drowsiness or depression on waking up. It may be administered to children, given its lack of toxicity.

• **Diverse aches and spasms [❶].** Passion flower relaxes the hollow abdominal hollow organs whose sudden contractions provoke colics or spasms: stomach, intestines (intestinal colic), bile ducts and gall bladder (liver colics), urinary ducts (kidney colic) and uterus (dysmenorrhea). The use of the passion flower is recommended for virtually any kind of pain, even neuralgia.

• **Epilepsy [❶].** As a *complementary treatment,* passion flower helps diminish the frequency and intensity of epileptic crises.

• **Alcoholism and drug-addiction [❷].** Some interesting experiments have been conducted by administering passion flower during the first days of alcohol, heroin and other drug rehabilitation treatments. This plant makes the withdrawal symptoms (the so-called "cold turkey") more easily tolerated and with less physical consequences on the body. Its sedative action allows better endurance for drug consumption on alcoholics and drug addicts, thus overcoming the anxiety of abstinence. In these cases, the plant must be used *under medical supervision.*

The *FRUITS* of the passion flower (passionfruit) are rich in provitamin A, vitamin C and organic acids. They are **refreshing and invigorating,** and are highly recommended for physical tiredness, infectious diseases, and febrile convalescence.

Purple Passion Flower

In Brazil and the West Indies another species of Passiflora grows, the Passiflora edulis Sims. (= Passiflora laurifolia F. Vill.), which is a purple passion flower, with purple flowers (as its name indicates), also known as passionfruit. It is the best known species of the genus Passiflora in America.

Purple passion flower renders a sweet, somewhat acid fruit, whose truly "tropical" flavor is present in soft drinks made with its gelatinous flesh. The oil obtained from its seeds is edible. However, **it is not considered** to be **a true medicinal herb.**

The Mayan pyramids in Palenque, in the Mexican state of Chiapas, are one of the best preserved archaeological remains of the Mayan civilization. Both Aztecs and Mayans knew and used the beautiful flowers of maypops, whose sedative effects on the nervous system were discovered in Europe in the nineteenth century.

Clove Tree

Stimulant, disinfectant, and analgesic

"**C**OULD YOU give me a clove so that I can put it in my mouth?," a messenger coming from the Island of Java asked one of the guards of the Chinese emperor's palace in the third century B.C.

"Do you have a toothache, messenger?"

"No, I don't. It is just the new emperor, who wants everyone to keep a clove in his mouth so that when we address him, our breath is sweetened."

Those venerable Chinese physicians of the Han dynasty (206 B.C. – 220 A.D.) mention in their writings the properties of the clove tree, and especially its ability to sweeten the breath. However, until the time of great journeys in the sixteenth century, the

Scientific synonym.
Syzygium aromaticum (L.) Merr.-Perry.
Caryophyllus aromaticus L.

French. *Giroflier, bois a clous.*
Spanish. *Clavero, clavo de olor.*

Habitat. *Native to the Moluccas and the Philippines, at present it is grown in other tropical areas of Asia and America.*

Description. *Tree of the Mirthaceae family, growing from 10 to 20 meters high. The cloves are the flower buds, gathered when becoming red. After drying them under the sun, they acquire an ochre color.*

Parts used. *Dried flower buds.*

Warning

Those people suffering from **gastro-duodenal ulcer or gastritis** must **abstain** from consuming cloves, both as a medicinal plant and as a spice. In **high doses,** it acts as an irritant on the **digestive system,** which is shown by nausea, vomiting, and stomach ache.

Preparation and Use

INTERNAL USE

❶ **Infusion,** with two or three cloves per cup of water, drinking a cup with each meal.

❷ **Essence.** One to three drops before each meal.

❸ **Spice.** It must be sparingly used, since a single clove is enough to spice a whole meal.

EXTERNAL USE

❹ **Mouth elixir.** Rinses with a glass of water to which some drops of clove essence have been added. It refreshes and disinfects the mouth.

❺ **Toothache.** In order to ease it, apply a **piece** of clove, or a drop of clove **essence,** on the aching tooth.

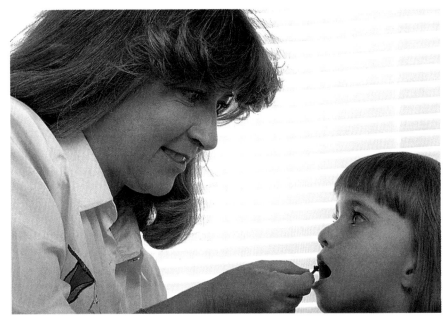

A piece of clove, or a drop of clove essence, can quickly ease toothache. In local application, the clove essence is an excellent antiseptic. In oral intake as an infusion, the clove is a stimulant, an appetizer, and a carminative (helps expel gas).

clove tree, like many other spices, came to Europe from India in very small amounts. This fact made spices more expensive and precious. Thus, one of the main reasons Christopher Columbus started his sea journey was to look for a shorter route to the spice-producing countries, and clove was one of these spices.

Tropical spices were highly appreciated in Europe. The clove was perhaps the most precious because, according to the theory of signs (see p. 48), it was regarded to be a powerful aphrodisiac. Herbalists and apothecaries of the Middle Ages and the Renaissance saw in cloves the representation of an erect penis, with the testicles at its base. Therefore, it was supposed to act on the male genitalia.

Did Columbus know this before sailing west with his caravels? He probably did. Nevertheless, the Discoverer never found the land where clove trees grew. The Portuguese seafarer Ferdinand Magellan, along with the Basque Juan Sebastian Elcano, the first to travel around the world, sailed on an expedition which in 1520 arrived at the Moluccas Islands, near China. On these islands they loaded

cloves, bringing them to Spain as a precious treasure. Since then, the farming of clove trees spread to all tropical regions.

PROPERTIES AND INDICATIONS. Cloves contain 15 to 20% of essence, mainly formed by eugenol, along with small amounts of acetyleugenol, cariophilene, and metylamilcetone. This essence is what gives the clove its aroma, as well as its properties.

• **Oral antiseptic and analgesic.** The essence of clove, used as an oil, is included in *toothpastes,* orally taken *elixirs,* and *perfumes.* Its **antiseptic** power is three times superior to that of phenol. It is recommended in the case of stomatitis (inflammation of the mouth mucus membrane) or gingivitis (gum inflammation) [4]. *In local applications,* it can temporarily ease **toothaches** caused by tooth decay [5].

• General **stimulant** [1,2,3] of the body, though much milder than coffee.

• **Appetizer** [1,2,3] (which stimulates the appetite), and **carminative** (eliminates intestinal gases).

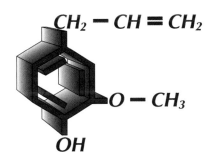

$$CH_2 - CH = CH_2$$

$$O - CH_3$$

$$OH$$

Chemical formula of eugenol, the main component of the clove essence.

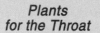
Sticklewort

Soothes and clears the throat

STICKLEWORT belongs to the *Rosaceae* family, which consists of more than 2000 species among which are some of the most beautiful plants. However, unlike other plants of this botanical family, the sticklewort is a plant with quite an insipid appearance, and is not exactly outstanding based on its attractiveness. Of course, as in many other matters, beauty and efficiency do not always go together.

Sticklewort has been known and used since ancient times.

Mithridates Eupator, physician and king of the Pontus (132-63 B.C.) widely used this plant, and gave it his family name: *eupatoria.*

Dioscorides and other Greek botanists and physicians applied it in compresses to war wounds. Avicenna, the famous Arabic medieval physician, also used this plant.

PROPERTIES AND INDICATIONS. The plant contains flavonoids, essential oils, and mainly tannins, to which it owes most of its medicinal effects. Tannins act on skin and mucous membrane as **astringents,** forming a layer of coagulated proteins over them, upon which micro-organisms can longer act. This fact is also the basis for skin tanning.

Preparation and Use

INTERNAL USE

❶ **Infusion or decoction** with 20-30 g of flowers and leaves per liter of water. Drink three or four cups a day, sweetened with honey if desired.

EXTERNAL USE

❷ **Mouth rinses and gargles,** with a concentrated decoction (100 g per liter), boiling until it reduces its volume to a third. Sage and linden may be added to this decoction. Sweeten with 50 g of honey.

❸ **Compresses** applied directly on the wounds, soaked in this concentrated decoction, without sugar.

Synonyms. *Cockleburr, agrimony.*
French. *Aigremoine.*
Spanish. *Agrimonia.*

Habitat. *Common in hedges, forest borders, and slopes in warm climates. It grows all over Europe and in South America.*

Description. *Herbaceous plant of the Rosaceae family, growing from 40 to 60 cm high, with upright stems, and yellow flowers growing at the end of these, in racemes. The seeds of its fruits are covered with small thorns which stick to clothes and to the fur of animals.*

Parts used. *The leaves and the flowers.*

Gargles done with the liquid of a sticklewort decoction clear and soothe the throat.

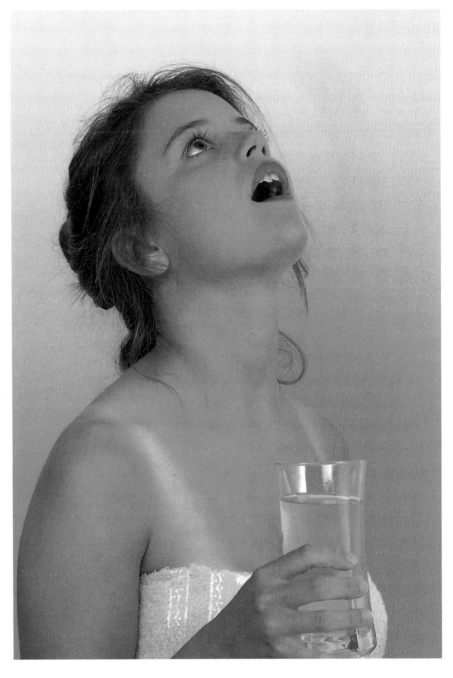

The infusion of sticklewort has an interesting **antidiarrheic** effect. It is also a **vermifuge** (expels intestinal worms) and is slightly **diuretic [❶]**.

However, the *greatest therapeutic use* of this plant is when it is *applied externally.*

Due to its astringent and anti-inflammatory effects on the mucous membrane, it is very useful in the following disorders:

• **Mouth sores [❷]**, applied in rinses.

• **Throat afflictions [❷]**: acute and chronic pharyngitis, tonsillitis, and laryngitis (aphonia). Gargles render good results in some cases, making the inflammation and irritation of the throat mucous membrane disappear in a few days.

Singers and public speakers can take great advantage of this medicinal herb, which soothes and clears the throat.

• **As a cicatrizant [❸]** in torpid wounds, sores, and varicose ulcers of the legs. It is applied by putting compresses soaked in a sticklewort decoction on the affected area. The sores then dry out, and in this way cicatrization is encouraged.

Hawthorn

Strengthens the heart and calms the nerves

Synonyms. May bush, May tree, quickset, thorn-apple tree, whitethorn.
French. Aubépine, epinière.
Spanish. Espino blanco, espino albar.

"**H**OW DO YOU manage to breed such agile and strong goats?" a Greek peasant asked his neighbor, in the first century. "The Summer is already ending, and in the dry and rocky fields of the Mediterranean lands there does not seem to be much food for such mammals."

"I'll tell you the secret. Have you seen those spiky shrubs, with red berries? Try making your goats eat some, and in a few days you will notice the results."

Indeed, the neighbor's goats became stronger than ever before. They never seemed to tire, climbing the slopes under the heat of the Greek Summer. Perhaps this shepherd's ex-

Habitat. Common in all forests of Europe, and naturalized in America.

Description. Spiky shrub of the Rosaceae family, growing from two to four meters high. Deciduous, three or five-lobulated leaves; white, aromatic flowers; red berries.

Parts used. The flowers and the fruits.

Warning

In **high doses** *(12 to 15 times more than recommended) it may produce* **bradycardia** *(slowing of the heartbeat rate) and* **respiratory depression.** *With the recommended doses there are no undesirable side effects.*

Preparation and Use

INTERNAL USE

❶ **Infusion** with 60 g of flowers (some four tablespoonfuls) per liter of water. Fresh flowers are more effective than dried ones. Drink three or four cups daily.

❷ **Fresh fruits:** Though with a low-

er concentration of active components, they are also effective, and a handful may be eaten three times a day.

❸ **Dry extract:** The recommended dose varies from 0.5 to 1 g, three times a day.

Other Hawthorn Species

The *Crataegus oxyacantha* L., is a species of hawthorn which coexists with the *Crataegus monogyna* L., the **components** of both species being **practically similar.** The difference is that the berries of the *oxyacantha* have two or three seeds, while those of the *monogyna* only have one.

The flowers and fruits of the hawthorn are one of the most effective vegetal remedies for the treatment of tachycardia, hypertension, and other heart dysfunctions with a nervous cause.

perience was known by Dioscorides, an acute observer, brilliant botanical, and outstanding physician, who recommended this plant to give strength to the body and to heal several afflictions. Maybe its scientific name *Crataegus* arises from such an episode, since in Greek language it means "strong goats."

Hawthorn has always been highly appreciated as a remedy. However, the empirical knowledge of it, which was based upon its effects on goats, could not be scientifically proven until the nineteenth century. Jennings and other American physicians of that time studied the cardiotonic properties of the hawthorn.

At present, hawthorn is well-recognized as a medicinal herb, and is part of many *phytotherapeutical preparations.*

PROPERTIES AND INDICATIONS: Mainly its flowers, but also its fruits, contain diverse flavonic glycosides, chemically polyphenols, to which it owes its action on the heart and the circulatory system as well as triterpenic derivatives, and several biogenic amines (trimethylamine, choline, tyramine,

etc.) which enhance its cardiotonic effect. The whole plant, due to the properties of the compound of these substances, is:

• **Cardiotonic** [1,2,3]: A property attributed mainly to flavonoids, which inhibit (prevent) the action of ATPase (adenosyne-tri-phosphatase), an enzyme which catalyzes the splitting of ATP, the substance that serves as a source of energy for cells, including those of the heart muscle. When impeding the destruction of ATP, cells have more energy, thus there is an increase of the contractile strength of the heart, as well as a regulation of its beat rate. Hawthorn has the following indications:

–*Coronary insufficiency* (heart weakness), with or without dilatation of its cavities, due to myocarditis or myocardiopathy (inflammation or degeneration of the heart muscle), valve lesions or recent myocardial infarction.

–*Arrhythmia* (disorders of the heartbeat rate): extrasystole (palpitations), tachycardia, atrial fibrillation or blocking.

–*Angina pectoris:* Hawthorn increas-

es the amount of blood in the coronary arteries, and fights their spasm, which causes angina pectoris. It is a good vasodilator of coronary arteries.

The cardiotonic and antiarrhythmic effect of hawthorn is similar to that obtained with foxglove, which it can substitute with favorable results (except in acute cases). Hawthorn lacks the toxicity and the accumulative risk typical of foxglove.

• **Balancing of blood pressure** [1,2,3]: Hawthorn has a balancing effect on blood pressure, since it decreases it in hypertensive people, and increases it in hypotensive people. Its balancing action on hypertension is evident and rapid, achieving more lasting effects than with other synthetic anti-hypertensives.

• **Sedative** effect on the sympathetic nervous system (sympatheticolytic effect) [1,2,3]. It is useful in those persons suffering from nervousness that shows itself through a sensation of heart oppression, tachycardia, breathing difficulty, anxiety, or insomnia. It is *one of the most effective anxiolytic* plants (which eliminate anxiety) known.

Ginkgo

Eases circulatory disorders

I T IS THE SIXTH of August, 1945. All around lie the burnt ruins of Hiroshima. The Japanese city has just been destroyed by the first atomic bomb. In what was formerly a park, a majestic ginkgo has burnt down into powder.

To the astonishment of the survivors, in the Spring of 1946, after the devastation, when the city is still in ruins, a bud grows from the carbonized trunk of the ginkgo. The old tree grew again, and became the beautiful tree we may see today in the center of the rebuilt Hiroshima.

The long-lasting life and endurance of this Asian tree seems to harmonize with its virtue of helping humans to confront the disorders of age.

For more than 4000 years, Chinese medicine has used ginkgo poultices to fight annoying chilblains. Its notable properties have been the focus of much scientific research, and at present it is contained in several *pharmaceutical preparations.*

PROPERTIES AND INDICATIONS. The leaves contain flavonoid glycosides, chercitine, luteoline, catechines, resins, essential oil, lipids, and some substances of the terpenic group which are inherent in ginkgo: bilobalid and gingkolids A, B, and C.

As is usual in phytotherapy, the medicinal properties of the plant are brought about by the compound ac-

Preparation and Use

INTERNAL USE

❶ **Infusion** with 40-60 g of leaves per liter of water. Drink up to three cups daily.

EXTERNAL USE

❷ **Compresses** with the same infusion, though slightly more concentrated (up to 100 g per liter), applied on the hands or feet with circulatory problems.

❸ **Poultices** of mashed leaves, applied on the affected area.

❹ **Hand and foot baths** with an infusion of up to 100 g of ginkgo leaves per liter of water. Apply warm or lukewarm, once or twice daily.

The best results are obtained combining oral intakes, with external applications.

Synonyms. *Maidenhair tree.*
French. *Ginkgo, noyer du Japon.*
Spanish. *Ginkgo, árbol de oro.*

Habitat. *Native to China, Japan and Korea, it is now widely used as an ornamental tree in parks and public avenues in some warm regions of Europe and America.*

Description. *Tree of the Gingkoaceae family, growing up to 30 meters high. It is dioic (with different male and female plants), with deciduous, thick, elastic leaves that when young are divided into two lobules. Its fruit is a yellow berry, which is edible when fresh, but nauseating when too ripe.*

Parts used. *The leaves.*

Baths with an infusion of ginkgo leaves activate blood circulation in the arms and legs. Hand baths are very effective against chilblains.

tion of all its components, and its effects cannot be attributed to any specific component.

Ginkgo acts on the entire circulatory system, improving arterial, capillary and venous blood circulation.

• **Vasodilating action.** It increases perfusion (blood flow), decreasing peripheral resistance in small arteries. It also partially counteracts the disorders of arteriosclerosis.

• **Capillary protection action.** It diminishes the permeability of blood vessels, reducing edema (accumulation of liquid in the tissues).

• **Venous stimulation.** It strengthens the walls of veins, decreasing the accumulation of blood in them, and easing blood return.

These are its indications:

• **Cerebral blood insufficiency [❶]** (lack of blood flow into the brain) which manifests itself through vertigo, cephalalgia, ringing in the ears, loss of balance, memory disorders, and somnolence, among other symptoms. Those who use ginkgo say that "it clears the head."

• **Vascular brain accidents [❶]** (thrombosis, embolism, etc.). It accelerates recuperation and improves the mobility of the patients.

• **Arteriopathy in the legs** (loss of blood flow in legs) [❶,❷,❸,❹]: Ginkgo allows patients to walk longer distances without suffering pain.

• **Angiopathy** (blood vessel disorders) and **vaso-motor disorders [❶,❷,❸,❹]**: Reynaud's syndrome, blood vessel weakness, acroparesthesia (numbness in hand and feet), chilblains.

• **Varicose veins, phlebitis, tired legs, maleolar edema** (swollen ankles) [❶,❷,❸,❹].

In the circulatory afflictions of arms and legs, it is recommended that the oral intake of ginkgo is combined with external applications in poultices, compresses, hand and foot baths.

Ginkgo is well-tolerated, and does not present undesirable side effects, nor does it raise blood pressure.

Horse Chestnut

The remedy for veins par excellence

THIS BEAUTIFUL tree was brought to Austria from Constantinople, and from there taken to other Western European countries by the gardener of the emperor Maximillian in the early seventeenth century. At that time, many new plants were coming to Europe from "the Indies" (America), and this tree was thought to be just another plant, and given its similarity with chestnuts, it was called horse chestnut. Later on, it was proven to be native to Greece and Turkey.

Its name of *hippocastannum* (the Latin term for horse chestnut) brings to mind that the Turkish people gave this plant to their old horses in order to ease coughs and asthma from which old horses frequently suffer.

The fruit of this tree has a sour taste, and people should understand from it that these fruits are not edible. Poisoning has occurred, mainly in children who have eaten great amounts.

Warning

The **seeds,** that is to say, the **chestnuts,** must not be eaten since they are **toxic.** Children must be closely watched because they may mistake these fruits for true chestnuts.

Preparation and Use

INTERNAL USE

❶ **Decoction,** with 50 g of young leaves bark and/or seeds per liter of water, drinking two or three cups a day.

❷ **Dry extract.** 250 mg, three times a day.

EXTERNAL USE

❸ **Compresses** with a bark decoction, applied on the hemorrhoids or the varicose ulceration, for 5-10 minutes, three or four times a day.

❹ **Sitz baths** with this decoction, for hemorrhoids and prostate afflictions.

❺ **Bath.** Prepare a decoction with half a kilogram of ground seeds per liter of water, boil for five minutes. Then prepare a hot bath adding this decoction to the bathtub water. This will soothe and cleanse the skin better than any other soap or synthetic soap cream.

Synonyms. *Buckeye, Spanish chestnut.*
French. *Marronnier d'Inde.*
Spanish. *Castaño de Indias.*

Habitat. *Common tree in parks and avenues in Europe and America, it is also found growing wild in mountainous forests.*

Description. *Deciduous tree, of the Hippocastanaceae family, with an attractive appearance and many leaves, growing up to 30 meters high, and living for as many years (up to 300) as the chestnut tree. Palm-shaped, large, toothed leaves growing in groups of five to nine. Its flowers are white, and gather in clusters. Its fruits are big, with a spiked coverage that contains one or two seeds resembling true chestnuts.*

Parts used. *The seeds and the bark of young branches.*

The horse chestnut is a beautiful tree, from whose bark and seeds a glycoside called sculine is extracted. This natural substance forms part of many pharmaceutical preparations due to its stimulating effects on blood circulation.

PROPERTIES AND INDICATIONS. The bark of young branches and the seeds (chestnuts) contain several active components of great medicinal value.

✓ **Aesculin.** A coumarinic glycoside which exerts a powerful action on the venous system and on blood circulation in general. Aesculin is part of *many pharmaceutical preparations,* since no synthesized substance has superseded the effects of this vegetal product. The properties of aesculin are:

– *Venotonic.* It strengthens the vein wall, and as a consequence, the veins contract and blood overflow decreases, especially in the lower extremities.

– *Capillary protection.* It strengthens the cells that form the wall of capillary vessels, decreasing their permeability, and promoting the elimination of edema.

✓ **Triterpenic saponins** (scine) with **anti-inflammatory and anti-edema** action, which are abundant, mainly in the seeds.

✓ **Catechic** tannins, with astringent and anti-inflammatory action.

This plant is very useful for all kind of venous disorders, especially in the following cases:

• **Varicose veins** in the legs, **venous insufficiency, swollen legs** [❶,❷,❸].

• **Thrombophlebitis, varicose ulceration** in the legs [❶,❷,❸].

• **Hemorrhoids.** Eases the pain and reduces their size [❶,❷,❹].

• **Prostate.** It is very effective for congestion and hypertrophy of this gland, both taken as infusion or extract, and applied in sitz baths [❶,❷,❹]. It reduces the size of inflamed prostate, and eases the expulsion of urine.

The *FLOUR* of horse chestnuts is especially rich in saponins, and it is thus used in **cosmetics** and in the soap industry [❺]. It is a true vegetal soap, soothing and protecting the skin.

Nettle

A plant that defends itself... and defends us

IT IS A PITY that nettles are avoided by so many people, and are even regarded as a weed. If only they knew how many virtues this allegedly aggressive plant keeps!

The nettle is one of the prima donnas of phytotherapy. Its peculiar hairs make it known, even by blind people, thus one of its common names is born: herb of the blind.

Dioscorides already praised it in the first century A.D., and his Spanish translator, Andrés de Laguna, a Spanish physician of the sixteenth century, says about nettle leaves, among other things, that "they may excite people towards lust." How could these stinging leaves be able to excite sexual appetites?

Urtications

*With a freshly gathered bunch of nettles, gently hit the skin of the joint affected by the **inflammatory or rheumatic** disorder (knee, shoulder, etc.). Then a **revulsive effect** takes place, which attracts the blood to the skin, decongesting the internal tissues.*

Preparation and Use

In order to calm those people who are afraid of this plant, it may be said that after 12 hours of being gathered, its stinging effect disappears, and the plant acquires a velvet-like touch.

INTERNAL USE

❶ **Fresh juice.** The best way to take advantage of its medicinal properties, especially of its depurative effect. It is obtained by pressing its leaves or putting it in a blender. Drink half to one glass in the morning, and another one at noon.

❷ **Infusion** with 50 g per liter of water, steeping for 15 minutes. Drink three or four cups daily.

EXTERNAL USE

❸ **Lotion,** applying the juice onto the affected skin area.

❹ **Compresses,** soaked in the juice and applied onto the affected area. Change them three or four times a day.

❺ **Nose plugging.** Soak a gauze in the nettle juice, then plug it into the nostrils.

Synonyms. Common nettle, common stinging nettle, great stinging nettle, stinging nettle.
French. Ortie.
Spanish. Ortiga mayor.

Habitat. Growing world-wide, the plant prefers humid places close to populated areas.

Description. Vivacious plant of the Urticaceae family, growing from 0.5 to 1.5 meters high. Both the stems, square-shaped, and the leaves are covered by stinging hairs. Its green-colored flowers are very small.

Parts used. The whole plant, especially its leaves.

A Good Food

The nettle is consumed raw in salads, in omelettes, in soups, or simply boiled as any other vegetable. It is a perfect substitute for spinach, even more tasty because it is less sour.

*Nettles are **a good source of proteins:** when fresh they contain from six to eight grams per 100 g, and when dried, from 30 to 35 g (a similar percentage of that of soya, one of the legumes with higher amount of proteins).*

Nettles contain a high amount of iron, which, with the chlorophyll they contain, explains their antianemic action.

Messegué states that the Latin poet of the first century A.D., Caius Petronius, recommended to men who wanted to increase their virility to be whipped "with a bunch of nettles on their lower stomach and their buttocks." Urtication, or rubbing with fresh nettles, was practiced by ancient Greeks. Besides its effects on sexuality, it renders excellent results to people suffering from rheumatism and arthrosis who have guts enough to perform it.

PROPERTIES AND INDICATIONS. The hairs of the nettle contain histamine (1%) and acetylcholine (0.2-1%), both substances also produced by our body, and which take active part on the circulatory and digestive systems as transmitters of the nervous pulses of the autonomic nervous system. Some ten milligrams of these substances are enough to provoke a skin reaction.

The leaves contain plenty of chlorophyll, the green coloring of the vegetal world, whose chemical composition is very similar to that of hemoglobin, red-coloring our blood. They are rich in mineral salts, especially those of iron, phosphorus, magnesium, calcium, and silicon, which make them diuretic and depurative. They also contain vitamins A, C, and K, formic acid, tannin, and other substances that have not been already studied. The compound of these substances make the nettle **one of the plants with most medicinal applications.**

• **Depurative, diuretic, and alkalinizant.** Recommended for rheumatic afflictions, gout, arthritis, kidney stones, urinary sand, and as a rule whenever a depurative and diuretic action is required [❶,❷]. The nettle has a notable ability to **alkalinize** the blood, easing the expulsion of metabolic acid waste related to all these afflictions. The internal use of the plant can be combined with urtications on the affected joint.

• **Antianemic.** It is used in anemia caused by lack of iron or by loss of blood [❶,❷]. The iron and the chlorophyll that the nettle contains stimulate the production of red blood cells. The nettle also suits **convalescence, malnutrition, and exhaustion** cases, due to its invigorating and recovering effects.

• **Vasoconstrictor** (contracts blood vessels) and **hemostatic** (stops hemorrhage), especially recommended for uterine [❶,❷] and nasal **hemorrhage** [❺]. It is very useful for women with excessive menstruation. We have to insist that *any abnormal hemorrhage* must be checked out by a physician.

• **Digestive.** It renders good results in digestive disorders caused by atony or insufficiency of digestive organs [❶,❷]. Nettles contain small amounts of secretin, a hormone that is produced by certain glands of our intestine, and which stimulates the secretion of pancreatic juices and the motility of both the stomach and the gall bladder. This explains the fact that nettle eases the digestion and improves the assimilation of food.

• **Astringent.** It has been successfully used to calm the strong diarrhea caused by cholera [❷]. nettles are useful in all types of diarrhea, colitis, or dysentery.

• **Hypoglycemic.** Nettle leaves decrease the level of sugar in the blood, a fact which has been checked out in many patients [❶,❷]. Though it cannot substitute insulin, it allows a decrease in the antidiabetic medicine dosage.

• **Galactogene.** It increases the milk secretion of breast-feeding women [❶,❷,❹], thus being recommended while *breast-feeding*.

• **Emollient.** Due to its soothing effect, it is recommended in **chronic afflictions of the skin, e**specially eczema, eruptions, and acne [❸,❹]. It is also used for **hair loss** [❸]. Nettles clean, regenerate, and makes skin more beautiful [❸,❹]. Better results are achieved if besides using it in local applications is also employed in orally [❷].

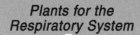

Eucalyptus

Excellent against bronchial afflictions

I N THE MID-NINETEENTH century, the eucalyptus was brought to Europe and America from Australia and Tasmania, where it grows up to 100 m high. It is one of the tallest trees known, with some examples reaching 180 m high.

The eucalyptus grows quickly, and absorbs a huge amount of water from the soil, thus being used to drain marshy lands and preventing anopheles (which transmits malaria) from reproducing.

However, this beautiful tree takes its toll on the soils where it is planted. It acidifies the soil and does not allow other plants to grow around it.

PROPERTIES AND INDICATIONS. Its *LEAVES* contain tannin, resin, fatty

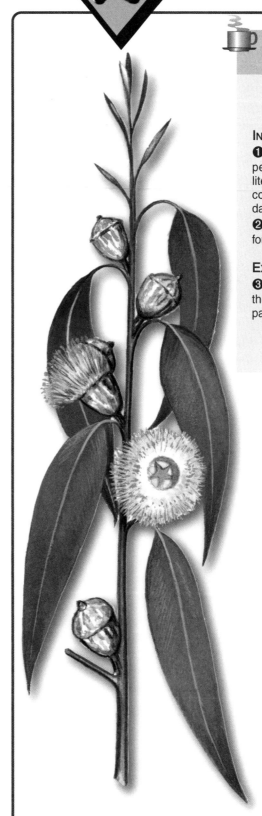

Preparation and Use

INTERNAL USE
❶ **Infusion** with two large leaves per cup of water (20-30 g per liter). Steep for ten minutes in a covered jar. Drink three cups a day, sweetened with honey.
❷ **Essence.** Administer from four to ten drops daily.

EXTERNAL USE
❸ **Vapor baths** on the chest and the head, as described on next page.

Warning

Never exceed the **doses recommended** for **internal** use (both infusion and essence), since high doses may produce gastroenteritis and hematuria (blood in the urine). However, recommended doses will not produce any side effects.

Synonyms. *Blue gum.*
French. *Eucalyptus.*
Spanish. *Eucalipto.*

Habitat. *Grown and naturalized in warm regions of Europe and America, in wet, marshy soils.*

Description. *Tall tree, growing up to 100 m high in Australia, though only to 30 m high in Europe. It belongs to the Myrtaceae family, with smooth, light colored trunk, and evergreen spear-shaped leaves.*

Parts used. *The leaves and the charcoal made from its wood.*

acids, and mainly essences in which its active components concentrate. This essence contains cyneol or eucalyptol, terpene hydrocarbons, pynene, and alymphatic and sesquiterpene alcohols. The **expectorant, balsamic, antiseptic, bronchidilator, and mild febrifuge and sudorific** properties of the eucalyptus are caused by this essence.

The eucalyptus is recommended in the case of all respiratory system disorders, especially in bronchial catarrh, asthma, and acute and chronic bronchitis [❶,❷,❸].

Due to its antiseptic and balsamic actions on the bronchial mucous membrane, the eucalyptus helps in regenerating damaged cells, easing the expulsion of mucus, and alleviating coughs. This is *one of the most effective plants* known for **bronchial and pulmonary afflictions.**

The *CHARCOAL* of eucalyptus is a valuable remedy for these two cases:

• Accidental **poisoning** caused by toxic substances, meals in bad condition, poisonous mushrooms, etc. It acts as a universal antidote.

• **Colitis, diarrhea, intestinal flora dysfunction, or intestinal fermentation.** It adsorbs the toxin which pathological micro-organisms produce. Its effects are fantastic.

ⓘ

Several Effective Applications of the Eucalyptus

Vapor Baths

These are **the best method** to take advantage of all properties of the eucalyptus. In a bowl with boiling water, place a handful of **eucalyptus leaves,** or from four to six drops of its **essence** per liter of water. The person must sit down, with a bare torso and the head over the bowl so that the vapor reaches the chest and head. The bath should last from five to ten minutes, three or four times a day.

This vapor, as well as the evaporated eucalyptus essence, acts in two ways.

• Directly **on the chest skin,** favoring the elimination of toxins through the skin and alleviating lung congestion.

• **Inhaled** into the bronchi. To the **antiseptic, balsamic, and expectorant** properties of the essence, the **mucous effects** of the water vapor are added, then breaking down the bronchi mucus and easing its elimination.

The flower of eucalyptus

Charcoal

Charcoal has many medicinal properties, especially because of its adsorption power. Both **taken** and **applied on the skin,** it has a great ability to retain toxins and germs, as well as the liquid which inflammation produces.

Charcoal must be finely ground in order to produce the most effective action.

From five to ten g, dissolved in water, can be drunk from four to six times a day. In an emergency, one can also directly eat a piece of charcoal. It may be found in pharmacies, both charcoal powder and pills or capsules.

Eucalyptus charcoal can be mixed with **olive oil** until a paste is formed. This is a traditional remedy to clean the digestive tract for **indigestion, diarrhea, or intestinal fermentation.**

Charcoal has rendered surprising results in the case of **persistent halitosis** (bad breath) caused by intestinal fermentations. Take from one to three spoonfuls, 15 to 30 minutes before meals.

Essence Against Coughs

Dissolve two spoonfuls of honey in half a glass of water, then add two or three drops of eucalyptus essence. Drink in the case of coughs caused by pharyngitis or laryngitis (throat infections), tracheitis, bronchitis, or bronchial catarrh.

Up to five cups daily can be taken, however the recommended dose for children should not exceed two or three cups a day.

German Camomile

The digestive infusion par excellence

WHEN TALKING about herbal teas, many people immediately think about camomile. We could say that camomile makes *The Herbal Tea par excellence.*

"Bring a cup of camomile infusion to this patient before taking the saline solution away," the surgeon says to a nursing student.

Both of them are facing a teenage patient who has undergone surgery because of a perforated acute appendicitis. His digestive process has been stopped due to the peritonitis (inflammation of the peritoneum, the membrane covering the interior of the abdomen and its organs) produced by the appendicitis.

"Doctor, why do you always recommend a camomile infusion for post-operative patients?" the would-be nurse asks after the visit has finished.

"For many years I have been sticking to the rule of beginning oral diet for post-operative patients with a camomile infusion. My masters taught me so. Camomile stimulates the peristaltic movements of the intestine, thus recovering the digestive functions which have been stopped by peritonitis."

"How do we know that the camomile has been useful?"

"You may have observed that every day, when I pay visits to patients, I ask all of them whether they have broken wind. It may seem bizarre, however it is the best sign that the intestine is working properly again."

Preparation and Use

INTERNAL USE

❶ **Infusion** with 5-10 g of flower heads per liter of water (5-6 flower heads per cup). Drink from three to six hot cups daily.

EXTERNAL USE

❷ Eye, nose, or anal **washing,** with a slightly more concentrated infusion (up to 50 g of flower heads per liter of water). Steep for 15-20 minutes, and strain well before using.

❸ **Baths.** Add to the water of a bathtub from two to four liters of concentrated infusion. These lukewarm baths have a strong relaxing and sedative effect.

❹ **Compresses** with the aforementioned concentrated infusion, applied on the affected skin area.

❺ **Friction** with **camomile oil.** Prepare the camomile oil by heating for three hours in a double boiler 100 g of flower heads in half a liter of olive oil. Strain the mixture and keep in a bottle.

French. Camomille allemande.
Spanish. Manzanilla.
Habitat. *Common in grasslands, unfarmed soils, and roadsides all over Europe, as well as in warm regions of America.*

Description. *Herbaceous plant of the Compositae family, which grows from 20 to 50 cm high, with very branched stem, and daisy-like flowers which gather in flower heads of about two centimeters in diameter. It has a characteristic aroma, and sour flavor.*
Parts used. *The flower heads.*

A cup of camomile after meals is a good and healthy habit both for young and old people alike.

"Oh, now I understand," the student finishes.

PROPERTIES AND INDICATIONS. The most important active component of camomile is its essence, whose main components are camazulene (with anti-inflammatory properties), and bisabolor (with sedative properties). It also contains coumaric and flavonic substances, as well as a invigorating bitter principle. The plant has many properties which have been proven by scientific research.

• **Sedative and antispasmodic.** It is useful for stomach and intestinal spasms caused by nervousness or anxiety [❶,❸]. It is also used in any type of colic, and especially in the case of liver and kidney colic, because of its relaxing and sedative properties [❶,❸].

• **Carminative and intestinal invigorating.** Although it may seem to be a paradox, camomile also stimulates the movements of the digestive tract. It is thus recommended for post-operative patients and for those who suffer from excess of gas, which camomile helps expel because of its carminative properties [❶]. Actually, the action of camomile is that of regulating and balancing the functions of the intestine.

• **Eupeptic.** An infusion of camomile is recommended for bloated or upset stomach. It alleviates the nausea and vomiting, and softly stimulates the appetite [❶]. All sour camomile species have a stronger eupeptic action.

• **Emmenagogue.** This plant stimulates menstrual functions, normalizing its amount and regularity, as well as alleviating menstrual aches. Dioscorides called it Matricaria, from the Latin word *matrix* (womb).

• **Febrifuge and sudorific.** Given that it raises the temperature and provokes perspiration, it is recommended for people with a fever, especially children [❶].

• **Analgesic.** Camomile eases headaches and some cases of neuralgia [❶].

• **Antiallergic.** Some calming properties of camomile on allergic reactions, such as asthma, and allergic rhinitis and conjunctivitis, has been proven. It is recommended for healing acute allergic crises, as well as being an ongoing treatment in order to prevent them. The best results are obtained when combining internal applications (herbal teas) [❶] with external ones (eyedrops, nose irrigations) [❷].

• **Healing agent, emollient, and antiseptic.** In *external* applications, camomile renders good results for washing any wound, sore, and skin infection [❷]. The camazulene has been proven to be effective against hemolytic streptococcus, golden staphylococcus, and *Proteus*. A camomile infusion is an adequate *eyedrop* for eye bathing in the case of conjunctivitis or eye irritation [❷]. It is also used as an anti-inflammatory, applied in compresses on eczema, rashes, and other skin afflictions [❸]. Anal cleansing with an infusion of camomile reduces the inflammation of hemorrhoids [❷].

• **Antirrheumatic.** The oil of camomile is used for massage in lumbago, stiff neck, bruises, and rheumatic aches [❺].

Boldo

Normalizes the function of the gall bladder

BOLDO IS ONE of the medicinal plants *most used* in preparing *medicines* for the treatment of **liver** and **gall bladder** diseases. There are several medicines, laboratory produced, in whose composition boldo is an essential part. This plant has some properties that could never be achieved by any chemically synthesized product.

It is a highly appreciated plant in Chile. Native Andean Indians used boldo because of its stomachic and digestive properties. It can be currently found in pharmacies and herb shops of Europe and America, and still with its primitive Araucanian name.

French. Boldo. **Spanish.** Boldo.

Habitat. *The plant grows wild in Chile and Andean areas of South America. It is cultivated in Italy and North Africa.*

Description. *Tree or shrub of the Monimiaceae family, growing up to 5 m high, with elliptic, rough leaves, and white or yellowish flowers. The whole plant gives an aroma similar to that of peppermint.*

Parts used. *The leaves.*

Preparation and Use

INTERNAL USE

❶ **Infusion** with 10-20 g of leaves per liter of water. Drink a cup before meals, up to four daily.

❷ **Dry extract.** One gram, three or four times a day, before meals.

Warning

Never exceed the prescribed dose (four cups a day) since in high doses boldo has narcotic and anesthetic properties, acting on the central nervous system. These effects only occur when taken in high doses, and never with those doses recommended here.

Even though its effect on the fetus have not been proven, **pregnant** women should **abstain** from this plant.

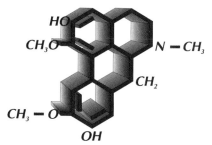

The chemical formula of boldine, the most important alkaloid of boldo.

A magnificent view of the Paine Towers (Chile). Boldo is native to the mountainous Andean areas of South America, though at present it is being cultivated in Italy and North Africa. By increasing bile production, the boldo activates liver and gall bladder functions. The consumption of boldo has proven to improve skin eczemas. This is likely to occur since the plant promotes the disintoxicant function of the liver.

PROPERTIES AND INDICATIONS. The leaves of boldo contain around 20 alkaloids which are derived from aporfine, the most important of which is boldine, making 25-30% of the whole. They also contain essential oil, which gives the plant its typical smell. In this essential oil there are eucalyptol, ascaridol, and cymol. The leaves also contain several flavonoids and glycosides (boldoglycine).

The most outstanding properties of boldo are as follow:

• **Choleretic** (increases the bile production in the liver), and **cholagogue** (promotes the emptying of the gall bladder). Hence, boldo leaves are recommended for hepatic congestion and biliary dyskinesia (disorders in gall bladder functions), and biliary colic [❶,❷].

Boldo is also useful for **biliary lithiasis** (gall stones), as well as to alleviate digestive discomfort and the sensation of distension after meals, quite characteristic of this ailment [❶,❷]. Actually, boldo is not able to dissolve gall stones, or to provoke their expulsion. However, it has been proven that boldo produces changes in the chemical composition and the physical properties of the bile. Hence, it makes bile more fluid, and less lithogenic (which tends to form stones or calculi). Boldo, thus, prevents the bile from forming new stones, or those existing to grow.

• **Eupeptic** (eases digestion) **and appetizer.** Boldo is recommended for bloated stomach and slow digestion, lack of appetite, and bad breath (sour) [❶,❷].

• **Mildly laxative,** probably as a consequence of the higher flow of bile in the intestine, which this plant provokes [❶,❷].

Boldo is usually taken *in association* with other choleretic and cholagogue plants (artichoke, rosemary) or laxative (alder buckthorn, tinnevelly senna, etc.).

Cabbage

Heals skin
and peptic ulcers

CELTS AND ROMANS cultivated cabbage, *the vegetable par excellence.* Cabbage has been used for more than two thousand years as a food as well as a medicine.

PROPERTIES AND INDICATIONS. Cabbage leaves are rich in chlorophyll, and thus in magnesium. They also contain a sulphured substance similar to that contained in mustard, as well as mineral salts, vitamins (mainly vitamins C, A, and probably U), mucilage, and an antiulceration factor still not identified. Cabbage is relatively rich in sugars or carbohydrates (7 %) and proteins (4 %), however it contains a

French. Chou. **Spanish.** *Col.*

Habitat. *Native to Europe, where it grows wild along the English Channel, Atlantic, and also western Mediterranean coasts. The plant is cultivated all over the world.*

Description. *Plant of the Cruciferae family, with large, divided, fleshy leaves, and without heart.*

Parts used. *Leaves.*

Warning

*When cabbage is **continuously consumed** for long periods, it can have **antithyroid effect,** and even produce goiter.*

Preparation and Use

INTERNAL USE

❶ Fresh plant **juice.** Drink from half a glass to one glass (100-200 ml), three or four times daily, before each meal, on an empty stomach.

EXTERNAL USE

❷ **Poultices,** prepared either with raw leaves (previously mashed with a cylindrical bottle or a rolling pin), or with cooked leaves, mixed with bran so that the mixture becomes more compact.

Cabbage leaves can be also heated with an iron, and then applied with a Band-Aid on the skin, as shown on next page.

quite low amount of fats (0.4 %). It has the following properties:

• **Antiulceration.** Internally used, cabbage juice is recommended for gastro-duodenal ulcer, which cabbage is able to heal [**❶**]. In his work *Health Through Nutrition*, Dr. Schneider mentions experiments through which the *cicatrizing (wound healing) ability* of fresh cabbage juice has been proven on **gastro-duodenal ulcers.** After four or five days drinking a glass of juice before each meal, stomach aches disappeared. After three weeks, the ulcer was healed. This antiulcerative action is likely to be due to the still not well-known vitamin U.

• **Antianemic, antiscorbutic, and hypoglycemic** (in diabetic people, it decreases the level of sugar in the blood) [**❶**].

• **Diuretic, depurative,** and when taken with empty stomach, **vermifuge** [**❶**].

• **Cicatrizant (healing agent) and vulnerary.** Cabbage, when applied as poultices, heals infected wounds, varicose and torpid ulcers, eczema, furuncles, and acne [**❷**].

• **Anticancerous.** There is evidence that cabbage can act as a preventive in the formation of cancerous tumors [**❶**]. This is likely due to its content of carotene (vitamin A).

Raw cabbage leaves are heated with an iron and then applied to the skin as if they were a poultice. They have wound healing and vulnerary properties. Skin wounds and sores difficult to heal, as well as eczema and even acne, will improve noticeably with the application of cabbage leaves.

Flax

Soothes the skin and the mucosa

FOUR THOUSAND years ago, flax was already cultivated in Mediterranean countries in order to obtain textile fibers, and 2500 years ago as a medicinal herb. Hippocrates recommended it as an emollient in the fifth century B.C.

PROPERTIES AND INDICATIONS. Flax seeds contain high amounts of mucilage and pectin, which give the plant **emollient and laxative** properties, as well as mineral salts and fats with a high biological value (essential unsaturated fatty acids). Its applications and indications are the following:

• **Chronic constipation.** Flax lubricates the digestive tract, making the feces softer. Moreover, it **regenerates the intestinal flora,** regulating the putrefaction and fermentation processes [❶,❷,❸]. Its effect is thus evident, since in the case of intestinal putrefaction, feces lose their putrid odor.

• **Gastritis, duodenitis, and gastro-**

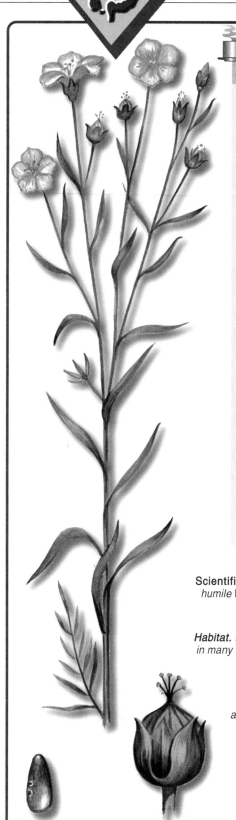

Preparation and Use

INTERNAL USE

❶ **Decoction** of 30 g of seeds per liter of water, boiling for five minutes. Drink two or three cups daily, sweetened with honey if desired.

❷ **Cold extract.** Steep for 12 hours a spoonful of seeds per glass of water. Drink two or three glasses of the liquid every day.

❸ **Seeds.** Whole seeds can be taken, chewed (a spoonful every 12 hours).

EXTERNAL USE

❹ **Poultices.** Ground linseed (linseed flour) is added to boiling water until forming a thick paste. From 30 to 40 g of linseed flour are usually required per liter of water. When applying the poultice, it is advisable to protect the skin with a cold cloth to avoid burns.

❺ **Lotions with linseed oil.** Apply directly on the affected skin area.

Scientific synonym. *Linum humile* Miller, *Linum humile* Planch., *Linum crepitans* (Boenn.) Dum.

French. *Lin.*
Spanish. *Lino.*

Habitat. *Native to the Middle East, it is cultivated in many countries of warm climate areas all over Europe and the Americas.*

Description. *Herbaceous plant of the Linaceae family, growing from 40 to 80 cm high, with an upright stem and elongated, narrow leaves. Its flowers are light blue in color, with five petals, and its fruit is a globe-like capsule with ten brown seeds.*

Parts used. *The linseed (flax seeds).*

Warning

*The **oil** contained in linseed flour becomes **rancid** quite easily, then produces **skin irritation**. Therefore, **recently prepared flour** is better for preparing the poultices.*

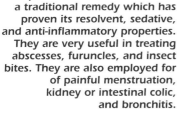

Hot poultices of linseed flour are a traditional remedy which has proven its resolvent, sedative, and anti-inflammatory properties. They are very useful in treating abscesses, furuncles, and insect bites. They are also employed for of painful menstruation, kidney or intestinal colic, and bronchitis.

Other Flax Species

All over the Mediterranean coastline of the Iberian peninsula, and in the Canary Islands grows a species called **wild flax** (*Linum angustifolium* S.), with **similar properties** to those of cultivated flax.

Cathartic flax (*Linum catharticum* L.) grows in Mediterranean countries. Its **laxative effect** is more intense.

In North America, **prairie flax** or Rocky Mountain flax (*Linum lewisii* L.) grows, another variety of flax.

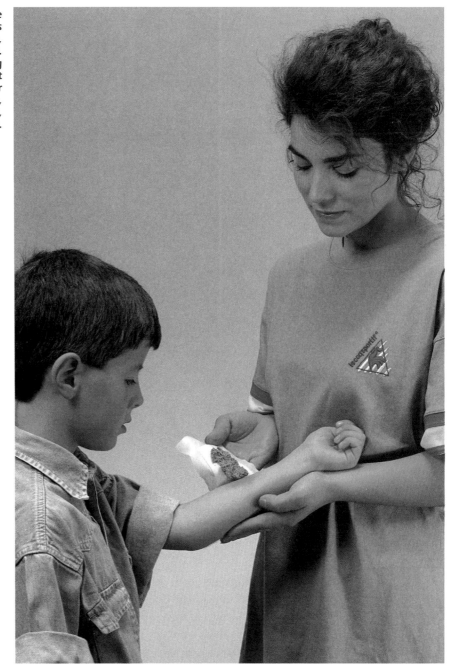

duodenal ulcer. It presents an anti-inflammatory and emollient action, which promotes the regeneration of the harmed digestive mucosa. Flax seeds should be taken in a decoction as *complement* of any specific treatment for these processes.

• **Inflammation** of the **respiratory and urinary ways:** especially bronchitis and cystitis, due to its emollient and soothing effect on the mucosa [❶,❷,❸].

Flax *SEEDS* (linseed) can also be used as a *food.* They are especially recommended for **diabetes,** due to their low content in sugars, and its high content in proteins and fats. Linseed must be consumed by those people wanting to **gain weight** or those suffering from **malnutrition [❸].**

Poultices of linseed flour are applied whenever constant heat is required: colds and bronchitis, menstrual pain, chronic aches of the abdomen (whether kidney or gall bladder aches), intestinal spasms, insect bites, abscesses, and furuncles [❹].They have **resolvent, antispasmodic, sedative, and anti-inflammatory** properties, besides **retaining heat** for a long time.

Linseed oil is used as a **skin soothing product** for eczema, dried skin, mild burns, and dermatosis [❺].

Bramble

Improves hemorrhoids and stops diarrhea

DIOSCORIDES recommended bramble leaves for the treatment of hemorrhoids many years ago. Its fruit, blackberries, have been used for many ages as food, being an excellent natural sweet for both children and adults.

Around one hundred varieties of brambles are known, all of them with the same properties.

PROPERTIES AND INDICATIONS. Leaves and young buds of brambles contain a high amount of tannin, which give the plant astringent and hemostatic properties. The fruit contains, besides tannin, sugars, (glucose and levulose), provitamin A, vitamin C, and organic acids (citric, lactic, succinic, oxalic, and salicylic). Their indications are as follows:

• **Hemorrhoids.** A decoction of both *LEAVES* and *YOUNG BUDS* of brambles is applied *locally* in sitz baths or com-

Bramble Buds Against Tobacco

*Smokers wanting to give up their noxious habit may try a new way to stop smoking. Put between your lips a **young bud** of bramble, and slowly suck it.*

The slightly sweet and sour flavor of these buds creates a certain aversion towards tobacco, and decreases the desire for a cigarette, at least while the bud is held in your mouth.

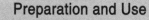

Preparation and Use

INTERNAL USE

❶ **Decoction** with 30-50 g of young buds and/or leaves per liter of water, boiling for ten minutes. Drink up to three cups daily.

❷ **Young buds** in Spring. They can be directly eaten, and provide a healing action when touching the oral mucosa.

❸ **blackberry juice.** Drink it freshly made, the dose being from one to three glasses daily.

❹ **Syrup.** Prepared by adding to the juice, two times its weight of sugar, preferably brown sugar, then heating until it is completely dissolved.

Both blackberry juice and syrup are usually mixed with the decoction in order to improve the effects and enhance the latter's flavor.

EXTERNAL USE

❺ **Decoction** slightly more concentrated (50-80 g per liter) than the internally used one. Apply it in the form of **compresses, sitz baths, rinses, and gargles.**

❻ **Poultices** made with mashed leaves. Apply them on the affected skin area.

Synonym. European blackberry.
French. Ronce noire.
Spanish. Zarza, zarzamora.

Habitat. Widely spread all over Europe, usually growing by roadsides, slopes and field borders. It has been naturalized to America.

Description. Thorny shrub of the Rosaceae family, growing up to 4 m high, with white or pink flowers, 5 petals each. The fruit consists of several small drupes, dark purple or black in color, with a seed inside each one.

Parts used. The leaves, young buds, and the fruit (blackberries).

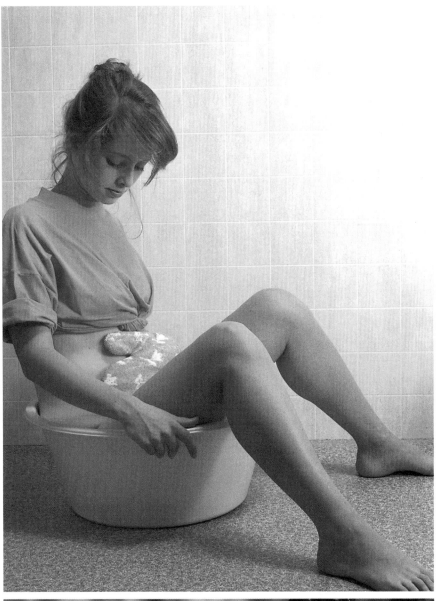

The upper picture clearly shows the right way to take a sitz bath for hemorrhoids, with a decoction made from leaves and buds of bramble.

Gentle massage with a bath glove on the lower stomach helps improve blood circulation in the pelvis, which also helps heal hemorrhoids.

The lower picture shows the delicious blackberries which are so attractive to children and adults.

presses in order to reduce their inflammation and prevent them from bleeding [5].

• **Diarrhea, gastroenteritis, and colitis,** because of their notable astringent properties. The *YOUNG BUDS* and *LEAVES* [1] are more astringent than the *FRUIT* [3,4], however all of them are usually *consumed* together to enhance their effects and take advantage of the flavor of the fruit. **Children** suffering from diarrhea can take blackberry juice in spoonfuls [3], or the syrup made with this juice [4].

• **Febrile diseases.** The juice of the *FRUIT* (blackberries) is refreshing and invigorating, thus being recommended for weakened people or those suffering from febrile diseases [3].

• **Oral and pharyngeal afflictions.** Both a decoction of *LEAVES* and *YOUNG BUDS* [1], young green buds [2] and the *FRUITS* [3], have beneficial effects on mouth sores, as well as for gingivitis (gum inflammation), stomatitis (inflammation of the oral mucosa), pharyngitis, and tonsillitis.

• **Skin wounds, ulcers, and furuncles.** Apply compresses or baths with the decoction [5], or poultices with mashed *LEAVES* [6]. These will help with healing.

White Birch

A good remedy
for kidney colic

IN SPITE of the delicate appearance of this tree, its name evokes punishment applied in olden times to naughty pupils. Its fine, elastic branches have been historically used to whip rebellious youths. And still today, in northern countries, people use white birch branches to lash their legs and arms to activate blood circulation in the skin.

The great Renaissance Italian physician and botanist Mattioli christened it as "the nephritic tree of Europe."

This tree has many applications. Its wood, and especially its charcoal, is excellent. Its bark is waterproof, and with it, ancient shepherds made jars and even covers for snowshoes.

PROPERTIES AND INDICATIONS. The *LEAVES* and the *BUDS* of the white birch tree contain mainly flavonoids (miricitrine and hyperoside), which give them *notable* **diuretic** *properties* (elimination of liquids); as well as bitter components, catechic tannins, and essential oils. Their applications are as follow:

• **Edema.** They help to eliminate liquids retained in the body, especially for renal or heart insufficiency [❶].Unlike other chemical diuretic substances, white birch leaf infusions do not provoke the loss of huge amounts

Preparation and Use

INTERNAL USE

❶ **Infusion** with 20-50 g of leaves and/or buds per liter of water. Drink up to one liter daily. As its flavor is slightly sour, it can be sweetened with honey or brown sugar. When adding 1 g of **sodium bicarbonate** the effectiveness of white birch herbal teas is enhanced, since its active components are better dissolved in alkaline environments.

❷ **Decoction** of bark, with 50-80 g per liter of water. Boil until the liquid reduces to a half. Drink two or three cups daily, sweetened with honey.

❸ **Sap.** Take it after dissolved in water (in a proportion of 50 %) as a soft drink. Avoid its fermentation.

EXTERNAL USE

❹ **Compresses** on the skin, with the same infusion described for internal use.

Scientific synonyms.
Betula verrucosa Ehrh.,
Betula pendula Roth.

Synonyms. *Silver birch,
canoe birch, paper birch.*
French. *Bouleau [blanc].*
Spanish. *Abedul.*

Habitat. *It grows in the mountains of northern Spain and Europe, as well as in Canada, where it forms extensive forests, and in other cold and mountainous areas of North America.*

Description. *Fine deciduous tree of the Betulaceae family. The whiteness of its bark, which comes off in fine sheets, is the main feature of this tree. It has young hanging branches (after those it is named* Betula pendula*), with small nodes which gave birth to other of its scientific names:* Betula verrucosa. *Male and female flowers grow on the same tree.*

Parts used. *The leaves, the buds, the sap, and the bark.*

Many women, prior to menstruation, suffer from fluid retention, which causes swollen legs, abdomen, and breasts. Infusions made with leaves and buds of the white birch tree, with diuretic properties but not de-mineralizing, are an ideal remedy to heal this discomfort.

of mineral salts via urine, nor do they irritate kidney tissues. On the contrary, they are able to regenerate it and reduce its inflammation, producing a decrease of the amount of albumin eliminated through urine for nephrosis and renal insufficiency.

• They are also successfully used for **pre-menstrual syndrome [❶]**. When taking this herbal tea some days before menstruation, the volume of urine increases, and the swelling of tissues decreases, especially that of the legs, the abdomen, and breasts.

• **Kidney calculi.** Infusions made with leaves and buds of the white birch tree promote the elimination of urine sands and prevent the formation of kidney stones [❶]. It has been proven that in some cases, these herbal teas

can even dissolve calculi. The use of infusion is recommended both for nephritic colic attack (kidney colic) and, in a ongoing way, to avoid the formation of calculi.

• **Depurative.** Leaves and buds of the white birch tree have depurative properties on the toxic substances on the blood, such as uric acid. Hence, herbal teas made with them are recommended for **gout or arthritis [❶]**.

• **Skin afflictions.** Due to their depurative properties, when *internally used* they are recommended to cleanse the skin from impurities in the case of chronic eczema and cellulitis [❶].

• **Wounds and sores.** *Externally applied,* as compresses, these leaves and buds have **antiseptic and healing** properties for **wounds and sores,**

due to the amount of tannin they contain [❹].

The white birch tree *BARK,* like that of the willow tree and of the cinchona tree has **febrifuge** properties. It is taken as a decoction to decrease fever [❷].

At the beginning of Spring, before leaves grow, by cutting a branch or making a hole in its trunk, the white birch tree can provide several liters of delicious *SAP* per day. This sap has the same properties we have described when talking about leaves, as well as being a pleasant drink [❸]. Northern European villagers drink it to achieve a complexion as white and clean as the bark of the tree.

Panax ginseng
C.A. Meyer

Ginseng

Not a dope...
but it works!

GINSENG ROOT has been continuously used for more than 4000 years in China due to its invigorating properties.

It was introduced in Europe during the eighteenth century, and has been the issue of *many scientific studies* due to its *extraordinary virtues.*

Its scientific name of *Panax* comes from the Greek words *pan* (all) and *axos* (healing). For Chinese people, ginseng is a true panacea, able to heal a wide range of afflictions. Its aphrodisiac effects have given it a wide popularity in Western countries, in which stress, tobacco, alcohol, and other drugs have become a continuous aggression to sexual performance.

PROPERTIES AND INDICATIONS. The active components of ginseng root are so chemically complex that it has not been possible to synthesize them up to now. They are called ginsenosides, and chemically these are steroid glycosides from the group of triterpenic saponins. Therapeutic properties of ginseng are due mainly to these substances, but are also enhanced by other components: minerals and trace elements, the most outstanding being sulphur, manganese, germanium, magnesium, calcium, and zinc; vitamins B_1, B_2, B_6, biotin, and pantothenic acid; phytosterol, enzymes, and other substances as well.

Ginseng has a wide range of effects on the body [**❶**].

• **Invigorator.** Ginsenosides increase physical performance and endurance. This is not due to any excitant properties, such as in cocaine, coffee, tea, or other drugs, but to an improvement of metabolic processes. Ginseng

Preparation and Use

INTERNAL USE

❶ Ginseng is usually presented as **pharmaceutical preparations** (extract, capsules, liquid, etc.). The usual dose is 0.5-1.5 g of root powder per day, in a single or several intakes.

Ginseng action is slow but accumulative. Ginseng effects will be noticeable after two or three weeks of treatment.

We recommend that you take ginseng continuously for a period of time (a maximum of two or three months), and stop for one or two months before a starting a new treatment.

Scientific synonyms.
Panax schinsegn Nees.

French. *Ginseng.*
Spanish. *Ginseng.*

Habitat. *Native to mountainous and cold areas of Korea, China, and Japan, where it is widely cultivated.*

Description. *Plant of the Araliaceae family, growing from 20 to 50 cm high. Its flowers grow in groups of five. It has purple flowers, which give birth to small fruits (berries). The root is fleshy, greyish or white in color, from 10 to 15 cm large, and an average of 200 g weight.*

Parts used. *The root after five years of age.*

Types of Ginseng

There are several ginseng varieties:

• **Red or Korean ginseng** (*Panax ginseng* C. A. Meyer), which is the all-known ginseng, the richest in active components, and the one illustrated on the previous page.

• **Chinese ginseng** (*Panax repens* Max.), which is cultivated in China and Southeast Asia.

• **American ginseng** (*Panax quinquefolium* L.), native to northeastern United States and southeastern Canada. It grows wild in oak and beech tree forests.

• **Eleutherococcus** (*Eleutherococcus senticosus* Maxim.), also called Russian or Siberian ginseng, which is cultivated with medicinal goals, and has **similar properties** to those of the **Korean ginseng.**

• **Anemia.** Ginseng is especially useful to recover blood loss after donation or bleeding.

• **Sexuality disorders.** Impotence, female frigidity, hormonal insufficiency, male or female sterility.

Ginseng is a general invigorator of our body, besides improving sexual capabilities.

speeds up the enzymatic process of glycogenesis (production of glycogen on the liver from sugar), and glycogenolysis (production of sugar from the stored glycogen); decreases the concentration of lactic acid in muscles, which causes stiffness, because of a better sugar metabolism; increases the production of ATP (adenosine-triphosphate), a substance of great energetic capabilities for cells; enhances the use of oxygen by cells; increases protein synthesis (anabolic effect); stimulates hematopoiesis (blood production) in the bone medulla, especially after bleeding. All these biochemical effects have been experimentally proven. Therefore, ginseng *invigorates but does not excite or provoke addiction,* since it increases energy production on cells.

• **Nervous system.** It has **antidepressive and anxiolytic** properties (eliminates anxiety). Ginseng promotes mental performance, increasing **concentration and memory** capabilities.

• **Endocrine system.** Ginseng has **antistress** properties due to its "adaptogenic" properties, because it increases adaptation capabilities of the body to physical or psychological efforts. Research conducted on animals has proven that both hypophysis and suprarenal glands are stimulated with ginseng.

• **Cardiovascular system.** Ginseng has vasorregulating properties, balancing blood pressure.

• **Reproductive system.** Ginseng promotes spermatogenesis (increases the production of spermatozoids); stimulates sexual glands (both male and female) and increases hormone production; it **increases sexual capability,** improving both frequency and quality of male erection, and promoting female genital organs excitation. It is not a true aphrodisiac substance, since its action does not consist in arousing sexual desire, but in improving function and capabilities of genitalia.

Indications for using ginseng are the following:

• **Physical exhaustion.** Asthenia (weakness), easy fatigue, lack of energy, convalescence from diseases or surgery.

• **Sports training.** Ginseng is not one of the listed doping substances forbidden in sports.

• **Stress, psychosomatic disorders.** (Gastritis, colitis, migraine, asthma, palpitations).

• **Psychological exhaustion, depression, anxiety, insomnia.** Ginseng is very useful for students during examinations.

• **Premature aging, senility.**

• **High or low blood pressure.**

Warning

Excessive doses can produce *nervousness.*

Do not associate it with *coffee or tea,* since it can produce nervous excitation, nor with medicines containing *iron,* because this mineral interferes chemically with the active components of ginseng, decreasing its effects.

Artemisia vulgaris L.

Mugwort

Regulates menstruation and increases appetite

MUGWORT WAS already used by the ancient Greeks. Dioscorides, the father of phytotherapy, talked about this plant in the first century A.D. Andrés de Laguna, a famous Spanish physician of the sixteenth century, who worked in the Netherlands, Bologna, Rome, and Venice, said of this plant that "it is called *Artemisia*, from the name of the goddess Artemis, also called Diana, since like the goddess, the plant helps women in labor, without ever failing ."

Mugwort has always been a plant used because of its effects on the female genitals. The French medical school, with its characteristic finesse, said as early as during the Renaissance that "mugwort turns women into flowers again," meaning the effects of the plant on menstruation.

Mugwort Baths

For **menstruation disorders,** it is useful to employ a combination of **oral intake** of this plant with hot water **baths** to which some handfuls of mugwort are added.

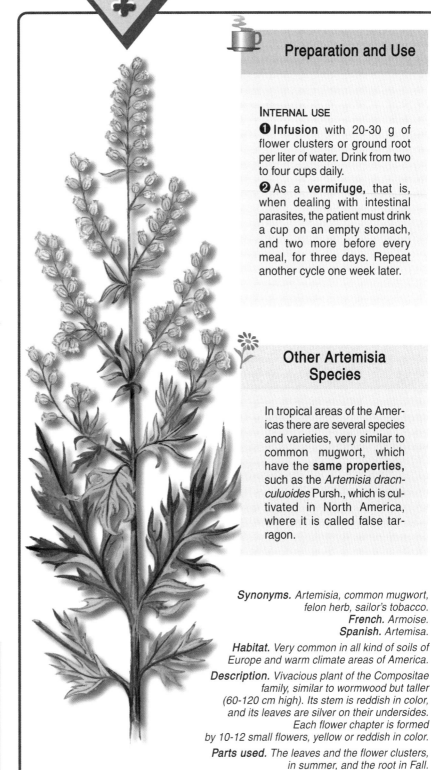

Preparation and Use

INTERNAL USE

❶ **Infusion** with 20-30 g of flower clusters or ground root per liter of water. Drink from two to four cups daily.

❷ As a **vermifuge,** that is, when dealing with intestinal parasites, the patient must drink a cup on an empty stomach, and two more before every meal, for three days. Repeat another cycle one week later.

Other Artemisia Species

In tropical areas of the Americas there are several species and varieties, very similar to common mugwort, which have the **same properties,** such as the *Artemisia dracnculuoides* Pursh., which is cultivated in North America, where it is called false tarragon.

Synonyms. Artemisia, common mugwort, felon herb, sailor's tobacco.
French. Armoise.
Spanish. Artemisa.

Habitat. Very common in all kind of soils of Europe and warm climate areas of America.

Description. Vivacious plant of the Compositae family, similar to wormwood but taller (60-120 cm high). Its stem is reddish in color, and its leaves are silver on their undersides. Each flower chapter is formed by 10-12 small flowers, yellow or reddish in color.

Parts used. The leaves and the flower clusters, in summer, and the root in Fall.

Mugwort promotes menstruation, in some cases of amenorrhea (lack of menstruation) caused by functional reasons. This plant is especially recommended for women suffering from irregular menstruation or dysmenorrhea (menstrual pain), since it helps normalize the menstrual cycle.

PROPERTIES AND INDICATIONS. The whole plant contains an essence whose main component is eucalyptol or cyneole, as well as small amounts of thujone, tannin, mucilage, and a bitter component. Its properties are as follows:

• **Emmenagogue.** It can produce menstruation in the case of **amenorrhea** (lack of menstruation) due to functional disorders. The plant also has the properties of normalizing menstrual cycle and easing menstrual pain (**dysmenorrhea**) [❶].

In ancient times it was applied as poultices on the stomach of women suffering from difficult or prolonged labor. At present, fortunately we have better remedies to accelerate labor.

• **Appetizer and cholagogue.** Because of its bitter component, it has the following properties: increases **appetite,** stimulates the emptying of the stomach (recommended for gastric ptosis) promotes **digestion,** and normalizes the function of the **gall bladder.** It also has mild **laxative** properties [❶].

• **Vermifuge.** It produces expulsion of intestinal parasites. It is especially effective against oxyuridae [❷]. In Central America, this plant is widely used because of this action.

This plant was formerly used as a sedative, to treat epilepsy and Parkinson's disease. However today it is no longer used. We have no proof of its effectiveness in these cases.

Fucus

Fights obesity and cellulitis

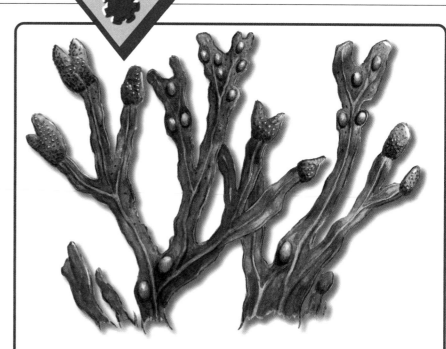

Synonyms. *Sea ware, wrack, bladder fucus.*
French. *Varech vésiculeux.* **Spanish.** *Fucus, sargazo vejigoso.*

Habitat. *Rocks and beaches on the European Atlantic coast, from Norway to the Iberian peninsula, where it is especially abundant in Galician rias.*

Description. *Algae of the Fucaceae family, brown in color, whose thallus is formed by tape-shaped sheets which stick by their base to underwater rocks. These sheets contain air bladders (aerocysts), which keep the plant upright. The reproductive system of the algae is located in its apex.*

Parts used. *The thallus (the body of the algae).*

A LGAE ARE water plants with chlorophyll or other coloring substances, whose size vary from micro-organisms (unicellular algae) to the size of an earth plant (multi-cellular algae). In China and Japan, algae have been used as food for many centuries.

Phytotherapists of past centuries, when observing the bladders of fucus, filled with air (floats), thought that, according to the theory of signs, it could be useful against diseases such as mumps and scrofula (an inflammation of neck ganglion, often caused by tuberculosis).

Modern scientific research has proven fucus usefulness in these afflictions, but the main discovery has been some interesting properties which make fucus a highly recommended algae when used against obesity and cellulitis, both ailments common among the inhabitants of the developed world.

PROPERTIES AND INDICATIONS. Fucus, or bladder fucus, when dry, contains 65% sugar, among which the alginic acid is remarkable (12-18%), as well as fucoidin (a mucilaginous polysaccharide). Fucus also contains 15% mineral salts, especially iodine, potas-

Preparation and Use

INTERNAL USE

❶ **Fresh alga.** It is taken as a vegetable, though its flavor is not enjoyable for everybody.

❷ **Decoction or infusion** of fucus dry extract, with 15-20 g per liter of water. Drink three or four cups daily.

❸ **Powder.** It is taken in the form of capsules. The usual dose is 0.5-2 g, 1-3 times a day.

In the case of **weight loss diets,** fucus must be taken in any of the listed ways, fifteen minutes **before meals.** This way, it exerts a greater

anorexigen action (which reduces appetite).

In other cases, fucus can be taken with meals, or after them.

EXTERNAL USE

❹ **Compresses** soaked in the liquid resulting of the decoction, then applied hot on the affected areas, two or three times a day, during 10-15 minutes.

❺ **Poultices** prepared with the fresh alga, previously heated in a bowl with water. Apply hot on the affected skin area during 10-15 minutes, three or four times daily.

sium, and bromine; 5% of proteins, and 1%-2% fat, as well as vitamins A, B, C, and E. Fucus is likely to contain small amounts of vitamin B_{12} since it is frequently polluted by microscopic algae which are the true producers of this vitamin. Therefore, fucus is very promising for people who want to follow a strict vegetarian diet.

Fucus has antiscurvy, nourishing, remineralizing, depurative, and mildly laxative properties, but it mainly acts as a weight loss plant, an anticellulite, and an invigorating of the thyroid. Its basic applications are the following:

• **Absorbent and anorexigen** (calms the sensation of hunger). Alginic acid and its salts (alginates), as well as the other mucilages contained in fucus, can absorb water up to six times their own weight. Because of this property, they increase in volume when in the stomach, and produce a full sensation. Therefore, fucus is a very useful remedy in treating **obesity** caused by **bulimia** (excess of appetite) [❶,❷,❸].

• **Digestive.** Fucus absorbs gastric juices, decreasing **acidity.** It is recommended to treat **gastritis and** esophagic **reflux, hiatal hernia,** and other causes of pyrosis or hyperacidity [❶,❷,❸].

• **Nourishing, remineralizing, and antiscurvy.** Bladder fucus provides mineral salts, vitamins, proteins, and other nourishing substances, which prevent, during long-lasting weight loss diets, malnutrition states or lack of these basic substances [❶,❷,❸].

• **Mild laxative.** The antiobesity properties of fucus are enhanced by its mild laxative and emollient effect due to its high content of mucilage [❶,❷,❸].

• **Thyroid invigorating.** This alga contains a *high concentration of iodine* and organic iodine salts: 150 mg per kilogram of algae (in order to obtain the same amount we would need 3,000 of seawater liters). Iodine is required by thyroid to produce tyrosine, a hormone which promotes the burning of the nourishing substances we eat, thus activating metabolism.

Because of its content in organic iodine, it is used as a *complementary treatment* of **hyperthyroidism,** whether associated or not with goiter. In these cases, *medical advice* is required. Fucus can be taken orally in any of its preparations [❶,❷,❸], and applied in compresses soaked in its decoction on the throat [❹].

• **Emollient.** *Externally applied* on the skin as compresses [❹] or poultices [❺], bladder fucus has soothing and anti-inflammatory properties, promotes the elimination of chlorine salts, and helps reduce the volume of adipose tissues. All these actions make fucus a very useful plant to treat cellulitis, wrinkles, stretch marks, and skin flaccidity [❹,❺].

By decreasing appetite, by its laxative properties, and by accelerating the metabolism, fucus achieves an effective weight-losing action which lacks any side effect.

Devil's Claw

Powerful antirrheumatic

"**M**R. MENHERT! Do you remember that severely wounded soldier who the German physicians said they could not cure?" the native asked his master.

"Of course I remember him. Poor boy, he has died for sure!"

"But no, Mr. Menhert! He was healed with a plant the medicine men applied to him!"

"Oh, yes? I have to know which plant that is!"

The location was South Africa, near the Kalahari Desert, north of the River Orange. It was 1904, and the Hottentot uprising against German colonization had just broken out. Menhert was a German settler who worked hard on his farm, and kept good relations with natives.

"I will ask the medicine men to show me that plant which is able to heal such severe wounds," Menhert thought. "I am sure it is unknown in Europe."

However, the Hottentot medicine men did not reveal to him their secret. Therefore, the settler managed to train a dog to follow the medicine men and locate the plant. Once Menhert gathered a certain amount of the plant's roots, which was later identified as *Harpagophytum procumbens*, he

French. *Harpagophytum.*
Spanish. *Harpagofito.*

Habitat. *Native to South Africa, on the nearby areas to the Kalahari Desert, in current Namibia. It grows in argillaceous and sandy soils.*

Description. *Vivacious plant of the Pedaliaceae family, which has single purple flowers similar to those of foxglove. The fruit grow at soil level, and are woody, with hooks.*
The primary root is a long tuber of which secondary roots, similar to peanuts, grow. These have a very sour flavor, and are the medicinal part of the plant.

Parts used. *The secondary roots.*

Preparation and Use

INTERNAL USE

❶ **Infusion.** The usual dose is 15 g (a spoonful) of **root powder** per half a liter of water. Steep for half an hour to one hour. Drink three or four cups per day.

❷ **Capsules.** Due to its sour flavor, it is also available as capsules containing root powder. Three or four should be swallowed daily.

We recommend that you take infusions of pharmaceutical preparations of devil's claw before meals.

EXTERNAL USE

❸ **Compresses or fomentations** soaked in the infusion described for internal use, though it is better to prepare it more concentrated. Apply directly on the affected skin area, several times.

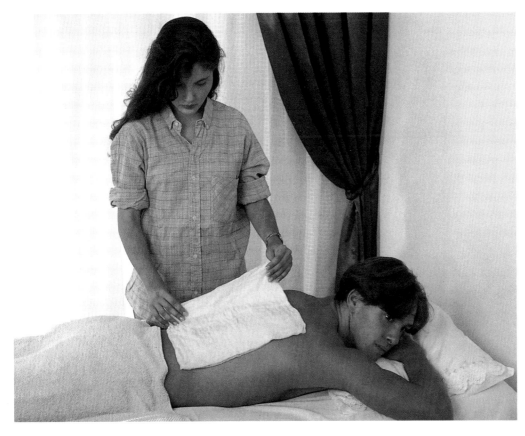

Devil's claw is a successfully proven anti-inflammatory and antirrheumatic plant which, when taken in therapeutical doses, is completely free of undesirable side effects. Therefore, it is being used more and more all the time.

sent the roots to Germany for further analysis.

Since then, the prestige of this plant has been increasing. At present it is *one of the most effective remedies* phytotherapy has in order to treat **rheumatic afflictions.**

PROPERTIES AND INDICATIONS. Since the early twentieth century, the root of the devil's claw has been deeply analyzed in depth, mainly in German laboratories, being the object of much research. More than 40 active substances have been discovered in this root, among which the most outstanding are monoterpenic glycosides of the iridoid group (glycoiridoid), harpagine, harpagide, and procumbide. The plant owes to these substances its **analgesic, anti-inflammatory, and antispasmodic** properties. Devil's claw also has **wound healing** properties, and decreases the level of **cholesterol and**

uric acid in the blood. Its indications are the following:

• **Anti-inflammatory and antirheumatic.** Devil's claw is especially recommended for rheumatic aches caused by arthrosis. Very good results are obtained for cervical, lumbar, hip, and knee arthrosis. This has been confirmed by clinic research. After two or three months of treatment, articular motility improves significatively, and pain disappears. The plant has proven useful for all kinds of articular rheumatism [❶,❷].

Unlike many anti-inflammatory medicines, devil's claw root does not produce *irritant effects* on the *digestive system.* It completely lacks any side effect when taken in therapeutic doses.

Antirrheumatic properties of devil's claw are produced both when it is taken orally [❶,❷] and when it is applied externally [❶,❷]. Best effects are

achieved when simultaneaously combining internal and external applications of devil's claw [❸].

• **Depurative.** This plant promotes the elimination through urine of acid metabolic waste, like uric acid, which is the causative agent of **gout** and of many cases of **arthritis** (inflammation of the joints) [❶,❷]].

• **Antispasmodic.** It has a relaxing effect on spasms or intestinal colic, irritable bowel, and biliary and renal colic [❶,❷].

• **Hypolipemic.** Devil's claw reduces the level of **cholesterol** in the blood, and regenerates the elastic fibers which make arterial walls, being thus essential for **arteriosclerosis** [❶,❷].

• **Cicatrizant.** When *externally* applied, this plant is an excellent cicatrizant (heals wounds) for all kind of wounds and skin sores [❸].

Aloe vera
(L.) Webb.

Aloe

Invigorates, soothes the skin, and heals wounds

I T WOULD BE good if you could conquer the Island of Socotora in the Indian Ocean," Aristotle said to his disciple the great King and conqueror Alexander the Great. "There, where date palms and incense grow, there is a plant called aloe which grows all over the land."

"I appreciate dates and incense, but tell me, Master Aristotle, what do you want aloe plants for?"

"Your Majesty, botanists, physicians, and wise men in this noble city of Athens have concluded that there is no better healing substance than aloe gel. The soldiers of our Army who fall wounded in the war, will find in aloe the best of remedies."

"This is very interesting, Aristotle. I want my soldiers to have the best of treatments. But tell me, how have you concluded that aloe is a good cicatrizant?"

"It has been easy, Your Majesty! We have observed that, when any of the fleshy leaves of aloe is cut, there is a quick healing on its own surface, with the aim of keeping the precious juice it contains from getting lost. Natural logic tells us that if the plant is able to regenerate the surface of its own leaves successfully, it will also heal the wounds of humans who will be treated with the plant."

At present, we know that aloe belongs to the group of xeroid plants, which close the stomas of their leaves after any cut or wound in them. Thus, they avoid loss of moisture.

Indeed aloe has been used to heal the wounds of many people throughout history. Greek soldiers, Roman

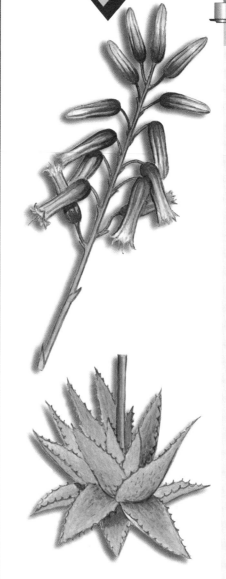

Preparation and Use

INTERNAL USE

❶ **Bitter aloes.** It is used as pills, and **pharmaceutically** made. As a laxative or purgative substance, bitter aloes act slowly, thus have to be administered at night to achieve effects the next day.

❷ **Aloe gel or juice.** Take 1-2 spoonfuls, three or four times a day, dissolved into water, fruit juice, or milk.

EXTERNAL USE

❸ **Compresses** with aloe juice. Keep them for the whole day, soaking them with juice every time they get dry. At night, olive oil or an hydrating cream can be applied, since aloe juice dries the skin.

❹ **Lotion** with aloe juice. Apply two or three times a day on the affected skin area. It is recommended that you combine its use with that of some emollient (soothing) such as olive oil.

❺ **Creams and ointments,** and other **pharmaceutical preparations** based in aloe. These usually include an emollient or hydrating substance.

Scientific synonym.
Aloe barbadensis Miller.

Synonyms. *Barbados aloe, Curacao aloe.*
French. *Aloès.*
Spanish. *Aloe.*

Habitat. *Native to southern Africa, however spread to hot and desert regions of America (Central America and the West Indies), and Asia.*

Description. *Plant of the Liliaceae family, growing up to three or four meters high, through growth of its central axis or stem. It has fleshy, lanceolated, spiked leaves, and red or yellow flowers according to its variety, which hang from a large stem.*

emperors, and warriors from many countries have been treated with this plant.

Some centuries after Alexander the Great and Aristotle, a very special soldier died on a great battlefield. Like others, he also had aloe applied to his wounded and bruised body, but after he had died. The soldier was Jesus, the Saviour and freedom fighter of mankind, an endless warrior against evil. About Jesus we can read in 1 Peter 2: 24, the following words, "By means of his wounds we have been healed." The body of Jesus was treated with aloe and myrrh, according to what is told in John, chapter 19. Three days later, he arose from death.

PROPERTIES AND INDICATIONS. From the fleshy leaves of aloe, two main products are obtained: bitter aloes, and aloe gel.

BITTER ALOES. When cutting the surface of the aloe leaves, no matter which aloe species, a viscous, yellow juice with bitter flavor flows out. It is concentrated under the sunlight or by evaporation, and becomes a shapeless mass of dark brown color and very bitter flavor, called bitter aloes.

Bitter aloes contain from 40 to 80% resin, and up to 20% aloin, an anthraquinonic glycoside which is its active component. Based on the daily dose, bitter aloes have diverse applications [1].

• Up to 0.1 g it has **appetizer, stomachic, and cholagogue** properties, promoting digestion.

• From 0.1 g it has **laxative and emmenagogue** properties (increases menstrual flowing).

• With a dose of 0.5 g (the maximum per day) it has strong **purgative and oxytocic** properties (it provokes uterine contractions).

ALOE GEL or *JUICE.* It is obtained from the flesh of its leaves, which give an almost transparent sticky juice, with no flavor. This juice is responsible for the fame aloe gel has been acquiring for the last few years, especially because of its healing properties on the skin. This juice is formed by a complex mixture of more than 20

substances, such as polysaccharides, glycosides, enzymes, and minerals. It contains *acemanan,* an immunostimulating substance which increases defenses. Unlike bitter aloes, aloe gel does not have laxative properties.

In *local* applications, aloe can exert beneficial effects in many cases. The most important are the following:

• **Wounds,** whether clean or infected. Aloe juice is applied as compresses [3], though the aloe flesh can be also put directly on the wound. It promotes the cleaning of the wound and accelerates its regeneration, while reducing the scar.

• **Burns.** Aloe gel or juice is applied as compresses for two days after the burn has taken place [3]. For first degree burns, two or three days of treatment will suffice. In more severe cases, we recommend you *consult the doctor.* Aloe manages to accelerate skin regeneration in the burned area, as well as reduce scarring to a minimum.

Good results have been achieved with skin burns caused by ionizing radiations, as well as from radiodermitis (an affliction of the skin caused by nuclear radiation). It is said that during World War II, some inhabitants of Hiroshima and Nagasaki who survived the atomic bombs healed their radiation-caused burns by applying aloe flesh directly on the burned areas.

• **Skin afflictions.** Aloe juice, applied from lotion, has a favorable effect on psoriasis and skin eczema, as well as on acne, athlete's foot (fungal infection), and herpes [4]. We recommend you take aloe orally also to enhance its effects [2].

In children, a lotion with aloe juice is used to treat eczema caused by diapers, and to alleviate itching and promote skin healing for diseases such as measles, rubella (German measles), and chicken pox [4,5].

• **Skin beauty.** Aloe revitalizes skin, giving it better endurance, smoothness, and beauty. When applied to the skin, it improves the appearance of scars and cracks. It is also used for nail and hair care [4,5].

When *taken orally,* aloe juice has

depurative and invigorating properties. It is used as a **digestive,** and in the treatment of gastro-duodenal ulcer [2].

ACEMANAN contained in aloe juice has been scientifically proven to be able to **stimulate the defenses** of the body [2]. Internally used, it activates the lymphocytes, a kind of cell whose main function is that of destroying cancer cells, as well as those which have been infected by the AIDS virus. Research is being conducted on using acemanan to treat both modern plagues; however without any definitive results up to now.

Echinacea

Heals and prevents by increasing defenses

THE NATIVES of the American states of Nebraska and Missouri used the root of echinacea to heal infected wounds and snake bites. By the late nineteenth century, Dr. Meyer, a medical researcher, discovered its properties while living among the Indians. From then onwards, echinacea has been the focus of many scientific studies, which revealed the many virtues of this plant, as well as its active mechanisms.

At present, echinacea is part of several *pharmaceutical preparations,* and it is one of the plants about which *a higher number of scientific studies* has been performed.

PROPERTIES AND INDICATIONS. The composition of the root of echinacea is highly complex. Many active substances have been identified, and could be classified according to the following guidelines:

• **Essential oil.** It consists of more than 20 components, among which the geranil-isobutirate (61 %) is important; it also contain terpenes (pinene, thujone, and others), and cys-1.8-pentadecadien, a substance which, *in vitro*, has oncolytic properties (is able to destroy tumoral cells). The essential oil seems to be responsible for the immune stimulation (increase of defenses).

• **Echinacoside.** A glycoside formed by glucose and ramnose, which has a *strong* **antibiotic** effect on several germs, especially on the golden staphylococcus.

Preparation and Use

INTERNAL USE

❶ **Decoction** with 30-50 g of ground root per liter of water. Drink from three to five cups daily.

❷ **Pharmaceutical preparations.** Echinacea is usually presented in several forms: fluid extract, tincture, capsules, etc. In any case, carefully follow the instructions.

EXTERNAL USE

❸ **Compresses** with the same decoction used internally.

❹ **Lotions** with the liquid of the aforementioned decoction.

❺ **Pharmaceutical preparations:** creams, ointments, and other.

French. *Rudbeckie [à feuilles étroites].*
Spanish. *Equinácea.*

Habitat. *Native to North America, it grows on plains and sandy river banks, mainly in the great Mississippi River Valley. It is cultivated as a medicinal plant in Central Europe.*

Description. *Plant of the Compositae family, whose hollow stems grow up to one meter high. It has elongated, hairy, narrow leaves, and mauve flowers which grow on the tip of the stems, and are quite exuberant.*

Parts used. *The root.*

Cancer Treatment

The use of echinacea renders good results to correct leukopenia (decrease of the number of leukocytes) and the decrease of defenses which radiation or chemical therapy for cancer treatment causes in the human body.

• **Polyacetylene,** which kill **bacteria and fungi.**

• An **inhibiting factor** for *hyaluronidase,* which is an enzyme produced by many bacteria. Hyaluronidase breaks hyaluronic acid (which is a basic component of the connective tissue), allowing the spread of pathogenic germs. By inhibiting this enzyme, echinacea stops the spread of germs throughout the tissues.

• **Resin, inulin, and vitamin C.**

As frequently happens in phytotherapy, the extract of the plant (of its root, in this case) is much more active than any of its active components when isolated. This is due to the interaction among its components, when some of them enhance the action of others. Also there may be some unidentified active components.

The basic properties of echinacea are the following:

• **Immunostimulant.** It increases the defense mechanisms, with a general non-specific stimulation both in the humoral activity (antibody production, activation of the complementary system) and in the cell immunity (phagocytosis: destruction of microorganisms by leukocytes). It produces an increase in the number of leukocytes in the blood.

• **Anti-inflammatory.** It prevents the progression of infections, by inhibiting the enzyme hyaluronidase, produced by many bacteria species. It also promotes the growth of granulation tissue, which is responsible for wound healing; stimulates the reproduction of fiberblasts, which are basic cells of the connective tissue and are responsible for the regeneration of tissues and scar formation.

• **Antitoxic.** It stimulates the purifying process of the liver and kidneys, through which toxic and foreign substances flowing into the blood are neutralized and eliminated.

• **Antibiotic and antiviral.** This action has been experimentally proven *in vitro* (in a test tube). However, the property of stimulating defenses is more important *in vivo* (in the body).

• **Anticancerous.** It is able to destroy malignant cells (an effect which has been only proven *in vitro* up to now).

Hence, the clinical applications of this plant are the following:

• **Infectious diseases** in general. The best antibiotic will fail when our body's defenses do not cooperate in the fight against infection. Echinacea acts on the field, that is to say, on the body suffering from the infection, rather than destroying the causative agents. This means that its action is slower, and perhaps less spectacular than that of antibiotics; however in many cases it renders best results in the middle and long term. It has preventive and healing actions, and lacks the side effects antibiotics have.

It is recommended, among other cases, for **children's infectious diseases, influenza, sinusitis, tonsillitis, and** acute and chronic **respiratory infections,** especially when these are frequent (preventive effect); for **typhoid fever;** in all **septicemia** (blood infection) for any reason (gynecological, urinary, biliary, etc.) **❶,❷**.

It has been applied in the treatment of *AIDS,* combined with other remedies, with promising results.

• **Skin lesions.** Due to its anti-infectious, healing, and tissue regenerative properties, it is recommended for abscesses, infected wounds or burns, folliculitis, infected acne, skin ulcers, including varicose ulcers, psoriasis, dermatosis, and eczema **❸,❹,❺**. In these cases it is applied both internally and externally **❶,❷**.

• **Snake and insect bites.** Due to its antitoxic properties, it neutralizes (partially) the poison, and prevents it from spreading. It must also be applied internally **❶,❷** and externally **❸,❹,❺**.

• **Prostate afflictions.** It reduces congestion of the prostate, and also prevents the frequent urinary infections which occur due to the incomplete emptying of the urinary bladder **❶,❷**.

• **Malignant tumors.** Though up to now its antitumor properties have been only experimentally proven *in vitro,* there are enough reasons to think that this plant can have a beneficial action on cancerous tumors. While awaiting for new research, it must be used *only* as a *complementary treatment* of other antitumor treatments **❶,❷**.

Books on Health

Encyclopedia of Medicinal Plants
2 Volumes

This is a complete, up-to-date, and scientific encyclopedia, based on rigorous botanical, pharmaceutical, and chemical research. More than 470 plants botanically described and classified by diseases. Numerous natural treatments are explained with clear illustrations and simple language. Numerous charts that describe the most frequent disorders and the plants that possess the active principles to correct them. 795 pages in two volumes, hardcover.

Encyclopedia of Health and Education
for the Family
4 Volumes

A medical-educational encyclopedia for the whole family, these books cover more than 400 diseases with their natural, pharmacological, and/or surgical treatments. The Encyclopedia contains numerous tips on educational topics for the whole family. Offering practical orientation from medics, psychologists, and educators to help you maintain and improve your physical, mental, and social health. 1,539 pages in four volumes, hardcover.

Encyclopedia of Foods and their Healing Power
3 Volumes

This is a modern and concise encyclopedia that presents the latest research on food science, nutrition, and dietetics. With almost 700 foods from 5 continents described and around 300 recipes, the information contained in this encyclopedia is based on the latest research at the main universities and research centers of Europe, America, and other continents. 1,278 pages in three volumes, hardcover.

For more information, write: Home Health Education Service, PO Box 1119, Hagerstown, MD, 21741-1119

MORE *F*AMILY READING

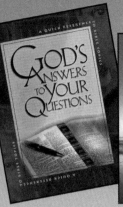

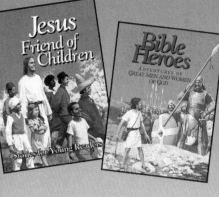

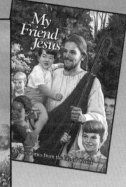

God's Answers to Your Questions
You ask the questions; it points you to Bible texts with the answers

He Taught Love
The true meaning hidden within the parables of Jesus

Jesus, Friend of Children
Favorite chapters from *The Bible Story*

Bible Heroes
A selection of the most exciting adventures from *The Bible Story*

The Storybook
Excerpts from Uncle Arthur's *Bedtime Stories*

My Friend Jesus
Stories for preschoolers from the life of Christ, with activity pages

Foods That Heal
Nutrition expert explains how to change your life by improving your diet

Plants That Heal
Unlocks the secrets of plants that heal the body and invigorate the mind

Choices: Quick and Healthy Cooking
Healthy meal plans you can make in a hurry

More Choices for a Healthy, Low-Fat You
All-natural meals you can make in 30 minutes

Tasty Vegan Delights
Exceptional recipes without animal fats or dairy products

Fun With Kids in the Kitchen Cookbook
Let your kids help with these healthy recipes

Health Power
Choices you can make that will revolutionize your health

Secret Keys
Character-building stories for children

Joy in the Morning
Replace disappointment and despair with inner peace and lasting joy

FOR MORE INFORMATION:
- mail **the attached card**
- **or write**
  Home Health Education Service
  P.O. Box 1119
  Hagerstown, MD 21741
- **or visit www.thebiblestory.com**

Cuaderno de práctica y resolución de problemas

Guía del maestro

PEARSON

Boston, Massachusetts Chandler, Arizona Glenview, Illinois Upper Saddle River, New Jersey

Copyright © Pearson Education, Inc., or its affiliates. All Rights Reserved. Printed in the United States of America. This publication is protected by copyright, and permission should be obtained from the publisher prior to any prohibited reproduction, storage in a retrieval system, or transmission in any form or by any means, electronic, mechanical, photocopying, recording, or likewise. For information regarding permissions, write to Pearson Curriculum Group, Rights & Permissions, One Lake Street, Upper Saddle River, New Jersey 07458.

Pearson, Prentice Hall, Pearson Prentice Hall and MathXL are trademarks, in the U.S. and/or other countries, of Pearson Education, Inc., or its affiliates.

ISBN-13: 978-0-13-370607-9
ISBN-10: 0-13-370607-9

1 2 3 4 5 6 7 8 9 10   V069   14 13 12 11 10

PEARSON

Contenido

Página 2

1-1 Pensar en un plan
Variables y expresiones

Voluntariado Serena y Tyler envuelven cajas de regalos a la misma velocidad. Serena comienza primero, como se muestra en el diagrama. Escribe una expresión algebraica que represente el número de cajas que habrá envuelto Tyler cuando Serena haya envuelto x cajas.

Piensa

1. Como Serena empezó primero, siempre tendrá más cajas que Tyler. ¿Cuántas cajas envolvió Serena antes de que empezara Tyler?
2

Planea

2. Analiza la situación. ¿Qué frase de la situación se podría escribir como un símbolo algebraico? ¿Con qué símbolo la asociamos?
"Dos cajas menos" puede escribirse como una resta; −

Resuelve

3. Cuando Serena haya envuelto x cajas, ¿cuántas cajas habrá envuelto Tyler?
$x − 2$

4. ¿Se podría expresar esta situación de alguna otra forma? Explica tu respuesta y da un ejemplo para demostrar tus ideas.
Sí; se puede expresar el número de cajas que envolvió Serena en relación con las que envolvió Tyler. Se expresaría como $x + 2$.

Página 3

1-1 Práctica   Modelo G
Variables y expresiones

Escribe una expresión algebraica para cada frase en palabras.

1. 10 menos que x
$x − 10$

2. 5 más que d
$5 + d$

3. 7 menos f
$7 − f$

4. la suma de 11 y k
$11 + k$

5. x multiplicado por 6
$x \cdot 6$

6. un número t dividido por 3
$t \div 3$

7. un cuarto de un número n
$n \div 4$

8. el producto de 2.5 y un número t
$2.5 \cdot t$

9. el cociente de 15 y y
$15 \div y$

10. un número q triplicado
$q \cdot 3$

11. 3 más el producto de 2 y h
$3 + 2 \cdot h$

12. 3 menos que el cociente de 20 y x
$20 \div x − 3$

Escribe una frase en palabras para cada expresión algebraica.

13. $n + 6$
La suma de n y 6

14. $5 − c$
5 menos que c

15. $11.5 + y$
La suma de 11.5 y y

16. $\frac{x}{4} − 17$
17 menos que el cociente de x y 4

17. $3x + 10$
10 más que el producto de 3 y x

18. $10x + 7z$
La suma de $10x$ y $7z$

Escribe una regla en palabras y en forma de expresión algebraica para mostrar la relación de cada tabla.

19. En la tienda de videos del vecindario, se cobra una cuota mensual de $5 y $2.25 por video.

Videos (v)	Costo (c)
1	$7.25
2	$9.50
3	$11.75

$5 más $2.25 multiplicado por el número de videos; $5 + 2.25v$

Página 4

1-1 Práctica (continuación)   Modelo G
Variables y expresiones

20. A Dorothy le pagan por pasear el perro de su vecino. Cada semana que pasea al perro gana $10.

Semanas (s)	Remuneración (r)
4	$40.00
5	$50.00
6	$60.00

$10 por el número de semanas; $10s$

Escribe una expresión algebraica para cada frase en palabras.

21. 8 menos el cociente de 15 y y $8 − 15 \div y$

22. un número q triplicado más z duplicado $3q + 2z$

23. el producto de 8 y z más el producto de 6.5 y y $8z + 6.5y$

24. el cociente de 5 más d y 12 menos w $\frac{5 + d}{12 − w}$

25. **Analizar errores** Un estudiante escribe $5y \cdot 3$ para representar la relación entre *la suma de $5y$ y 3*. Explica el error.
La palabra "suma" indica que se debe usar la suma y no la multiplicación. El estudiante ha usado el signo de multiplicación en lugar de +.

26. **Analizar errores** Un estudiante escribe *la diferencia entre 15 y el producto de 5 y y* para describir la expresión $5y − 15$. Explica el error.
El número 15 tendría que estar primero, y la expresión tendría que escribirse $15 − 5y$.

27. Juan intenta enviar un paquete por correo a su abuela. Ya le puso e estampillas al paquete. El empleado de la oficina de correos le dice que deberá duplicar el número de estampillas del paquete y luego agregar 3 más. Escribe una expresión algebraica que represente el número de estampillas que Juan tendrá que colocar en el paquete.
$2e + 3$

Página 5

1-1 Preparación para el examen estandarizado
Variables y expresiones

Opción múltiple

Escoge la letra que contiene la respuesta correcta para los Ejercicios 1 a 7.

1. ¿A qué signo corresponde la palabra *menos*? **B**
A. +   B. −   C. ÷   D. ×

2. ¿A qué signo corresponde la palabra *producto*? **F**
F. ×   G. +   H. −   I. ÷

3. ¿A qué signo corresponde la palabra *más*? **B**
A. −   B. +   C. <   D. ÷

4. ¿Cuál de las opciones es una expresión algebraica de la frase en palabras *10 más que un número f*? **I**
F. $10 − f$ G. $\frac{10}{f}$ H. $10 \times f$ I. $f + 10$

5. ¿Cuál de las opciones es una expresión algebraica de la frase en palabras *el producto de 11 y un número s*? **B**
A. $\frac{11}{s}$ B. $11 \times s$ C. $11 + s$ D. $11 − s$

6. Ana y Tim coleccionan estampillas. Tim va a llevar sus estampillas a la casa de Ana para compararlas. Ana tiene 60 estampillas. ¿Qué expresión representa el número total de estampillas que tendrán los dos si t representa el número de estampillas que tiene Tim? **H**
F. $60 \times t$ G. $60 \div t$ H. $60 + t$ I. $60 − t$

7. La panadería de Hershel vende rosquillas por caja. Hay r rosquillas en cada caja. Beverly va a comprar 10 cajas para una excursión escolar. ¿Qué expresión representa el número total de rosquillas que va a comprar Beverly para la excursión? **A**
A. $10 \times r$ B. $10 \div r$ C. $10 − r$ D. $10 + r$

Respuesta breve

8. Hay 200 personas interesadas en jugar en una liga de básquetbol. Los líderes de la liga van a dividir a todas las personas en n equipos. ¿Qué expresión algebraica representa el número de jugadores de cada equipo? $200 \div n$

[2] La respuesta es correcta.
[1] La respuesta está incompleta.
[0] La respuesta es incorrecta.

Página 6

1-2 Pensar en un plan
El orden de las operaciones y evaluar expresiones

Sueldo Ganas $10 por hora de trabajo en una tienda de alquiler de canoas. Escribe una expresión que represente tu sueldo por h horas de trabajo. Haz una tabla para averiguar cuánto ganas por 10, 20, 30 y 40 horas de trabajo.

Piensa

1. ¿Qué palabra o frase indica la operación que debes usar para resolver este problema?

"Por hora de trabajo"

Planea

2. Según tu respuesta al Ejercicio 1, escribe una expresión que te indique cuánto ganas por cada h hora que trabajas.

$10 \times h$, donde h es el número de horas de trabajo

Resuelve

3. Usa la expresión del Ejercicio 2 para hallar cuánto ganarás por trabajar 10, 20, 30 y 40 horas.

100; 200; 300; 400

4. Haz una tabla para resumir tus resultados.

Horas (h)	Dinero ($)
10	100
20	200
30	300
40	400

Página 7

1-2 Práctica
Modelo G
El orden de las operaciones y evaluar expresiones

Simplifica cada expresión.

1. 4^2 16

2. 5^3 125

3. 1^{16} 1

4. $\left(\frac{5}{6}\right)^2$ $\left(\frac{25}{36}\right)$

5. $(1 + 3)^2$ 16

6. $(0.1)^3$ 0.001

7. $5 + 3(2)$ 11

8. $\left(\frac{16}{2}\right) - 4(5)$ -12

9. $4^4(5) + 3(11)$ 1313

10. $17(2) - 4^2$ 18

11. $\left(\frac{20}{5}\right)^3 - 10(3)^2$ -26

12. $\left(\frac{27 - 12}{8 - 3}\right)^3$ 27

13. $(4(5))^3$ 8000

14. $2^5 - 4^2 \div 2^2$ 28

15. $\left(\frac{3(6)}{17 - 5}\right)^4$ $\frac{81}{16}$

Evalúa cada expresión, donde $s = 2$ y $t = 5$.

16. $s + 6$ 8

17. $5 - t$ 0

18. $11.5 + s^2$ 15.5

19. $\frac{s^4}{4} - 17$ -13

20. $3(t)^3 + 10$ 385

21. $s^3 + t^2$ 33

22. $-4(s)^2 + t^3 \div 5$
9

23. $\left(\frac{s + 2}{5t^2}\right)^2$
$\frac{16}{15,625}$ ó 0.001024

24. $\left(\frac{3s(3)}{11 - 5(t)}\right)^2$
$\frac{81}{49}$

25. Cada fin de semana, Morgan compra ropa especial en la tienda de segunda mano local y la revende en un sitio Web de subastas. Si gana $150.00 y gasta g, escribe una expresión que represente el dinero que le queda. Evalúa tu expresión, donde $g = \$27.13$ y $g = \$55.14$.

$150 - g$; $122.97; $94.86

Página 8

1-2 Práctica (continuación)
Modelo G
El orden de las operaciones y evaluar expresiones

26. Un ciclista viaja a una velocidad de 15 pies por segundo. Escribe una expresión que represente la distancia que ha recorrido el ciclista después de s segundos. Haz una tabla para anotar la distancia recorrida a los 3.0, 5.8, 11.1 y 14.0 segundos.

$d = 15.0s$

Tiempo (s)	Distancia (pies)
3.0	45.0
5.8	87.0
11.1	166.5
14.0	210.0

Simplifica cada expresión.

27. $4[(12 + 5) - 4^4]$
4

28. $3[(4 - 6)^2 + 7]^2$
363

29. $2.5[13 - \left(\frac{36}{6}\right)^2]$
-57.5

30. $[(48 \div 8)^3 - 7]^3$
9,129,329

31. $\left(\frac{4(-4)(3)}{11 - 5(1)}\right)^3$
-512

32. $4[11 - (55 - 3^5) \div 3]$
294.667

33. **a.** Si el impuesto que pagas cuando compras un artículo es igual al 12% del precio de venta, escribe una expresión que represente el impuesto que se aplica a un artículo de precio p. Escribe otra expresión que represente el precio total del artículo, incluido el impuesto. $0.12 \times p$; $0.12p + p$

   b. ¿Qué operaciones se usan en las expresiones que escribiste? La multiplicación y la suma

   c. Determina el precio total, con el impuesto incluido, de un artículo que cuesta $75. $84

   d. Explica de qué manera el orden de las operaciones te ayudó a resolver este problema.
   Primero, hay que multiplicar 0.12 por p para determinar el impuesto; luego, hay que sumar el impuesto al precio de venta original.

34. El costo del alquiler de un salón para espectáculos escolares es de $60 por hora. Escribe una expresión que represente el costo del alquiler del salón por h horas. Haz una tabla para averiguar cuánto costará alquilar el salón por 2, 6, 8 y 10 horas.

$60 \times h$

Horas	Costo del alquiler
2	120
6	360
8	480
10	600

Evalúa cada expresión según los valores de las variables.

35. $4(c + 5) - f^4$; $c = -1$, $f = 4$
-240

36. $-3[(w - 6)^2 + x]^2$; $w = 5$, $x = 6$
-147

37. $3.5[h^3 - \left(\frac{3j}{6}\right)^2]$; $h = 3$, $j = -4$
80.5

38. $x[y^2 - (55 - y^5) \div 3]$; $x = -6$, $y = 6$
$-15,658$

Página 9

1-2 Preparación para el examen estandarizado
El orden de las operaciones y evaluar expresiones

Respuesta en plantilla

Resuelve cada ejercicio y marca tu respuesta en la plantilla. Si es necesario, redondea tus respuestas a la centésima más cercana.

1. ¿Cuál es la forma simplificada de $(3.2)^4$? 104.86

2. ¿Cuál es la forma simplificada de $(6^2 + 4) - 15$? 25

3. ¿Cuál es la forma simplificada de $4 \times 6^2 \div 3 + 7$? 55

4. ¿Cuál es el valor de $-4d^2 + 15d^2 \div 5$ si $d = 1$? -1

5. ¿Cuál es el valor de $(5x^2)^3 + 16y \div 4y$ si $x = 2$ y $y = 3$? 8004

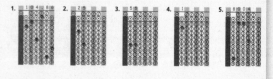

Página 10

1-3 Pensar en un plan
Los números reales y la recta numérica

Mejoras al hogar Si apoyas una escalera contra una pared, la longitud de la escalera debe ser $\sqrt{(x)^2 + (4x)^2}$ pies para que se considere segura. La distancia x es la distancia a la que está la base de la escalera de la pared. Estima la longitud deseada de la escalera si la base está ubicada a 5 pies de la pared. Redondea tu respuesta a la décima más cercana.

Piensa

1. ¿Qué representa x en la expresión dada? ¿Qué valor se da a x?
   La distancia a la que está la base de la escalera de la pared; 5 pies.

Planea

2. ¿Cuál es la expresión cuando se sustituye x por el valor dado?
   $\sqrt{5^2 + (20)^2}$

3. ¿Cómo simplificarías la expresión que está debajo del símbolo de raíz cuadrada? Eleva 5 y 20 al cuadrado, y luego suma los resultados.

4. ¿Cuál es el valor de la expresión que está debajo del símbolo de raíz cuadrada? ¿Es este número un cuadrado perfecto?
   425; No.

Resuelve

5. ¿Cuál es el valor estimado de la longitud deseada de la escalera? Redondea tu respuesta a la décima más cercana.
   20.6 pies.

Página 11

1-3 Práctica
Los números reales y la recta numérica   *Modelo G*

Simplifica cada expresión.

1. $\sqrt{4}$ 2   2. $\sqrt{36}$ 6   3. $\sqrt{25}$ 5

4. $\sqrt{81}$ 9   5. $\sqrt{121}$ 11   6. $\sqrt{169}$ 13

7. $\sqrt{625}$ 25   8. $\sqrt{225}$ 15   9. $\sqrt{\frac{64}{9}}$ $\frac{8}{3}$

10. $\sqrt{\frac{25}{81}}$ $\frac{5}{9}$ 11. $\sqrt{\frac{225}{169}}$ $\frac{15}{13}$ 12. $\sqrt{\frac{1}{625}}$ $\frac{1}{25}$

13. $\sqrt{0.64}$ 0.8   14. $\sqrt{0.81}$ 0.9   15. $\sqrt{6.25}$ 2.5

Estima la raíz cuadrada. Redondea tu respuesta al entero más cercano.

16. $\sqrt{10}$ 3   17. $\sqrt{15}$ 4   18. $\sqrt{38}$ 6

19. $\sqrt{50}$ 7   20. $\sqrt{16.8}$ 4   21. $\sqrt{37.5}$ 6

22. $\sqrt{67.5}$ 8   23. $\sqrt{81.49}$ 9   24. $\sqrt{121.86}$ 11

Halla la longitud aproximada del lado de cada figura cuadrada. Redondea tu respuesta a la unidad entera más cercana.

25. un tapete con un área de 64 pies^2 8 pies

26. una colchoneta para hacer ejercicio que tiene 6.25 m^2 2.5 m

27. un plato de 49 cm^2 7 cm

Página 12

1-3 Práctica (continuación)
Los números reales y la recta numérica   *Modelo G*

Nombra el o los subconjuntos de los números reales a los que pertenece cada número.

28. $\frac{12}{18}$ 29. -5 30. π 31. $\sqrt{2}$
    Racionales   Racionales;   Irracionales   Irracionales
                     Enteros

32. 5564   33. $\sqrt{13}$ 34. $-\frac{4}{3}$ 35. $\sqrt{61}$
    Racionales; Enteros; Irracionales   Racionales   Irracionales
    Enteros no negativos;
    Naturales

Compara los números de cada ejercicio usando un símbolo de desigualdad.

36. $\sqrt{25}$, $\sqrt{64}$ 37. $\frac{4}{5}$, $\sqrt{1.3}$ 38. π, $\frac{19}{6}$
    $\sqrt{25} < \sqrt{64}$ $\frac{4}{5} < \sqrt{1.3}$ $\pi < \frac{19}{6}$

39. $\sqrt{81}$, $-\sqrt{121}$ 40. $\frac{27}{17}$, 1.7781356   41. $-\frac{14}{15}$, $\sqrt{0.8711}$
    $\sqrt{81} > -\sqrt{121}$ $\frac{27}{17} < 1.7781356$ $-\frac{14}{15} < \sqrt{0.8711}$

Ordena los números de menor a mayor.

42. 1.875, $\sqrt{64}$, $-\sqrt{121}$ 43. $\sqrt{0.8711}$, $\frac{4}{5}$, $\sqrt{1.3}$ 44. 8.775, $\sqrt{67.4698}$, $\frac{64.56}{8.477}$
    $-\sqrt{121}$, 1.875, $\sqrt{64}$, $\frac{4}{5}$, $\sqrt{0.8711}$, $\sqrt{1.3}$ $\frac{64.56}{8.477}$, $\sqrt{67.4698}$, 8.775

45. $-\frac{14}{15}$, 5.587, $\sqrt{81}$ 46. $\frac{100}{22}$, $\sqrt{25}$, $\frac{27}{17}$ 47. π, $\sqrt{10.5625}$, $-\frac{15}{5.8}$
    $-\frac{14}{15}$, 5.587, $\sqrt{81}$ $\frac{27}{17}$, $\frac{100}{22}$, $\sqrt{25}$ $-\frac{15}{5.8}$, π, $\sqrt{10.5625}$

48. Marsha, José y Tyler están comparando qué tan rápido pueden escribir a máquina. Marsha escribe 125 palabras en 7.5 minutos. José escribe 65 palabras en 3 minutos. Tyler escribe 400 palabras en 28 minutos. Ordena los estudiantes en orden de velocidad de escritura, del más rápido al más lento.
    José, Marsha, Tyler.

Página 13

1-3 Preparación para el examen estandarizado
Los números reales y la recta numérica

Opción múltiple

Escoge la letra que contiene la respuesta correcta para los Ejercicios 1 a 6.

1. ¿A qué subgrupo de los números reales no pertenece -18? A
   A. Irracionales   B. Racionales   C. Enteros   D. Enteros negativos

2. ¿A qué subgrupo de los números reales pertenece $\sqrt{2}$? F
   F. Irracionales   G. Racionales   H. Enteros   I. Enteros no negativos

3. ¿Qué tiene π que te indica que es un número irracional? D
   A. Un decimal no periódico.   C. Un decimal periódico.
   B. Utn decimal no finito.   D. Un decimal no periódico y un decimal no finito.

4. ¿Cuál es la solución de $\sqrt{324}$? G
   F. 15   G. 18   H. 19   I. 24

5. ¿Cuál es la solución de $\sqrt{196}$? A
   A. -14 B. 0   C. 4   D. 19

6. ¿Cuál es la solución de $\sqrt{36x^6y^4}$? G
   F. $6x^6y^4$ G. $6x^3y^2$ H. $18x^3y^2$ I. $24x^6y^4$

Respuesta breve

7. ¿Por qué se clasifica a 8.8 como un número racional?
   Se clasifica a 8.8 como un número racional porque se puede reescribir como la fracción $\frac{88}{10}$.

   [2] La respuesta es correcta.
   [1] La respuesta está incompleta.
   [0] La respuesta es incorrecta.

Página 14

1-4 Pensar en un plan
Propiedades de los números reales

Viajes Hay 235 mi desde Tulsa hasta Dallas. Hay 390 mi desde Dallas hasta Houston.

a. ¿Cuál es la distancia total de un viaje desde Tulsa hasta Dallas y desde Dallas hasta Houston?

b. ¿Cuál es la distancia total de un viaje desde Houston hasta Dallas y Dallas hasta Tulsa?

c. Usa el razonamiento para explicar cómo sabes si las distancias que se describen en las partes (a) y (b) son iguales.

Piensa

1. ¿Qué operación u operaciones usarías para resolver el problema?
La suma.

2. ¿Cuál de las propiedades de los números reales incluye las operaciones identificadas en la parte (a)?
La propiedad conmutativa de la suma, la propiedad asociativa de la suma, identidad de suma.

Planea

3. Escribe expresiones que puedan simplificarse para resolver las partes (a) y (b).
A. 235 + 390   B. 390 + 235

4. ¿En qué se parecen las dos expresiones? ¿Cómo se relacionan esas similitudes con la situación tal como está descrita?
Los números son los mismos; Las distancias entre las ciudades son las mismas, sin importar en qué dirección voy.

5. ¿En qué se diferencian las expresiones? ¿Cómo se relacionan esas diferencias con la situación tal como está escrita?
Los números se suman en otro orden; La primera hace que vayas en una dirección, la segunda hace que vayas en la dirección contraria.

Resuelve

6. Halla las distancias totales que se piden en las partes (a) y (b). ¿Qué observas en las respuestas?
625 millas; 625 millas; Son iguales.

7. ¿Cuál de las propiedades de los números reales explica mejor tus resultados?
La propiedad conmutativa de la suma.

8. Comenta de qué manera esa propiedad explica tus resultados.
La propiedad nos indica que el orden de los sumandos no afecta la suma.

Página 15

1-4 Práctica
Propiedades de los números reales   *Modelo G*

Nombra la propiedad que ilustra cada enunciado.

1. $12 + 917 = 917 + 12$
Propiedad conmutativa de la suma

2. $74.5 \cdot 0 = 0$
Propiedad del cero en la multiplicación

3. $35 \cdot x = x \cdot 35$
Propiedad conmutativa de la multiplicación

4. $3 \cdot (-1 \cdot p) = 3 \cdot (-p)$
Propiedad multiplicativa del -1

5. $m + 0 = m$
Propiedad de identidad de suma

6. $53.7 \cdot 1 = 53.7$
Propiedad de identidad de la multiplicación

Calcula mentalmente para simplificar cada expresión.

7. $36 + 12 + 4$ 52

8. $19.2 + 0.6 + 12.4 + 0.8$ 33

9. $2 \cdot 16 \cdot 10 \cdot 5$ 1600

10. $12 \cdot 18 \cdot 0 \cdot 17$ 0

Simplifica cada expresión. Justifica cada paso.

11. $6 + (8x + 12)$
$= 6 + (12 + 8x)$ Propiedad conmutativa de la suma
$= (6 + 12) + 8x$ Propiedad asociativa de la suma
$= 18 + 8x$ Combina los términos semejantes.

12. $5(16p)$
$= (5 \cdot 16)p$ Propiedad asociativa de la multiplicación
$= 80p$ Simplifica.

13. $(2 + 7m) + 5$
$= (7m + 2) + 5$ Propiedad conmutativa de la suma
$= 7m + (2 + 5)$ Propiedad asociativa de la suma
$= 7m + 7$ Combina los términos semejantes.

14. $\frac{12st}{4t}$
$\frac{12}{4} \cdot s \cdot \frac{1}{t} \cdot t$ Prop. de la multiplicación
$= \frac{12}{4} \cdot s \cdot 1$ Identidad multiplicativa
$= \frac{12}{4} \cdot 1 \cdot s$ Prop. Asoc. de la multiplicación
$= 3s$ Simplifica.

Indica si las expresiones de cada par son equivalentes.

15. $7x$ y $7x \cdot 1$ Equivalentes

16. $4 + 6 + x$ y $x \cdot 4 \cdot x \cdot 6$ No equivalentes

17. $(12 - 7) + x$ y $5x$ No equivalentes

18. $p(4 - 4)$ y 0 Equivalentes

19. $\frac{24xy}{2x}$ y $12y$ Equivalentes

20. $\frac{27m}{(3 + 9 - 12)}$ y $27m$ No equivalentes

21. Has preparado 42 mL de agua destilada, 18 mL de vinagre y 47 mL de agua salada para un experimento.

a. ¿Cuántos mililitros de solución tendrás en el vaso de laboratorio si viertes primero el agua destilada, luego el agua salada y, por último, el vinagre? 107 mL

b. ¿Cuántos mililitros de solución tendrás en el vaso de laboratorio si viertes primero el agua salada, luego el vinagre y, por último, el agua destilada? 107 mL

c. Explica por qué las cantidades descritas en las partes (a) y (b) son iguales.
Prop. asociativa de la suma

Página 16

1-4 Práctica (continuación)
Propiedades de los números reales   *Modelo G*

Usa el razonamiento deductivo para indicar si cada enunciado es *verdadero* o *falso*. Si es falso, da un contraejemplo.

22. Para todos los números reales a y b, $a - b = -b + a$. Verdadero.

23. Para todos los números reales p, q y r, $p - q - r = p - r - q$. Verdadero.

24. Para todos los números reales x, y y z, $(x + y) + z = z + (x + y)$. Verdadero.

25. Para todos los números reales m y n, $\frac{m}{m} \cdot n = \frac{n}{n} \cdot m$. Falso; $\frac{5}{5} \times 3 \neq \frac{3}{3} \times 5$.

26. **Escribir** Explica por qué las propiedades conmutativas y asociativas no se cumplen para la resta y la división, pero sí se cumplen las propiedades de identidad.
Ejemplos: $5 - 0 = 5$; $5 \div 1 = 5$; Contraejemplos: $5 - 3 \neq 3 - 5$; $(5 - 3) - 2 \neq 5 - (3 - 2)$; $6 \div 3 \neq 3 \div 6$; $(24 \div 6) \div 2 \neq 24 \div (6 \div 2)$.

27. **Razonamiento** Una receta para hacer brownies requiere mezclar una taza de azúcar con dos tazas de harina y 4 onzas de chocolate. Se tienen que mezclar todos los ingredientes en un tazón antes de hornearlos. ¿Tendrán un gusto diferente los brownies si agregas los ingredientes en un orden diferente? Relaciona tu respuesta con una propiedad de los números reales.
No; Como con la propiedad conmutativa de la suma, el orden no importa. Como con la propiedad asociativa de la suma, no importa si se agregan primero el azúcar y la harina y luego el chocolate, o si primero se agregan el azúcar y el chocolate y luego la harina, o cualquier otra combinación.

Simplifica cada expresión. Justifica cada paso.

28. $(6^7)(5^3 + 2)(2 - 2)$ 0

29. $(m - 16)(-7 \div -7)$ $m - 16$

30. **Respuesta de desarrollo** Da ejemplos para demostrar lo siguiente.

a. La propiedad asociativa de la suma se cumple para los enteros negativos.

b. La propiedad conmutativa de la multiplicación se cumple para los números no enteros.

c. La propiedad multiplicativa del -1 se cumple sin importar el signo del número con el que se realice la operación.

d. La propiedad conmutativa de la multiplicación se cumple si uno de los factores es cero.

Las respuestas variarán. Ejemplos:
a. $[-3 + (-4)] + (-1) = -7 + (-1) = -8$; $-3 + [-4 + (-1)] = -3 + (-5) = -8$
b. $\left(\frac{1}{2} \cdot \frac{2}{3}\right) \cdot \frac{3}{4} = \frac{1}{3} \cdot \frac{3}{4}$; $\frac{1}{2} \cdot \left(\frac{2}{3} \cdot \frac{3}{4}\right) = \frac{1}{4}$
c. $-1 \cdot 5 = $ el opuesto de $5 = -5$; $-1 \cdot -5 = $ el opuesto de $-5 = 5$
d. $3 \cdot 0 = 0 \cdot 3 = 0$

Página 17

1-4 Preparación para el examen estandarizado
Propiedades de los números reales

Opción múltiple

Escoge la letra que contiene la respuesta correcta para los Ejercicios 1 a 5.

1. ¿Cuál de los siguientes enunciados *no* es siempre verdadero? B
A. $a + (-b) = -b + a$
B. $a - (-b) = (-b) - a$
C. $(a + b) + (-c) = a + [b + (-c)]$
D. $-(-a) = a$

2. ¿Qué par de expresiones tiene expresiones equivalentes? I
F. $18m \cdot 0$ y 1
G. $6 + r + 11$ y $6 \cdot r \cdot 11$
H. $(12 - 5) + \pi$ y 7π
I. $x(3 - 3)$ y 0

3. ¿Qué propiedad ilustra la ecuación $(8 + 2) + 7 = (2 + 8) + 7$? A
A. Propiedad conmutativa de la suma
B. Propiedad asociativa de la suma
C. Propiedad distributiva
D. Propiedad de identidad de la suma

4. ¿Qué expresión es equivalente $-a \cdot b$? F
F. $a \cdot (-b)$
G. $b - a$
H. $(-a)(-b)$
I. $-a + b$

5. ¿Qué opción es un ejemplo de una propiedad de identidad? B
A. $a \cdot 0 = 0$
B. $x \cdot 1 = x$
C. $(-1)x = -x$
D. $a + b = b + a$

Respuesta breve

6. ¿Qué propiedad de los números reales se basa en poder cambiar la agrupación de los sumandos sin modificar la suma?

La propiedad asociativa de la suma.
[2] La respuesta es correcta.
[1] La respuesta está incompleta.
[0] La respuesta es incorrecta.

Página 18

1-5 Pensar en un plan
Sumar y restar números reales

Meteorología Los meteorólogos usan un barómetro para medir la presión del aire y hacer predicciones climáticas. Supón que un barómetro de mercurio estándar marca 29.8 pulgs. El mercurio sube 0.02 pulg. y luego baja 0.09 pulg. El mercurio vuelve a bajar 0.18 pulg. antes de subir 0.07 pulg. ¿Cuánto marca el barómetro al final?

Piensa

1. ¿Qué operación sugiere la palabra "sube"? ___Suma.___

2. ¿Qué operación sugiere la palabra "baja"? ___Resta.___

Planea

3. Escribe *más* o *menos* en cada casilla para que lo que está a continuación represente el problema.

29.8 | más | 0.02 | menos | 0.09 | menos | 0.18 | más | 0.07

4. Escribe una expresión que represente el problema.
29.8 + 0.02 − 0.09 − 0.18 + 0.07

Resuelve

5. ¿Cuál es el valor de la expresión que escribiste en el Ejercicio 4? ___29.62___

6. ¿Cuánto marca el barómetro al final? ___29.62 pulgs.___

Página 19

1-5 Práctica
Modelo G
Sumar y restar números reales

Usa una recta numérica para resolver las siguientes sumas.

1. $4 + 8$ 12
2. $-7 + 8$ 1
3. $9 + (-4)$ 5
4. $-6 + (-2)$ −8
5. $-6 + 3$ −3
6. $5 + (-10)$ −5
7. $-7 + (-7)$ −14
8. $9 + (-9)$ 0
9. $-8 + 0$ −8

Resuelve las siguientes sumas.

10. $22 + (-14)$ 8
11. $-36 + (-13)$ −49
12. $-15 + 17$ 2
13. $45 + 77$ 122
14. $19 + (-30)$ −11
15. $-18 + (-18)$ −36
16. $-1.5 + 6.1$ 4.6
17. $-2.2 + (-16.7)$ −18.9
18. $5.3 + (-7.4)$ −2.1
19. $-\frac{1}{9} + \left(-\frac{5}{9}\right)$ $-\frac{2}{3}$
20. $\frac{3}{4} + \left(-\frac{3}{8}\right)$ $\frac{3}{8}$
21. $-\frac{1}{5} + \frac{7}{10}$ $\frac{1}{2}$

22. **Escribir** Explica cómo usarías una recta numérica para resolver $6 + (-8)$.
Las respuestas variarán. Ejemplo: Comienza en 0. Muévete 6 espacios hacia la derecha y luego 8 espacios hacia la izquierda. La solución es −2.

23. **Respuesta de desarrollo** Escribe una ecuación de suma con un sumando positivo y un sumando negativo cuyo resultado sea −8.
Las respuestas variarán. Ejemplo: $-10 + 2 = -8$

24. Los Bears, el equipo de fútbol americano, perdió 7 yardas y luego ganó 12 yardas. ¿Cuál es el resultado de las dos jugadas?
Ganaron 5 yd.

Página 20

1-5 Práctica (continuación)
Modelo G
Sumar y restar números reales

Resuelve las siguientes restas.

25. $7 - 14$ −7
26. $-8 - 12$ −20
27. $-5 - (-16)$ 11
28. $33 - (-14)$ 47
29. $62 - 71$ −9
30. $-25 - (-25)$ 0
31. $1.7 - (-3.8)$ 5.5
32. $-4.5 - 5.8$ −10.3
33. $-3.7 - (-4.2)$ 0.5
34. $-\frac{7}{8} - \left(-\frac{1}{8}\right)$ $-\frac{3}{4}$
35. $\frac{2}{3} - \frac{1}{2}$ $\frac{1}{6}$
36. $\frac{4}{9} - \left(-\frac{2}{3}\right)$ $1\frac{1}{9}$

Evalúa cada expresión si $m = -4$, $n = 5$ y $p = 1.5$.

37. $m - p$ −5.5
38. $-m + n - p$ 7.5
39. $n + m - p$ −0.5

40. A las 4:00 a.m., la temperatura era $-9\,°F$. Al mediodía, la temperatura era $18\,°F$. ¿Cuánto cambió la temperatura?
27 grados.

41. Un maestro tenía $57.72 en su cuenta corriente. Depositó $209.54. Luego, hizo un cheque por $72.00 y otro por $27.50. ¿Cuál es el nuevo saldo de su cuenta corriente?
$167.76

42. Una buceadora se sumergió 20 pies debajo de la superficie del agua. Luego, se sumergió 3 pies más. Más tarde, subió 7 pies. ¿Qué entero describe la profundidad a la que se encuentra?
−16

43. **Razonamiento** Sin hacer cálculos, determina cuál es mayor: $-47 - (-33)$ ó $-47 + (-33)$. Explica tu razonamiento.
El mayor es $-47 - (-33)$; $-47 - (-33)$ es igual a $-47 + 33$, que es mayor que $-47 + (-33)$.

Página 21

1-5 Preparación para el examen estandarizado
Sumar y restar números reales

Opción múltiple

Escoge la letra que contiene la respuesta correcta para los Ejercicios 1 a 5.

1. ¿Qué expresión es equivalente a $17 + (-15)$? **C**
   A. $-17 + 15$
   B. $-17 - 15$
   C. $17 - 15$
   D. $17 + 15$

2. ¿Qué número podría colocarse en la casilla para hacer verdadera la ecuación? **F**
   $$-5 - \square = 14$$
   F. -19
   G. -9
   H. 9
   I. 19

3. ¿Qué expresión tiene el valor más grande? **B**
   A. $-14 - (-5)$
   B. $-5 - (-14)$
   C. $-14 - 5$
   D. $-5 - 14$

4. La rueda se inventó en el año 2500 a. C. aproximadamente. El automóvil a gasolina se inventó en 1885 d. C. ¿Cuántos años pasaron desde la invención de la rueda hasta la invención del automóvil? **G**
   F. 1615 años
   G. 4385 años
   H. 1725 años
   I. 5385 años

5. Si $r = -18$, $s = 27$ y $t = -15$, ¿cuál es el valor de $r - s - t$? **B**
   A. -60
   B. -30
   C. -6
   D. 6

Respuesta breve

6. En el golf, hay una cantidad de golpes asignada a cada hoyo, llamada el par para ese hoyo. Si metes la pelota en el hoyo en menos golpes que el par, estarás bajo el par de ese hoyo. Si te lleva más golpes que el par, estás sobre el par de ese hoyo. En los primeros 9 hoyos, Avery tenía un par, 1 sobre par, 2 bajo par, otro par, 1 bajo par, 1 sobre par, 3 sobre par, 2 bajo par y 1 bajo par.
   a. ¿Qué expresión de suma representaría los 9 hoyos?
   $0 + 1 + (-2) + 0 + (-1) + 1 + 3 + (-2) + (-1)$
   b. ¿Cuál es el puntaje de Avery en relación al par?
   -1
   [2] Las respuestas de ambas partes son correctas.
   [1] La respuesta de una parte es correcta.
   [0] Ninguna respuesta es correcta.

Página 22

1-6 Pensar en un plan
Multiplicar y dividir números reales

Mercado de agricultores Un granjero tiene 120 fanegas de frijoles para vender en un mercado de agricultores. Vende un promedio de $15\frac{3}{4}$ fanegas cada día. Después de 6 días, ¿cuál es el cambio en la cantidad total de fanegas que tiene el granjero para vender en el mercado?

Comprender el problema

1. ¿Cómo cambia la cantidad de fanegas que tiene el granjero cada día?
   La cantidad de fanegas disminuye.

2. ¿El cambió será un número positivo o negativo? ¿Cómo lo sabes?
   Negativo; La cantidad que tiene el granjero es menor.

Planear la solución

3. ¿Qué expresión representa la cantidad total de fanegas vendidas en 6 días?
   $6 \cdot \left(-15\frac{3}{4}\right)$

Hallar una respuesta

4. Evalúa tu expresión del Ejercicio 3 para determinar el cambio en la cantidad total de fanegas que el granjero tiene en venta en el mercado de agricultores.
   $-94\frac{1}{2}$ fanegas

5. ¿Es razonable tu respuesta? Explica tu respuesta.
   Sí; El cambio es negativo y el valor absoluto del cambio tiene que ser menor que 120 porque el granjero no puede tener una cantidad negativa de frijoles.

Página 23

1-6 Práctica
Multiplicar y dividir números reales

Modelo G

Resuelve las siguientes multiplicaciones. Si es necesario, simplifica.

1. $-5(-7)$
   35

2. $8(-11)$
   -88

3. $9 \cdot 12$
   108

4. $(-9)^2$
   81

5. -3×12
   -36

6. $-5(-9)$
   45

7. $-3(2.3)$
   -6.9

8. $(-0.6)^2$
   0.36

9. $8(-2.4)$
   -19.2

10. $-\frac{3}{4} \cdot \frac{2}{9}$
    $-\frac{1}{6}$

11. $-\frac{2}{5}\left(-\frac{5}{8}\right)$
    $\frac{1}{4}$

12. $\left(\frac{2}{3}\right)^2$
    $\frac{4}{9}$

13. Después de caminar hasta la cima de una montaña, Raúl empieza a descender a una velocidad de 350 pies por hora. ¿Qué número real representa el cambio vertical después de $1\frac{1}{2}$ horas?
    -525 pies

14. Un delfín está en la superficie del agua. Se sumerge a una velocidad de 3 pies por segundo. Si el nivel del agua es cero, ¿qué número real describe la ubicación del delfín después de $3\frac{1}{2}$ segundos?
    $-10\frac{1}{2}$ pies

Simplifica cada expresión.

15. $\sqrt{1600}$
    40

16. $-\sqrt{625}$
    -25

17. $\pm\sqrt{10,000}$
    ±100

18. $-\sqrt{0.81}$
    -0.9

19. $\pm\sqrt{1.44}$
    ±1.2

20. $\sqrt{0.04}$
    0.2

21. $\pm\sqrt{\frac{4}{9}}$
    $\pm\frac{2}{3}$

22. $-\sqrt{\frac{16}{49}}$
    $-\frac{4}{7}$

23. $\sqrt{\frac{100}{121}}$
    $\frac{10}{11}$

Página 24

1-6 Práctica (continuación)
Multiplicar y dividir números reales

Modelo G

24. **Escribir** Explica las diferencias entre $\sqrt{25}$, $-\sqrt{25}$ y $\pm\sqrt{25}$.
    Hay 2 raíces cuadradas de 25, 5 y -5. $\sqrt{25}$ representa la raíz cuadrada positiva y $-\sqrt{25}$ representa la raíz cuadrada negativa y $\pm\sqrt{25}$ representa las dos raíces cuadradas.

25. **Razonamiento** ¿Puedes nombrar un número real representado por $\sqrt{-36}$? Explica tu respuesta.
    No; No hay un número que pueda multiplicarse por sí mismo y tener un producto negativo.

Resuelve las siguientes divisiones. Si es necesario, simplifica.

26. $-51 \div 3$ -17

27. $-250 \div (-25)$ 10

28. $98 \div 2$ 49

29. $84 \div (-4)$ -21

30. $-93 \div (-3)$ 31

31. $\frac{-105}{5}$ -21

32. $14.4 \div (-3)$ -4.8

33. $-1.7 \div (-10)$ 0.17

34. $-8.1 \div 3$ -2.7

35. $17 \div \frac{1}{3}$ 51

36. $-\frac{3}{8} \div \left(-\frac{9}{10}\right)$ $\frac{5}{12}$

37. $-\frac{5}{6} \div \frac{1}{2}$ $-1\frac{2}{3}$

Evalúa cada expresión si $a = -\frac{1}{2}$, $b = \frac{3}{4}$ y $c = -6$.

38. $-ab$ $\frac{3}{8}$

39. $b \div c$ $-\frac{1}{8}$

40. $\frac{c}{a}$ 12

41. **Escribir** Explica cómo sabes que -5 y $\frac{1}{5}$ son inversos multiplicativos.
    Como $-5 \times \frac{1}{5} = -1$, los dos números son inversos multiplicativos.

42. A las 6:00 p.m., la temperatura era 55 °F. A las 11:00 p.m., esa misma noche, la temperatura era 40 °F. ¿Qué número real representa el cambio medio de la temperatura por hora?
    -3 °F/h

Página 25

1-6 Preparación para el examen estandarizado
Multiplicar y dividir números reales

Opción múltiple

Escoge la letra que contiene la respuesta correcta para los Ejercicios 1 a 5.

1. ¿Qué expresión tiene un valor negativo? **C**
   A. $(-2)^2$ B. $(-5)(-7)$ C. $(-3)^3$ D. $0 \times (-5)$

2. Si $x = -\frac{3}{4}$ y $y = \frac{1}{6}$, ¿cuál es el valor de $-2xy$? **I**
   F. $-\frac{1}{4}$ G. $-\frac{1}{6}$ H. $\frac{1}{6}$ I. $\frac{1}{4}$

3. ¿Qué expresión tiene el mismo valor que $-\frac{1}{7} \div \left(-\frac{2}{3}\right)$? **A**
   A. $\frac{1}{7} \times \frac{3}{2}$ B. $-\left(\frac{1}{7} \times \frac{3}{2}\right)$ C. $\frac{7}{1} \times \frac{2}{3}$ D. $-\left(\frac{7}{1} \times \frac{2}{3}\right)$

4. Las acciones de ABC se vendían a $64.50. Cuatro días después, las mismas acciones se vendían a $47.10. ¿Cuál es el promedio del cambio por día? **F**
   F. $-$4.35$ G. $-$3.48$ H. 3.48 I. 4.35

5. La formula $C = \frac{5}{9}(F - 32)$ convierte la medición de una temperatura de la escala Fahrenheit F a la escala Celsius C. ¿Cuánto son 5 °F medidos en Celsius? **B**
   A. $\left(-20\frac{5}{9}\right)$ °C   B. -15 °C   C. 15 °C   D. $\left(20\frac{5}{9}\right)$ °C

Respuesta breve

6. Un reloj se atrasa 2 minutos cada 6 horas. A las 3:00 p. m., se pone el reloj en la hora correcta y se lo deja funcionar sin interferencias.
   a. ¿Qué entero describiría el atraso después de exactamente 3 días? -24 min
   b. ¿Qué hora mostraría el reloj a las 3:00 p. m. después de tres días? 2:36 p. m.

   [2] Las respuestas de ambas partes son correctas.
   [1] La respuesta de una parte es correcta.
   [0] Ninguna respuesta es correcta.

Página 26

1-7 Pensar en un plan
Propiedad distributiva

Ejercicio El ritmo cardíaco recomendado para hacer ejercicio físico, en latidos por minuto, está representado por la expresión $0.8(200 - a)$ donde a es la edad de una persona en años. Usa la propiedad distributiva para volver a escribir esta expresión. ¿Cuál es el ritmo cardíaco recomendado para una persona de 20 años? ¿Y para una persona de 50 años? Calcula mentalmente.

Comprender el problema

1. ¿Qué relación representa la expresión dada? ¿Qué representa la variable en la expresión?
   Representa el ritmo cardíaco recomendado para hacer ejercicio físico, en latidos por minuto, para personas de diferentes edades; La variable es la edad de la persona evaluada.

2. ¿Qué quiere decir volver a escribir la expresión usando la propiedad distributiva?
   Se debe distribuir 0.8 multiplicándolo por cada término que está dentro del paréntesis.

3. ¿Qué significa calcular mentalmente?
   Los cálculos pueden hacerse mentalmente, sin mostrar el trabajo.

Planear la solución

4. ¿Cómo determinas el ritmo cardíaco recomendado para personas de diferentes edades?
   En la expresión dada, puedes sustituir a por las edades de las personas.

Hallar una respuesta

5. Usa la propiedad distributiva para volver a escribir la expresión.
   $160 - 0.8y$

6. ¿Cuál es el ritmo cardíaco recomendado para una persona de 20 años? Muestra tu trabajo.
   144 latidos por minuto.

7. ¿Cuál es el ritmo cardíaco recomendado para una persona de 50 años? Muestra tu trabajo.
   120 latidos por minuto.

Página 27

1-7 Práctica
Propiedad distributiva
Modelo G

Usa la propiedad distributiva para simplificar cada expresión.

1. $3(h - 5)$
   $3h - 15$

2. $7(-5 + m)$
   $7m - 35$

3. $(6 + 9v)6$
   $54v + 36$

4. $(5n + 3)12$
   $60n + 36$

5. $20(8 - a)$
   $-20a + 160$

6. $15(3y - 5)$
   $45y - 75$

7. $21(2x + 4)$
   $42x + 84$

8. $(7 + 6w)6$
   $36w + 42$

9. $(14 - 9p)1.1$
   $-9.9p + 15.4$

10. $(2b - 10)3.2$
    $6.4b - 32$

11. $\frac{1}{3}(3z + 12)$
    $z + 4$

12. $4(\frac{1}{2}t - 5)$
    $2t - 20$

13. $(-5x - 14)(5.1)$
    $-25.5x - 71.4$

14. $1(-\frac{1}{2}r - \frac{5}{7})$
    $-\frac{1}{2}r - \frac{5}{7}$

15. $10(6.85j + 7.654)$
    $68.5j + 76.54$

16. $\frac{2}{3}(\frac{2}{3}m - \frac{2}{3})$
    $\frac{4}{9}m - \frac{4}{9}$

Escribe cada fracción como una suma o resta.

17. $\frac{3n + 5}{7}$ $\frac{3n}{7} + \frac{5}{7}$

18. $\frac{14 - 6x}{19}$ $\frac{14}{19} - \frac{6x}{19}$

19. $\frac{3d + 5}{6}$ $\frac{d}{2} + \frac{5}{6}$

20. $\frac{9p - 6}{3}$ $3p - 2$

21. $\frac{18 + 8z}{6}$ $3 + \frac{4z}{3}$

22. $\frac{15n - 42}{14}$ $\frac{15n}{14} - 3$

23. $\frac{56 - 28w}{8}$ $7 - \frac{7w}{2}$

24. $\frac{81f + 63}{9}$ $9f + 7$

Simplifica cada expresión.

25. $-(14 + x)$
    $-14 - x$

26. $-(-8 - 6t)$
    $8 + 6t$

27. $-(6 + d)$
    $-6 - d$

28. $-(-r + 1)$
    $r - 1$

29. $-(4m - 6n)$
    $-4m + 6n$

30. $-(5.8a + 4.2b)$
    $-5.8a - 4.2b$

31. $-(-x + y - 1)$
    $x - y + 1$

32. $-(f + 3g - 7)$
    $-f - 3g + 7$

Calcula mentalmente las siguientes multiplicaciones.

33. 3.2×3 9.6

34. 5×8.2 41

35. 149×2 298

36. 6×397 2382

37. 4.2×5 21

38. 4×10.1 40.4

39. 8.25×4 33

40. 11×4.1 45.1

41. Compras 75 golosinas a $0.49 cada una. ¿Cuál es el costo total de 75 golosinas? Calcula mentalmente. $36.75

42. El largo de una pista de atletismo es 400 m. Si das 14 vueltas alrededor de la pista, ¿cuál es la distancia total que caminas? Calcula mentalmente. 5600 m

43. Hay 32 estudiantes que van a la feria. Cada boleto cuesta $19. ¿Cuál es el valor total de lo que los estudiantes gastan en los boletos? Calcula mentalmente. $608

Página 28

1-7 Práctica (continuación)
Propiedad distributiva
Modelo G

Combina los términos semejantes para simplificar cada expresión.

44. $4t + 6t$ 10t

45. $17y - 15y$ 2y

46. $-11b^2 + 4b^2$ $-7b^2$

47. $-2y - 5y$ $-7y$

48. $14n^2 - 7n^2$ $7n^2$

49. $8x^2 - 10x^2$ $-2x^2$

50. $2f + 7g - 6 + 8g$
    $2f + 15g - 6$

51. $8x + 3 - 5x - 9$
    $3x - 6$

52. $-5k - 6k^2 - 12k + 10$
    $-6j^2 - 17k + 10$

Escribe una frase en palabras para cada expresión. Luego, simplifica cada expresión.

53. $2(n + 1)$
    Dos por la suma de un número y uno; $2n + 2$.

54. $-5(x - 7)$
    Menos cinco por la diferencia de un número menos siete; $-5x + 35$.

55. $\frac{1}{2}(4m - 8)$
    La mitad de la diferencia de cuatro por un número menos ocho; $2m - 4$.

56. El impuesto que un plomero debe cobrar por un servicio está dado por la expresión $0.06(35 + 25h)$, donde h es el número de horas que lleva el trabajo. Vuelve a escribir esta expresión usando la propiedad distributiva. ¿Cuál es el impuesto para un trabajo de 5 horas y para un trabajo de 20 horas? Calcula mentalmente. $2.1 + 1.5h$; $9.60; $32.10

Geometría Escribe una expresión en forma simplificada para hallar el área de cada rectángulo.

57.
    $5x - 2$
    4
    $20x - 8$

58.
    $-2n + 17$
    24
    $-48n + 408$

59.
    15
    $x - 5$
    $15x - 75$

Simplifica cada expresión.

60. $4jk - 7jk + 12jk$ 9jk

61. $-17mn + 4mn - mn + 10mn$ $-4mn$

62. $8xy^4 - 7xy^3 - 11xy^4$ $-3xy^4 - 7xy^3$

63. $-2(5ab - 6) - 10ab + 12$

64. $z + \frac{2z}{5} - \frac{4z}{5}$ $\frac{3z}{5}$

65. $7m^2n + 4m^2n^2 - 4m^2n - 5m^3n^2 - 5mn^2$
    $3m^2n + 4m^2n^2 - 5m^3n^2 - 5mn^2$

66. **Razonamiento** Demuestra por qué $\frac{12x - 6}{6} \neq 2x - 6$. Muestra tu trabajo.
    $\frac{12x - 6}{6} = \frac{1}{6}(12x - 6) = \frac{1}{6}(12x) - \frac{1}{6}(6) = 2x - 1; 2x - 1 \neq 2x - 6$

Simplifica cada expresión.

67. $4(2h + 1) + 3(4h + 7)$ $20h + 25$

68. $5(n - 8) + 6(7 - 2n)$ $-7n + 2$

69. $7(3 + x) - 4(x + 1)$ $3x + 17$

70. $6(y + 5) - 3(4y + 2)$ $-6y + 24$

71. $-(a - 3b + 27)$ $-a + 3b - 27$

72. $\frac{2}{3}(5 - \frac{4s}{11}t + \frac{6}{10}t) - 5s + t$

Página 29

1-7 Preparación para el examen estandarizado
Propiedad distributiva

Opción múltiple

Escoge la letra que contiene la respuesta correcta para los Ejercicios 1 a 6.

1. ¿Cuál es la forma simplificada de la expresión $6(4x - 7)$? C
   A. $10x - 1$
   B. $24x - 7$
   C. $24x - 42$
   D. $24x + 42$

2. ¿Cuál es la forma simplificada de la expresión $-2(-5x - 8)$? I
   F. $-7x - 10$
   G. $10x - 8$
   H. $10x - 16$
   I. $10x + 16$

3. ¿Cuál es la forma simplificada de la expresión $14mn + 6mn^2 - 8mn - 7m^2n + 5m^2n^2$? D
   A. $10m^2n^2$
   B. $6mn - 4m^2n$
   C. $6mn + 5m^2n - 1mn^2$
   D. $6mn - 2m^2n + 6mn^2$

4. Los boletos para un concierto cuestan $14.95 cada uno. ¿Qué expresión representa el costo total de 25 boletos? F
   F. $25(15 - 0.05)$
   G. $25(15 + 0.05)$
   H. $15(25 - 10.05)$
   I. $25(15) - 0.05$

5. ¿Qué expresión representa 7 veces la suma de un número y 8? B
   A. $7n + 8$
   B. $7(n + 8)$
   C. $8(n + 7)$
   D. $n + 56$

6. En una clase de último año, hay 297 estudiantes. El costo del viaje de fin de curso es $150 por estudiante. ¿Qué expresión representa el costo total del viaje de fin de curso? H
   F. $150(300)$
   G. $300(150 - 3)$
   H. $150(300 - 3)$
   I. $150(300) - 3$

Respuesta breve

7. Las ganancias de la compañía de Samanta están representadas en la expresión $0.1(1000 + 300m)$, donde m es el número total de ventas. Usa la propiedad distributiva para volver a escribir la expresión. ¿Cuál es la ganancia si su compañía vende 50 artículos de mercadería? Calcula mentalmente.
   $100 + 3m$; $1600
   [2] Las respuestas de ambas partes son correctas.
   [1] La respuesta de una parte es correcta.
   [0] Ninguna respuesta es correcta.

Página 30

1-8 Pensar en un plan
Introducción a las ecuaciones

Envíos La ecuación $25 + 0.25l = c$ da el costo c en dólares que cobra una tienda por enviar un aparato que pesa l libras. Usa la ecuación y una tabla para hallar el peso de un aparato cuyo envío cuesta $55.

Comprender el problema

1. ¿Qué información te dan acerca de la situación? ¿Cuál es la relación entre el costo del envío y el peso del aparato?

   La relación entre el costo y el peso; $25 + 0.25l = c$.

2. ¿Qué es lo que tienes que determinar?

   El peso de un aparato cuyo envío cuesta $55.

Planear la solución

3. ¿Cómo puedes determinar el costo de envío de un aparato que pesa 50 libras?

   En la expresión dada, hay que sustituir l por 50 y simplificar la expresión.

4. Haz una tabla que muestre el costo de envío de aparatos de diferentes pesos. La tabla debe incluir el peso de un aparato que tiene el costo de envío esperado.

Peso (lb)	Costo de envío ($)
10	27.50
60	40
100	50
120	55

Hallar una respuesta

5. ¿Cuál es el peso de un aparato cuyo envío cuesta $55?

   120 libras

Página 31

1-8 Práctica
Introducción a las ecuaciones

Modelo G

Indica si cada ecuación es verdadera, falsa o abierta. Explica tu respuesta.

1. $45 \div x - 14 = 22$
   Abierta; Contiene una variable.

2. $-42 - 10 = -52$
   Verdadera.

3. $3(-6) + 5 = 26 - 3$
   Falsa; $3(-6) + 5 = -13$.

4. $(12 + 8) \div (-10) = -12 \div 6$
   Verdadera.

5. $-14n - 7 = 7$
   Abierta; Contiene una variable.

6. $7k - 8k = -15$
   Abierta; Contiene una variable.

7. $10 + (-15) - 5 = -5$
   Falsa; $10 + (-15) - 5 = -10$.

8. $32 \div (-4) + 6 = -72 \div 8 + 7$
   Verdadera.

Indica si el número dado es una solución de cada ecuación.

9. $3b - 8 = 13; -7$ No.

10. $-4x + 7 = 15; -2$ Sí.

11. $12 = 14 - 2f; -1$ No.

12. $-6 = 14 - 11n; 2$ No.

13. $7c - (-5) = 26; 3$ Sí.

14. $25 - 10z = 15; -1$ No.

15. $-8a - 12 = -4; 1$ No.

16. $20 = \frac{1}{2}t + 25; -10$ Sí.

17. $\frac{2}{3}m + 2 = \frac{7}{3}; \frac{1}{2}$ Sí.

Escribe una ecuación para cada oración.

18. La diferencia de un número y 7 es 8. $n - 7 = 8$

19. El producto de 6 y la suma de un número y 5 es 16. $6(n + 5) = 16$

20. Un programador de computadoras trabaja 40 horas por semana. ¿Qué ecuación relaciona la cantidad de semanas s que trabaja el programador y la cantidad de horas h que pasa trabajando? $h = 40s$

21. Josie tiene 11 años más que Macy. ¿Qué ecuación relaciona la edad de Josie J y la edad de Macy M? $J = M + 11$

Calcula mentalmente para hallar la solución de cada ecuación.

22. $t - 7 = 10$ 17

23. $12 = 5 - h$ -7

24. $22 + p = 30$ 8

25. $6 - g = 12$ -6

26. $\frac{x}{4} = 3$ 12

27. $\frac{v}{8} = -6$ -48

28. $4x = 36$ 9

29. $12b = 60$ 5

Página 32

1-8 Práctica (continuación)
Introducción a las ecuaciones

Modelo G

Usa una tabla para hallar la solución de cada ecuación.

30. $4m - 5 = 11$ 4

31. $-3d + 10 = 43$ -11

32. $2 = 3a + 8$ -2

33. $5h - 13 = 12$ 5

34. $-8 = 3y - 2$ -2

35. $8n + 16 = 24$ 1

36. $35 = 7z - 7$ 6

37. $\frac{1}{4}p + 6 = 8$ 8

Usa una tabla para hallar dos enteros consecutivos entre los cuales está la solución.

38. $7t - 20 = 33$
   Entre 7 y 8.

39. $7.5 = 3.2 - 2.1n$
   Entre -2 y -3.

40. $37d + 48 = 368$
   Entre 8 y 9.

41. La población de una aldea puede representarse con la ecuación $y = 110x + 56$, donde x es la cantidad de años que pasaron desde 1990. ¿En qué año había 1706 personas viviendo en la aldea? 2005

42. **Respuesta de desarrollo** Escribe cuatro ecuaciones cuya solución sea -10. Las ecuaciones tienen que ser una ecuación de multiplicación, una de división, una de suma y una de resta.   Las respuestas variarán. Ejemplo: $-2x = 20; \frac{x}{5} = -5; x - 4 = -14; x + 3 = -7$.

43. La banda tiene 68 miembros. Los microbuses que usa la banda para viajar a los partidos tienen capacidad para 15 pasajeros. ¿Cuántos microbuses tiene que reservar la banda para cada partido? 5 microbuses.

Halla la solución de cada ecuación usando el cálculo mental o una tabla. Si la solución está entre dos enteros consecutivos, identifica esos enteros.

44. $d + 8 = 10$
   2

45. $3p - 14 = 9$
   Entre 7 y 8.

46. $8.3 = 4k - 2.5$
   Entre 2 y 3.

47. $c - 8 = -12$
   -4

48. $6y - 13 = -13$
   0

49. $15 = 8 + (-a)$
   -7

50. $-3 = -\frac{1}{3}h - 10$
   21

51. $21 = 7x + 8$
   Entre 1 y 2.

52. **Escribir** Explica la diferencia entre una expresión y una ecuación.

   Una ecuación tiene dos cantidades diferentes que son iguales y una expresión, no. Una expresión sólo se puede simplificar, mientras que una ecuación se puede resolver.

Página 33

1-8 Preparación para el examen estandarizado
Introducción a las ecuaciones

Opción múltiple

Escoge la letra que contiene la respuesta correcta para los Ejercicios 1 a 5.

1. ¿Qué ecuación es verdadera? B
   A. $25 - (-18) = 7$
   B. $\frac{1}{3}(-9) - 6 = -9$
   C. $25(-2) + 7 = -39 + 4$
   D. $-19 + 8(-2) = -7(-5)$

2. ¿Qué ecuación tiene una solución de -6? I
   F. $15x - 20 = 70$
   G. $14 = 6x - 22$
   H. $3x - 8 = -10$
   I. $\frac{1}{2}x - 8 = -11$

3. ¿Qué ecuación tiene una solución de $\frac{1}{2}$? C
   A. $13x - 12 = 14$
   B. $9x + 15 = 20$
   C. $-6x - 18 = -21$
   D. $-11x = 12x + 12$

4. El dinero que recibe una compañía por la venta de sus productos se puede representar a través de la ecuación $y = 45x - 120$, donde y es el dinero en dólares y x es la cantidad de productos vendidos. ¿Cuántos productos tiene que vender la compañía para recibir $3705? G
   F. 42
   G. 85
   H. 105
   I. 166,605

5. La señora Decker camina 30 minutos por día lo más seguido posible. ¿Qué ecuación relaciona la cantidad de días d que camina la señora Decker y la cantidad de minutos m que pasa caminando? A
   A. $m = 30d$
   B. $d = 30m$
   C. $d = m + 30$
   D. $m = d + 30$

Respuesta breve

6. Hay 450 personas que viajan para ver un partido de las eliminatorias de fútbol americano. Cada autobús puede llevar hasta 55 personas. Escribe una ecuación que represente el número de autobuses que se necesitarán para transportar a los aficionados. Usa una tabla para hallar una solución. $55a = f$; 9 autobuses

[2] Las respuestas de ambas partes son correctas.
[1] La respuesta de una parte es correcta.
[0] Ninguna respuesta es correcta.

Página 34

1-9 Pensar en un plan
Patrones, ecuaciones y gráficas

Viaje por avión Usa la siguiente tabla. ¿Cuánto tardará el avión en recorrer 5390 millas?

Viaje en un avión de pasajeros				
Horas, h	1	2	3	4
Millas, m	490	980	1470	1960

Comprender el problema

1. ¿Qué representa la información de la tabla?
La distancia que viaja el avión, en millas, y el tiempo que vuela, en horas.

2. ¿Cuál es el patrón de cada fila de números?
Las horas aumentan de a 1. La distancia aumenta de a 490.

Planear la solución

3. ¿Cuál es la ecuación general que representa la relación que existe entre las horas y las millas?
$m = 490h$

4. ¿Cómo puedes determinar la cantidad de horas que tardará el avión en viajar 5390 millas?
Sustituye m por 5390 y resuelve la ecuación.

Hallar una respuesta

5. ¿Cuánto tardará el avión en viajar 5390 millas? Muestra tu trabajo.
$5390 = 490h$; 11 horas

6. Además de la distancia que viaja el avión y el tiempo que vuela, ¿qué más puede determinarse a partir de la información de la tabla?
La velocidad del avión.

Página 35

1-9 Práctica
Patrones, ecuaciones y gráficas
Modelo G

Indica si la ecuación dada tiene el par ordenado como solución.

1. $y = x - 4; (5, 1)$ Sí.
2. $y = x + 8; (8, 0)$ No.
3. $y = -x - 2; (2, -4)$ Sí.

4. $y = -3x; (2, -6)$ Sí.
5. $y = x + 1; (1, 0)$ No.
6. $y = -x; (-7, 7)$ Sí.

7. $y = x + \frac{1}{2}; (1, \frac{1}{2})$ No.
8. $y = x - \frac{2}{5}; (-2, -2\frac{2}{5})$ Sí.
9. $\frac{x}{-3} = y; (2, -6)$ No.

Usa una tabla, una ecuación y una gráfica para representar cada relación.

10. Petra gana $22 por hora.

Horas	Dólares
1	22
2	44
3	66
4	88
5	110

$y = 22x$

11. El plan de llamadas cuesta $0.10 el minuto.

Minutos (s)	Costo ($)
1	0.10
5	0.50
10	1
15	1.50
20	2

$y = 0.1x$

Usa la tabla para hacer una gráfica y responder a la pregunta.

12. La tabla muestra la altura en pies de una pila de cajas para mudanzas. ¿Cuál es la altura de una pila de 14 cajas?

Cajas	Altura (pies)
2	4.5
3	6.75
5	11.25
7	15.75
8	18

31.5 pies

13. La tabla muestra la cantidad de páginas que Dustin lee en períodos de horas. ¿Cuántas páginas leerá Dustin en 12 horas?

Horas	Páginas
1	23
2	46
3	69
4	92
5	115

276 páginas

Página 36

1-9 Práctica (continuación)
Patrones, ecuaciones y gráficas
Modelo G

Usa una tabla para escribir una ecuación y responder a la pregunta.

14. La tabla muestra la cantidad de dinero que se gana por lavar carros. ¿Cuánto se gana si se lavan 25 carros?

Carros	Dinero ganado ($)
3	13.50
6	27
9	40.50
12	54

$y = 4.50x$; $112.50

15. La tabla muestra la distancia, en términos de horas, que han recorrido Jerry y Michelle para ir a visitar a su familia. Se turnan para conducir 12 horas. ¿Qué distancia recorrerán en ese tiempo?

Horas	Millas
1	67
2	134
3	201
4	268
5	335

$y = 67x$; 804 mi

16. Un obrero descubre que con 9 baldosas cubre un pie cuadrado de piso. Haz una tabla y dibuja una gráfica que muestre la relación que existe entre la cantidad de baldosas y la cantidad de pies cuadrados de piso cubierto. ¿Cuántos pies cuadrados de piso se cubrirán con 261 baldosas?

Piso (pies)	Baldosas
1	9
3	27
5	45
7	63
9	81
11	99

29 pies^2

Indica si la ecuación dada tiene el par ordenado como solución.

17. $y = 3x - 2; (-1, -5)$ Sí.
18. $y = -5x + 7; (1, -2)$ No.
19. $y = -4x - 3; (1, 1)$ No.

20. $y = 13 + 6x; (-1, 7)$ Sí.
21. $-\frac{2}{3}x - 5 = y; (9, -11)$ Sí.
22. $y = 10 - \frac{x}{2}; (5, \frac{15}{2})$ Sí.

23. **Escribir** Explica qué es el razonamiento inductivo. En tu explicación, incluye para qué puede usarse el razonamiento inductivo.
El razonamiento inductivo es el proceso por el cual se llega a una conclusión a partir de un patrón que se observa. Puedes usar el razonamiento inductivo para predecir valores.

Página 37

1-9 Preparación para el examen estandarizado
Patrones, ecuaciones y gráficas

Opción múltiple

Escoge la letra que contiene la respuesta correcta para los Ejercicios 1 a 5.

1. Si $x = -3$ y $y = -5$, ¿cuál es la solución de $3x - 2y$? C
   A. −19   B. −1   C. 1   D. 19

2. ¿Qué par ordenado es una solución de $y = 6x - 1$? I
   F. $(-3, -17)$ G. $(-1, 7)$ H. $(1, 7)$ I. $(3, 17)$

3. ¿Qué par ordenado es una solución de $-x = y$? B
   A. $(-1, -1)$ B. $(1, -1)$ C. $(1, 1)$ D. $(-1, -2)$

4. ¿Qué ecuación representa la siguiente tabla? F
   F. $y = 8.5x$
   G. $y = 8.5x + 12.50$
   H. $y = 15x$
   I. $y = 15x + 12.50$

Horas	Dinero ($)
15	127.50
25	212.50
35	297.50

5. Sally es 3 años más joven que Ralph. ¿Qué ecuación representa esta relación?
   A. $R = 3S$ B. $R = S - 3$ C. $S = R + 3$ D. $S = R - 3$ D

Respuesta desarrollada

6. Justin gana $19.50 por hora trabajando como gerente de una tienda.
   a. Usa una tabla para representar esta relación.

Horas	Dinero ($)
1	19.50
2	39
3	58.50

   [2] Todas las respuestas son correctas.
   [1] Las respuestas de una o dos partes son correctas.
   [0] Ninguna respuesta es correcta.

   b. Usa una ecuación para representar esta relación. $y = 19.50x$
   c. Usa una gráfica para representar esta relación.
   d. ¿Cuánto ganará Justin si trabaja 40 horas?
   $780

Página 38

2-1 Pensar en un plan
Resolver ecuaciones de un paso

Vóleibol En el vóleibol, los jugadores lanzan la pelota al equipo contrario. Si el otro equipo no logra tocar la pelota, a ese tiro se lo llama punto directo. El promedio de puntos directos de un jugador es la cantidad de puntos directos dividido por la cantidad de partidos que jugó. Hay un jugador que tiene un promedio de puntos directos de 0.3 y ha jugado 70 partidos esta temporada. ¿Cuántos puntos directos ha logrado?

Comprender el problema

1. ¿Qué valores te dan?

El promedio de puntos directos del jugador, 0.3, y la cantidad de partidos que jugó el jugador, 70.

Planear la solución

2. Escribe una expresión en palabras que represente la relación entre el promedio de puntos directos, la cantidad de puntos directos y la cantidad de partidos jugados.

$$\text{Promedio de puntos directos} = \frac{\text{Cantidad de puntos directos}}{\text{Cantidad de partidos jugados}}$$

3. Usa la expresión para escribir una ecuación, donde P = cantidad de puntos directos.

$$0.3 = \frac{P}{70}$$

Hallar una respuesta

4. Resuelve la ecuación que escribiste en el Paso 3.
21

5. Explica lo que representa esta solución.

La cantidad de puntos directos logrados.

6. ¿Es razonable tu respuesta? Explícala.

Sí; $\frac{21}{70}$ es un poco menos que $\frac{1}{3}$ ó aproximadamente 0.3.

Página 39

2-1 Práctica
Modelo G
Resolver ecuaciones de un paso

Resuelve cada ecuación usando la suma o la resta. Comprueba tu respuesta.

1. $8 = a - 2$ 10
2. $x + 7 = 11$ 4
3. $r - 2 = -6$ −4
4. $-18 = m + 12$ −30
5. $f + 10 = -10$ −20
6. $-1 = n + 5$ −6

Resuelve cada ecuación usando la multiplicación o la división. Comprueba tu respuesta.

7. $-3p = -48$ 16
8. $-98 = 7t$ −14
9. $-4.4 = -4y$ 1.1
10. $2.8c = 4.2$ 1.5
11. $\frac{k}{6} = 8$ 48
12. $16 = \frac{w}{8}$ 128
13. $-9 = \frac{y}{-3}$ 27
14. $\frac{h}{10} = \frac{-22}{5}$ −44

Resuelve cada ecuación. Comprueba tu respuesta.

15. $\frac{3}{5}n = 12$ 20
16. $-4 = \frac{2}{3}b$ −6
17. $\frac{5}{8}x = -15$ −24
18. $\frac{1}{4}z = \frac{2}{5}$ $\frac{8}{5}$

19. Jeremías cortó el césped en varias casas para ganar dinero e irse de campamento. Después de pagar $17 por la gasolina, le sobraron $75 para pagar el campamento. Escribe y resuelve una ecuación para hallar cuánto dinero ganó Jeremías cortando el césped. $c - 17 = 75$; $ 92

Página 40

2-1 Práctica (continuación)
Modelo G
Resolver ecuaciones de un paso

Define una variable y escribe una ecuación para cada situación. Luego, resuelve.

20. El plan telefónico de Susana le permite usar 950 minutos por mes sin cargos adicionales. Para este mes le sobran 188 minutos. ¿Cuántos minutos usó ya este mes? $n + 188 = 950$; 762 minutos

21. En su quinto año de funcionamiento, las ganancias de una compañía fueron 3 veces mayores que las ganancias obtenidas durante su primer año. Si las ganancias durante el quinto año de funcionamiento fueron $114,000, ¿cuáles fueron las ganancias del primer año? $3g = 114,000$; $ 38,000

Resuelve cada ecuación. Comprueba tu respuesta.

22. $-9x = 48$ $-5\frac{1}{3}$
23. $-\frac{7}{8} = \frac{2}{3} + n$ $-\frac{37}{24}$
24. $a + 1\frac{1}{4} = 2\frac{7}{10}$ $1\frac{9}{20}$
25. $-7t = 5.6$ −0.8
26. $2.3 = -7.9 + y$ 10.2
27. $\frac{5}{3}p = \frac{8}{3}$ $\frac{8}{5}$
28. $\frac{g}{8} = -\frac{3}{4}$ −6
29. $\frac{m}{8} = 8\frac{1}{3}$ $66\frac{2}{3}$

30. En un centro comunitario se sirven comidas gratuitas a personas de la tercera edad. El centro planea alimentar a 700 personas en 4 horas.
    a. Escribe y resuelve una ecuación para hallar el promedio de la cantidad de personas que el centro planea alimentar por hora. $4p = 700$; 175
    b. Durante la primera hora y media, el centro alimentó a 270 personas. Escribe y resuelve una ecuación para hallar la cantidad de personas que todavía no comieron. $700 = c + 270$; 430 personas

Página 41

2-1 Preparación para el examen estandarizado
Resolver ecuaciones de un paso

Opción múltiple

Escoge la letra que contiene la respuesta correcta para los Ejercicios 1 a 5.

1. ¿Cuál es la solución de $-3 = x + 5$? B
   A. −15   B. −8   C. 2   D. 8

2. ¿Qué operación deberías usar para resolver $-6x = -24$? I
   F. suma   G. resta   H. multiplicación   I. división

3. ¿Cuál de las siguientes soluciones es verdadera para $\frac{x}{3} = \frac{1}{4}$? C
   A. $-2\frac{3}{4}$ B. $\frac{1}{12}$ C. $\frac{3}{4}$ D. $3\frac{1}{4}$

4. En un albergue para animales hay 37 gatos g más que perros p. Si hay 78 gatos, ¿qué ecuación representa la relación entre el número de gatos y perros? F
   F. $p + 37 = 78$ G. $p - 37 = 78$ H. $g + 37 = 78$ I. $g - 37 = 78$

5. ¿Qué propiedad de la igualdad deberías usar para resolver $6x = 48$? D
   A. La propiedad de suma de la igualdad.
   B. La propiedad de resta de la igualdad.
   C. La propiedad multiplicativa de la igualdad.
   D. La propiedad de división de la igualdad.

6. Shelly resolvió 10 problemas de su tarea en la sala de estudios. Esto equivale a $\frac{2}{7}$ de la tarea asignada. ¿Cuántos problemas le falta resolver? G
   F. 20   G. 25   H. 30   I. 35

Respuesta breve

7. La banda musical de una escuela secundaria tiene 55 integrantes masculinos. Se ha determinado que cinco octavos de los integrantes de la banda son varones.
   a. ¿Qué ecuación representa el número total de integrantes de la banda? $\frac{5}{8}n = 55$
   b. ¿Cuántos integrantes hay en la banda? Hay 88 integrantes en la banda.

   [2] Las respuestas de ambas partes son correctas.
   [1] La respuesta de una parte es correcta.
   [0] Ninguna respuesta es correcta.

Página 42

2-2 Pensar en un plan
Resolver ecuaciones de dos pasos

Ciencias de la Tierra La temperatura bajo la superficie de la Tierra aumenta 10 °C por cada kilómetro. Aquí se muestran la temperatura de la superficie y la temperatura del fondo de una mina. ¿A cuántos kilómetros bajo la superficie de la Tierra se encuentra el fondo de la mina?

Superficie: 18 °C

Fondo de la mina: 38 °C

Comprender el problema

1. ¿Qué ocurre con la temperatura a medida que aumenta la distancia bajo la superficie de la Tierra?

   La temperatura aumenta 10 °C por km.

2. ¿Qué necesitas determinar?

   A qué distancia se encuentra la mina de la superficie de la Tierra.

3. ¿Cuál es el cambio de temperatura entre la superficie de la Tierra y el fondo de la mina?

   La temperatura aumenta 20 °C.

Planear la solución

4. Escribe una expresión que indique cuánto aumenta la temperatura a x kilómetros por debajo de la superficie.

   $10x$

5. Escribe una ecuación que relacione el cambio en la temperatura (de 18 °C en la superficie de la Tierra a 38 °C en el fondo de la mina) con la expresión que indica cuánto aumenta la temperatura a x kilómetros por debajo de la superficie.

   $38 - 18 = 10x$

Hallar una respuesta

6. Resuelve la ecuación.

   $x = 2$

7. ¿Es razonable tu respuesta? Explícala.

   Sí; Un aumento de 20 °C.

Página 43

2-2 Práctica
Modelo G
Resolver ecuaciones de dos pasos

Resuelve cada ecuación. Comprueba tu respuesta.

1. $6 + 3b = -18$ **−8**

2. $-3 + 5x = 12$ **3**

3. $7n + 12 = -23$ **−5**

4. $\frac{t}{6} - 3 = 8$ **66**

5. $-12 = 8 + \frac{f}{2}$ **−40**

6. $13 = 8 - 5d$ **−1**

7. $\frac{k}{4} + 6 = -2$ **−32**

8. $-22 = -8 + 7y$ **−2**

9. $16 - 3p = 34$ **−6**

10. $15 + \frac{q}{6} = -21$ **−216**

11. $-19 + \frac{c}{3} = 8$ **81**

12. $-18 - 11r = 26$ **−4**

13. $-9 = \frac{y}{-3} - 6$ **9**

14. $14 + \frac{m}{10} = 24$ **100**

Define una variable y escribe una ecuación para cada situación. Luego, resuélvela.

15. Chip gana un salario básico de $500 por mes como vendedor. Además de su salario, gana $90 por cada producto que vende. Si su meta es ganar $5000 por mes, ¿cuántos productos debe vender?
   $500 + 90n = 5000$; 50 productos.

16. En una pizzería, la pizza de queso grande cuesta $9. Cada ingrediente adicional cuesta $1.25. Heather pagó $15.25 por su pizza grande. ¿Cuántos ingredientes pidió?
   $9 + 1.25n = 15.25$; 5 ingredientes.

Página 44

2-2 Práctica (continuación)
Modelo G
Resolver ecuaciones de dos pasos

Resuelve cada ecuación. Comprueba tu respuesta.

17. $\frac{z + 6}{3} = 8$ **18**

18. $\frac{n - 7}{2} = -11$ **−15**

19. $\frac{j + 18}{-4} = 8$ **−50**

20. $\frac{1}{3}a - 6 = -15$ **−27**

21. $\frac{1}{4} = \frac{1}{4}h + 4$ **−15**

22. $6.42 - 10d = 2.5$ **0.392**

23. El precio de venta de un televisor en una tienda minorista es $66 menos que 3 veces el precio al por mayor. Si el precio de venta del televisor es $899, escribe y resuelve una ecuación para hallar el precio al por mayor.
   $3m - 66 = 899$; $321.67

24. La tarifa de un taxi es de $5 por viaje más $0.50 por milla. La tarifa del viaje desde el aeropuerto hasta el centro de convenciones fue de $11.50. Escribe y resuelve una ecuación para hallar cuántas millas hay desde el aeropuerto hasta el centro de convenciones.
   $5 + 0.50m = 11.50$; 13 millas.

25. Un videoclub en línea ofrece una membresía por $5 al mes. Los miembros pueden alquilar películas por $1.50 cada alquiler. A un miembro le cobraron $15.50 en un mes determinado. Escribe y resuelve una ecuación para hallar cuántas películas alquiló.
   $5 + 1.50n = 15.50$; 7 películas.

26. **Escribir** Describe en palabras cómo resolver la ecuación $6 - 4x = 18$. Haz una lista de las propiedades que se usaron en la solución.
   $6 - 4x = 18$
   $6 - 6 - 4x = 18 - 6$ Resta 6 de ambos lados. (Prop. de resta de la igualdad)
   $-4x = 12$ Simplifica.
   $\frac{-4x}{-4} = \frac{12}{-4}$ Divide ambos lados por −4. (Prop. de división de la igualdad)
   $x = -3$ Simplifica.

27. a. Resuelve $-8 = \frac{x + 2}{4}$ **−34**

   b. Escribe el lado derecho de la ecuación de la parte (a) como la suma de dos fracciones. Resuelve la ecuación. **−34**

   c. ¿Te resultó más fácil resolver la ecuación de la parte (a) o la que volviste a escribir? ¿Por qué? Las respuestas variarán. Ejemplo: La ecuación original; Es más fácil restar números enteros que un número entero y una fracción.

Página 45

2-2 Preparación para el examen estandarizado
Resolver ecuaciones de dos pasos

Respuesta en plantilla

Resuelve cada ejercicio y marca tu respuesta en la plantilla.

1. ¿Cuál es la solución de $-28 = 22 - 5x$? **10**

2. ¿Cuál es la solución de $\frac{m}{4} - 3 = 7$? **40**

3. La cantidad de dinero p que tiene Pamela y la cantidad j que tiene Julia están relacionadas por la ecuación $3p + 5 = j$. Si Julia tiene $83, ¿cuánto dinero tiene Pamela? **$26**

4. Una copa helada cuesta $1.75 más $0.35 adicional por cada agregado. Si el costo total es $2.80, ¿cuántos agregados tenía? **3**

5. El costo de un galón de gasolina g es $3.25 menos que 2 veces el costo de un galón de diésel d. Si un galón de gasolina cuesta $3.95, ¿cuánto cuesta un galón de diésel? **$3.60**

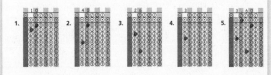

1. 2. 3. 4. 5.

Página 46

2-3 Pensar en un plan
Resolver ecuaciones de varios pasos

Videojuegos en línea Angie y Kenny juegan a videojuegos en línea. Angie compra 1 paquete de *software* y 3 meses de abono para jugar. Kenny compra 1 paquete de *software* y 2 meses de abono. Cada paquete de *software* cuesta $20. Si gastaron $115 en total, ¿cuánto cuesta un mes de abono?

Lo que sabes

1. ¿Qué valores se te dan?

   La cantidad de paquetes de *software* que compran Angie y Kenny, la cantidad de meses que juegan, el costo de un paquete de *software*, el costo total.

Lo que necesitas

2. ¿Qué necesitas hallar?

   El costo de un mes de abono.

Planea

3. ¿Qué ecuación puedes usar para resolver el problema?

   $20 + 3c + 20 + 2c = 115$

4. Resuelve la ecuación. Muestra tu trabajo y justifica cada paso.

$20 + 20 + 3c + 2c = 115$	Prop. conmutativa de la suma.
$40 + 5c = 115$	Combina los términos semejantes.
$40 - 40 + 5c = 115 - 40$	Resta 40 de cada lado. (Prop. de resta de la igualdad)
$5c = 75$	Simplifica.
$\frac{5c}{5} = 75$	Divide ambos lados por 5. (Prop. de división de la igualdad)
$c = 15$	Simplifica.

5. Comprueba tu respuesta.

   $20 + 3(15) + 20 + 2(15) \stackrel{?}{=} 115$

   $20 + 45 + 20 + 30 \stackrel{?}{=} 115$

   $115 = 115\checkmark$

6. ¿Es razonable tu respuesta? Explícala.

   Sí; Los 5 meses de abono representan $75 del costo total, así que $15 es razonable.

Página 47

2-3 Práctica
Modelo G

Resolver ecuaciones de varios pasos

Resuelve cada ecuación. Comprueba tu respuesta.

1. $19 - h - h = -13$
   16

2. $14 + 6a - 8 = 18$
   2

3. $25 = 7 + 3k - 12$
   10

4. $5n - 16 - 8n = -10$
   -2

5. $-34 = v + 42 - 5v$
   19

6. $x - 1 + 5x = 23$
   4

7. $42j + 18 - 19j = -28$
   -2

8. $-49 = 6c - 13 - 4c$
   -18

9. $-28 + 15 - 22z = 31$
   -2

Escribe una ecuación para representar cada situación. Luego, resuélvela.

10. La entrada general de una feria costó $3.50 por persona. Las entradas para los juegos mecánicos costaron $5.50 adicionales por persona. El estacionamiento costó $6 para toda la familia. El costo total de las entradas a juegos mecánicos y el estacionamiento fue $51. ¿Cuántas personas de la familia fueron a la feria?
    $3.50p + 5.50p + 6 = 51$; 5 personas.

11. Cinco veces un número menos 18 menos 4 veces el mismo número es -36. ¿Cuál es el número?
    $5n - 18 - 4n = -36$; -18

Resuelve cada ecuación. Comprueba tu respuesta.

12. $6(3m + 5) = 66$
    2

13. $3(4y - 8) = 12$
    3

14. $-5(x - 3) = -25$
    8

15. $42 = 3(2 - 3h)$
    -4

16. $-10 = 5(2w - 4)$
    1

17. $(3p - 4) = 31$
    $11\frac{2}{3}$

18. $-3 = -3(2t - 1)$
    1

19. $x - 2(x + 10) = 12$
    -32

20. $-15 = 5(3q - 10) - 5q$
    3.5

21. Ángela comió en el mismo restaurante cuatro veces. Siempre ordenó una ensalada y dejó una propina de $5. En total gastó $54. Escribe y resuelve una ecuación para hallar el costo de cada ensalada. $4c + 4 \times 5 = 54$; $ 8.50

Página 48

2-3 Práctica (continuación)
Modelo G

Resolver ecuaciones de varios pasos

Resuelve cada ecuación. Escoge el método que prefieras usar. Comprueba tu respuesta.

22. $\frac{a}{7} + \frac{5}{7} = \frac{2}{7}$
    -3

23. $6v - \frac{5}{8} = \frac{7}{8}$
    $\frac{1}{4}$

24. $\frac{j}{6} - 9 = \frac{5}{6}$
    59

25. $\frac{x}{3} - \frac{1}{2} = \frac{3}{4}$
    $3\frac{3}{4}$

26. $\frac{g}{5} + \frac{5}{6} = 6$
    $25\frac{5}{6}$

27. $\frac{b}{9} - \frac{1}{2} = \frac{5}{18}$
    7

28. $0.52y + 2.5 = 5.1$
    5

29. $4n + 0.24 = 15.76$
    3.88

30. $2.45 - 3.1t = 21.05$
    -6

31. $-4.2 = 9.1x + 23.1$
    -3

32. $11.3 - 7.2f = -3.82$
    2.1

33. $14.2 = -6.8 + 4.2d$
    5

34. **Razonamiento** Supón que quieres resolver $-5 = 6x + 3 + 7x$. ¿Cuál sería el primer paso? Explica tu respuesta.
    Combinar los términos semejantes $6x$ y $7x$, comenzando por agruparlos y luego sumando sus coeficientes.

35. **Escribir** Describe dos maneras diferentes de resolver $-10 = \frac{1}{4}(8y - 12)$.
    Multiplicar ambos lados de la ecuación por 4 o distribuir $\frac{1}{4}$. Luego, usar la propiedad de suma de la igualdad primero y la propiedad de división de la igualdad después para aislar la variable.

Resuelve cada ecuación. Si es necesario, redondea a la centésima más cercana.

36. $5 + \frac{2a}{-3} = \frac{5}{11}$
    6.83

37. $\frac{3}{5}(p - 3) = -4$
    -3.67

38. $11m - (6m - 5) = 25$
    4

39. La suma de tres enteros es 228. El segundo entero es 1 más que el primero y el tercer entero es 2 más que el primero. Escribe una ecuación para determinar los enteros y resuélvela. Muestra tu trabajo.
    $e + e + 1 + e + 2 = 228$; 75, 76, 77

40. ¿Puedes usar la propiedad de división de la igualdad para resolver la ecuación $\frac{2}{3}(4x - 5) = 8$? Explica tu respuesta.
    Sí; Divide ambos lados de la ecuación por $\frac{2}{3}$, que es lo mismo que multiplicar ambos lados de la ecuación por $\frac{3}{2}$.

Página 49

2-3 Preparación para el examen estandarizado
Resolver ecuaciones de varios pasos

Opción múltiple

Escoge la letra que contiene la respuesta correcta para los Ejercicios 1 a 5.

1. ¿Cuál es la solución de $-17 = -2n + 13 - 8n$? C
   A. -3
   B. $-\frac{2}{3}$
   C. 3
   D. 5

2. ¿Cuál es la solución de $-4(-3m - 2) = 32$? G
   F. -2
   G. 2
   H. 4
   I. 6

3. ¿Cuál es la solución de $\frac{x}{3} + \frac{3}{5} = -\frac{1}{15}$? A
   A. -2
   B. $\frac{8}{5}$
   C. 2
   D. $\frac{16}{3}$

4. Cuando se multiplica por 4 la suma de un número y 7, el resultado es 16. ¿Cuál es el número original? G
   F. -12
   G. -3
   H. 3
   I. 11

5. En un puesto de un mercado de pulgas, un comerciante vende campanillas de viento. Alquila su espacio por $125 diarios. Las ganancias por cada campanilla que vende son de $12. Su meta es ganar $3500 por cada semana de cinco días de trabajo. ¿Cuál de las siguientes ecuaciones representa la cantidad de campanillas que debe vender en una semana para lograr su meta? A
   A. $12c - 625 = 3500$
   B. $5(12c) - 125 = 3500$
   C. $5(12c + 125) = 3500$
   D. $5(12c - 125) = 3500$

Respuesta breve

6. Cuatro amigos planean jugar 18 hoyos de golf. Dos de ellos deben alquilar palos a $5 cada juego de palos. El alquiler del carro cuesta $10. El costo total de la salida, incluida la tarifa del campo, es $922(5) + 10 + g = 92$; $72
   a. Escribe una ecuación que represente el costo total de la salida para cada jugador.
   b. ¿Cuánto pagaron los amigos por la tarifa del campo de golf?

   [2] Las respuestas de ambas partes son correctas.
   [1] La respuesta de una parte es correcta.
   [0] Ninguna respuesta es correcta.

Página 50

2-4 Pensar en un plan
Resolver ecuaciones que tienen variables a ambos lados

Esquí Un esquiador trata de decidir si debe comprar o no un abono de esquí para la temporada. Una entrada diaria cuesta $67 y un abono para toda la temporada cuesta $350. Con cualquiera de los pases, el esquiador deberá alquilar esquís por $25 diarios. ¿Cuántos días deberá ir a esquiar para que el abono para toda la temporada le convenga más que las entradas diarias?

Comprender el problema

1. ¿Qué sabes de los costos relacionados con la compra de una entrada diaria?
   Los costos de una entrada diaria y del alquiler diario de esquís.

2. ¿Qué sabes de los costos relacionados con la compra de un abono para la temporada?
   Los costos de un abono para toda la temporada y del alquiler diario de esquís.

Planear la solución

3. Escribe una expresión en palabras para representar el costo de una entrada diaria. Escribe la expresión algebraica.
   Sea d = la cantidad de días que se esquía; $67d + 25d$

4. Escribe una expresión en palabras para representar el costo de un abono para la temporada. Escribe la expresión algebraica.
   Sea d = la cantidad de días que se esquía; $350 + 25d$

5. ¿Cómo puedes comparar algebraicamente el costo de una entrada diaria con el costo de un abono para la temporada? ¿Cuál es la ecuación?
   Escribir una ecuación para hallar cuándo los costos son iguales; $67d + 25d = 350 + 25d$

Hallar una respuesta

6. Resuelve la ecuación que escribiste en el Paso 5. Muestra tu trabajo.
   $5\frac{15}{67}$

7. Explica lo que significa la solución.
   El abono para la temporada cuesta menos si la persona va a esquiar 6 veces o más.

Página 51

2-4 Práctica
Resolver ecuaciones que tienen variables a ambos lados

Modelo G

Resuelve cada ecuación. Comprueba tu respuesta.

1. $3n + 2 = -2n - 8$
   -2

2. $8b - 7 = 7b - 2$
   5

3. $-12 + 5k = 15 - 4k$
   3

4. $-q - 11 = 2q + 4$
   -5

5. $4t + 9 = -8t - 13$
   $-1\frac{5}{6}$

6. $22p + 11 = 4p - 7$
   -1

7. $17 - 9y = -3 + 16y$
   $\frac{4}{5}$

8. $15m + 22 = -7m + 18$
   $-\frac{2}{11}$

9. $3x + 7 = 14 + 3x$
   Sin solución.

Escribe y resuelve una ecuación para cada situación. Comprueba tu solución.

10. Shirley quiere pintar el exterior de su casa. Tim's Painting le cobra $250 más $14 por hora. Colorful Paints le cobra $22 por hora. ¿Cuántas horas debería llevar el trabajo para que Tim's Painting tenga el mejor precio?
    $250 + 14h = 22h$; Más de $31\frac{1}{4}$ h.

11. Tracey está considerando dos agencias de viajes para planear sus vacaciones. ABC Travel le ofrece un boleto de avión por $295 y un automóvil de alquiler a $39 por día. M & N Travel le ofrece un boleto de avión por $350 y un automóvil de alquiler a $33 por día. ¿Cuál es la cantidad mínima de días que deberían durar las vacaciones de Shirley para que M & N Travel tenga el mejor precio?
    $295 + 39d = 350 + 33d$; $d = 9\frac{1}{6}$; Menos de 10 días.

Resuelve cada ecuación. Comprueba tu respuesta.

12. $7(h + 3) = 6(h - 3)$
    -39

13. $-(5a + 6) = 2(3a + 8)$
    -2

14. $-2(2f - 4) = -4(-f + 2)$
    2

15. $3w - 6 + 2w = -2 + w$
    1

16. $-8x - (3x + 6) = 4 - x$
    -1

17. $14 + 3n = 8n - 3(n - 4)$
    1

Determina si cada ecuación es una *identidad* o si *no tiene solución*.

18. $4(3m + 4) = 2(6m + 8)$
    Identidad.

19. $5x + 2x - 3 = -3x + 10x$
    Sin solución.

20. $-(3z + 4) = 6z - 3(3z + 2)$
    Sin solución.

21. $-2(j - 3) = -2j + 6$
    Identidad.

Página 52

2-4 Práctica (continuación)
Resolver ecuaciones que tienen variables a ambos lados

Modelo G

Resuelve cada ecuación. Si la ecuación es una identidad, escribe *identidad*. Si no tiene solución, escribe *sin solución*.

22. $6.8 - 4.2b = 5.6b - 3$
    1

23. $\frac{1}{3} + \frac{2}{3}m = \frac{2}{3}m - \frac{2}{3}$
    Sin solución.

24. $-2(5.25 + 6.2x) = 4(-3.1x + 2.68)$
    Sin solución.

25. $\frac{1}{2}r + 6 = 3 - 2r$
    $-\frac{6}{5}$

26. $0.5t + 0.25(t + 16) = 4 + 0.75t$
    Identidad.

27. $2.5(2z + 5) = 5(z + 2.5)$
    Identidad.

28. $-6(-p + 8) = -6p + 12$
    5

29. $\frac{3}{8}f + \frac{1}{2} = 6(\frac{1}{16}f - 3)$
    Sin solución.

30. Tres veces la suma de un número y 4 es 8 menos que la mitad del número. Escribe y resuelve una ecuación para hallar el número.
    -8

31. Un cuadrado y un rectángulo tienen el mismo perímetro. Los lados del cuadrado miden $4x - 1$. El rectángulo mide $2x + 1$ de longitud y $x + 2$ de ancho. Escribe y resuelve una ecuación para hallar el valor de x.
    1

32. Un videoclub cobra por única vez una cuota de ingreso de $25, lo cual permite a los miembros comprar películas por $7 cada una. Otro club no cobra cuota de ingreso y vende cada película a $12. ¿Cuántas películas debe comprar un miembro para que el costo de los dos clubes sea igual?
    $25 + 7n = 12n$; 5 películas.

33. **Escribir** Describe la diferencia entre una ecuación que se define como una identidad y una ecuación que no tiene solución. Da un ejemplo de cada una y explica por qué cada ejemplo es una identidad o no tiene solución.
    Como $4x - 2 = 4x - 4 + 2$ siempre es verdadera, la ecuación tiene un número infinito de soluciones y, por tanto, es una identidad; Como $3y + 10 = 3y + 15$ nunca es verdadera, la ecuación no tiene solución.

Página 53

2-4 Preparación para el examen estandarizado
Resolver ecuaciones que tienen variables a ambos lados

Opción múltiple

Escoge la letra que contiene la respuesta correcta para los Ejercicios 1 a 5.

1. ¿Cuál es la solución de $-8x - 5 + 3x = 7 + 4x - 9$? B
   A. -3 B. $-\frac{1}{3}$ C. $\frac{1}{3}$ D. 3

2. ¿Cuál es la solución de $-(-5 - 6x) = 4(5x + 3)$? G
   F. -2 G. $-\frac{1}{2}$ H. $\frac{1}{2}$ I. 2

3. ¿Cuál es la solución de $2n - 3(4n + 5) = -6(n - 3) - 1$? A
   A. -8 B. -6 C. $-\frac{1}{2}$ D. 4

4. Menos uno multiplicado por la suma del doble de un número y 3 es igual a dos veces la diferencia de -4 multiplicado por el número y 3. ¿Cuál es el número? H
   F. -4 G. -2 H. $-\frac{1}{2}$ I. 2

5. Jacobo está ahorrando para comprar una bicicleta nueva que cuesta $175. Ya ahorró $35. Su meta es tener suficiente dinero ahorrado para pagar la bicicleta en seis semanas. ¿Cuál de las siguientes ecuaciones representa cuánto dinero debe ahorrar por semana para alcanzar su meta? A
   A. $35 + 6d = 175$
   B. $35 + 12d = 175$
   C. $6(35 + 2d) = 175$
   D. $2(35 + 6d) = 175$

Respuesta breve

6. La entrada a un parque acuático cuesta $17.50 por día. Un abono para la temporada cuesta $125. El alquiler de un casillero cuesta $3.50 por día.
   a. ¿Qué ecuación representa la relación entre el costo de una entrada diaria y el costo de un abono para la temporada? $17.50d \approx 125$
   b. ¿Cuántos días deberías ir al parque acuático para que el abono para la temporada sea más conveniente?
   Como $d = 7.1$, tendrías que ir al parque acuático al menos 8 días.
   [2] Las respuestas de ambas partes son correctas.
   [1] La respuesta de una parte es correcta.
   [0] Ninguna respuesta es correcta.

Álgebra 1, de Prentice Hall • Cuaderno de práctica y resolución de problemas Guía del maestro

Página 54

2-5 Pensar en un plan
Ecuaciones literales y fórmulas

Densidad La densidad de un objeto se calcula usando la fórmula $D = \frac{m}{V}$, donde m es la masa del objeto y V, su volumen. El oro tiene una densidad de 19.3 g/cm³. ¿Cuál es el volumen de una cantidad de oro cuya masa es 96.5 g?

LO QUE SABES

1. ¿Cuál es la fórmula que se te da para hallar la densidad de un objeto?

$D = \frac{m}{V}$

2. ¿Qué valores se te dan en el problema?

La densidad del oro es 19.3 $\frac{g}{cm^3}$; La masa de cierta cantidad de oro es 96.5 g.

LO QUE NECESITAS

3. ¿Qué medida te piden que determines?

El volumen del oro.

4. Resuelve $D = \frac{m}{V}$ para hallar el valor de la variable V. Muestra tu trabajo.

$V = \frac{m}{D}$

PLANEA

5. Escribe tu nueva fórmula. Sustituye los valores que se te dan en la fórmula.

$V = \frac{96.5}{19.3}$

6. ¿Cuál es el volumen de 96.5 g de oro?

5 cm³

7. ¿En qué unidades está tu respuesta? ¿Tienen sentido estas unidades? Explica tu respuesta.

cm³; sí; $\frac{g}{\frac{g}{cm^3}} = cm^3$

Página 55

2-5 Práctica
Ecuaciones literales y fórmulas

Modelo G

Resuelve cada ecuación para hallar el valor de m. Luego, halla el valor de m con cada valor de n.

1. $m + 3n = 7$; $n = -2, 0, 1$
$m = 7 - 3n$; 13; 7; 4

2. $3m - 9n = 24$; $n = -1, 1, 3$
$m = 8 + 3n$; 5; 11; 17

3. $-5n = 4m + 8$; $n = -1, 0, 1$
$m = -\frac{5}{4}n - 2$; $-3\frac{1}{4}$; -2; $-\frac{3}{4}$

4. $2m = -6n - 5$; $n = 1, 2, 3$
$m = -3n - \frac{5}{2}$; $-5\frac{1}{2}$; $-8\frac{1}{2}$; $-11\frac{1}{2}$

5. $8n = -3m + 1$; $n = -2, 2, 4$
$m = -\frac{8n - 1}{3}$; $5\frac{2}{3}$; -5; $-10\frac{1}{3}$

6. $4n - 6m = -2$; $n = -2, 0, 2$
$m = \frac{1 + 2n}{3}$; -1; $\frac{1}{3}$; $1\frac{2}{3}$

7. $-5n = 13 - 3m$; $n = -3, 0, 3$
$m = \frac{5n + 13}{3}$; $-\frac{2}{3}$; $4\frac{1}{3}$; $9\frac{1}{3}$

8. $10m + 6n = 12$; $n = -2, -1, 0$
$m = \frac{6 - 3n}{5}$; $2\frac{2}{5}$; $1\frac{4}{5}$; $1\frac{1}{5}$

Resuelve cada ecuación para hallar el valor de x.

9. $fx - gx = h$
$\frac{h}{f - g}$

10. $qx + x = r$
$\frac{r}{q + 1}$

11. $m = \frac{x + n}{p}$
$pm - n$

12. $d = f + fx$
$\frac{d}{f} - 1$

13. $-3(x + n) = x$
$\frac{3}{4}n$

14. $\frac{x - 4}{y + 2} = 5$
$5y + 14$

Resuelve cada problema. Si es necesario, redondea a la décima más cercana. Usa 3.14 para pi.

15. ¿Cuál es el ancho de un rectángulo de 14 cm de longitud y un área de 161 cm²?
11.5 cm

16. ¿Cuál es el radio de un círculo con una circunferencia de 13 pies?
Aproximadamente 2.1 pies.

17. El perímetro de un rectángulo es 182 pulgs. y su longitud, 52 pulgs. ¿Cuál es el ancho?
39 pulgs.

18. Un triángulo tiene una base de 7 m y un área de 17.5 m². ¿Cuál es la altura?
5 m

Página 56

2-5 Práctica (continuación)
Ecuaciones literales y fórmulas

Modelo G

Resuelve cada problema. Si es necesario, redondea a la décima más cercana.

19. Usa la fórmula Puntos por partido $= \frac{\text{Puntos totales}}{\text{Partidos}}$ para hallar el promedio de puntos que anota un jugador por partido. Halla la cantidad de partidos que jugó una jugadora si lleva anotados un total de 221 puntos y tiene un promedio de 17 puntos por partido. 13 partidos.

20. Juana recorre 333.5 millas hasta que se le acaba la gasolina. Su carro recorre 29 millas por galón. ¿Cuántos galones de gasolina tenía el carro al comenzar el recorrido? 11.5 gal.

21. Stan comprará baldosas para la cocina que está remodelando. El área del piso es de 180 pies² y la cocina mide 12 pies de ancho. ¿Cuál es la longitud del piso? 15 pies.

Resuelve cada ecuación para hallar el valor de la variable dada.

22. $4k + mn = n - 3$; n
$\frac{-4k - 3}{m - 1}$

23. $\frac{c}{d} + 2 = \frac{f}{8}$; c
$d\left(\frac{f}{8} - 2\right)$

24. $3ab - 2bc = 12$; c
$-\frac{6}{b} + \frac{3a}{2}$

25. $z = \left(\frac{x + y}{3}\right)w$; y
$\frac{3z}{w} - x$

26. $-3(m - 2n) = 5m$; m
$\frac{3n}{4}$

27. $A = \frac{1}{2}bcd + bc$; d
$\frac{2(A - bc)}{bc}$

28. Se debe pintar una habitación de cuatro paredes que tienen un ancho a, longitud l y altura h.
   a. Escribe una fórmula para hallar el área que se debe pintar, sin contar las puertas ni las ventanas. $A = 2lh + 2ah$
   b. Vuelve a escribir la fórmula para hallar el valor de h en función de A, l y a. $\frac{A}{2l + 2a}$
   c. Si l mide 18 pies, a mide 14 pies y A mide 512 pies², ¿cuál es la altura de la habitación? 8 pies.
   d. **Razonamiento** Supón que l es igual a a. Escribe una fórmula para hallar el valor de A en función de a y h. $A = 4ah$

Página 57

2-5 Preparación para el examen estandarizado
Ecuaciones literales y fórmulas

Opción múltiple

Escoge la letra que contiene la respuesta correcta para los Ejercicios 1 a 5.

1. ¿Cuál es el valor de la expresión $-2(3x - 2) + x + 9$ si $x = -3$? C
   A. -16 B. -2 C. 28   D. 34

2. ¿Cuál es el valor de la expresión $6m + m - 4(-2m + 1 - m)$ si $m = -8$? F
   F. -156 G. -92 H. -44 I. 36

3. ¿Cuál es la solución de $2d = \frac{a - b}{b - c}$ cuando quieres hallar el valor de a? D
   A. $2d - b + c + b$
   B. $\frac{2d + b}{b - c}$
   C. $\frac{2d}{b - c} + b$
   D. $2d(b - c) + b$

4. El área de un triángulo es 49.5 cm². Si su base es 9 cm, ¿cuál es su altura? G
   F. 5.5 cm   G. 11 cm   H. 222.75 cm   I. 445.5 cm

5. La circunferencia de un círculo mide 10.99 yd. ¿Cuánto mide su radio? Si es necesario, redondea a la décima más cercana. (Usa 3.14 para π). A
   A. 1.8 yd   B. 3.5 yd   C. 7 yd   D. 34.5 yd

Respuesta breve

6. La fórmula para hallar la circunferencia de un círculo es $C = 2\pi r$, donde r es el radio del círculo.
   a. ¿Cuál es la fórmula para hallar el valor de r? $r = \frac{C}{2\pi}$
   b. ¿Cuál es el radio de un círculo cuya circunferencia mide 37.7 m? Si es necesario, redondea a la décima más cercana. 6 m

   [2] Las respuestas de ambas partes son correctas.
   [1] La respuesta de una parte es correcta.
   [0] Ninguna respuesta es correcta.

Álgebra 1, de Prentice Hall • Cuaderno de práctica y resolución de problemas Guía del maestro

Página 58

2-6 Pensar en un plan
Razones, tasas y conversiones

Razonamiento Un viajero cambió $300 a euros para ir a Alemania, pero el viaje se suspendió. Al cabo de tres meses, el viajero cambió los euros a dólares. ¿Crees que le dieron exactamente $300? Explica tu respuesta.

Lo que sabes

1. ¿Qué hechos de la situación conoces?

   Un viajero cambió $300 a euros; 3 meses después, cambió los euros a dólares.

2. ¿Qué circunstancias afectarían la posibilidad de que el viajero recuperara exactamente los $300 o no?

   Si hay una tarifa por el servicio o no; cuál es la tasa de cambio cuando los

   euros se vuelven a convertir a dólares.

Lo que necesitas

3. ¿Qué necesitarías saber para determinar la cantidad de dólares que el viajero recibiría pasados los tres meses?

   La tasa de cambio; la tarifa por el servicio.

4. ¿Cómo conviertes la cantidad de euros a dólares?

   euros · $\frac{\text{dólares}}{\text{euros}}$

Planea

5. Una vez que tengas la información que necesitas para responder a la pregunta, explica cómo determinarías la cantidad de dólares que el viajero recibiría a cambio de los euros.

   Multiplicar la cantidad de euros por la tasa de cambio y restar las tarifas que

   se cobren por el servicio.

6. ¿Cambiaría este proceso con el paso del tiempo? Explica tu respuesta.

   No; Los valores pueden cambiar, pero el proceso, no.

Página 59

2-6 Práctica
Razones, tasas y conversiones

Modelo G

Convierte la cantidad dada a la unidad indicada.

1. 15 días; horas
   360 h

2. 60 pies; yd
   20 yd

3. 100 metros; cm
   10,000 cm

4. 5 h; min
   300 min

5. 12 metros; pies
   39.37 pies

6. 16 pulgs.; cm
   40.64 cm

7. 5 litros; cto.
   5.3 cto.

8. 2076 cm; yd
   22.7 yd

9. 15 libras; gramos
   6803.85 g

10. 25 km; cm
    2,500,000 cm

11. 3 mi; pies
    15,840 pies

12. 60 min; s
    360 s

13. Un constructor mide el perímetro de unos cimientos y descubre que miden 425 pies. Debe encargar pilares de acero para colocar alrededor de ese perímetro. El acero debe encargarse por metro. ¿Cuántos metros de acero debería encargar el constructor?
    129.6 m

14. La Sra. Jacobsen compró un paquete de 5 libras de carne picada por $12.40. Decidió usar 8 libras por día para preparar sus recetas de la cena. ¿Cuál fue el costo de la carne picada por cada plato?
    $1.24 por plato.

15. Durante una carrera a campo traviesa, el Carro 1 recorrió 408 millas en 6 horas. El Carro 2 recorrió 365 millas en 5 horas. ¿Cuál tuvo el promedio de velocidad más alto?
    El Carro 2.

Copia y completa cada enunciado.

16. 25 mi/h = ___ m/min
    570.6 m/min

17. 32 mi/gal. = ___ km/L
    13.6 km/L

18. 10 m/s = ___ pies/s
    32.8 pies/s

19. 14 gal./s = ___ cto./min
    3360 cto./min

20. 3.5 días = ___ min
    5040 min

21. 100 yd = ___ m
    91.4 m

22. 15 dólares/h = ___ centavos/min
    25 centavos/min

23. 5 L/s = ___ kL/min
    0.3 kL/min

24. 62 pulgs. = ___ m
    Aproximadamente 1.6 m

25. 7 días = ___ s
    604,800 s

Página 60

2-6 Práctica (continuación)
Razones, tasas y conversiones

Modelo G

26. ¿Qué pesa más: 500 libras ó 200 kilogramos? 200 kg

27. ¿Qué es más largo: 4000 pies ó 1 kilómetro? 4000 pies

28. ¿Cuál es la mejor compra: 7 libras por $8.47 ó 9 libras por $11.07? Explica tu respuesta.
    La mejor es $8.47 por 7 lb, porque es la tasa por unidad más baja.

29. Un corredor recorre 10 millas por hora.
    a. ¿Qué factores de conversión se deben usar para convertir 10 mi/h a pies/s?
    $\frac{5280 \text{ pies}}{1 \text{ milla}}$, $\frac{1 \text{ hora}}{60 \text{ min}}$, $\frac{1 \text{ min}}{60 \text{ s}}$

    b. ¿Cuántos pies por segundo recorre el corredor?
    Aproximadamente 14.7 pies/s.

Determina si cada tasa es una tasa por unidad. Explica tu respuesta.

30. $1.99 por libra
    Sí; La tasa es $/lb.

31. 100 pies por 2 segundos
    No; La tasa no es pies/s.

32. 22 millas por galón
    Sí; La tasa es mi/gal.

Halla cada tasa por unidad.

33. 4 libras de pimentones verdes cuestan $7.56. $1.89/lb

34. Raúl recorrió 348 millas en 6 horas. 58 mi/h

35. Cheryl juntó 128 sillas en 16 horas. 8 sillas/h

36. **Escribir** Supón que quieres convertir pies por segundo a millas por hora. ¿Qué factores de conversión usarías? ¿Cómo determinaste qué unidad debe ir en el numerador y qué unidad debe ir en el denominador de los factores de conversión?
    $\frac{60 \text{ s}}{1 \text{ h}}$ y $\frac{1 \text{ mi}}{5280 \text{ pies}}$; La respuesta es $\frac{\text{millas}}{1 \text{ hora}}$, entonces millas es el numerador y horas es el denominador.

37. El volumen de una caja es 1344 pulgadas cúbicas o pulgs³.
    a. ¿Cuántas pulgadas cúbicas hay en un pie cúbico? Justifica tu respuesta.
    1 pie cúbico = 12 pulgs. × 12 pulgs. × 12 pulgs. = 1728 pulgs.³

    b. ¿Cuál es el volumen de la caja expresado en pies cúbicos? Justifica tu respuesta.
    1344 pulgs.³ · $\frac{1 \text{ pies}^3}{1728 \text{ pulgs.}^3}$ ≈ 0.78 pies³

Página 61

2-6 Preparación para el examen estandarizado
Razones, tasas y conversiones

Opción múltiple

Escoge la letra que contiene la respuesta correcta para los Ejercicios 1 a 5.

1. ¿Cuál de las siguientes tasas es una tasa por unidad? C
   A. $\frac{24 \text{ pulgs.}}{1 \text{ yd}}$
   B. $\frac{24 \text{ pulgs.}}{2 \text{ pies}}$
   C. $\frac{3 \text{ pies}}{1 \text{ yd}}$
   D. $\frac{1 \text{ pies}}{12 \text{ pulgs.}}$

2. ¿Cuántos centímetros hay en 1 kilómetro? I
   F. 0.000001
   G. 0.00001
   H. 10,000
   I. 100,000

3. ¿Cuántas pulgadas hay en 3 yd, 2 pies? C
   A. 60
   B. 72
   C. 132
   D. 180

4. Para convertir millas por hora a pies por segundo, ¿qué factor de conversión no debería usarse? I
   F. $\frac{1 \text{ h}}{60 \text{ min}}$
   G. $\frac{1 \text{ min}}{60 \text{ s}}$
   H. $\frac{5280 \text{ pies}}{1 \text{ mi}}$
   I. $\frac{1 \text{ mi}}{5280 \text{ pies}}$

5. Un guepardo adulto sano puede correr a 110 pies por segundo. ¿A qué velocidad puede correr en millas por hora? B
   A. 55
   B. 75
   C. 87
   D. 161.3

6. Emanuel estaba hablando con una amiga de otro país. Su amiga le dijo que el límite de velocidad en la mayoría de las autopistas de su país es 100 kilómetros por hora. Esta velocidad le resultó alta a Emanuel. ¿Aproximadamente qué velocidad es en millas por hora? F
   F. 62 mi/h
   G. 65 mi/h
   H. 70 mi/h
   I. 100 mi/h

Respuesta breve

7. Samanta gana $22 por hora como aprendiz de plomero. ¿Cuánto gana por minuto expresado en centavos?
   a. ¿Qué factores de conversión usaría Samanta?
   $\frac{100 \text{ centavos}}{1 \text{ dólar}}$, $\frac{1 \text{ h}}{60 \text{ min}}$

   b. ¿Qué cantidad gana por minuto expresada en centavos?
   Aproximadamente 37 centavos/min.

   [2] Las respuestas de ambas partes son correctas.
   [1] La respuesta de una parte es correcta.
   [0] Ninguna respuesta es correcta.

Álgebra 1, de Prentice Hall • Cuaderno de práctica y resolución de problemas Guía del maestro

Página 62

2-7 **Pensar en un plan**
Resolver proporciones

Descarga de vídeos Una computadora tarda 15 min en descargar un programa de televisión que dura 45 min. ¿Cuánto tardará la computadora en descargar una película que dura 2 h?

Comprender el problema

1. ¿Qué hechos de la situación conoces?

   El tiempo que lleva descargar un programa de televisión de 45 min.

2. ¿Se dan las unidades de manera que los numeradores y los denominadores de la proporción estén expresados en las mismas unidades? Sí es así, ¿cuáles son esas unidades? Sí no es así, ¿qué unidades se deben convertir?

   No; Convertir h a min o min a h.

Planear la solución

3. Si es necesario convertir las unidades, usa factores de conversión para hacerlo. Muestra tu trabajo.

   $2 \text{ h} \cdot \frac{60 \text{ min}}{1 \text{ h}} = 120 \text{ min}$

4. Escribe una proporción que se pueda usar para determinar el tiempo necesario para que la computadora descargue la película.

   $\frac{15 \text{ min}}{45 \text{ min}} = \frac{x \text{ min}}{120 \text{ min}}$

Hallar una respuesta

5. Resuelve la proporción que escribiste en el Paso 4 para hallar cuánto le llevará a la computadora descargar la película.

   40 min

Página 63

2-7 **Práctica** *Modelo G*
Resolver proporciones

Resuelve cada proporción usando la propiedad multiplicativa de la igualdad.

1. $\frac{3}{2} = \frac{n}{6}$
   9

2. $\frac{1}{5} = \frac{t}{3}$
   $\frac{3}{5}$

3. $\frac{g}{3} = \frac{10}{9}$
   $\frac{10}{3}$

4. $\frac{m}{4} = \frac{6}{5}$
   $\frac{24}{5}$

5. $\frac{7}{2} = \frac{b}{2}$
   $\frac{7}{2}$

6. $\frac{2}{9} = \frac{j}{18}$
   4

7. $\frac{z}{3} = \frac{5}{4}$
   $\frac{15}{4}$

8. $\frac{11}{12} = \frac{w}{15}$
   $\frac{55}{12}$

9. $\frac{19}{10} = \frac{c}{23}$
   43.7

Resuelve cada proporción usando la propiedad de los productos cruzados.

10. $\frac{1}{4} = \frac{x}{10}$
    $\frac{5}{2}$

11. $\frac{3}{n} = \frac{2}{3}$
    $\frac{9}{2}$

12. $\frac{r}{12} = \frac{3}{4}$
    9

13. $\frac{5}{y} = \frac{-3}{5}$
    $\frac{25}{3}$

14. $\frac{-3}{4} = \frac{k}{16}$
    -12

15. $\frac{22}{4} = \frac{-6}{5}$
    $-\frac{55}{3}$

16. $\frac{15}{9} = \frac{8}{2}$
    $\frac{24}{5}$

17. $\frac{11}{5} = \frac{q}{-6}$
    $-\frac{66}{5}$

18. $\frac{f}{-18} = \frac{6}{-12}$
    9

19. Las ventanas de un edificio son proporcionales al tamaño del edificio. Cada ventana mide 18 pulgs. de altura y 11 pulgs. de ancho. Si el edificio mide 108 pies de altura, ¿cuál es su ancho? **66 pies**

20. Eric planea hornear aproximadamente 305 galletas. Si con 3 libras de masa para galletas hace 96 galletas, ¿cuántas libras de masa debe preparar? **9.5 lb**

21. En un mapa, la distancia entre la casa de Sheila y la casa de Shardae es 6.75 pulgadas. Según la escala, 1.5 pulgadas representan 5 millas. ¿A qué distancia están las casas entre sí? **22.5 mi**

Página 64

2-7 **Práctica** (continuación) *Modelo G*
Resolver proporciones

Resuelve cada proporción usando cualquier método.

22. $\frac{n+4}{-6} = \frac{8}{2}$ -28

23. $\frac{10}{4} = \frac{z-8}{16}$ 48

24. $\frac{3}{t+7} = \frac{5}{-8}$ $-\frac{59}{5}$

25. $\frac{x-3}{3} = \frac{x+4}{4}$ 24

26. $\frac{3}{n+1} = \frac{4}{n+4}$ 8

27. $\frac{4d+1}{d+9} = \frac{-3}{-2}$ 5

28. Sesenta y dos estudiantes, de un total de 100 encuestados, escogieron la pizza como almuerzo favorito. Si la escuela tiene 1250 estudiantes, ¿cuántos estudiantes dirían que la pizza es su plato favorito si suponemos que la encuesta es una representación adecuada del cuerpo estudiantil?

    Son 775 los que prefieren pizza.

29. Los alumnos del último año van a viajar a un parque de diversiones. Recibieron una oferta especial por la cual cada 3 boletos que compran reciben uno gratis. El precio de 3 boletos es $53.25. La compra total de boletos fue de $1384.50. ¿Cuántos boletos recibieron?

    104 boletos

Resuelve cada proporción.

30. $\frac{x-1}{2} = \frac{x-2}{3}$
    -1

31. $\frac{2n+1}{n+2} = \frac{5}{4}$
    2

32. $\frac{3}{2b-1} = \frac{2}{b+2}$
    8

33. **Respuesta de desarrollo** Da un ejemplo de una proporción. Describe sus valores medios y sus extremos. Explica cómo sabes que es una proporción. Da un ejemplo de algo que no sea una proporción. Explica cómo sabes que no es una proporción.

    Las respuestas variarán. Ejemplo:

    $\frac{3 \text{ yd}}{2 \text{ vestidos}} = \frac{12 \text{ yd}}{8 \text{ vestidos}}$; El primer y el último término, 3 yd y 8 vestidos, se llaman extremos; Los términos del medio, 2 vestidos y 12 yd, son los valores medios; Ejemplo de algo que no es una proporción: $\frac{3}{2} = \frac{7}{6}$ no es una proporción porque $3(6) \neq 2(7)$.

Página 65

2-7 **Preparación para el examen estandarizado**
Resolver proporciones

Opción múltiple

Escoge la letra que contiene la respuesta correcta para los Ejercicios 1 a 5.

1. ¿Cuál es la solución de la proporción $\frac{3}{5} = \frac{x}{10}$? **B**
   A. $\frac{10}{3}$ B. 6   C. 10   D. 150

2. ¿Cuál es la solución de la proporción $\frac{x-1}{x} = \frac{2}{3}$? **H**
   F. -2 G. 0   H. 2   I. 3

3. La banda musical de la escuela tiene 105 integrantes. Por cada 3 niños hay 4 niñas. ¿Qué proporción representa la cantidad de niños que hay en la banda? **A**
   A. $\frac{3}{7} = \frac{b}{105}$ B. $\frac{3}{4} = \frac{b}{105}$ C. $\frac{4}{7} = \frac{b}{105}$ D. $\frac{7}{3} = \frac{b}{105}$

4. Un panadero está haciendo masa para pan. Usa 3 tazas de harina por cada 8 onzas de agua. ¿Cuántas tazas de harina necesitará si usa 96 onzas de agua? **I**
   F. 4   G. 12   H. 32   I. 36

5. El Sr. Carter se ofreció a quedarse después del horario escolar para dar una clase de apoyo y $\frac{2}{11}$ de sus estudiantes se quedaron para la clase. Si se quedaron 24 estudiantes, ¿cuántos estudiantes tiene el Sr. Carter a lo largo del día? **C**
   A. 100   B. 121   C. 132   D. 144

Respuesta desarrollada

6. Elizabeth corre 5 millas todos los sábados. Normalmente esto le toma 45 minutos. Quiere aumentar esta distancia a 7 millas. Determina la proporción que usarías para hallar el tiempo que le llevaría correr 7 millas y resuélvela. ¿Qué proporción se puede usar para determinar el tiempo que le lleva correr un maratón, que cubre una distancia de aproximadamente 26 millas? ¿Cuál es su tiempo? **63 mi; 234 min**

   [2] Las respuestas de ambas partes son correctas.

   [1] La respuesta de una parte es correcta.

   [0] Ninguna respuesta es correcta.

Página 66

2-8 Pensar en un plan
Proporciones y figuras semejantes

Camiones El modelo de un remolque tiene la forma de un prisma rectangular que mide 2 pulgs. de ancho, 9 pulgs. de longitud y 4 pulgs. de altura. La escala del modelo es 1 : 34. ¿Cuántas veces el volumen del modelo es el volumen del remolque real?

Comprender el problema

1. ¿Cuál es la fórmula que se usa para hallar el volumen de un prisma rectangular?
   $V = lah$

2. ¿Cómo podemos hallar las dimensiones del remolque real usando la escala?
   Escribir una proporción con la escala como uno de los lados de la ecuación.

Planear la solución

3. ¿Cuál es el volumen del modelo?
   72 pulgs.³

4. Escribe tres proporciones que se puedan usar para determinar la longitud, la altura y el ancho del remolque. Resuelve las proporciones.
   $\frac{1}{34} = \frac{2}{a}$; $\frac{1}{34} = \frac{9}{l}$; $\frac{1}{34} = \frac{4}{h}$
   $25\frac{1}{2}$ pies; $5\frac{2}{3}$ pies; $11\frac{1}{3}$ pies

5. ¿Cuál es el volumen del remolque real?
   $1637\frac{2}{3}$ pies³

Hallar una respuesta

6. ¿Cuántas veces el volumen del modelo del remolque es el volumen del remolque real? Justifica tu respuesta.
   El volumen del remolque es 39,304 veces el volumen del modelo.

Página 67

2-8 Práctica
Proporciones y figuras semejantes

Modelo G

Las figuras de cada par son semejantes. Identifica los lados y ángulos correspondientes.

1. $\triangle ABC \sim \triangle DEF$

2. $QRST \sim UVWX$

AB y DE, BC y EF, AC y DF, ∠A y ∠D, ∠B y ∠E, ∠C y ∠F

RS y VW, ST y WX, TQ y XU, QR y UV, ∠R y ∠V, ∠S y ∠W, ∠T y ∠X, ∠Q y ∠U

Las figuras de cada par son semejantes. Halla la longitud que falta.

3. 8

4.

5.

6.

La escala de un mapa es 0.5 pulg. : 20 mi. Halla la distancia real correspondiente a cada distancia en el mapa.

7. 2 pulgs.
   80 mi

8. 3.5 pulgs.
   140 mi

9. 4.75 pulgs.
   190 mi

10. En un museo hay una escultura de cera de una aldea histórica. La escala es 1.5 : 8. Si la altura de una choza en la escultura es 5 pies, ¿qué altura tenía la choza original redondeada al pie entero más cercano? Aproximadamente 27 pies.

11. En un mapa, la longitud de un río es 4.75 pulgs. La longitud real del río es 247 millas. ¿Cuál es la escala del mapa? $\frac{1 \text{ pulg.}}{52 \text{ mi}}$

Página 68

2-8 Práctica (continuación)
Proporciones y figuras semejantes

Modelo G

12. Sammy está construyendo el modelo de un puente con palitos. El puente real mide 1320 pies de largo. Sammy quiere que la escala de su puente sea 1 : 400. ¿Qué largo debe tener el modelo? 3.3 pulgs.

13. La compañía Finish-Line está haciendo los planos para la reforma de una casa, como se muestra abajo. La reforma incluirá un dormitorio grande y un baño tal como ves en el plano.

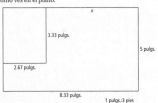

1 pulgs.:3 pies

a. ¿Cuáles son las dimensiones reales del nuevo dormitorio?
   24.99 pies por 15 pies.

b. ¿Cuáles son las dimensiones reales del baño?
   Aproximadamente 8 pies por 10 pies.

c. ¿Cuál es la longitud real de la pared exterior que hay entre el nuevo dormitorio y la pared del baño? Esta longitud está representada por x.
   Aproximadamente 17 pies.

14. **Escribir** ¿Son semejantes todos los triángulos rectángulos? Explica tu respuesta.
   Las respuestas variarán. Ejemplo: No; Los triángulos rectángulos formados por una diagonal dentro de un cuadrado no son semejantes a los triángulos que muestra la diagonal de un rectángulo que no es un cuadrado.

15. **Escribir** Una pizzería vende pizzas pequeñas de 6 pulgs. y pizzas medianas de 12 pulgs. ¿Las pizzas medianas deberían costar el doble que las pequeñas porque tienen el doble de tamaño? Explica tu respuesta.
   El radio de una pizza pequeña es 3 pulgs.; por tanto, su área es 9π; El radio de la pizza más grande es 6 pulgs., entonces, su área es 16π; Deberían cobrar cuatro veces más.

Página 69

2-8 Preparación para el examen estandarizado
Proporciones y figuras semejantes

Opción múltiple

Escoge la letra que contiene la respuesta correcta para los Ejercicios 1 a 4.

1. La distancia entre Capeton y Jonesville es 80 millas. La escala en el mapa es 0.75 pulg. : 10 millas. ¿A qué distancia están las dos ciudades en el mapa? A
   A. 6 pulgs.   B. 60 pulgs.   C. 600 pulgs.   D. 1067 pulgs.

2. El plano de un dormitorio tiene una escala de 2.5 pulgs. : 35 pies. En el dibujo, la longitud del dormitorio es 8 pulgs. y su ancho es 6 pulgs. ¿Cuál es el perímetro del dormitorio real? I
   F. 84 pies   G. 112 pies   H. 196 pies   I. 392 pies

3. Las figuras son semejantes. ¿Cuál es la longitud que falta? D
   A. 9.33 cm
   B. 5.4 cm
   C. 6 cm
   D. 21 cm

4. El modelo de un carro se construye a una escala de 1 : 15. Si el carro real mide 12 pies de largo, ¿qué proporción representa la longitud x del modelo? A
   F. $\frac{1}{15} = \frac{x}{12}$ G. $\frac{1}{15} = \frac{12}{x}$ H. $\frac{12}{15} = \frac{1}{x}$ I. $\frac{1}{12} = \frac{15}{x}$

Respuesta breve

5. La escala de un mapa es 0.5 pulg. : 25 mi. La distancia real entre dos ciudades es 725 mi. Escribe una proporción que represente la relación. ¿A qué distancia están las ciudades en el mapa? 14.5 pulgs.

   [2] Las respuestas de ambas partes son correctas.
   [1] La respuesta de una parte es correcta.
   [0] Ninguna respuesta es correcta.

Página 70

2-9 **Pensar en un plan**
Porcentajes

Finanzas Una cuenta de ahorros recibe un interés simple a una tasa del 6% anual. El año pasado, la cuenta recibió $10.86 de interés. ¿Cuál era el saldo a principios del año pasado?

Comprender el problema

1. ¿Cuál es la fórmula para hallar el interés simple?

   $I = crt$

2. ¿Qué valores se dan en función de la fórmula que escribiste en el Paso 1?

   Interés, tasa, tiempo.

Planear la solución

3. Sustituye los valores dados en la fórmula del interés simple.

   $10.81 = c(0.06)(1)$

Hallar una respuesta

4. Halla el valor de la variable desconocida.

   $ 181.00

5. ¿Es razonable tu respuesta? Explícala.

   Sí; El 6% de $200 es $ 12, entonces, el 6% de $181.00 sería aproximadamente $ 12.

6. ¿Qué significa tu solución?

   Había $ 181.00 en la cuenta.

Página 71

2-9 **Práctica** *Modelo G*
Porcentajes

Halla cada porcentaje.

1. ¿Qué porcentaje de 42 es 28?
   $66\frac{2}{3}$%

2. ¿Qué porcentaje de 48 es 18?
   37.5%

3. ¿Qué porcentaje de 150 es 350?
   $233\frac{1}{3}$%

4. ¿Qué porcentaje de 99 es 72?
   73%

5. ¿Qué porcentaje de 15 es 12?
   80

6. ¿Qué porcentaje de 120 es 200?
   $166\frac{2}{3}$%

Halla cada parte.

7. ¿Cuánto es el 75% de 180?
   136

8. ¿Cuánto es el 40% de 720?
   288

9. ¿Cuánto es el 125% de 62?
   77.5

10. ¿Cuánto es el 50% de 821?
    410.5

11. ¿Cuánto es el 2.75% de 20?
    0.55

12. ¿Cuánto es el 16.5% de 33?
    5.445

13. Un juego de palos de golf que cuesta $600 está en oferta por 40% menos que el precio normal. ¿Cuál es el precio de oferta de los palos? $ 360

14. Una tienda de descuentos aplica un aumento del 55% al valor de compra. Si el precio mayorista de un artículo en particular es $25, ¿cuál sería el precio minorista? $ 38.75

15. Una agencia de carros usados hace una rebaja a fin de año para reducir su inventario. Este año, el precio de oferta fue 15% menos que el precio normal. Si el precio normal de un carro es $12,000, ¿cuál es el precio de oferta? $ 10,200

Página 72

2-9 **Práctica** (continuación) *Modelo G*
Porcentajes

Halla cada base.

16. ¿75 es el 60% de qué número?
    125

17. ¿120 es el 115% de qué número?
    Aproximadamente 104.3

18. ¿6.75 es el 15% de qué número?
    45

19. ¿4.1 es el 5% de qué número?
    82

20. ¿64.6 es el 68% de qué número?
    95

21. ¿577.2 es el 65% de qué número?
    888

22. Si depositas $800 en una cuenta de ahorros que recibe un interés simple a una tasa de 1.5% anual, ¿cuánto interés habrás recibido una vez transcurridos 5 años? 760

23. Cuando nació Martín, sus padres depositaron $5000 en una cuenta de ahorros para la universidad que recibe un interés simple a una tasa de 7.25% anual. ¿Cuánto interés habrá generado el dinero una vez transcurridos 18 años? $ 6525

24. Tienes $10,000 para depositar en una cuenta de ahorros que recibe interés simple a una tasa de 4.5% anual. ¿Cuánto interés habrá en la cuenta una vez transcurridos 2 años? $ 900

Indica si hallas un *porcentaje*, **una** *parte* **o una** *base*. **Luego, resuelve.**

25. ¿Cuánto es el 25% de 50?
    Una parte; 12.5.

26. ¿Qué porcentaje de 18 es 63?
    Un porcentaje; 350%.

27. ¿Cuánto es el 133% de 90?
    Una parte; 119.7.

28. ¿Cuánto es el 44% de 88?
    Una parte; 38.72.

29. ¿Qué porcentaje de 67 es 26.8?
    Un porcentaje; 40%.

30. ¿42 es el 14% de qué número?
    La base; 300.

Página 73

2-9 **Preparación para el examen estandarizado**
Porcentajes

Opción múltiple

Escoge la letra que contiene la respuesta correcta para los Ejercicios 1 a 5.

1. ¿Qué porcentaje de 92 es 23? C
   A. 0.25%   B. 4%   C. 25%   D. 400%

2. El 60% de un número es 66. ¿Qué proporción representa mejor esta relación? F
   F. $\frac{66}{b} = \frac{60}{100}$ G. $\frac{a}{66} = \frac{60}{100}$ H. $\frac{60}{b} = \frac{66}{100}$ I. $\frac{60}{66} = \frac{b}{100}$

3. Una tienda organiza una liquidación total en la cual el precio de la mercadería que está en los estantes de oferta se reduce en un 80% respecto del precio original. Si una chaqueta se vendía originalmente a $76, ¿cuál es el precio de oferta? A
   A. $15.20   B. $24.20   C. $60.80   D. $72.40

4. Si depositas $3000 en una cuenta de ahorros que recibe un interés simple a una tasa de 2.5% anual, ¿cuánto interés habrás recibido una vez transcurridos 4 años? G
   F. $30   G. $300   H. $3000   I. $30,000

5. Hace cinco años, depositaste una suma de dinero en una cuenta de ahorros que ha recibido $150 en intereses. La tasa de interés para la cuenta es 3% de interés simple anual. ¿Cuánto dinero habías depositado originalmente en la cuenta? C
   A. $22.50   B. $100   C. $1000   D. $10,000

Respuesta breve

6. La Escuela Secundaria Martinsville tiene 3200 estudiantes. Hay 575 estudiantes que participan en las actividades deportivas durante las temporadas deportivas de primavera. ¿Qué proporción representa el porcentaje de estudiantes que no participan en esas actividades durante la temporada de primavera? ¿Qué porcentaje de estudiantes no participa en ellas? $\frac{2625}{3200} = \frac{p}{100}$; Aproximadamente 82%.

   [2] Las respuestas de ambas partes son correctas.

   [1] La respuesta de una parte es correcta.

   [0] Ninguna respuesta es correcta.

Página 74

2-10 Pensar en un plan
Expresar el cambio como un porcentaje

Descuento estudiantil En un restaurante, tienes que mostrar tu identificación de estudiante para recibir un descuento del 5%. Gastas $12 en tu almuerzo en el restaurante. ¿Cuánto costaría el almuerzo sin el descuento?

Comprender el problema

1. ¿Qué información se te da en el problema? ¿Qué quieres hallar?

   El porcentaje de descuento, 5%, y el precio con el descuento, $12; Busco hallar cuánto costaría el almuerzo sin el descuento.

2. ¿Esta pregunta representa un aumento o una disminución? En general, ¿cómo se determina el aumento o la disminución?

   Disminución; Dividir el cambio por la cantidad original.

Planear la solución

3. ¿Qué fórmula puedes usar para determinar la solución?

   $\text{porcentaje} = \frac{\text{disminución}}{\text{precio original}}$

4. Sustituye los valores de tu fórmula por los valores dados en el problema usando x como valor desconocido.

   $0.5 = \frac{x}{(12 + x)}$

Hallar una respuesta

5. Halla el valor desconocido.

   $0.63

6. Comprueba tu respuesta.

   $\frac{0.63}{12.63} = \frac{x}{100}$; $12.63x = 63$; $x =$ aproximadamente 5%

7. ¿Es razonable tu respuesta? Explícala.

   Sí; La respuesta es cercana a un descuento de 5%.

Página 75

2-10 Práctica
Modelo G
Expresar el cambio como un porcentaje

Indica si el cambio porcentual es un aumento o una disminución. Luego, halla el cambio porcentual. Redondea tu respuesta al porcentaje más cercano.

1. Cantidad original: 10
   Nueva cantidad: 12
   20%

2. Cantidad original: 72
   Nueva cantidad: 67
   6.9%

3. Cantidad original: 36
   Nueva cantidad: 68
   89%

4. Cantidad original: 23
   Nueva cantidad: 25
   Aumento; 9%

5. Cantidad original: 83
   Nueva cantidad: 41
   Disminución; 51%

6. Cantidad original: 19
   Nueva cantidad: 30
   Aumento; 58%

7. Cantidad original: 38
   Nueva cantidad: 45
   Aumento; 18%

8. Cantidad original: 16
   Nueva cantidad: 11
   Disminución; 31%

9. Cantidad original: 177
   Nueva cantidad: 151
   Disminución; 15%

10. El precio de un camión se promocionó a $19,900. Después de hablar con el vendedor, Jack acordó pagar $18,200 por el camión. ¿Cuál es la disminución porcentual redondeada al porcentaje más cercano? **9%**

11. La familia Ragnier compró una casa por $357,000. Vendieron su hogar por $475,000. ¿Cuál fue el aumento porcentual redondeado al porcentaje más cercano? **33%**

12. El precio original de un galón de leche es $4.19. El precio de venta de un galón de leche esta semana es $2.99. ¿Cuál es la disminución porcentual redondeada al porcentaje más cercano? **29%**

Halla el error porcentual en cada estimación. Redondea tu respuesta al porcentaje más cercano.

13. Estimas que un edificio mide 20 m de altura. En realidad, su altura es 23 m. **13%**

14. Estimas que un vendedor tiene 45 años. En realidad, tiene 38 años. **18%**

15. Estimas que el volumen de un depósito es 800 pies³. En realidad, el volumen del lugar es 810 pies³. **1%**

Página 76

2-10 Práctica (continuación)
Modelo G
Expresar el cambio como un porcentaje

Se da una medida. Halla las medidas mínima y máxima posibles.

16. Una enfermera mide a un bebé recién nacido y descubre que mide 22 pulgs. de estatura, redondeado a la pulg. más cercana.
    21.5 pulgs.; 22.5 pulgs.

17. Una bolsa de manzanas pesa 4 lb, redondeado a la lb más cercana.
    3.5 lb; 4.5 lb

18. Las secciones de una cerca tienen 8 pies de longitud, redondeado al pie más cercano.
    7.5 pies; 8.5 pies.

Halla el cambio porcentual. Redondea al porcentaje más cercano.

19. 16 m a $11\frac{1}{4}$ m **30%**

20. 76 pies a $58\frac{1}{2}$ pies **23%**

21. $215\frac{1}{2}$ lb a $133\frac{1}{4}$ lb **38%**

22. $42.75 a $39.99 **6%**

23. $315.99 a $499.89 **58%**

24. $5762.76 a $4999.99 **13%**

Se dan las dimensiones medidas de un rectángulo redondeadas a la unidad entera no negativa más cercana. Halla las áreas mínima y máxima posibles de cada rectángulo.

25. 4 cm por 7 cm
    22.75 cm²; 33.75 cm²

26. 16 pies por 15 pies
    224.75 pies²; 255.75 pies²

27. 5 m por 12 m
    51.75 m²; 68.75 m²

Se dan las dimensiones medidas de una figura o de un cuerpo redondeadas a la unidad entera no negativa más cercana. Halla el mayor error porcentual de cada figura o cuerpo.

28. El perímetro de un rectángulo de 127 pies de longitud y 211 pies de ancho. **0.3%**

29. El área de un rectángulo de 14 pulgs. de longitud y 11 pulgs. de ancho. **8.3%**

30. El volumen de un prisma rectangular de 22 cm de longitud, 36 cm de ancho y 19 cm de alto. **6.4%**

Página 77

2-10 Preparación para el examen estandarizado
Expresar el cambio como un porcentaje

Opción múltiple

Escoge la letra que contiene la respuesta correcta para los Ejercicios 1 a 5.

1. Sam corrió 3.5 millas el sábado. El miércoles corrió 5.2 millas. ¿Cuál fue su aumento porcentual, redondeado al porcentaje más cercano? **C**
   A. 33% B. 42% C. 49% D. 67%

2. Una tienda compra suéteres al por mayor por $16. Estos suéteres se venden al por menor, por $35. ¿Cuál es el aumento porcentual, redondeado al porcentaje más cercano? **I**
   F. 19% G. 46% H. 54% I. 119%

3. Josefina midió el dormitorio y descubrió que mide 125 pies de ancho y 225 pies de largo. ¿Cuál es la máxima área posible del dormitorio? **D**
   A. 700 pies² B. 27,950.25 pies² C. 28,125 pies² D. 28,300.25 pies²

4. Estimas que la altura del asta de una bandera es 16 pies. Su altura real es 18 pies. ¿Cuál de las siguientes ecuaciones podrías usar para determinar tu error porcentual al estimar la altura? **G**
   F. $\frac{16 - 18}{18}$ G. $\frac{|16 - 18|}{18}$ H. $\frac{|16 - 18|}{16}$ I. $\frac{16 - 18}{16}$

5. Estimas que una caja puede contener 1152 pulgs.³. En realidad, la caja mide 10.5 pulgs. de largo, 10.5 pulgs. de ancho y 8 pulgs. de alto. ¿Cuál es el error porcentual en tu estimación? Redondea al porcentaje más cercano. **B**
   A. 23% B. 31% C. 42% D. 77%

Respuesta breve

6. Mides una bañera con forma de prisma rectangular y descubres que mide 3 pies de ancho, 4 pies de largo y 2.5 pies de alto, redondeado al medio pie más cercano. ¿Cuáles son el volumen mínimo y el volumen máximo de la bañera? ¿Cuál es el mayor error porcentual posible al calcular su volumen?

   7.5 pies³; 47.25 pies³; 57.5%

   [2] Las respuestas de ambas partes son correctas.
   [1] La respuesta de una parte es correcta.
   [0] Ninguna respuesta es correcta.

Álgebra 1, de Prentice Hall • Cuaderno de práctica y resolución de problemas Guía del maestro

Página 78

3-1 Pensar en un plan
Las desigualdades y sus gráficas

Fiesta escolar Quieres preparar pastelitos para una fiesta escolar. Necesitas 2 tazas de harina para preparar una bandeja con 12 pastelitos. Tienes un paquete de harina de 5 lb que contiene 20 tazas. Escribe una desigualdad que represente la cantidad posible de pastelitos que puedes preparar.

¿Qué sabes?

1. Con ⟨ 2 ⟩ tazas preparas ⟨ 12 ⟩ pastelitos.

2. La cantidad máxima de tazas que hay en un paquete de harina de 5 lb es ⟨ 20 ⟩ tazas.

¿Qué necesitas para resolver el problema?

3. ¿Cuál es la mayor cantidad de pastelitos que puedes preparar con un paquete de harina de 5 lb?
120

¿Cómo resuelves el problema?

4. ¿Qué desigualdad puedes usar para mostrar la cantidad posible de pastelitos que puedes preparar con 2 tazas de harina?
$n \leq 12$

5. ¿Qué número puedes multiplicar por ambos lados para representar 20 tazas? Escribe la desigualdad nueva.
$10; n \leq 120$

6. ¿Cuáles son dos soluciones de la desigualdad para 20 tazas?
Las respuestas variarán. Ejemplo: 100, 120

7. ¿Cuál es la mayor solución posible?
120

8. ¿Son razonables las soluciones para la desigualdad? Explica tu respuesta.

Sí; Si 20 tazas son suficientes para 120 pastelitos, serán suficientes para

cualquier cantidad menor que 120.

Página 79

3-1 Práctica
Las desigualdades y sus gráficas

Modelo G

Escribe una desigualdad que represente cada expresión verbal.

1. v es mayor que 10.
$v > 10$

2. b es menor que o igual a -1.
$b \leq -1$

3. El producto de g y 2 es menor que o igual a 6.
$2g \leq 6$

4. 2 más que k es mayor que -3.
$k + 2 > -3$

Determina si cada número es una solución de la desigualdad dada.

5. $3y + 5 < 20$ a. 2   b. 0   c. 5
       Sí   Sí   No

6. $2m - 4 \geq 10$ a. -1 b. 8   c. 10
       No   Sí   Sí

7. $4x + 3 > -9$ a. 0   b. -2 c. -4
       Sí   Sí   No

8. $\frac{3-n}{2} \leq 4$ a. 3   b. 2   c. -10
       Sí   Sí   No

Representa cada desigualdad con una gráfica.

9. $y < -2$

10. $t \geq 4$

11. $z > -3$

12. $v \leq 15$

13. $-3 \geq f$

14. $-\frac{5}{3} < c$

Página 80

3-1 Práctica (continuación)
Las desigualdades y sus gráficas

Modelo G

Escribe una desigualdad para cada gráfica.

15. $x < 1$

16. $x \geq -2$

17. $x > 0$

18. $x \leq 3$

Define una variable y escribe una desigualdad para representar cada situación.

19. El auditorio de la escuela tiene una capacidad máxima para 1200 personas sentadas.
Sea p = las personas que se pueden sentar; $p \leq 1200$

20. En una competencia de natación, un competidor debe hacer un tiempo menor que 23 segundos para calificar.
Sea s = la cantidad de segundos; $s < 23$

21. En un examen de mecanografía, un estudiante debe escribir a máquina por lo menos 65 palabras por minuto para obtener una "A".
Sea p = palabras por minuto; $p \geq 65$

Escribe cada desigualdad en palabras.

22. $n < 3$
n es menor que 3

23. $b > 0$
b es mayor que 0

24. $-5 \leq x$
-5 es menor que o igual a x

25. $z \geq 3.14$
z es mayor que o igual a 3.14

26. $-4 < q$
-4 es menor que q

27. $18 \geq m$
18 es mayor que o igual a m

28. Una pizzería local ofreció una promoción especial. Dos pizzas cuestan $14.99. Un grupo de estudiantes gastó menos de $75. Compraron tres jarras de gaseosa por $12.99. ¿Cuántas pizzas pudieron comprar?
Un máximo de 8 pizzas.

29. Un estudiante necesita, como mínimo, siete horas de sueño todas las noches. El estudiante se acuesta a las 11:00 P.M. y se levanta antes de las 6:30 A.M. ¿Duerme lo suficiente? Escribe una desigualdad para la cantidad de horas que el estudiante duerme cada noche.
Siempre que el estudiante se despierte después de las 6:00 pero antes de las 6:30, habrá dormido lo suficiente; $7 \leq x \leq 7.5$

Página 81

3-1 Preparación para el examen estandarizado
Las desigualdades y sus gráficas

Opción múltiple

Escoge la letra que contiene la respuesta correcta para los Ejercicios 1 a 6.

1. Un estudiante estudiará francés por al menos 3 años. ¿Qué desigualdad describe la situación? **D**
   A. $y < 3$ B. $y \leq 3$ C. $y > 3$ D. $y \geq 3$

2. Todos los empleados de una compañía trabajan menos de 40 horas. ¿Qué desigualdad describe la situación? **F**
   F. $h < 40$ G. $h \leq 40$ H. $h > 40$ I. $h \geq 40$

3. ¿Qué desigualdad tiene las mismas soluciones que $d < -5$? **B**
   A. $d < 5$ B. $-5 > d$ C. $-d < -5$ D. $-d < 5$

4. ¿Qué valor de n hace que la desigualdad $-3 + (-n) \leq n$ sea falsa? **F**
   F. -3 G. -1 H. 0   I. 1

5. ¿Qué número es una solución de la desigualdad $7x - 5 \geq -2$? **D**
   A. -3 B. -1 C. 0   D. 1

6. ¿Qué desigualdad representa la siguiente gráfica? **H**
   F. $x < -2$ G. $x \leq -2$ H. $x > -2$ I. $x \geq -2$

Respuesta breve

7. El club de ajedrez quiere reunir al menos $150 en una función para recaudar fondos.
   a. ¿Qué desigualdad representa esta situación? $x \geq 150$

   b. ¿Cuál es la gráfica de la desigualdad?

   [2] Las respuestas de ambas partes son correctas.
   [1] La respuesta de una parte es correcta.
   [0] Ninguna respuesta es correcta.

Página 82

3-2 Pensar en un plan
Sumar o restar para resolver desigualdades

Gobierno El Senado de los Estados Unidos está compuesto por 2 senadores de cada uno de los 50 estados. Para que un tratado sea ratificado, deben aprobarlo al menos dos tercios de los senadores presentes. Supón que todos los senadores están presentes y que 48 votaron a favor del tratado. ¿Cuáles son las cantidades posibles de senadores adicionales que deben votar a favor del tratado para ratificarlo?

¿Qué sabes?

1. ¿Cuántos senadores componen el Senado de los Estados Unidos? __100__

2. ¿Cuántos senadores ya han votado a favor del tratado? __48__

3. ¿Qué palabras te hacen pensar en una desigualdad? __Al menos, cantidades posibles.__

¿Qué necesitas para resolver el problema?

4. ¿Qué desigualdad puedes usar para describir la cantidad de senadores necesarios para ratificar un tratado?
$x \geq 66\frac{2}{3}$

5. ¿Qué desigualdad puedes usar para hallar las cantidades posibles de senadores necesarios para ratificar un tratado si 48 de ellos ya han votado a favor?
$x \geq 18\frac{2}{3}$

6. ¿Tu respuesta debe ser un número entero no negativo? ¿Por qué?
Sí; La cantidad de senadores tiene que ser un entero.

¿Cómo resuelves el problema?

7. ¿Qué desigualdad es la solución de la cantidad adicional de senadores necesarios?
$x \geq 19$

Página 83

3-2 Práctica
Modelo G
Sumar o restar para resolver desigualdades

Indica qué número sumarías o restarías de cada lado de la desigualdad para resolverla.

1. $x - 4 < 0$
Suma 4

2. $3 > -\frac{7}{5} + s$
Suma $\frac{7}{5}$

3. $6.8 \leq m - 4.2$
Suma 4.2

4. $x + 3 \geq 0$
Resta 3

5. $2 \leq \frac{5}{4} + s$
Resta $\frac{5}{4}$

6. $-3.8 > m + 4.2$
Resta 4.2

Resuelve cada desigualdad. Representa tus soluciones con una gráfica y compruébalas.

7. $y - 2 < -7 \quad y < -5$

8. $v + 6 > 5 \quad v > -1$

9. $12 \geq c - 2 \quad c \leq 14$

10. $8 \leq f + 4 \quad f \geq 4$

11. $-4.3 \geq 2.4 + s \quad s \leq -6.7$

12. $22.5 < n - 0.9 \quad n > 23.4$

13. $c + \frac{4}{7} \leq \frac{6}{7} \quad c \leq \frac{2}{7}$

14. $p + 1\frac{1}{2} \geq 1\frac{1}{2} \quad p \geq 0$

Página 84

3-2 Práctica (continuación)
Modelo G
Sumar o restar para resolver desigualdades

Resuelve cada desigualdad. Justifica cada paso.

15. $-y - 4 + 2y > 11$
$-4 + y > 11$ — Combina los términos semejantes.
$y > 15$ — Prop. de suma de la desig.

16. $\frac{1}{7} + d < 1\frac{2}{7}$
$d < 1\frac{1}{7}$ — Prop. de suma de la desig.

17. $\frac{2}{3} + v - \frac{7}{9} \leq 0$
$v - \frac{1}{9} \leq 0$ — Combina los términos semejantes.
$v \leq -\frac{1}{9}$ — Prop. de suma de la desig.

18. $-2p - 4 + 3p > 10$
$p - 4 > 10$ — Combina los términos semejantes.
$p > 14$ — Prop. de suma de la desig.

19. $4y + 2 - 3y \leq 8$
$y + 2 \leq 8$ — Combina los términos semejantes.
$y \leq 6$ — Prop. de suma de la desig.

20. $5m - 4m + 4 > 12$
$m + 4 > 12$ — Combina los términos semejantes.
$m > 8$ — Prop. de suma de la desig.

21. El objetivo de una colecta de juguetes es donar más de 1000 júguetes. La colecta ya ha reunido 300 juguetes. ¿Cuántos juguetes más se necesitan para llegar al objetivo? Escribe y resuelve una desigualdad para hallar la cantidad de juguetes necesarios.
$300 + x > 1000$; 701 juguetes

22. Una familia gana $1800 por mes. Sus gastos son al menos $1250. Escribe y resuelve una desigualdad para hallar las cantidades posibles que la familia puede ahorrar por mes.
Como máximo $550

23. Para pasar de nivel en un videojuego, tienes que obtener al menos 50 puntos. Actualmente tienes 40 puntos. Caes en una trampa y pierdes 5 puntos. ¿Qué desigualdad muestra la cantidad de puntos que debes obtener para pasar de nivel?
$p + 40 - 5 \geq 50$

Página 85

3-2 Preparación para el examen estandarizado
Sumar o restar para resolver desigualdades

Opción múltiple

Escoge la letra que contiene la respuesta correcta para los Ejercicios 1 a 6.

1. ¿Cuál es la solución de $p - 12 > -18$? **C**
A. $p < -30$ B. $p < -6$ C. $p > -6$ D. $p > -30$

2. ¿Cuál es la solución de $x + 5 \leq 29$? **G**
F. $x < 24$ G. $x \leq 24$ H. $x > 24$ I. $x \geq 24$

3. ¿Qué gráfica representa todas las soluciones de $z - 7 \leq -3$? **A**
A.
C.
B.
D.

4. ¿Qué gráfica representa todas las soluciones de $n - 2 > 0$? **F**
F.
H.
G.
I.

5. ¿Qué desigualdad es equivalente a $-1 \geq m + 4$? **B**
A. $m < -5$ B. $m \leq -5$ C. $m \geq -5$ D. $m \leq 3$

6. Tu objetivo en el entrenamiento para la carrera es correr más de 50 millas por semana. Hasta ahora, esta semana has corrido 32 millas. ¿Qué desigualdad representa la situación? **I**
F. $d \geq 18$ G. $d - 32 > 50$ H. $d + 32 \geq 50$ I. $d + 32 > 50$

Respuesta breve

7. Para obtener una A en clase, el promedio de las calificaciones de tus exámenes debe ser al menos 92%. En los primeros 6 exámenes, tienes un promedio de 91%. ¿Qué calificación necesitas tener en el último examen para obtener una A? Muestra tu trabajo.
Al menos 98%.
[2] La respuesta es correcta.
[1] La respuesta está incompleta.
[0] La respuesta es incorrecta.

Álgebra 1, de Prentice Hall • Cuaderno de práctica y resolución de problemas Guía del maestro

Página 86

3-3 Pensar en un plan

Multiplicar o dividir para resolver desigualdades

Almuerzo Tienes $30. Quieres comprar un sándwich y una bebida para ti y dos amigos, de acuerdo con el menú que ves a la derecha. ¿Cuál es la cantidad mínima de refrigerios que podrías comprar? ¿Y la cantidad máxima? Explica tu respuesta.

Bebidas	Sándwiches
Peq $1	Vegetariano $4
Med $1.50	De pollo $5
Gra $2	De carne $7
Refrigerios	
Pretzels $1	Helado $2
	Brownie $3

¿Qué sabes?

1. ¿Qué combinaciones de artículos puedes comprar?

   Bebida pequeña, sándwich vegetariano; Bebida pequeña, sándwich de pollo; Bebida

   pequeña, sándwich de carne; Bebida mediana, sándwich vegetariano; Bebida mediana,

   sándwich de pollo; Bebida mediana, sándwich de carne; Bebida grande, sándwich

   vegetariano; Bebida grande, sándwich de pollo; Bebida grande, sándwich de carne.

¿Cómo planeas resolver el problema?

2. ¿Cuál es la mayor cantidad de dinero que puedes gastar en sándwiches? **$21**

3. ¿Cuál es la menor cantidad de dinero que puedes gastar en sándwiches? **$12**

4. ¿Cuál es la mayor cantidad de dinero que puedes gastar en bebidas? **$6**

5. ¿Cuál es la menor cantidad de dinero que puedes gastar en bebidas? **$3**

6. ¿Qué puedes hacer para tener la mayor cantidad de dinero para comprar refrigerios? Comprar sólo bebidas pequeñas y sándwiches vegetarianos.

¿Cómo resuelves el problema?

7. ¿Cuál es la cantidad mínima de refrigerios que puedes comprar? Explica tu respuesta.

   1; Con $3 se puede comprar 1 brownie.

8. ¿Cuál es la cantidad máxima de refrigerios que puedes comprar? Explica tu respuesta.

   15; Con $15 se pueden comprar 15 pretzels.

Página 87

3-3 Práctica *Modelo G*

Multiplicar o dividir para resolver desigualdades

Resuelve cada desigualdad. Representa tu solución con una gráfica y compruébala.

1. $\frac{x}{3} > -1$ $x > -3$

2. $\frac{w}{4} < 1$ $w < 4$

3. $4 \le -\frac{p}{2}$ $p \le -8$

4. $1 \ge -\frac{2}{3}y$ $y \ge -\frac{3}{2}$

5. $-6 \ge \frac{2}{3}x$ $x \le -9$

6. $-1 \le \frac{2}{3}k$ $k \ge -\frac{3}{2}$

7. $3m > 6$ $m > 2$

8. $3t < -12$ $t < -4$

9. $-18 \ge -6c$ $c \ge 3$

10. $-3w < 21$ $w > -7$

11. $9z > -36$ $z > -4$

12. $108 \ge -9d$ $d \ge -12$

Página 88

3-3 Práctica (continuación) *Modelo G*

Multiplicar o dividir para resolver desigualdades

Resuelve cada desigualdad. Representa tu solución con una gráfica y compruébala.

13. $-2.5 > 5p$ $p < -0.5$

14. $-1 < \frac{t}{6}$ $t > -6$

15. $\frac{2}{3}n \le 4$ $n \le 6$

16. $-27u \ge 3$ $u \le -\frac{1}{9}$

17. **Escribir** En cierto recorrido de un maratón, un corredor llega a una gran colina que está al menos 10 millas después del inicio del recorrido. Si la distancia total del maratón es 26.2 millas, ¿cómo puedes hallar la cantidad de millas que aún debe recorrer el corredor?
    Resuelve $m + 10 \le 26.2$.

18. Te preguntas si puedes ahorrar dinero si usas tu teléfono celular para hacer todas tus llamadas de larga distancia. Con tu celular, las llamadas de larga distancia cuestan $.05 por minuto. El plan básico de tu teléfono celular es de $29.99 por mes. El costo del servicio telefónico regular con llamadas de larga distancia ilimitadas es $39.99. Define una variable y escribe una desigualdad que te ayude a hallar la cantidad de minutos de llamadas de larga distancia que podrías hacer y aun así ahorrar dinero.
    Sea m = la cantidad de minutos de larga distancia en teléfono celular; $29.99 + 0.05m < 39.99$

19. El costo de cada unidad de un retazo de tela es $4.99 por yarda. Tienes $30 para gastar en tela. ¿Cuántos pies de tela puedes comprar? Define una variable y escribe una desigualdad para resolver este problema.
    Sea y = la cantidad de yardas; $4.99y \le 30$; alrededor de 18 pies

Página 89

3-3 Preparación para el examen estandarizado

Multiplicar o dividir para resolver desigualdades

Opción múltiple

Escoge la letra que contiene la respuesta correcta para los Ejercicios 1 a 5.

1. ¿Cuál es la solución de $\frac{a}{10} < -2$? A
   A. $a < -20$
   B. $a > -20$
   C. $a < -5$
   D. $a > -5$

2. ¿Cuál es la solución de $-3 \ge -\frac{2}{3}z$? I
   F. $z \le -\frac{9}{2}$
   G. $z \le \frac{9}{2}$
   H. $z \ge -\frac{9}{2}$
   I. $z \ge \frac{9}{2}$

3. ¿Cuál es la solución de $48 < -6h$? A
   A. $h < -8$
   B. $h > -8$
   C. $h \ge -8$
   D. $h \le -8$

4. Este mes, el presupuesto máximo que tienes para gastar en gasolina para tu vehículo es $108. Generalmente, llenas el tanque con $27. ¿Qué desigualdad representa la cantidad de veces que podrás llenar el tanque este mes? H
   F. $27f = 108$
   G. $27f > 108$
   H. $27f \le 108$
   I. $27f < 108$

5. ¿Qué gráfica representa todas las soluciones de $-15b \le 45$? B
   A.
   C.
   B.
   D.

Respuesta breve

6. En un pueblo, 170 adolescentes tienen reproductores portátiles. Esa cantidad es al menos $\frac{2}{3}$ de todos los adolescentes del pueblo. ¿Cuál es la cantidad máxima de adolescentes que viven en el pueblo? Muestra tu trabajo. 255
   [2] La respuesta es correcta.
   [1] La respuesta está incompleta.
   [0] La respuesta es incorrecta.

Álgebra 1, de Prentice Hall • Cuaderno de práctica y resolución de problemas Guía del maestro

Página 90

3-4 Pensar en un plan
Resolver desigualdades de varios pasos

Comisión Una vendedora que trabaja en una zapatería gana $325 por semana más una comisión del 4% de sus ventas. Esta semana, su objetivo es ganar al menos $475. ¿Cuántos dólares debe ganar como mínimo con la venta de zapatos para alcanzar su objetivo?

¿Qué sabes?

1. Escribe una expresión que represente cuánto gana una vendedora por semana. Sea v = el total de las ventas.

   $325 + 0.04v$

2. ¿Cuánto quiere ganar esta semana?

   475

¿Cómo planeas resolver el problema?

3. ¿Deberías usar una ecuación o una desigualdad para comparar la cantidad de dinero que gana la vendedora y su objetivo? Explica tu respuesta.

   Desigualdad; Quiere ganar al menos $475.

¿Cómo resuelves el problema?

4. ¿Qué desigualdad puedes usar para hallar cuántos dólares debe ganar como mínimo con la venta de zapatos esta semana para alcanzar su objetivo?

   $325 + 0.04v \geq 475$

5. Resuelve la desigualdad. Muestra tu trabajo.
   $v \geq 3750$; al menos $3750 con la venta de zapatos

Página 91

3-4 Práctica   *Modelo G*
Resolver desigualdades de varios pasos

Resuelve cada desigualdad. Comprueba tus soluciones.

1. $3f + 9 < 21$ $f < 4$

2. $4n - 3 \geq 105$ $n \geq 27$

3. $33y - 3 \leq 8$ $y \leq \frac{1}{3}$

4. $2 + 2p > -17$ $p > -\frac{19}{2}$

5. $12 > 60 - 6r$ $r > 8$

6. $-5 \leq 11 + 4j$ $j \geq -4$

Resuelve cada desigualdad.

7. $2(k + 4) - 3k \leq 14$ $k \geq -6$

8. $3(4c - 5) - 2c > 0$ $c > \frac{3}{2}$

9. $15(j - 3) + 3j < 45$ $j < 5$

10. $22 \geq 5(2y + 3) - 3y$ $y \leq 1$

11. $-53 > -3(3z + 3) + 3z$ $z > \frac{22}{3}$

12. $20(d - 4) + 4d \leq 8$ $d \leq \frac{11}{3}$

13. $-x + 2 < 3x - 6$ $x > 2$

14. $3v - 12 > 5v + 10$ $v < -11$

Resuelve cada desigualdad, si es posible. Si la desigualdad no tiene solución, escribe *sin solución*. Si las soluciones son todos los números reales, escribe *todos los números reales*.

15. $6w + 5 > 2(3w + 3)$
    Sin solución

16. $-5r + 15 \geq -5(r - 2)$
    Todos los números reales

17. $-2(6 + s) < -16 + 2s$
    $s > 1$

18. $9 - 2x < 7 + 2(x - 3)$
    $x > 2$

19. $2(n - 3) \leq -13 + 2n$
    Sin solución

20. $-3(w + 3) < 9 - 3w$
    Todos los números reales

Página 92

3-4 Práctica (continuación)   *Modelo G*
Resolver desigualdades de varios pasos

21. Una abuela dice que su nieto es dos años mayor que su nieta y que, entre los dos, tienen al menos 12 años. ¿Cuántos años tienen el nieto y la nieta?
    La nieta tiene al menos 5 años y el nieto tiene al menos 7 años.

22. Durante sus vacaciones, una familia decide alquilar un barco por el día. La tasa de alquiler es $500 por las primeras dos horas y $50 por cada media hora adicional. Supón que la familia puede gastar $700 en el barco. ¿Qué desigualdad representa la cantidad de horas que pueden alquilarlo?
    $500 + 100(x - 2) \leq 700$

23. **Escribir** Supón que un amigo tiene dificultades para resolver $-1.75(q - 5) > 3(q + 2.5)$. Explica cómo resolver la desigualdad. Muestra todos los pasos necesarios e identifica las propiedades que usarías.
    $-1.75q + 8.75 > 3q + 7.5$ Usa la prop. dist.
    $-4.75q > -1.25$ Prop. de suma de la desig.
    $q < \frac{5}{19}$ Prop. mult. de la desig.

24. **Respuesta de desarrollo** Escribe dos desigualdades diferentes que puedas resolver sumando 2 a cada lado y luego dividiendo cada lado por -12. Resuelve cada desigualdad.
    Las respuestas variarán. Ejemplos:
    $-12x - 2 < 10$; $x > 1$
    $-12x - 2 \geq 10$; $x \leq -1$

25. **Razonamiento a.** Resuelve $3v - 5 \leq 2v + 10$ reuniendo los términos variables en el lado izquierdo de la desigualdad y los términos constantes en el lado derecho. $v \leq 15$

    b. Resuelve $3v - 5 \leq 2v + 10$ reuniendo los términos constantes en el lado izquierdo de la desigualdad y los términos variables en el lado derecho. $15 \geq v$

    c. Compara los resultados de las partes (a) y (b).   Son equivalentes.

    d. ¿Qué método prefieres? Explica tu respuesta.
    Ejemplo: Prefiero el primer método porque no hay que dividir por un número negativo e intercambiar el signo de la desigualdad.

Página 93

3-4 Preparación para el examen estandarizado
Resolver desigualdades de varios pasos

Opción múltiple

Escoge la letra que contiene la respuesta correcta para los Ejercicios 1 a 6.

1. ¿Cuál es la solución de $6w - 8 \geq 22$?   D
   A. $w > \frac{7}{3}$ B. $w \geq \frac{7}{3}$ C. $w > 5$ D. $w \geq 5$

2. ¿Cuál es la solución de $2(y + 5) + 7y \leq 19$?   G
   F. $y < 1$ G. $y \leq 1$ H. $y > 1$ I. $y \geq 1$

3. ¿Cuál es la solución de $25 > -3(4n - 3)$?   C
   A. $n < -\frac{4}{3}$ B. $n < \frac{4}{3}$ C. $n > -\frac{4}{3}$ D. $n > \frac{4}{3}$

4. ¿Qué gráfica representa la solución de $-12 > -k - (3k + 4)$?   G
   F.
   H.
   G.
   I.

5. Tienes ahorrados $55. En tu trabajo, ganas $9 por hora. Estás ahorrando para comprar una bicicleta que cuesta $199. ¿Qué desigualdad representa la cantidad mínima de horas que tienes que trabajar para ahorrar para la bicicleta?   C
   A. $h < 16$ B. $h \leq 16$ C. $h \geq 16$ D. $h > 16$

6. La entrada para la feria cuesta $7.75. Cada juego mecánico cuesta $.50. Tienes $15 para gastar en la feria, incluida la entrada. ¿Qué desigualdad representa la cantidad de juegos a los que puedes ir?   H
   F. $r > 14$ G. $r < 14$ H. $r \leq 14$ I. $r \leq 15$

Respuesta breve

7. El perímetro de un rectángulo es al menos 32 cm. Su longitud es 9 cm. ¿Cuáles son los anchos posibles del rectángulo? Muestra tu trabajo.
   Al menos 7 cm.
   [2] La respuesta es correcta.
   [1] La respuesta está incompleta.
   [0] La respuesta es incorrecta.

Página 94

3-5 Pensar en un plan
Trabajar con conjuntos

El conjunto universal U = {planetas del sistema solar de la Tierra} y el conjunto P = {los planetas cuya distancia del Sol es mayor que la distancia entre la Tierra y el Sol}. ¿Cuál es el complemento del conjunto P? Escribe tu respuesta en notación por extensión.

Los planetas del sistema solar de la Tierra

U
Marte
Júpiter Saturno   Mercurio
Urano
Neptuno   Venus
P
Tierra

1. ¿Qué significa complemento?

La otra parte del todo.

2. ¿Dónde se encuentra el complemento del conjunto P en el diagrama de Venn?

Fuera del círculo P.

3. ¿Qué planetas pertenecen al complemento del conjunto P?

Tierra, Mercurio y Venus.

4. ¿Cómo escribes tu respuesta en notación por extensión?

P' = {Tierra, Mercurio, Venus}

Página 95

3-5 Práctica *Modelo G*
Trabajar con conjuntos

Escribe cada conjunto en notación por extensión y en notación por comprensión.

1. M es el conjunto de los enteros que son mayores que -5.
$M = \{-4, -3, -2, -1, 0, \dots\}$; $M = \{x \mid x$ es un entero; $x > -5\}$

2. N es el conjunto de los números pares que son menores que 2.5.
$N = \{2, 0, -2, -4, -6 \dots\}$; $M = \{x \mid x$ es un número par; $x < 2.5\}$

3. P es el conjunto de los números naturales que son factores de 25.
$P = \{1, 5, 25\}$; $P = \{x \mid x$ es un número natural; x es un factor de 25$\}$

4. R es el conjunto de los números naturales impares que son menores que 12.
$R = \{11, 9, 7, 5, 3, 1 \dots\}$; $R = \{x \mid x$ es un número natural impar; $x < 12\}$

Escribe cada conjunto en notación por comprensión.

5. $B = \{-3, -2, -1, 0, 1, \dots\}$
$B = \{x \mid x$ es un entero; $x \geq -3\}$

6. $M = \{2, 4, 6, 8, 10\}$
$M = \{x \mid x$ es un número natural par; $x < 11\}$

7. $S = \{1, 2, 3, 6, 9, 18\}$
$S = \{x \mid x$ es un número natural; x es un factor de 18$\}$

8. $G = \{\dots, -5, -3, -1, 1, 3, 5, \dots\}$
$G = \{x \mid x$ es un entero impar$\}$

Escribe las soluciones de cada desigualdad en notación por comprensión.

9. $2y + 5 < 21$
$\{y \mid y$ es un número real; $y < 8\}$

10. $3r + 3 > 63$
$\{r \mid r$ es un número real; $r > 20\}$

11. $12 - 8m \geq 60$
$\{m \mid m$ es un número real; $m \leq -6\}$

12. $-(3x + 5) \leq -13$
$\{x \mid x$ es un número real; $x \geq -\frac{2}{3}\}$

13. $-2(x - 7) > -10 - 6x$
$\{x \mid x$ es un número real; $x > -6\}$

14. $-2(x + 7) \leq -14 + 2x$
$\{x \mid x$ es un número real; $x \geq 0\}$

15. $-3(2x + 4) + 1 > -13$
$\{x \mid x$ es un número real; $x < \frac{1}{3}\}$

16. $-3(2x - 4) - 1 < -25 + 6x$
$\{x \mid x$ es un número real; $x > 3\}$

17. $-(x - 1) + 5 \geq -10 - 3x$
$\{x \mid x$ es un número real; $x \geq -8\}$

Página 96

3-5 Práctica (continuación) *Modelo G*
Trabajar con conjuntos

Haz una lista de todos los subconjuntos de cada conjunto.

18. $\{a, b, c, d\}$
$\emptyset, \{a\}, \{b\}, \{c\}, \{d\}, \{a, b\},$
$\{a, c\}, \{a, d\}, \{b, c\}, \{b, d\},$
$\{c, d\}, \{a, b, c\}, \{a, b, d\},$
$\{a, c, d\}, \{a, b, c, d\}$

19. $\{0, 3, 6, 9\}$
$\emptyset, \{0\}, \{3\}, \{6\}, \{9\}, \{0, 3\},$
$\{0, 6\}, \{0, 9\}, \{3, 6\}, \{3, 9\},$
$\{6, 9\}, \{0, 3, 6\}, \{0, 3, 9\},$
$\{0, 6, 9\}, \{3, 6, 9\}, \{0, 3, 6, 9\}$

20. $\{$carro, autobús, camión$\}$
$\emptyset, \{$carro$\}, \{$autobús$\}, \{$camión$\},$
$\{$carro, autobús$\}, \{$carro,
camión$\}, \{$autobús, camión$\},$
$\{$carro, autobús, camión$\}$

21. $\{-5, 5\}$
$\emptyset, \{-5\}, \{5\}, \{-5, 5\}$

22. $\{0\}$
$\emptyset, \{0\}$

23. $\{$rojo, azul, amarillo$\}$
$\emptyset, \{$rojo$\}, \{$azul$\}, \{$amarillo$\},$
$\{$rojo, azul$\}, \{$rojo, amarillo$\},$
$\{$azul, amarillo$\}, \{$rojo, azul,
amarillo$\}$

24. Supón que $U = \{0, 2, 4, 6, 8, 10\}$ es el conjunto universal y $A = \{2, 4, 6\}$. ¿Cuál es A'?
$A' = \{0, 8, 10\}$

25. Supón que $U = \{\dots, -5, -3, -1, 1, 3, 5, \dots\}$ es el conjunto universal y $R = \{1, 3, 5, \dots\}$. ¿Cuál es R'?
$R' = \{\dots, -5, -3, -1\}$

26. Supón que $U = \{x \mid x$ es un múltiplo de 3, $x \geq 18\}$ es el conjunto universal y $C = \{21, 24, 27, 30\}$. ¿Cuál es C'?
$C' = \{18; 33, 35, 39, \dots\}$

27. Supón que $U = \{x \mid x$ es un número real, $x < -3\}$ es el conjunto universal y $T = \{x \mid x$ es un número real, $x < -10\}$. ¿Cuál es T'?
$T' = \{x \mid x$ es un número real, $-10 < x < -3\}$

Supón que $U = \{1, 2, 4, 7, 11, 15\}$, $A = \{2, 4, 7\}$ y $B = \{1, 2, 4\}$. Indica si cada enunciado es *verdadero* o *falso*. Explica tu razonamiento.

28. $A \subseteq U$
Verdadero; Todos los elementos de A están en U

29. $U \subseteq B$
Falso; 7, 11 y 15 no están en B

30. $B \subseteq A$
Falso; 1 no está en A

31. $\emptyset \subseteq B$
Verdadero; El conjunto vacío es un subconjunto de todos los conjuntos

32. Sean el conjunto universal U y el conjunto B como están definidos a continuación. ¿Cuáles son los elementos del complemento de B? Escribe tu respuesta en notación por extensión y en notación por comprensión.

U = {todos los meses en el año calendario}

B = {todos los meses que tienen 31 días}

B' = {febrero, abril, junio, septiembre, noviembre};
$B' = \{x \mid x$ es un mes del año, x no tiene 31 días$\}$

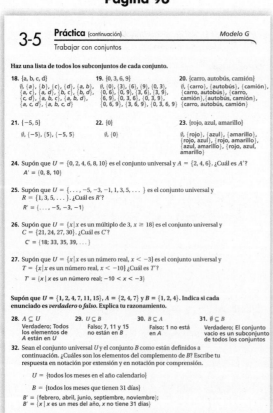

Página 97

3-5 Preparación para el examen estandarizado
Trabajar con conjuntos

Opción múltiple

Escoge la letra que contiene la respuesta correcta para los Ejercicios 1 a 6.

1. ¿Cuál es la solución de $-(3n - 7) \geq 4$ escrita en notación por comprensión? D
A. $n \leq 1$ B. $\{1\}$ C. $\{n \mid n \geq 1\}$ D. $\{n \mid n \leq 1\}$

2. ¿Qué conjunto representa la solución de $15 < -9j - 3$? I
F. $j < -2$ G. $\{-2\}$ H. $\{j \mid j > -2\}$ I. $\{j \mid j < -2\}$

3. ¿Cuál de los siguientes conjuntos no es un subconjunto de $\{-1, 1, 3\}$? B
A. $\{\}$ B. $\{0\}$ C. $\{-1, 3\}$ D. $\{-1, 1, 3\}$

4. Dado el conjunto universal U = {perro, gato, pez, jerbo, culebra} y el conjunto P, que son todas las mascotas que tienen patas, ¿cuál es el complemento del conjunto P? G
F. {perro, gato, pez, jerbo, culebra}
G. {pez, culebra}
H. {perro, gato, jerbo}
I. $\emptyset$

5. Supón que el conjunto universal U es el conjunto de todos los números reales y M es el conjunto de todos los números reales mayores que o iguales a 8. ¿Qué número no está en M'? D
A. -8 B. 0   C. 5   D. 8

6. Supón que $U = \{-2, 0, 2, 4\}$ es el conjunto universal y $A = \{-2, 2\}$. ¿Cuál es A'? H
F. $\emptyset$ G. $\{-2, 2\}$ H. $\{0, 4\}$ I. $\{-2, 0, 2, 4\}$

Respuesta breve

7. El ancho de un campo de fútbol debe medir entre 55 yd y 80 yd.
a. ¿Qué desigualdad compuesta representa el ancho de un campo de fútbol? $55 < a < 80$
b. Haz una lista de los valores posibles del ancho del campo si el ancho es un múltiplo de 5. {60, 65, 70, 75}
[2] Las respuestas de ambas partes son correctas.
[1] La respuesta de una parte es correcta.
[0] Ninguna respuesta es correcta.

Página 98

3-6 **Pensar en un plan**
Desigualdades compuestas

Física La fuerza ejercida sobre un resorte es proporcional a la distancia a la que el resorte se estira a partir de su posición de descanso. Supón que estiras el resorte a una distancia de d pulgadas aplicando una fuerza de F libras. Para tu resorte, $\frac{d}{F} = 0.8$. Aplicas fuerzas entre 25 lb y 40 lb, inclusive. ¿Qué desigualdad describe las distancias a las que se estira el resorte? Escribe la desigualdad en notación de intervalo.

¿Qué sabes?

1. ¿Qué desigualdad usarías para describir las fuerzas aplicadas al resorte?

   $25 \le F \le 40$

2. ¿Cómo volverías a escribir la proporción $\frac{d}{F} = 0.8$ para hallar el valor de d?

   $d = 0.8F$

¿Qué necesitas para resolver el problema?

3. ¿Qué variable estará en la desigualdad que resuelve el problema?

   d

4. ¿Por qué factor multiplicarás cada parte de la desigualdad compuesta?

   0.8

¿Cómo resuelves el problema?

5. ¿Cómo escribes la desigualdad que hallaste en notación de intervalo?

   $20 \le d \le 32$; $[20, 32]$

Página 99

3-6 **Práctica** *Modelo G*
Desigualdades compuestas

Escribe una desigualdad compuesta que represente cada frase. Representa las soluciones con una gráfica.

1. todos los números reales que son menores que -3 ó mayores o iguales a 5
   $x < -3$ ó $x \ge 5$

2. El tiempo de cocción de un pastel es entre 25 y 30 minutos, inclusive.
   $25 \le x \le 30$

Resuelve cada desigualdad compuesta. Representa tus soluciones con una gráfica.

3. $5 < k - 2 < 11$ $7 < x < 13$

4. $-4 > y + 2 > -10$ $-12 < y < -6$

5. $6b - 1 \le 41$ ó $2b + 1 \ge 11$ Todos los números reales

6. $5 - m < 4$ ó $7m > 35$ $m > 1$

7. $3 < 2p - 3 \le 12$ $3 < p \le 7\frac{1}{2}$

8. $3 > \frac{11 + k}{4} \ge -3$ $-23 \le x < 1$

9. $3d + 3 \le -1$ ó $5d + 2 \ge 12$ $d \le -\frac{4}{3}$ ó $d \ge 2$

10. $9 - c < 2$ ó $-3c > 15$ $c > 7$ ó $c < -5$

11. $4 \le y + 2 \le -3(y - 2) + 24$ $2 \le y \le 7$

12. $5z + 3 < -7$ ó $-2z - 6 > -8$ $z < 1$

Escribe cada intervalo como una desigualdad. Luego, representa las soluciones con una gráfica.

13. $(-1, 10]$ $-1 < x \le 10$

14. $[-3, 3]$ $-3 \le x \le 3$

15. $(-\infty, 0]$ ó $(5, \infty)$ $x \le 0$ ó $x > 5$

16. $[3, \infty)$ $x \ge 3$

17. $(-\infty, 4)$ $x < 4$

18. $[25, 50)$ $25 \le x < 50$

Página 100

3-6 **Práctica** (continuación) *Modelo G*
Desigualdades compuestas

Escribe cada desigualdad o conjunto en notación de intervalo. Luego, representa el intervalo con una gráfica.

19. $x < -2$ $(-\infty, -2)$

20. $x > 0$ $(0, \infty)$

21. $x < -2$ ó $x \ge 1$ $(-\infty, -2)$ ó $[1, \infty)$

22. $-3 \le x < 4$ $[-3, 4)$

Escribe una desigualdad compuesta que pueda representarse con cada gráfica.

23. $x < -1$ ó $x > -1$

24. $x < -4$ ó $x \ge 2$

25. $-4 \le x \le 2$

26. $-2 < x < 1$

Resuelve cada desigualdad compuesta. Justifica cada paso.

27. $3r + 2 < 5$ ó $7r - 10 > 60$
    $r < 1$ ó $r > 10$

28. $3 > -0.25v > -2.5$
    $-12 < v < 10$

29. $\frac{y - 2}{2} - 5 \le 3$ ó $\frac{1 + 2y}{3} \ge 41$
    $y \le 18$ ó $y \ge 61$

30. $-\frac{3}{2} \le \frac{5}{6}w - \frac{3}{4} \le 2$
    $-\frac{9}{10} \le w \le \frac{33}{10}$

31. La absorción de una toalla se considera normal si la toalla puede absorber entre seis y ocho mL. Las primeras pruebas de los materiales dan como resultado medidas de absorción de 6.2 mL y 7.2 mL. ¿Qué valores posibles para la tercera medición m harán que, en promedio, la absorción sea normal?
    $4.6 < m < 10.6$

32. Una familia compara diferentes asientos de carro. Un asiento de carro está diseñado para un bebé que pesa hasta 30 lb. Otro está diseñado para un bebé que pesa entre 15 lb y 40 lb. Un tercer asiento está diseñado para un bebé que pesa entre 30 lb y 85 lb, inclusive. Representa estos rangos en una recta numérica. Representa cada rango de peso usando la notación de intervalo. ¿Qué asientos son apropiados para un bebé que pesa 32 lb?
    Revise las gráficas; $(0, 30)$; $(15, 40)$; $[30, 85]$; el segundo y el tercer asiento de carro

Página 101

3-6 **Preparación para el examen estandarizado**
Desigualdades compuestas

Opción múltiple

Escoge la letra que contiene la respuesta correcta para los Ejercicios 1 a 5.

1. Qué desigualdad representa la frase todos los números reales que son mayores que -7 y menores que -4? **C**
   A. $n > -7$
   B. $n < -4$
   C. $-7 < n < -4$
   D. $n > -7$ ó $n < -4$

2. ¿Cuáles son las soluciones de $8 \le x + 2 < 12$? **G**
   F. $x \ge 6$
   G. $6 \le x < 10$
   H. $10 \le x < 14$
   I. $x < 10$

3. ¿Cuáles son las soluciones de $3d - 4 < -10$ ó $2d + 7 \ge 9$? **D**
   A. $d > -2$
   B. $d \le 1$
   C. $-2 < d \le 1$
   D. $d < -2$ ó $d \ge 1$

4. ¿Qué desigualdad compuesta representa la siguiente gráfica? **H**

   F. $7d + 1 > 0$
   G. $7d + 1 < 1$ ó $7d + 1 \ge 15$
   H. $1 < 7d + 1 \le 15$
   I. $1 \le 7d + 1 < 15$

5. Una maestra sabe que el 80% de sus estudiantes obtendrán calificaciones dentro de una diferencia de 5 puntos del promedio de la clase, que es 85%, en el examen. ¿Qué desigualdad representa las calificaciones del 80% de sus estudiantes? **D**
   A. $75 < A < 85$
   B. $85 \le A \le 90$
   C. $80 < A < 90$
   D. $80 \le A \le 90$

Respuesta desarrollada

6. a. Resuelve la desigualdad compuesta $-4 \le 3p - 7 < 5$. Muestra tu trabajo. $1 \le p < 4$
   b. Representa la solución con una gráfica.

   [4] Las respuestas de ambas partes son correctas.
   [3] Las respuestas de ambas partes tienen un pequeño error en los cálculos.
   [2] La respuesta de una parte es correcta.
   [1] Las respuestas son correctas pero no se muestra el trabajo.
   [0] Ninguna respuesta es correcta.

Página 102

3-7 Pensar en un plan
Ecuaciones y desigualdades de valor absoluto

Banca El peso oficial de una moneda de 5¢ es 5 g, pero el peso real puede variar de esta cantidad hasta 0.194 g. Supón que un banco pesa un rollo de 40 monedas de 5¢. El envoltorio pesa 1.5 g.
  a. ¿Cuál es el rango de pesos posibles para el rollo de monedas de 5¢?
  b. Razonamiento Si todas las monedas de 5¢ del rollo tienen cada una el peso oficial, entonces el peso del rollo es 40(5) + 1.5 = 201.5 g. ¿Es posible que un rollo pese 201.5 g y que incluya monedas de 5¢ que no tengan el peso oficial? Explica tu respuesta.

¿Qué sabes?

1. ¿Qué desigualdad describe el rango de pesos de una sola moneda de 5¢?

   $4.806 < m < 5.194$

¿Qué necesitas para resolver el problema?

2. ¿Qué desigualdad usarías para describir el rango de peso de un rollo de monedas de 5¢?

   $193.74 < r < 209.26$

3. ¿Se encuentra el peso 201.5 g dentro del intervalo que hallaste en la pregunta anterior? Sí.

¿Cómo resuelves el problema?

4. ¿Es posible que un rollo pese 201.5 g y que incluya monedas de 5¢ que no tengan el peso oficial? Explica tu respuesta.

   Sí; Una moneda de 5¢ podría pesar 4.7 g y otra, 5.3 g, pero entre las dos tendrían un promedio de peso de 5 g y parecerían estar dentro del rango oficial.

Página 103

3-7 Práctica
Ecuaciones y desigualdades de valor absoluto   *Modelo G*

Resuelve cada ecuación. Representa con una gráfica y comprueba tus soluciones.

1. $|b| = \frac{2}{3}$ $b = \frac{2}{3}$ ó $b = -\frac{2}{3}$

2. $10 = |y|$ $y = 10$ ó $y = -10$

3. $|n| + 2 = 5$ $n = 3$ ó $n = -3$

4. $4 = |s| - 3$ $s = 7$ ó $s = -7$

5. $|x| - 5 = -1$ $x = 4$ ó $x = -4$

6. $7|d| = 49$ $d = 7$ ó $d = -7$

Resuelve cada ecuación. Si no tiene solución, escribe *sin solución.*

7. $|r - 9| = -3$
   Sin solución

8. $|c + 3| = 15$
   $c = 12$ ó $c = -18$

9. $1 = |g + 3|$
   $g = -2$ ó $g = -4$

10. $2 = \left| m + \frac{2}{3} \right|$
    $m = -2\frac{2}{3}$ ó $m = \frac{4}{3}$

11. $-2|3d| = 4$
    Sin solución

12. $-3|2w| = -6$
    $w = 1$ ó $w = -1$

13. $4|v - 5| = 16$
    $v = 9$ ó $v = 1$

14. $3|d - 4| = 12$
    $d = 8$ ó $d = 0$

15. $|3f + 0.5| - 1 = 7$
    $f = 2.5$ ó $f = -2.83$

Resuelve cada desigualdad y represéntala con una gráfica.

16. $|x| > 1$ $x > 1$ ó $x < -1$

17. $|x| < 2$ $-2 < x < 2$

18. $|x + 3| < 10$ $-13 < x < 7$

19. $|y + 4| > 12$ $y > 8$ ó $y < -16$

20. $|y - 1| \le 8$ $-7 \le y \le 9$

21. $|p - 6| \ge 5$ $p \ge 11$ ó $p \le 1$

22. $|3c - 4| > 12$ $c > 5\frac{1}{3}$ ó $c < -2\frac{1}{3}$

23. $\left| 2t + \frac{2}{3} \right| \le 4$ $-\frac{7}{3} \le t \le \frac{5}{3}$

Página 104

3-7 Práctica (continuación)
Ecuaciones y desigualdades de valor absoluto   *Modelo G*

Resuelve cada ecuación o desigualdad. Si no tiene solución, escribe *sin solución.*

24. $|d| + 3 = 33$
    $d = \pm 30$

25. $1.5|3p| = 4.5$
    $p = \pm 1$

26. $\left| d + \frac{2}{3} \right| + \frac{3}{4} = 0$
    Sin solución

27. $|f| - \frac{1}{5} = \frac{3}{15}$
    $f = \pm\frac{4}{15}$

28. $7|3y - 4| - 8 \le 48$
    $-\frac{4}{3} \le y \le 4$

29. $|t| - 1.2 = 3.8$
    $t = \pm 5$

30. $-1|c + 4| = -3.6$
    $c = -7.6$ ó $c = -0.4$

31. $\frac{|y|}{4} < 3$
    $-12 < y < 12$

32. $|9d| > 6.3$
    $d < -0.7$ ó $d > 0.7$

Escribe una desigualdad de valor absoluto que represente cada conjunto de números.

33. todos los números reales que están a menos de 3 unidades del 0 $|x| < 3$

34. todos los números reales que están como máximo a 6 unidades del 0 $|x| \le 6$

35. todos los números reales que están a más de 4 unidades del 6 $|x - 6| > 4$

36. todos los números reales que están como mínimo a 3 unidades del −2 $|x + 2| \ge 3$

37. Un niño duerme una siesta que dura en promedio tres horas y duerme un promedio de 12 horas por la noche. El tiempo que duerme la siesta y el tiempo que duerme por la noche pueden variar 30 minutos cada uno. ¿Cuáles son las duraciones posibles de la siesta del niño y lo que duerme por la noche?
    Siesta: $2.5 \le x \le 3.5$; noche: $11.5 \le x \le 12.5$

38. En una encuesta sobre deportes, el 53% de los encuestados creen que el equipo de fútbol americano de su escuela secundaria ganará el campeonato estatal. La encuesta muestra un margen de error de ± 5 puntos porcentuales. Escribe y resuelve una desigualdad de valor absoluto para hallar el menor y el mayor porcentaje de personas que creen que su equipo ganará el campeonato estatal.
    $|x - 5| \le 53$; $48 \le x \le 58$

Página 105

3-7 Preparación para el examen estandarizado
Ecuaciones y desigualdades de valor absoluto

Opción múltiple

Escoge la letra que contiene la respuesta correcta para los Ejercicios 1 a 5.

1. ¿Cuáles son las soluciones de $|4a| \ge 32$? B
   A. $a \ge 8$
   B. $a \le -8$ ó $a \ge 8$
   C. $-8 \le a \le 8$
   D. $\emptyset$

2. ¿Cuál(es) es/son la(s) solución(es) de $|n| - 4 = 14$? G
   F. $n = 10$
   G. $n = -18, 18$
   H. $n = 10, 18$
   I. $\emptyset$

3. ¿Cuál(es) es/son la(s) solución(es) de $4|2x| + 1 = -3$? D
   A. $z = -\frac{1}{2}$
   B. $z = \frac{1}{2}$
   C. $z = -\frac{1}{2}, \frac{1}{2}$
   D. $\emptyset$

4. Algunas personas intentan adivinar la cantidad de caramelos que hay en un frasco. Cada persona que adivine la cantidad correcta con una diferencia de hasta 15 caramelos ganará un premio. La cantidad correcta de caramelos es 389. ¿Qué valores de n representan las cantidades que ganarán un premio?   I
   F. $n = 389$ ó 404
   G. $n = 389$ y 404
   H. $389 \le n \le 404$
   I. $374 \le n \le 404$

5. Un carpintero corta un listón de madera de 2 pulgs. por 4 pulgs. para el emarcado de un techo. La longitud debe ser 5 pies. El carpintero permite una variación posible de 0.1 pies en la longitud del corte. ¿Qué valores de l representan las longitudes aceptables para el listón? D
   A. $l = 5$
   B. $l \le 5.1$
   C. $l \ge 4.9$
   D. $4.9 \le l \le 5.1$

Respuesta breve

6. Una estudiante lee un promedio de 34 páginas por día. La cantidad de páginas que lee por día varía hasta 8.
   a. Escribe una desigualdad de valor absoluto que represente el rango de la cantidad de páginas que lee por día. $|p - 34| \le 8$
   b. Resuelve tu desigualdad. $26 \le p \le 42$

   [2] Las respuestas de ambas partes son correctas.
   [1] La respuesta de una parte es correcta.
   [0] Ninguna respuesta es correcta.

Página 106

3-8 Pensar en un plan
Uniones e intersecciones de conjuntos

En una encuesta que se hizo a estudiantes acerca de sus deportes preferidos, los resultados incluyen 22 a los que les gusta el tenis, 25 a los que les gusta el fútbol americano, 9 a los que les gusta el tenis y el fútbol americano, 17 a los que les gustan el tenis y el béisbol, 20 a los que les gustan el fútbol americano y el béisbol, 6 a los que les gustan los tres deportes y 4 a los que no les gusta ninguno. ¿A cuántos estudiantes les gustan sólo el tenis y el fútbol americano? ¿A cuántos les gustan sólo el tenis y el béisbol? ¿A cuántos les gustan sólo el béisbol y el fútbol americano?

1. ¿Cómo puede ayudarte un diagrama de Venn a resolver el problema?

Las respuestas variarán. Ejemplo: Un diagrama de Venn puede ayudarte a organizar la

información visualmente porque hay una región designada para cada posibilidad.

2. ¿Cuántos círculos necesitarás en tu diagrama? _____ Tres.

3. ¿Qué estrategias puedes usar para completar el diagrama de Venn?

Las respuestas variarán. Ejemplo: Se puede comenzar con el número de estudiantes a los

que les gustan los tres deportes y resolver usando restas y variables cuando sea necesario.

a. ¿Qué partes del diagrama de Venn puedes completar? Todas las partes, excepto la de aquellos a los que sólo les gusta el béisbol.

b. ¿Dónde ubicarás a los estudiantes a los que les gustan los 3 deportes? En el centro, donde se superponen los tres círculos.

c. ¿Dónde ubicarás a los estudiantes a los que no les gusta ninguno de los deportes? Fuera de los círculos.

4. ¿A cuántos estudiantes les gustan sólo el tenis y el fútbol americano? 3

5. ¿A cuántos estudiantes les gustan sólo el tenis y el béisbol? 11

6. ¿A cuántos estudiantes les gustan sólo el béisbol y el fútbol americano? 14

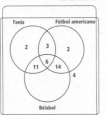

Página 107

3-8 Práctica
Uniones e intersecciones de conjuntos
Modelo G

Halla cada unión o intersección. Sea $A = \{1, 3, 5, 7, 9\}$, $B = \{x \mid x$ es un entero positivo impar menor que 10$\}$, $C = \{1, 2, 4, 7\}$ y $D = \{x \mid x$ es un entero negativo entre -5 y $-1\}$.

1. $A \cup B$
$\{1, 3, 5, 7, 9\}$

2. $A \cap C$
$\{1, 7\}$

3. $A \cap D$
$\emptyset$

4. $B \cup C$
$\{1, 2, 3, 4, 5, 7, 9\}$

5. $B \cap D$
$\emptyset$

6. $C \cup D$
$\{-4, -3, -2, 1, 2, 4, 7\}$

7. $A \cap B$
$\{1, 3, 5, 7, 9\}$

8. $A \cup C$
$\{1, 2, 3, 4, 5, 7, 9\}$

9. $A \cup D$
$\{-4, -3, -2, 1, 3, 5, 7, 9\}$

10. $A \cap B \cap C$
$\{1, 7\}$

11. $D \cup C \cup B$
$\{-4, -3, -2, 1, 2, 3, 4, 5, 7, 9\}$

12. $A \cup C \cup D$
$\{-4, -3, -2, 1, 2, 3, 4, 5, 7, 9\}$

13. $A \cap B \cap D$
$\emptyset$

14. $A \cup C \cup D$
$\{-4, -3, -2, 1, 2, 3, 4, 5, 7, 9\}$

15. $B \cap C \cap D$
$\emptyset$

Dibuja un diagrama de Venn para representar la unión y la intersección de estos conjuntos.

16. Sea $V = \{p, m, b, a, d, e\}$, $W = \{i, t, b, p\}$ y $X = \{g, e, r, z, p\}$.

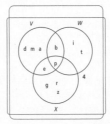

17. Sea $L = \{$todos los enteros negativos impares$\}$, $M = \{$todos los enteros negativos mayores que o iguales a $-5\}$ y $N = \{-3, -1, 0, 3, 1\}$.

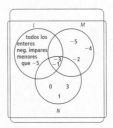

Página 108

3-8 Práctica (continuación)
Uniones e intersecciones de conjuntos
Modelo G

18. Cada estudiante de una escuela participa al menos en un tipo de actividad: deportes o música. Cincuenta estudiantes participan tanto en deportes como en música. Doscientos participan en deportes. Cincuenta sólo participan en música. Hay un total de 250 estudiantes en la escuela. ¿Cuántos estudiantes sólo participan en deportes? 150 estudiantes.

19. El departamento de parques local preguntó a 300 personas si se deberían construir nuevas canchas de básquetbol y/o nuevas rampas para andar en patineta. Si 233 personas dijeron que querían canchas de básquetbol nuevas y 94 dijeron que querían canchas de básquetbol y rampas para andar en patineta nuevas, ¿cuántas personas dijeron que querían rampas nuevas para andar en patineta? 161 personas.

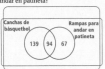

Resuelve cada desigualdad. Escribe las soluciones como la unión o la intersección de dos conjuntos.

20. $|2x - 3| \leq 11$
$\{x \mid x \geq -4\} \cap \{x \mid x \leq 7\}$

21. $50 > 7n + 8 > 22$
$\{n \mid n > 23\} \cap \{n \mid n < 6\}$

22. $|2w - 5| \geq 0$
$\{w \mid w$ es un número real$\}$

23. $12 > |4d + 16|$
$\{d \mid d > -7\} \cap \{d \mid d < -1\}$

24. $-5 < -n + 3 < 10$
$\{n \mid n > -7\} \cap \{n \mid n < 8\}$

25. $|1.5t - 0.75| < 4$
$\{t \mid t > -2\frac{1}{6}\} \cap \{t \mid t < 3\frac{1}{6}\}$

26. Un salón de belleza ofrece tres servicios: manicuría, masajes y peinados. Cinco clientes van para hacerse los tres servicios. Cuarenta van para hacerse peinados y manicuría. Treinta y cinco van para hacerse manicuría y masajes. Quince van para hacerse peinados y masajes. Diez van sólo por los masajes. Cinco clientes van sólo para hacerse peinados y dos van para hacerse manicuría solamente. ¿Cuántos clientes en total representan los datos? 97 clientes.

Página 109

3-8 Preparación para el examen estandarizado
Uniones e intersecciones de conjuntos

Respuesta en plantilla

Resuelve cada ejercicio y marca tus respuestas en la plantilla.

1. Sea $A = \{1, 3, 5\}$ y $B = \{x \mid x$ es un entero menor que 2$\}$. Halla $A \cap B$. 1

2. Sea $C = \{1, 2, 3, 4, 5\}$ y $D = \{x \mid x$ es un entero positivo par menor que 7$\}$. ¿Cuántos elementos hay en $C \cup D$? 6

3. Sea $X = \{8, 10, 12\}$, $Y = \{6, 7, 8\}$ y $Z = \{-4, 4, 8\}$. Halla $X \cap Y \cap Z$. 8

4. Sea $M = \{1, 3, 5, 7\}$, $N = \{x \mid x$ es un número entero no negativo par menor que 12$\}$ y $P = \{x \mid x$ es un número entero no negativo impar menor que 4$\}$. ¿Cuántos elementos hay en $(M \cup N) \cap P$? 2

5. Sea $F = \{-1, 0, 1, 2, 3\}$, $G = \{1, 3, 5, 7\}$ y $H = \{2, 4, 6, 8\}$. ¿Cuál es la diferencia del número de elementos en $G \cup H$ y el número de elementos en $F \cap G$? 6

Página 110

4-1 Pensar en un plan
Usar gráficas para relacionar dos cantidades

Esquiar Dibuja una gráfica para cada situación. ¿Las gráficas son iguales? Explica tu respuesta.
a. Tu velocidad cuando viajas en telesilla desde la base de una pista de esquí hasta la cima
b. Tu velocidad cuando esquías desde la cima de una pista de esquí hasta la base

Comprender el problema

1. ¿Qué será probablemente verdadero acerca de tu velocidad a medida que vas desde la base de la pista hasta la cima?

   La velocidad será constante, dado que estás en un telesilla.

2. ¿Qué será probablemente verdadero acerca de tu velocidad a medida que vas desde la cima de la pista hasta la base?

   La velocidad aumentará continuamente si vas directo hacia abajo.

Planear la solución

3. ¿Cómo se verá la gráfica que muestra tu velocidad a medida que subes la pista de esquí?

   Gran parte de la gráfica será una recta horizontal.

4. ¿Cómo se verá la gráfica que muestra tu velocidad a medida que desciendes por la pista de esquí?

   Gran parte de la gráfica será una recta con pendiente positiva.

Hallar una respuesta

5. Dibuja la gráfica que muestra tu viaje hacia la cima de la pista.

6. Dibuja la gráfica que muestra tu viaje hacia la base de la pista.

7. ¿Las gráficas son iguales? Explica tu respuesta.

   No; Para subir la pista de esquí debes usar el telesilla, la cual mantiene una velocidad constante. Si desciendes en esquí directo hacia abajo, tu velocidad seguirá aumentando hasta llegar al final de la pista.

Página 111

4-1 Práctica
Usar gráficas para relacionar dos cantidades
Modelo G

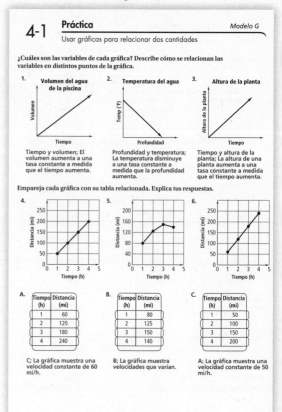

¿Cuáles son las variables de cada gráfica? Describe cómo se relacionan las variables en distintos puntos de la gráfica.

1. Volumen del agua de la piscina

   Tiempo y volumen; El volumen aumenta a una tasa constante a medida que el tiempo aumenta.

2. Temperatura del agua

   Profundidad y temperatura; La temperatura disminuye a una tasa constante a medida que la profundidad aumenta.

3. Altura de la planta

   Tiempo y altura de la planta; La altura de una planta aumenta a una tasa constante a medida que el tiempo aumenta.

Empareja cada gráfica con su tabla relacionada. Explica tus respuestas.

A.
Tiempo (h)	Distancia (mi)
1	60
2	120
3	180
4	240

B.
Tiempo (h)	Distancia (mi)
1	80
2	125
3	150
4	140

C.
Tiempo (h)	Distancia (mi)
1	50
2	100
3	150
4	200

4. C; La gráfica muestra una velocidad constante de 60 mi/h.

5. B; La gráfica muestra velocidades que varían.

6. A; La gráfica muestra una velocidad constante de 50 mi/h.

Página 112

4-1 Práctica (continuación)
Usar gráficas para relacionar dos cantidades
Modelo G

Dibuja una gráfica para representar la situación. Rotula cada sección.

7. Compras dos camisas. La tercera es gratis.

8. Haces un calentamiento para la clase de gimnasia, juegas básquetbol y luego descansas.

9. La temperatura aumenta durante el día y luego disminuye por la noche.

10. **Analizar errores** Los 2 primeros DVD que compras cuestan $19.99 cada uno. Después de eso, cuestan $5.99 cada uno. Describe y corrige el error de la gráfica que representa la relación entre el costo total y la cantidad de DVD que se compran.
    La gráfica indica que el costo total de 3 DVD es $5.99, lo cual no es verdadero. El costo total debería ser $45.97.

11. Dibuja una gráfica para cada situación. ¿Las gráficas son iguales? Explica tu respuesta.
    a. La distancia a la que te encuentras de tu escuela a medida que vas desde tu casa hasta la escuela
    b. La distancia a la que te encuentras de tu escuela a medida que vas desde la escuela hasta tu casa

    No; En la primera gráfica, la distancia de la escuela disminuye y en la segunda gráfica, aumenta.

Página 113

4-1 Preparación para el examen estandarizado
Usar gráficas para relacionar dos cantidades

Opción múltiple

Escoge la letra que contiene la respuesta correcta para los Ejercicios 1 a 3.

1. La gráfica muestra la distancia a la que te encuentras del campo de práctica a medida que vas hacia tu casa al terminar la práctica. Un amigo te ofreció un aventón hasta su casa, en donde cenaste. Luego, caminaste desde allí hasta tu casa. ¿Qué punto representa un tiempo en el que ibas caminando hacia tu casa? **D**
   A. A   B. B   C. C   D. D

2. ¿Qué tabla se relaciona con la gráfica de la derecha? **F**

   F.
Tiempo (h)	Temp. (°F)
1	68
2	73
3	78
4	85

   H.
Tiempo (h)	Temp. (°F)
68	1
73	2
78	3
85	4

   G.
Temp. (°F)	Tiempo (h)
1	85
2	78
3	73
4	68

   I.
Temp. (°F)	Tiempo (h)
85	1
78	2
73	3
68	4

3. ¿Cómo se relacionan las variables de la gráfica? **D**
   A. A medida que la velocidad disminuye, la altura permanece constante.
   B. A medida que la velocidad disminuye, la altura aumenta.
   C. A medida que la velocidad aumenta, la altura disminuye.
   D. A medida que la velocidad aumenta, la altura aumenta.

Respuesta breve

4. En una carrera, nadas 1 milla, corres 10 millas y recorres 25 millas en bicicleta. Dibuja una gráfica para representar la relación. Rotula los ejes con las variables relacionadas. ¿Cuáles son los puntos importantes de la gráfica?
   Los puntos importantes son el inicio y el final de cada actividad.
   [2] La respuesta es correcta.
   [1] La respuesta está incompleta.
   [0] La respuesta es incorrecta.

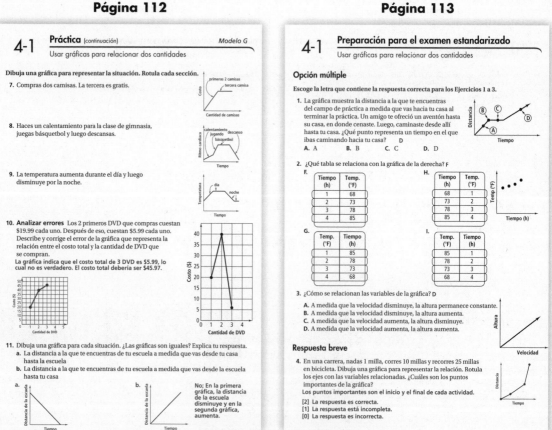

Álgebra 1, de Prentice Hall • Cuaderno de práctica y resolución de problemas Guía del maestro

Página 114

4-2 Pensar en un plan
Patrones y funciones lineales

Carro eléctrico Un fabricante produce un carro que puede recorrer 40 mi con la carga de su batería antes de comenzar a usar gasolina. Luego, el carro recorre 50 mi por cada galón de gasolina usado. Representa la relación entre la cantidad de gasolina usada y la distancia recorrida con una tabla, una ecuación y una gráfica. ¿La distancia recorrida es una función de la cantidad de gasolina usada? ¿Cuáles son las variables independientes y las dependientes? Explica tu respuesta.

Comprender el problema

1. Describe las millas que puede recorrer el carro con los distintos tipos de combustible.

   40 mi con la batería, 50 mi con un galón de gasolina después de usar la batería

Planear la solución

2. Da una descripción verbal de la relación entre las millas que recorre el carro y los galones de gasolina que usa.

   Antes de usar gasolina, el carro puede recorrer 40 mi. Después, recorre 50 mi/gal adicionales.

Hallar una respuesta

3. Representa esta relación con una ecuación.

   $m = 50g + 40$, donde m = millas recorridas y g = galones de gasolina

4. Representa esta relación con una tabla.

g	m
0	40
1	90
2	140
3	190

5. Representa esta relación con una gráfica.

6. ¿La distancia recorrida es una función de la cantidad de gasolina usada? ¿Cuáles son las variables independientes y las dependientes? Explica tu respuesta.

   Sí; g es la variable independiente y m es la variable dependiente; Las millas recorridas dependen de los galones de gasolina usados.

Página 115

4-2 Práctica
Patrones y funciones lineales *Modelo G*

Para cada diagrama, halla la relación entre la cantidad de figuras y el perímetro de la figura que forman. Representa esta relación con una tabla, palabras, una ecuación y una gráfica.

1.

1 triángulo 2 triángulos 3 triángulos 4 triángulos

El perímetro es 2 más que el número de triángulos; $p = n + 2$

Triángulos	1	2	3	4	5	6	10	n
Perímetro	3	4	5	6	7	8	12	n + 2

2.

1 cuadrado 2 cuadrados 3 cuadrados

El perímetro es 2 más que dos veces el número de cuadrados; $p = 2n + 2$

Cuadrados	1	2	3	4	5	6	10	n
Perímetro	4	6	8	10	12	14	22	2n + 2

Para cada tabla, determina si la relación es una función. Luego, representa la relación con palabras, una ecuación y una gráfica.

3.

x	y
0	1
1	3
2	5
3	7

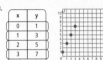

Sí; La salida y es 1 más que dos veces la entrada x; $y = 2x + 1$

4.

x	y
0	6
1	7
2	8
3	9

Sí; La salida y es 6 más que la entrada x; $y = x + 6$

Página 116

4-2 Práctica (continuación)
Patrones y funciones lineales *Modelo G*

Para cada tabla, determina si la relación es una función. Luego, representa la relación con palabras, una ecuación y una gráfica.

5. **Distancia recorrida**

Tiempo (h)	Distancia (mi)
0	0
1	55
2	110
3	165

función; La distancia recorrida es 55 veces el número de horas; $d = 55t$

6. **Calorías quemadas**

Minutos (min)	Calorías (C)
0	0
10	50
20	100
30	150

función; Las calorías quemadas son 5 veces el número de minutos durante los que se hizo ejercicio; $c = 5m$

7. **Razonamiento** Representa con una gráfica el conjunto de pares ordenados (0, 2), (1, 4), (2, 6), (3, 8). Determina si la relación es una función lineal. Explica cómo lo sabes.

   La función es lineal; Puedes unir los puntos de la gráfica con una línea recta.

8. Puedes preparar una solución de burbujas mezclando 1 taza de jabón líquido con 4 tazas de agua. Representa la relación entre las tazas de jabón líquido y las tazas de solución de burbujas con una tabla, una ecuación y una gráfica. ¿Es la cantidad de solución de burbujas una función de la cantidad de jabón líquido usado? Explica tu respuesta. $b = 5j$

Tazas de jabón, J	Tazas de solución de burbujas, b
1	5
2	10
3	15
4	20

Página 117

4-2 Preparación para el examen estandarizado
Patrones y funciones lineales

Opción múltiple

Escoge la letra que contiene la respuesta correcta para los Ejercicios 1 a 4.

1. ¿Qué ecuación representa la relación que se muestra en la tabla de la derecha? **C**

   A. $y = -x - 3$
   B. $y = x - 3$
   C. $y = 2x - 3$
   D. $y = -2x + 3$

x	y
0	-3
1	-1
2	1
3	3

2. En una relación entre variables, ¿cómo se llama la variable que cambia en respuesta a otra variable? **I**

   F. función
   G. función de entrada
   H. variable independiente
   I. variable dependiente

3. Una compañía de jardinería cobra un costo de $10 por el viaje, más $0.15 por pie cuadrado para fertilizar x pies cuadrados de pasto. ¿Qué ecuación representa la relación? **B**

   A. $x = 0.10y + 15$ B. $y = 0.15x + 10$ C. $y = 10x + 0.15$ D. $x = 10y + 0.15$

4. ¿Qué ecuación representa la relación que se muestra en la gráfica? **G**

   F. $y = -2x$
   G. $y = 2x$
   H. $y = -\frac{1}{2}x$
   I. $y = \frac{1}{2}x$

Respuesta breve

5. En la siguiente tabla se muestra la relación entre el número de maestros y el número de estudiantes que van de excursión. ¿Cómo puedes describir la relación con palabras, una ecuación y una gráfica?

Excursión					
Maestros	2	3	4	5	6
Estudiantes	34	51	68	85	102

El número de estudiantes es 17 veces el número de maestros; $e = 17m$

[2] Todas las respuestas son correctas.
[1] Las respuestas de una o dos partes son correctas.
[0] Ninguna respuesta es correcta.

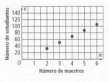

Álgebra 1, de Prentice Hall • Cuaderno de práctica y resolución de problemas Guía del maestro

Página 118

4-3 Pensar en un plan
Patrones y funciones no lineales

Fuente Un diseñador quiere hacer una fuente circular dentro de un cuadrado de pasto como se muestra a la derecha. ¿Cuál es la regla para el área A del pasto como una función de r?

Comprender el problema

1. ¿Qué figuras forman las áreas del pasto y la fuente?

   Un cuadrado y un círculo.

2. ¿Cuáles son las fórmulas para hallar el área de estas figuras?

   $A = l^2$; $A = \pi r^2$

Planear la solución

3. Usando r como se muestra en la ilustración, ¿cuál es una regla para el área del cuadrado?

   $A = 4r^2$

4. Usando r como se muestra en la ilustración, ¿cuál es una regla para el área del círculo?

   $A = \pi r^2$

5. ¿Cómo hallarás el área del pasto restante después de que se coloque la fuente en su lugar?

   Resta el área del círculo al área del cuadrado.

Hallar una respuesta

6. ¿Cuál es una regla para el área A del pasto como una función de r después de colocar la fuente en su lugar?

   $A = 4r^2 - \pi r^2 = (4 - \pi)r^2$

Página 119

4-3 Práctica
Patrones y funciones no lineales

Modelo G

1. Los ingresos en dólares de un estudiante, I, son una función del número de horas h que trabajó. Representa con una gráfica la función que se muestra en la tabla. Indica si la función es *lineal* o *no lineal*.

Horas, h	2	4	6	8	10
Ingresos ($), I	18	36	54	72	90

Lineal;

Representa con una gráfica la función que se muestra en cada tabla. Indica si la función es *lineal* o *no lineal*.

2.

x	y
0	3
1	5
2	7
3	9

Lineal;

3.

x	y
0	0
1	2
2	-4
3	7

No lineal;

Página 120

4-3 Práctica (continuación)
Patrones y funciones no lineales

Modelo G

Cada conjunto de pares ordenados representa una función. Escribe una regla que represente la función.

4. $(0, 1), (1, 3), (2, 9), (3, 27), (4, 81)$ $y = 3^x$

5. $(0, 0), (1, 1), (2, 4), (3, 9), (4, 16)$ $y = x^2$

6. $(0, 1), (1, 0.5), (2, 0.25), (3, 0.125), (4, 0.0625)$ $y = 0.5^x$

7. $(0, 0), (1, 1), (2, 8), (3, 27), (4, 64)$ $y = x^3$

8. **Razonamiento** Una función determinada corresponde con la siguiente descripción: *A medida que el valor de x aumenta 1 cada vez, el valor de y disminuye el cuadrado de x.* ¿Esta función es *lineal* o *no lineal*? Explica tu razonamiento.
   No lineal; Hay un término elevado al cuadrado en la función.

9. **Escribir** La regla $C = 6.3r$ da la circunferencia aproximada C de un círculo como función de su radio r. Identifica las variables independiente y dependiente de esta relación. Explica tu razonamiento.
   Independiente: r; dependiente: C; El área de un círculo depende de su radio.

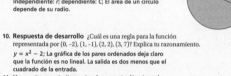

10. **Respuesta de desarrollo** ¿Cuál es una regla para la función representada por $(0, -2), (1, -1), (2, 2), (3, 7)$? Explica tu razonamiento.
    $y = x^2 - 2$; La gráfica de los pares ordenados deja claro que la función es no lineal. La salida es dos menos que el cuadrado de la entrada.

11. Un arquitecto paisajista quiere hacer un jardín triangular dentro de un cuadrado de tierra, como se muestra a la derecha. ¿Cuál es una regla para el área A del jardín como función de l?
    $A = \dfrac{l^2}{2}$

Página 121

4-3 Preparación para el examen estandarizado
Patrones y funciones no lineales

Opción múltiple

Escoge la letra que contiene la respuesta correcta para los Ejercicios 1 a 5.

1. ¿Qué pares ordenados representan una función lineal? **A**
   A. $(-2, -15), (-1, -9), (0, -3), (1, 3)$ y $(2, 9)$
   B. $(-2, 4), (-1, 1), (0, 0), (1, 1)$ y $(2, 4)$
   C. $(-2, -1), (-1, -4), (0, -5), (1, -4)$ y $(2, -1)$
   D. $(-2, -8), (-1, -1), (0, 0), (1, 1)$ y $(2, 8)$

2. Los siguientes pares ordenados representan una función: $(-2, 10), (-1, 7), (0, 6), (1, 7)$ y $(2, 10)$. ¿Qué ecuación podría representar la función? **I**
   F. $y = -4x + 2$ G. $y = x^2 - 6$ H. $y = 5x$ I. $y = x^2 + 6$

3. ¿Qué regla podría representar la función que se muestra en la tabla de la derecha? **C**
   A. $y = -x^3$
   B. $y = x^2 + 1$
   C. $y = -x^2 + 1$
   D. $y = -x - 1$

x	y
-2	-3
-1	0
0	1
1	0
2	-3

4. Los pares ordenados $(-1, 1), (0, 2), (1, 1), (2, -2)$ y $(3, -7)$ representan una función. ¿Qué regla podría representar la función? **F**
   F. $y = -x^2 - 2$ G. $y = -x^2 + 2$ H. $y = x^2 - 2$ I. $y = x^2 + 2$

5. ¿Qué pares ordenados representan una función no lineal? **D**
   A. $(0, 0), (1, 1), (2, 2), (3, 3)$ y $(4, 4)$
   B. $(0, 0), (1, -1), (2, -2)$ y $(4, -4)$
   C. $(0, -1), (1, 0), (2, 1), (3, 2)$ y $(4, 3)$
   D. $(0, 0), (1, 1), (2, 8), (3, 27)$ y $(4, 64)$

Respuesta breve

6. Representa con una gráfica la función que se muestra en la siguiente tabla. ¿La función es *lineal* o *no lineal*? No lineal.

x	1	2	3	4
y	-9	-8	-5	0

   [2] La respuesta es correcta.
   [1] La respuesta está incompleta.
   [0] La respuesta es incorrecta.

Página 122

4-4 Pensar en un plan

Representar con una gráfica la regla de una función

Objetos que caen La altura, h, en pies, de una bellota que cae de una rama que está a 100 pies del suelo depende del tiempo en segundos, t, que pasó desde que cayó. Esto se representa con la regla $h = 100 - 16t^2$. ¿Aproximadamente cuánto tarda la bellota en llegar al suelo? Usa una gráfica y da una respuesta que esté entre dos valores de números enteros no negativos consecutivos para t.

Comprender el problema

1. ¿Qué representan las variables de la situación?

   h representa la altura a la que se encuentra la bellota; t representa la cantidad de

   segundos que pasaron desde que cayó la bellota.

2. ¿A qué es igual h cuando la bellota llega al suelo?

   $h = 0$

Planear la solución

3. ¿Cómo puedes determinar de forma algebraica cuánto tiempo pasó cuando la bellota toca el suelo?

   Se sustituye h por 0 en la ecuación y se halla el valor de t.

4. ¿Cómo usarás una gráfica para estimar el tiempo?

   Se representa con una gráfica la ecuación y se halla el valor de t donde la

   gráfica cruza el eje de la h.

Hallar una respuesta

5. Representa con una gráfica la función en la cuadrícula de la derecha.

6. ¿Entre qué dos números enteros no negativos se encuentra la respuesta? ¿Cuál es tu estimación? ¿Qué significa esta respuesta?

   2 y 3; 2.5; La bellota tarda 2.5 s en llegar al suelo.

7. Comprueba tu respuesta de forma algebraica. Muestra tu trabajo.

   $0 = 100 - 16t^2$; por tanto, $16t^2 = 100$; $t = \sqrt{\frac{100}{16}} = 2.5$ s

Página 123

4-4 Práctica   *Modelo G*

Representar con una gráfica la regla de una función

Representa con una gráfica la regla de cada función.

1. $y = 2 - x$

2. $y = \frac{1}{2}x$

3. $y = 3x + 1$

Representa con una gráfica la regla de cada función. Explica tu elección de intervalos sobre los ejes de la gráfica. Indica si la gráfica es *continua* o *discreta*.

4. El costo en dólares, C, de la cuota de un gimnasio depende de la cantidad de meses completos m que te inscribes. Esta situación se representa con la regla de la función $C = 49 + 20m$.

Se escogen intervalos de 1 para el eje de la m, ya que los valores de la tabla varían de 0 a 3 meses. Se escogen intervalos de 40 para el eje de la C, ya que los valores de la tabla varían de 49 a 109; Función discreta

5. El costo en dólares, C, de los plátanos depende del peso en libras, p. Esta situación se representa con la regla de la función $C = 0.5p$.

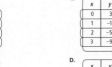

Se escogen intervalos de 1 para el eje de la p, ya que los valores de la tabla varían de 0 a 3 libras. Se escogen intervalos de 0.50 para el eje de la C, ya que los valores de la tabla varían de $0 a $1.50; Función continua

Página 124

4-4 Práctica (continuación)   *Modelo G*

Representar con una gráfica la regla de una función

Representa con una gráfica la regla de cada función.

6. $y = |x| + 1$

7. $y = x^3$

8. $y = |x| - 2$

9. $y = |x - 1| + 2$

10. $y = -x^2$

11. $y = x^3 - 3$

12. **Respuesta de desarrollo** Dibuja la gráfica de una función cuadrática cuyos interceptos en x son 0 y 4. Gráfica de ejemplo:

13. **Escribir** Describe la forma que generalmente tienen las gráficas de las funciones en la forma $y = ax^3$.

   La función $y = ax^3$ pasa por el origen y tiene ramas en el primer y tercer cuadrantes. Cuando $|a| > 1$, la gráfica se estira. Cuando $0 < |a| < 1$, la gráfica se comprime. Cuando a es negativo, la gráfica es una reflexión en el eje de las y.

Página 125

4-4 Preparación para el examen estandarizado

Representar con una gráfica la regla de una función

Opción múltiple

Escoge la letra que contiene la respuesta correcta para los Ejercicios 1 a 4.

1. ¿Qué tabla de valores se puede usar para representar con una gráfica la función $y = -4x + 3$? **C**

A.

x	y
−1	−1
0	3
1	7
2	11

C.

x	y
0	3
1	−1
2	−5
3	−9

B.

x	y
−3	−9
−1	−1
1	7
3	15

D.

x	y
0	3
1	7
2	11
3	15

2. ¿Qué término describe mejor una función cuya gráfica está compuesta de puntos aislados? **H**

   F. continua   G. lineal   H. discreta   I. no lineal

3. ¿Qué relación es continua? **D**
   A. el número de vacas que un granjero ha tenido a través de los años
   B. el número de galletas que Stan horneó para la fiesta
   C. el número de personas que asisten a una asamblea
   D. la distancia que corrió un corredor durante su entrenamiento

4. El costo total c que un pintor cobra por pintar una casa depende de la cantidad de horas h que le lleva pintar la casa. La situación se puede representar con la regla de la función $c = 15h + 245$. ¿Cuál es el costo total si el pintor trabaja por 30.25 horas? **I**
   F. $245   G. $453.75   H. $572.75   I. $698.75

Respuesta breve

5. La regla $y = 2x - 1$ representa la ganancia y de la cantidad x de productos que vende una tienda. ¿Cómo se verían una tabla de valores para la regla de la función y la gráfica de la función?
   [2] Las respuestas de ambas partes son correctas.
   [1] La respuesta de una parte es correcta.
   [0] Ninguna respuesta es correcta.

x	y
1	1
2	3
3	5
4	7

Página 126

4-5 Pensar en un plan
Escribir la regla de una función

Proyectores Antes de colocar tu nuevo proyector en la pared, consultas el manual de instrucciones. El manual dice que debes *multiplicar el ancho de imagen deseado por 1.8 para hallar la distancia correcta entre la lente del proyector y la pared.*

a. Escribe una regla para describir la distancia entre la lente y la pared como una función del ancho de imagen deseado.

b. El diagrama muestra la sala donde se instalará el proyector. ¿Podrás proyectar una imagen de 7 pies de ancho? Explica tu respuesta.

c. ¿Cuál es el ancho de imagen máximo que puedes proyectar en la sala?

1. ¿Qué representa el ancho de imagen deseado en el diagrama?

   El signo "?".

2. ¿Qué variables usarás para escribir la regla y qué representan?

   Sea d = la distancia entre la pared y la lente y sea a = el ancho de imagen deseado.

3. Escribe una regla para describir la distancia entre la lente y la pared como una función del ancho de imagen deseado.

   $d = 1.8a$

4. ¿Cómo puedes determinar si la sala es suficientemente grande como para proyectar una imagen de 7 pies de ancho?

   Se sustituye a por 7 en la ecuación y se simplifica.

5. ¿La sala es suficientemente grande como para proyectar una imagen de 7 pies de ancho? Explica tu respuesta.

   No; $d = 1.8(7) = 12.6$

6. ¿Cómo puedes determinar el ancho de imagen máximo que se puede proyectar en esta sala?

   Se sustituye d por 12 en la ecuación y se halla el valor de a.

7. ¿Cuál es el ancho de imagen máximo que puedes proyectar en la sala? Muestra tu trabajo.

   $6\frac{2}{3}$ pies; $12 = 1.8a$; por tanto, $a = 6\frac{2}{3}$

Página 127

4-5 Práctica
Escribir la regla de una función
Modelo G

Escribe la regla de una función que represente cada enunciado.

1. 5 menos que un cuarto de x es y.
   $\frac{1}{4}x - 5 = y$

2. 7 más que el cociente de un número n y 4 es 9.
   $\frac{n}{4} + 7 = 9$

3. P es 9 más que la mitad de q.
   $P = \frac{1}{2}q + 9$

4. 8 más que 5 veces un número es -27.
   $5n + 8 = -27$

5. 1.5 más que el cociente de a y 4 es b.
   $\frac{a}{4} + 1.5 = b$

Para resolver los Ejercicios 6 a 10, escribe la regla de una función que represente cada situación.

6. El precio p de un helado es $3.95, más $0.85 por cada agregado a en el helado.
   $p = 0.85a + 3.95$

7. Los ingresos i de una niñera son una función del número de horas n que trabajó a una tasa de $7.25 por hora.
   $i = 7.25n$

8. El precio p para afiliarse a un club es $30 de cuota de inscripción y $12 por semana s por ser socio.
   $p = 12s + 30$

9. Las tarifas t de un fontanero son $75 por una visita a la casa y $60 por cada hora h trabajada.
   $t = 60h + 75$

10. Un *hot dog* d cuesta $1 más que la mitad del costo de una hamburguesa h.
    $d = 0.5h + 1$

11. José es 3 años menor que 3 veces la edad de su hermano. Escribe una regla que represente la edad de José, j, como una función de la edad de su hermano, h. ¿Cuántos años tiene José si su hermano tiene 5?
    $j = 3h - 3$; 12

12. Un taxi cobra $4.25 por la primera milla y $1.50 por cada milla adicional. Escribe una regla para describir la tarifa total t como una función de las millas totales m. ¿Cuál es la tarifa del taxi para un viaje de 12 millas?
    $t = 1.5(m - 1) + 4.25$; $20.75

Página 128

4-5 Práctica (continuación)
Escribir la regla de una función
Modelo G

13. Escribe la regla de una función para representar el área de un rectángulo cuya longitud es 4 pulgs. más que su ancho. ¿Cuál es el área del rectángulo cuando su ancho es 8 pulgs.?
    $A = (a + 4)a$; 96 pulgs.^{2}

14. Escribe la regla de una función para representar el área de un rectángulo cuya longitud es 3 pies más que dos veces su ancho. ¿Cuál es el área del rectángulo cuando su ancho es 4 pies??
    $A = (2a + 3)a$; 44 pies^2

15. Escribe la regla de una función para representar el área de un triángulo cuya base mide 2 m menos que 4 veces su altura. ¿Cuál es el área del triángulo cuando su altura es 8 m?
    $A = \frac{1}{2}(4h - 2)h$; 120 m^2

16. **Razonamiento** Escribe una regla que sea un ejemplo de una función no lineal que se ajuste a la siguiente descripción.
    Cuando b es 49, a es 7 y a es una función de b.
    Las respuestas variarán. Ejemplo: $a = \sqrt{b}$

17. **Respuesta de desarrollo** Describe una situación de la vida diaria que represente una función no lineal.
    Las respuestas variarán. Ejemplo: La altura de una pelota de fútbol es una función del tiempo que pasó desde que se la pateó.

18. **Escribir** Explica si la relación entre las pulgadas y los pies representa una función.
    Sí; $y = 12x$, donde y es pulgadas y x es pies, es una función lineal.

19. **Varias representaciones** Usa la tabla de la derecha.

    a. Representa los pares ordenados en un plano de coordenadas.

    b. Escribe una ecuación para hallar el valor de y para cualquier valor de x.
       $y = 2x + 4$

    c. ¿La ecuación es una función? Explica tu respuesta.
       Sí; Es una función lineal ya que los puntos de la gráfica se pueden unir con una línea recta.

x	y
1	6
2	8
3	10
4	12

Página 129

4-5 Preparación para el examen estandarizado
Escribir la regla de una función

Opción múltiple

Escoge la letra que contiene la respuesta correcta para los Ejercicios 1 a 5.

1. Jill gana $45 por hora. Si usas s para su sueldo y h para las horas que trabaja, ¿qué regla de la función representa la situación? B
   A. $h = 45s$ B. $s = 45h$ C. $h = s + 45$ D. $s = h + 45$

2. ¿Cuál es la regla de una función para el perímetro P de un edificio que tiene una base rectangular, si el ancho a es dos veces su longitud l?H
   F. $p = 2l$ G. $p = 2a$ H. $p = 6l$ I. $p = 6a$

3. ¿Qué regla de la función se puede usar para representar el área de un triángulo cuya base b es 8 pulgs. más larga que el doble de la altura h en función de la altura? C
   A. $A = \frac{1}{2}bh$
   B. $A = \frac{1}{2}h(h + 8)$
   C. $A = h^2 + 4h$
   D. $A = \frac{1}{2}(2h)(h + 8)$

4. ¿Qué ecuación representa el enunciado "d es 17 menos que el cociente de n y 4"? F
   F. $d = \frac{n}{4} - 17$
   G. $d = \frac{n}{4} + 17$
   H. $d = 4n - 17$
   I. $d - 17 = \frac{n}{4}$

5. La regla de la función de las ganancias que una compañía espera obtener es $G = 1500m + 2700$, donde G representa la ganancia y m representa la cantidad de meses que la compañía ha estado funcionando. ¿Qué ganancia debería obtener la compañía después de 12 meses de estar en funcionamiento? D
   A. $15,700   B. $17,700   C. $18,000   D. $20,700

Respuesta desarrollada

6. Un avión viajaba a una altitud de 30,000 pies cuando comenzó a descender hacia el aeropuerto. El avión desciende a una tasa de 850 pies por minuto.
   a. ¿Cuál es la regla de la función que describe esta situación? $A = 30,000 - 850m$
   b. Después de descender durante 8 minutos, ¿cuál es la altitud del avión? Muestra tu trabajo. 23,200 pies.
   c. ¿Cuánto tiempo le tomará al avión aterrizar si continúa descendiendo a la misma velocidad? Muestra tu trabajo. Aproximadamente 35 min.

   [2] Todas las respuestas son correctas.
   [1] Las respuestas de una o dos partes son correctas.
   [0] Ninguna respuesta es correcta.

Álgebra 1, de Prentice Hall • Cuaderno de práctica y resolución de problemas Guía del maestro

Página 130

4-6 Pensar en un plan
Formalizar relaciones y funciones

Lavado de carros Un grupo de teatro lava carros para recaudar fondos. El jabón líquido cuesta $34 y alcanza para lavar 40 carros. Cobran $5 por cada carro que lavan.
a. Si c es el número total de carros lavados y g es la ganancia, ¿cuál es la variable independiente y cuál la variable dependiente?
b. ¿La relación entre c y g es una función? Explica tu respuesta.
c. Escribe una ecuación para mostrar esta relación.
d. Halla un dominio y un rango razonables para la situación.

Comprender el problema

1. ¿Cuáles son los gastos asociados al lavado de carros?

El jabón líquido, que cuesta $34.

2. Si c es el número total de carros lavados y g es la ganancia, ¿cuál es la variable independiente y cuál la variable dependiente? Explica tu respuesta.

La variable independiente es c y la variable dependiente es g, porque la ganancia

depende del número de carros lavados.

Planear la solución

3. ¿Cómo sabes si una relación es una función?

Por cada entrada hay exactamente una salida.

4. ¿Cómo se determinan un dominio y un rango razonables para una función?

Debes observar los valores que tienen sentido para cada variable, dado lo que cada

una representa.

5. ¿Qué limitaciones tiene el dominio de esta función?

El número de carros debe ser mayor que o igual a 0, y menor que o igual a 40.

Hallar una respuesta

6. ¿La relación entre c y g es una función? Explica tu respuesta.

Sí; Hay exactamente una salida por cada entrada.

7. Escribe una ecuación que muestre esta relación.

$g = 5c - 34$

8. Describe un dominio y un rango razonables para la situación.

El dominio es $0 \le c \le 40$ y el rango es $-34 \le g \le 166$.

Página 131

4-6 Práctica
Modelo G

Formalizar relaciones y funciones

Identifica el dominio y el rango de cada relación. Usa un diagrama de correspondencia para determinar si la relación es una función.

1. $\{(3, 6), (5, 7), (7, 7)(8, 9)\}$

Dominio → Rango
D: $\{3, 5, 7, 8\}$; R: $\{6, 7, 9\}$
La relación es una función.

2. $\{(0, 0.4), (1, 0.8), (2, 1.2), (3, 1.6)\}$

Dominio → Rango
D: $\{0, 1, 2, 3\}$; R: $\{0.4, 0.8, 1.2, 1.6\}$
La relación es una función.

3. $\{(5, -4), (3, -5), (4, -3), (6, 4)\}$

Dominio → Rango
D: $\{3, 4, 5, 6\}$; R: $\{-5, -4, -3, 4\}$
La relación es una función.

4. $\{(0.3, 0.6), (0.4, 0.8), (0.3, 0.7), (0.5, 0.5)\}$

Dominio → Rango
D: $\{0.3, 0.4, 0.5\}$; R: $\{0.5, 0.6, 0.7, 0.8\}$
La relación no es una función.

Usa la prueba de recta vertical para determinar si la relación es una función.

5. Una función

6. Una función

7. La función $w(x) = 60x$ representa la cantidad de palabras $p(x)$ que puedes escribir en x minutos. ¿Cuántas palabras puedes escribir en 9 minutos? 540 palabras.

8. El sonido viaja a aproximadamente 343 metros por segundo. La función $d(t) = 343t$ da la distancia en metros $d(t)$ que el sonido recorre en t segundos. ¿Qué distancia viaja el sonido en 8 segundos? 2744 m.

Página 132

4-6 Práctica (continuación)
Modelo G

Formalizar relaciones y funciones

Halla el rango de cada función para el dominio dado.

9. $f(x) = -3x + 2$; $\{-2, -1, 0, 1, 2\}$
R: $\{-4, -1, 2, 5, 8\}$

10. $f(x) = x^3$; $\{-1, -0.5, 0, 0.5, 1\}$
R: $\{-1, -0.125, 0, 0.125, 1\}$

11. $f(x) = 4x + 1$; $\{-4, -2, 0, 2, 4\}$
R: $\{-15, -7, 1, 9, 17\}$

12. $f(x) = x^2 + 2$; $\{0, \frac{1}{4}, \frac{1}{2}, \frac{3}{4}, 1\}$
R: $\{2, \frac{33}{16}, \frac{9}{4}, \frac{41}{16}, 3\}$

Halla un dominio y un rango razonables para cada función. Luego, representa la función con una gráfica.

13. Una escuela secundaria está organizando un desayuno de panqueques para recaudar fondos. Tienen 3 paquetes de mezcla para preparar panqueques. Cada paquete alcanza para que coman 90 personas. La función $N(p) = 90p$ representa el número de personas $N(p)$ que pueden comer con p paquetes de mezcla para panqueques.
D: Todos los números reales ≥ 0 y ≤ 3;
R: Todos los números reales ≥ 0 y ≤ 270;

14. Un bote de alquiler viaja a una velocidad máxima de 25 millas por hora. La función $d(x) = 25x$ representa la distancia en millas, $d(x)$, que el bote puede recorrer en x horas. El bote de alquiler recorre una distancia máxima de 75 millas desde la costa.
D: Todos los números reales ≥ 0 y ≤ 3;
R: Todos los números reales ≥ 0 y ≤ 75;

15. **Razonamiento** Si $f(x) = x^2 - 3$ y $f(a) = 46$, ¿cuál es el valor de a? Explica tu respuesta.
-7 ó 7; $46 = a^2 - 3$; por tanto, $a^2 = 49$ y $a = -7$ ó 7.

16. **Respuesta de desarrollo** ¿Cuál es un valor de x que hace que la relación $\{(2, 4), (3, 6), (8, x)\}$ sea una función?
Las respuestas variarán. Ejemplo: 10

Página 133

4-6 Preparación para el examen estandarizado
Formalizar relaciones y funciones

Respuesta en plantilla

Resuelve cada ejercicio y marca tus respuestas en la plantilla.

1. ¿Cuánto es $f(-3)$ para la función $f(x) = -5x - 7$? 8

2. Acabas de devolver un producto a una tienda y recibes un crédito de $23. En la misma tienda, compras marcos para fotos que cuestan $9 cada uno. La función $f(x) = 9x - 23$ representa el costo total $f(x)$ si compras x marcos. ¿Cuántos dólares pagarás si compras 7 marcos para fotos? 40

3. Si $f(x) = 12x + 14$, ¿cuál es el valor del rango para el valor del dominio 3? 50

4. Cuando Jerome recorre la autopista, programa el control de velocidad automático en 65 mi/h. La función $f(x) = 65x$ representa la distancia total $f(x)$ después de haber viajado durante x horas. ¿Cuántas millas habrá viajado después de 3.5 horas de recorrer la autopista? 227.5

5. ¿Para qué valor de x el valor de $f(x) = 4x - 2$ es igual a 18? 5

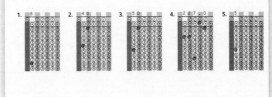

Página 134

4-7 Pensar en un plan
Progresiones y funciones

Transporte Los autobuses pasan cada 9 minutos a partir de las 6:00 A.M. hasta las 10:00 A.M. Llegas a la parada de autobús a las 7:16 A.M. ¿Cuánto esperarás hasta que llegue el próximo autobús?

Comprender el problema

1. ¿Cuál es la máxima cantidad de tiempo que tendrías que esperar el autobús?

   9 min

2. ¿Cuántos minutos después de que los autobuses comienzan a pasar a las 6:00 A.M. llegas a la parada?

   76 min

3. ¿A qué hora llega el primer autobús del día a tu parada?

   6:00 A.M.

Planear la solución

4. Completa la tabla de la derecha con las horas a las que el autobús se detendrá en tu parada.

Parada	Hora
1	6:00
2	6:09
3	6:18
4	6:27
5	6:36
6	6:45
7	6:54
8	7:03
9	7:12

5. ¿Cuál es la diferencia común?

   9

6. Según la tabla, ¿a qué hora llegará el próximo autobús a tu parada?

   7:21 A.M.

Hallar una respuesta

7. ¿Cuánto esperarás hasta que llegue el autobús?

   5 min

Página 135

4-7 Práctica
Progresiones y funciones
Modelo G

Describe el patrón de cada progresión. Luego, halla los dos términos que siguen en la progresión.

1. 3, 6, 12, 24, …
   Cada término es dos veces el término anterior; 48, 96

2. 9, 15, 21, 27, …
   Cada término es seis más que el término anterior; 33, 39

3. 1.5, 2.25, 3, 3.75, …
   Cada término es 0.75 más que el término anterior; 4.5, 5.25

4. 9.9, 8.8, 7.7, 6.6, …
   Cada término es 1.1 menos que el término anterior; 5.5, 4.4

5. 1.5, 4.5, 13.5, 40.5, …
   Cada término es 3 veces el término anterior; 121.5, 364.5

6. 40, 20, 10, 5, …
   Cada término es la mitad del término anterior; 2.5, 1.25

7. 7, 11, 15, 19, …
   Cada término es 4 más que el término anterior; 23, 27

8. 67, 60, 53, 46, …
   Cada término es 7 menos que el término anterior; 39, 32

9. 12, 7, 2, −3, …
   Cada término es 5 menos que el término anterior; −8, −13

Indica si la progresión es aritmética. Si lo es, identifica la diferencia común.

10. 4, 8, 12, 16, …
    Aritmética; 4

11. −11, 5, 0, 6, …
    No es aritmética.

12. 4, 8, 16, 32, …
    No es aritmética.

13. 12, 23, 34, 45, …
    Aritmética; 11

14. 2, 4, 7, 9, …
    No es aritmética.

15. 1, 3, 9, 27, …
    No es aritmética.

16. −16, −11, −6, −1, …
    Aritmética; 5

17. −9, −4.5, −0.5, 4, …
    No es aritmética.

18. −7, −14, −21, −28, …
    Aritmética; −7

19. $0, \frac{1}{3}, \frac{2}{3}, 1, …$
    Aritmética; $\frac{1}{3}$

20. 5, 10, 15, 20, …
    Aritmética; 5

21. 2, 20, 200, 2000, …
    No es aritmética.

22. Tienes una tarjeta para una cafetería de $90. Usas la tarjeta todos los días para comprar un café que cuesta $4.10. Escribe una regla que represente la cantidad de dinero que queda en la tarjeta como una progresión aritmética. ¿Qué valor queda en la tarjeta después de haber comprado 8 cafés?
    $A(n) = 90 − 4.1n$; $57.20

23. Abres una cuenta de ahorros con $200 y ahorras $30 cada mes. Escribe una regla que represente la cantidad de dinero que inviertes en tu cuenta de ahorros como una progresión aritmética. ¿Cuánto dinero habrás invertido después de 12 meses?
    $A(n) = 200 + 30n$; $560

Página 136

4-7 Práctica (continuación)
Progresiones y funciones
Modelo G

Halla el tercer, quinto y décimo término de la progresión que describe cada regla.

24. $A(n) = 4 + (n + 1)(−5)$
    −16, −26, −51

25. $A(n) = 2 + (n + 1)(6)$
    26, 38, 68

26. $A(n) = −5.5 + (n − 1)(2)$
    −1.5, 2.5, 12.5

27. $A(n) = 3 + (n − 1)(1.5)$
    6, 9, 16.5

28. $A(n) = −2 + (n − 1)(5)$
    8, 18, 43

29. $A(n) = 1.4 + (n − 1)(3)$
    7.4, 13.4, 28.4

30. $A(n) = 9 + (n − 1)(8)$
    25, 41, 81

31. $A(n) = 2.5 + (n − 1)(2.5)$
    7.5, 12.5, 25

Indica si cada progresión es aritmética. Justifica tu respuesta. Si la progresión es aritmética, escribe la regla de la función para representarla.

32. 1.6, 0.8, 0, −0.8, …
    Aritmética; La diferencia común es −0.8; $A(n) = 1.6 + (n − 1)(−0.8)$

33. 5, 10, 20, 40, …
    No es aritmética; Hay un factor común, no una diferencia común.

34. 5, 13, 21, 29, …
    Aritmética; La diferencia común es 8; $A(n) = 5 + (n − 1)(8)$

35. 51, 47, 43, 39, …
    Aritmética; La diferencia común es −4; $A(n) = 51 + (n − 1)(−4)$

36. 0.2, 0.5, 0.8, 1.1, …
    Aritmética; La diferencia común es 0.3; $A(n) = 0.2 + (n − 1)(0.3)$

37. 7, 14, 28, 56, …
    No es aritmética; Hay un factor común, no una diferencia común.

38. **Respuesta de desarrollo** Escribe una progresión aritmética cuya diferencia común sea −2.5.
    Las respuestas variarán. Ejemplo: $A(n) = 15 + (n − 1)(−2.5)$

39. **Analizar errores** Tu amigo escribe $A(8) = 3 + (8)(5)$ como una regla para hallar el octavo término de la progresión aritmética 3, 8, 13, 18, … Describe y corrige el error de tu amigo.
    El amigo halla el término equivocado; La regla debe ser $A(n) = 3 + (n − 1)(5)$, lo que da como resultado $A(8) = 3 + (8 − 1)(5) = 38$.

40. Una estación de radio informa la actualización del tráfico local cada 12 minutos desde las 4:00 P.M. hasta las 6:30 P.M. Enciendes la radio a las 4:16 P.M. ¿Cuánto tiempo deberás esperar para escuchar la actualización del tráfico local? 8 min

Página 137

4-7 Preparación para el examen estandarizado
Progresiones y funciones

Opción múltiple

Escoge la letra que contiene la respuesta correcta para los Ejercicios 1 a 5.

1. ¿Cuáles son los dos términos que siguen en la siguiente progresión? −3, 1, 5, 9, … D
   A. −7, −11
   B. 10, 11
   C. 12, 15
   D. 13, 17

2. ¿Cuáles son los dos términos que siguen en la siguiente progresión? −2, 4, −8, 16, … H
   F. −32, −64
   G. 32, −64
   H. −32, 64
   I. 32, 64

3. ¿Cuál es la diferencia común de la siguiente progresión aritmética? 13, −7, −27, −47, … A
   A. −20
   B. −6
   C. −4
   D. 20

4. ¿Cuál es el noveno término de la progresión aritmética que define la regla $A(n) = −14 + (n − 1)(2)$? H
   F. −32
   G. −30
   H. 2
   I. 4

5. En un partido de fútbol americano, cada vez que un equipo anota, se le agregan 6 puntos. Un equipo ya tiene 12 puntos. ¿Qué regla representa la cantidad de puntos como una progresión aritmética? A
   A. $A(n) = 12 + 6n$
   B. $A(n)12 − (n − 1)(6)$
   C. $A(n) = 12 + (n − 1)(6)$
   D. $A(n) = 12 + (n − 6)$

Respuesta breve

6. Un amigo abre una cuenta de ahorros con un depósito inicial de $1000. Cada mes deposita en la cuenta $75 adicionales.
   a. ¿Cuál es una regla que representa la cantidad de dinero que hay en la cuenta como una progresión aritmética? $A(n) = 1000 + 75n$
   b. ¿Cuánto dinero hay en la cuenta después de 18 meses? Muestra tu trabajo. $2350

   [2] Las respuestas de ambas partes son correctas.
   [1] La respuesta de una parte es correcta.
   [0] Ninguna respuesta es correcta.

Página 138

5-1 Pensar en un plan
Tasa de cambio y pendiente

Ganancias El negocio de John dio ganancias de $4500 en enero y $8600 en marzo. ¿Cuál es la tasa de cambio de sus ganancias en este período de tiempo?

Comprender el problema

1. ¿Cuál es la fórmula para hallar la tasa de cambio?
   cambio en la variable dependiente
   cambio en la variable independiente

2. ¿Cuáles son las dos cantidades variables que afectan la tasa de cambio en este problema? ¿Cuáles son las unidades de cada cantidad?

   Ganancia, tiempo; Dólares, meses.

3. ¿La tasa de cambio será positiva o negativa? Explica tu respuesta.

   Positiva; Las ganancias aumentan a lo largo del tiempo.

Planear la solución

4. ¿Qué cantidad es la variable dependiente? ¿Qué cantidad es la variable independiente? Explica tu respuesta.

   La ganancia depende del tiempo; por tanto, la ganancia es la variable dependiente y el tiempo es la variable independiente.

5. ¿Cuál es la ecuación general que representa la tasa de cambio?
   Tasa $= \frac{\text{cambio en } y}{\text{cambio en } x}$

Hallar una respuesta

6. Sustituye los valores en la ecuación general y simplifica. Muestra tu trabajo.

   $r = 2050 por mes.

7. Si tuvieras que representar esta relación con una gráfica, ¿cuál sería la tasa de cambio en relación a tu gráfica?

   La pendiente.

Página 139

5-1 Práctica   Modelo G
Tasa de cambio y pendiente

Determina si cada tasa de cambio es constante. Si lo es, halla la tasa de cambio y explica qué representa.

1. **Ataque del equipo de hockey**

Partidos	Goles
1	2
2	4
3	6

Sí; 2; Goles por partidos jugados.

2. **Millas por galón**

Galones	Millas
1	28
3	84
5	140
7	196

Sí; 28; Galones por milla.

3. **Carros lavados**

Horas	Carros
1	4
2	8
3	12
4	16

Sí; 4; Carros lavados por hora.

Halla la pendiente de cada recta.

4.
   2

5.
   3

6.
   −1

Halla la pendiente de la recta que pasa por cada par de puntos.

7. $(2, 1), (0, 0)$ $\frac{1}{2}$

8. $(4, 5), (6, 2)$ $-\frac{3}{2}$

9. $(3, 8), (7, 3)$ $-\frac{5}{4}$

10. $(1, 0), (-4, 2)$ $-\frac{2}{5}$

11. $(8, -4), (-6, -3)$ $-\frac{1}{14}$

12. $(-2, -3), (6, 5)$ 1

Halla la pendiente de cada recta.

13.
    0

14.
    Indefinida

15.
    0

Página 140

5-1 Práctica (continuación)   Modelo G
Tasa de cambio y pendiente

Sin representar con una gráfica, indica si la pendiente de la recta que representa cada situación es *positiva, negativa, cero* o *indefinida*. Luego, halla la pendiente.

16. El precio de las entradas al parque de diversiones es $19.50 por 1 entrada y $78 por 4 entradas. Positiva; 19.5

17. El recargo por devolución atrasada es de $2, sin importar la cantidad de días de atraso en la devolución de la película. Cero; 0

18. En el viaje, Jerry programó el control de velocidad automática en 60 mi/h durante 4 horas. Cero; 0

19. El contrato establece que por cada día de demora después de la fecha de finalización del proyecto acordada, el precio se reduce en $25. Negativa; −25

Indica cuál es la variable independiente y cuál es la variable dependiente en cada situación. Luego, halla la tasa de cambio de cada situación.

20. Shelly entregó 12 periódicos después de 20 minutos y 36 periódicos después de 60 minutos. Independiente: tiempo; Dependiente: cantidad de periódicos entregados; 0.6 periódicos/min

21. Dos libras de manzanas cuestan $3.98. Seis libras cuestan $11.94. Independiente: peso; Dependiente: precio; $1.99/lb

22. Un avión ascendió 3000 pies en 10 minutos y 4500 pies en 15 minutos. Independiente: tiempo; Dependiente: altura; 300 pies/min

Halla la pendiente de la recta que pasa por cada par de puntos.

23. $(-5, 0), (-5, 5)$ Indefinida

24. $(-2, -4), (-1.5, -1.5)$ 5

25. $(4.75, -3.575), (2.25, 1.425)$ −2

26. $\left(-\frac{1}{4}, \frac{3}{4}\right), \left(\frac{1}{2}, -\frac{3}{4}\right)$ −2

27. $\left(\frac{2}{5}, \frac{3}{7}\right), \left(\frac{1}{5}, \frac{4}{7}\right)$ $-\frac{5}{7}$

28. $(-3.35, 6.5), (5.65, -3.5)$ $-\frac{10}{9}$

29. **Escribir** Explica por qué razón la pendiente de una recta horizontal es siempre cero. El cambio en la variable dependiente es cero y $\frac{0}{a} = 0$.

30. **Escribir** Describe cómo trazar una recta que pase por el origen y tenga una pendiente de $-\frac{2}{3}$.
    En una gráfica de coordenadas, marcas (0, 0). Te mueves 2 unidades hacia abajo y 3 hacia la derecha y marcas el punto (3, −2). Trazas una recta que pase por los puntos.

Cada par de puntos se apoya sobre una recta con la pendiente dada. Halla x ó y.

31. $(7, 4), (3, y)$; pendiente $= \frac{1}{4}$
    3

32. $(5, y), (6, 4)$; pendiente $= 0$
    4

33. $(x, 5), (-3, 6)$; pendiente $= -1$
    −2

34. $(-12, 9), (x, -2)$; pendiente $= -\frac{1}{2}$
    10

Página 141

5-1 Preparación para el examen estandarizado
Tasa de cambio y pendiente

Opción múltiple

Escoge la letra que contiene la respuesta correcta para los Ejercicios 1 a 5.

1. ¿Cuál es la pendiente de la recta que pasa por los puntos $(-2, 5)$ y $(1, 4)$? C
   A. −3   B. −1   C. $-\frac{1}{3}$ D. $\frac{1}{3}$

2. Una recta tiene una pendiente de $-\frac{5}{3}$. ¿Por qué dos puntos podría pasar esta recta? I
   F. $(12, 13), (17, 10)$ H. $(0, 7), (3, 10)$
   G. $(16, 15), (13, 10)$ I. $(11, 13), (8, 18)$

3. El par de puntos $(6, y)$ y $(10, -1)$ se encuentra sobre una recta con una pendiente de $\frac{1}{4}$. ¿Cuál es el valor de y? B
   A. −5   B. −2   C. 2   D. 5

4. ¿Cuál es la pendiente de una recta vertical? I
   F. −1   G. 0   H. 1   I. Indefinida

5. Shawn debe leer un libro que tiene 374 páginas. En la gráfica de la derecha se muestra su evolución durante las primeras 5 horas de lectura. Si continúa leyendo al mismo ritmo, ¿cuántas horas en total tardará en leer todo el libro? B
   A. 15 horas   C. 19 horas
   B. 17 horas   D. 21 horas

Respuesta breve

6. Robi corrió las primeras 4 millas de una carrera en 30 minutos. Completó la 6.ª milla después de 45 minutos. Sin representar con una gráfica, ¿la pendiente que representa esta situación es positiva, negativa, cero o indefinida? ¿Cuál es la pendiente?
   Positiva; $\frac{2}{15}$ mi/min u 8 mi/h
   [2] Las respuestas de ambas partes son correctas.
   [1] La respuesta de una parte es correcta.
   [0] Ninguna respuesta es correcta.

Página 142

5-2 Pensar en un plan
Variación directa

Electricidad La ley de Ohm $V = I \times R$ relaciona el voltaje, la corriente y la resistencia de un circuito. V es el voltaje medido en voltios, I es la corriente medida en amperes y R es la resistencia medida en ohmios.
a. Halla el voltaje de un circuito con una corriente de 24 amperes y una resistencia de 2 ohmios.
b. Halla la resistencia de un circuito con una corriente de 24 amperes y un voltaje de 18 voltios.

Comprender el problema

1. ¿La ley de Ohm representa una variación directa? Explica tu respuesta.

   Sí; La razón de V a R es constante y la razón de V a I también es constante.

2. Si se cambia el orden en la fórmula para hallar R o I, ¿sigue siendo una variación directa? Explica tu respuesta.

   R e I se encontrarían en variación directa con V, pero no entre sí.

Planear la solución

3. Para la parte (a), ¿debes cambiar el orden en la ley de Ohm para responder a la pregunta? Explica tu respuesta. Si es así, ¿cómo debes cambiar el orden en la fórmula?

   No; Quieres hallar V.

4. Para la parte (b), ¿debes cambiar el orden en la ley de Ohm para responder a la pregunta? Explica tu respuesta. Si es así, ¿cómo debes cambiar el orden en la fórmula?

   Sí; Quieres hallar el valor de R; $R = \frac{V}{I}$

Hallar una respuesta

5. Para la parte (a), sustituye los valores dados en la fórmula y simplifica.

   48 voltios

6. Para la parte (b), sustituye los valores dados en la fórmula y simplifica.

   0.75 ohmios

Página 143

5-2 Práctica
Variación directa   *Modelo G*

Determina si cada ecuación representa una variación directa. Si es así, halla la constante de variación.

1. $-8y = 2x$
   Sí; $-\frac{1}{4}$

2. $3x + 4y = -5$
   No.

3. $12x = -36y$
   Sí; $\frac{2}{9}$

4. $-7 + 9y + 7 = 2x$
   Sí; $-\frac{1}{3}$

5. $y - 12 = 12x$
   No.

6. $5x + 12.5y = 0$
   Sí; $-\frac{2}{5}$

Supón que y varía directamente con x. Escribe una ecuación de variación directa que relacione x y y. Luego, halla el valor de y cuando $x = 8$.

7. $y = 10$ cuando $x = 2$.
   $y = 5x$; 40

8. $y = 6$ cuando $x = 18$.
   $y = \frac{1}{3}x$; $\frac{8}{3}$

9. $y = 2$ cuando $x = 5$.
   $y = \frac{2}{5}x$; $\frac{16}{5}$

10. $y = 9.92$ cuando $x = 12.8$.
    $y = 0.775x$; 6.2

11. $y = 1.85$ cuando $x = 0.925$.
    $y = 2x$; 16

12. $y = 1\frac{2}{9}$ cuando $x = 3\frac{2}{3}$.
    $y = \frac{1}{3}x$; $\frac{8}{3}$

Representa con una gráfica cada ecuación de variación directa.

13. $y = 5x$

14. $y = -\frac{2}{5}x$

15. $y = \frac{3}{4}x$

16. Un triángulo equilátero tiene tres lados iguales. Su perímetro varía directamente con la longitud de uno de los lados. ¿Cuál es una ecuación que relaciona el perímetro p y la longitud l de un lado? ¿Cuál es la gráfica de la ecuación? $p = 3l$

17. La cantidad c de agua con la que llenas una tina varía directamente con el tiempo t en que la llenas. Supón que viertes 25 galones de agua en 5 minutos. ¿Cuál es una ecuación que relaciona c con t? ¿Cuál es la grafica de la ecuación?
    $c = 5t$

Página 144

5-2 Práctica (continuación)
Variación directa   *Modelo G*

Indica si y varía directamente con x para los datos de cada tabla. Si es así, escribe una ecuación para la variación directa.

18.
x	y
2	-2.5
-7	8.75
5	-6.25

Sí; $y = -1.25x$

19.
x	y
9	10.8
12	14.4
-3	3.6

No.

20.
x	y
-6.5	-19.5
-5.2	-15.6
4.8	14.4

Sí; $y = 3x$

Supón que y varía directamente con x. Escribe una ecuación de variación directa que relacione x y y. Luego, representa con una gráfica la ecuación.

21. $y = -6$ cuando $x = 3$.
    $y = -2x$

22. $y = -\frac{4}{3}$ cuando $x = -4$.
    $y = \frac{1}{3}x$

23. $y = \frac{5}{8}$ cuando $x = \frac{1}{2}$.
    $y = \frac{5}{4}x$

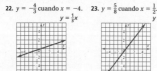

Indica si las dos cantidades varían directamente. Explica tu razonamiento.

24. La cantidad total de millas corridas y la cantidad total de millas que corres por día cuando entrenas para una carrera.
    Sí; El total será la cantidad de días multiplicada por las millas corridas por día.

25. La edad de Jackson y la edad de Dylan.
    No; La diferencia entre sus edades es constante, pero la razón no lo es.

26. Una receta lleva dos tazas de azúcar por cada taza de harina.
    Sí; Por cada taza de harina, se usan dos tazas de azúcar.

27. **Escribir** En una ecuación de variación de directa, describe cómo se relacionan la pendiente de la grafica de la recta y la constante de variación.   Son iguales.

28. A Janine le pagan $16.75 por hora en su trabajo. Escribe una ecuación de variación directa donde h represente la cantidad de horas que trabaja y d represente la cantidad de dinero que gana. Representa la ecuación con una gráfica. $d = 16.75h$

Página 145

5-2 Preparación para el examen estandarizado
Variación directa

Respuesta en plantilla

Resuelve cada ejercicio y marca tus respuestas en la plantilla.

1. Supón que y varía directamente con x, y $y = 14$ cuando $x = -4$. ¿Cuál es el valor de y cuando $x = -6$? 21

2. Supón que y varía directamente con x, y $y = 25$ cuando $x = 140$. ¿Cuál es el valor de x cuando $y = 36$? 201.6

3. El punto (12, 9) está incluido en una variación directa. ¿Cuál es la constante de variación? $\frac{3}{4}$

4. La ecuación de la recta que se muestra en la gráfica de la derecha es una ecuación de variación directa. ¿Cuál es la constante de variación? $\frac{1}{4}$

5. La distancia d que recorre un tren varía directamente con el tiempo t que pasó desde su partida. Si el tren viaja 475 millas en 9.5 horas, ¿cuántas millas recorrió después de 4 horas? 200

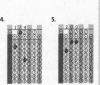

Página 146

5-3 Pensar en un plan

Forma pendiente-intercepto

Pasatiempos Supón que estás armando un rompecabezas de 5000 piezas. Ya has ubicado 175 piezas. Ubicas 10 piezas más por minuto.
a. Escribe una ecuación en la forma pendiente-intercepto que represente la cantidad de piezas ubicadas. Representa con una gráfica la ecuación.
b. Después de 50 minutos más, ¿cuántas piezas habrás ubicado?

Comprender el problema

1. ¿Esta relación es lineal? ¿Cómo lo sabes?

   Sí; La tasa de cambio (10 piezas/min) es constante.

Planear la solución

2. ¿Cuántas piezas has ubicado ya? ¿Qué representa esto en la forma pendiente-intercepto?

   175; El intercepto en y.

3. ¿Cuáles son las dos cantidades que se usan para hallar la tasa de cambio o la pendiente? ¿Cuál es la pendiente de esta relación?

   Cantidad de piezas colocadas y cambio en el tiempo; 10

Hallar una respuesta

4. Usa tus respuestas de los Pasos 2 y 3 para escribir una ecuación en forma pendiente-intercepto para expresar la cantidad de piezas ubicadas.

   $y = 175 + 10x$

5. Representa la ecuación en una gráfica de coordenadas.

6. ¿Cuántas piezas habrás ubicado cuando hayan pasado 50 minutos más?

   675 piezas

Página 147

5-3 Práctica *Modelo G*

Forma pendiente-intercepto

Halla la pendiente y el intercepto en y de la gráfica de cada ecuación.

1. $y = 3x - 5$
   3; −5
2. $y = -5x + 13$
   −5; 13
3. $y = -x - 1$
   −1; −1
4. $y = -11x + 6$
   −11; 6
5. $y = -5$
   0; −5
6. $y = \frac{1}{2}x + 6$
   $\frac{1}{2}$; 6
7. $y = -6.75x + 8.54$
   −6.75; 8.54
8. $y = -\frac{2}{3}x - \frac{1}{9}$
   $-\frac{2}{3}$; $-\frac{1}{9}$
9. $y = 2.25$
   0; 2.25

Escribe una ecuación de la recta con la pendiente m dada y el intercepto en y b.

10. $m = -1, b = 3$
    $y = -x + 3$
11. $m = 4, b = -2$
    $y = 4x - 2$
12. $m = -5, b = -8$
    $y = -5x - 8$
13. $m = 0.25, b = 6$
    $y = 0.25x + 6$
14. $m = 0, b = -11$
    $y = -11$
15. $m = 1, b = \frac{3}{8}$
    $y = x + \frac{3}{8}$

Escribe una ecuación en forma pendiente-intercepto para cada recta.

16.
    $y = 2x + 1$
17. $y = -5$
18. $y = -\frac{1}{2}x + 4$

Escribe una ecuación en forma pendiente-intercepto de la recta que pasa por los puntos dados.

19. $(3, 5)$ y $(0, 4)$
    $y = \frac{1}{3}x + 4$
20. $(2, 6)$ y $(-4, -2)$
    $y = \frac{4}{3}x + \frac{10}{3}$
21. $(-1, 3)$ y $(-3, 1)$
    $y = x + 4$
22. $(-7, 5)$ y $(3, 0)$
    $y = -\frac{1}{2}x + \frac{3}{2}$
23. $(10, 2)$ y $(-2, -2)$
    $y = \frac{1}{3}x - \frac{4}{3}$
24. $(0, -1)$ y $(5, 6)$
    $y = \frac{7}{5}x - 1$
25. $(3, 2)$ y $(-1, 6)$
    $y = -x + 5$
26. $(-4, -3)$ y $(3, 4)$
    $y = x + 1$
27. $(2, 8)$ y $(-3, 6)$
    $y = \frac{2}{5}x + \frac{36}{5}$

Página 148

5-3 Práctica (continuación) *Modelo G*

Forma pendiente-intercepto

Representa con una gráfica cada ecuación.

28. $y = x + 3$
29. $y = 4x - 1$
30. $y = -x + 6$

31. $y = 3x - 2$
32. $y = -5x + 1$
33. $y = -7x - 4$

34. Hudson está a 40 millas de su hogar en su viaje de vuelta a la universidad. Va a una velocidad de 65 mi/h. Escribe una ecuación que represente la distancia total recorrida d después de h horas. ¿Cuál es la gráfica de la ecuación? $d = 65h + 40$

35. Cuando Phil comenzó su nuevo trabajo, le debía a la empresa $65 por sus uniformes. Está ganando $13 por hora. Le retienen el costo de los uniformes de sus ingresos. Escribe una ecuación que exprese el dinero total d que tiene después de h horas de trabajo. ¿Cuál es la gráfica de la ecuación? $d = 13h - 65$

Halla la pendiente y el intercepto en y de la gráfica de cada ecuación.

36. $y + 4 = -6x$
    $m = -6; b = -4$
37. $y + \frac{1}{2}x = -4$
    $m = -\frac{1}{2}; b = -4$
38. $3y - 12x + 6 = 0$
    $m = 4; b = -2$
39. $y - 5 = \frac{1}{3}(x - 9)$
    $m = \frac{1}{3}; b = 2$
40. $y - \frac{2}{5}x = 0$
    $m = \frac{2}{5}; b = 0$
41. $2y + 6a - 4x = 0$
    $m = 2; b = -3a$

Página 149

5-3 Preparación para el examen estandarizado

Forma pendiente-intercepto

Opción múltiple

Escoge la letra que contiene la respuesta correcta para los Ejercicios 1 a 5.

1. ¿Cuál es una ecuación de la recta que se muestra en el gráfico de la derecha? **C**
   A. $y = -\frac{3}{2}x + 4$
   B. $y = \frac{2}{3}x + 4$
   C. $y = -\frac{2}{3}x + 4$
   D. $y = -\frac{2}{3}x + 6$

2. ¿Cuál es una ecuación de la recta que tiene pendiente −4 y pasa por el punto $(-2, -5)$? **G**
   F. $y = -4x - 8$
   G. $y = -4x - 13$
   H. $y = -4x - 5$
   I. $y = -4x + 3$

3. ¿Cuál es una ecuación de la recta que pasa por los puntos $(-4, 3)$ y $(-1, 6)$? **D**
   A. $y = -x - 7$
   B. $y = -x - 1$
   C. $y = 7x + 1$
   D. $y = x + 7$

4. Los datos que se muestran en la tabla son lineales. ¿Cuál es la ecuación que representa los datos? **F**
   F. $y = \frac{1}{2}x + 12$
   G. $y = \frac{1}{2}x + 6$
   H. $y = 2x + 9$
   I. $y = 2x - 3$

x	y
2	13
6	15
10	17

5. Karissa gana $200 por semana, más $25 por cada artículo que vende. ¿Qué ecuación representa la relación entre lo que gana por semana g y la cantidad de artículos c que vende? **B**
   A. $g = 200c + 25$
   B. $g = 25c + 200$
   C. $c = 25g + 200$
   D. $c = 200g + 25$

Respuesta breve

6. ¿Cuál es una ecuación de la recta que pasa por el punto $(-8, 2)$ y tiene una pendiente de $-\frac{3}{4}$? ¿Cuál es la gráfica de la ecuación?

   $y = -\frac{3}{4}x - 4$

   [2] Las respuestas de ambas partes son correctas.
   [1] La respuesta de una parte es correcta.
   [0] Ninguna respuesta es correcta.

Página 150

5-4 Pensar en un plan
Forma punto-pendiente

Punto de ebullición La relación entre la altitud y el punto de ebullición del agua es lineal. Cuando la altitud es de 8000 pies, el agua hierve a 197.6 °F. Cuando la altitud es de 4500 pies, el agua hierve a 203.9 °F. Escribe una ecuación que dé el punto de ebullición e del agua, en grados Fahrenheit, en función de la altitud a, en pies. ¿Cuál es el punto de ebullición del agua a 2500 pies?

Comprender el problema

1. ¿Qué datos tienes?

   Sabes que la relación entre la altitud y el punto de ebullición es lineal y se dan 2

   puntos de esa recta.

2. En general, ¿cómo se puede usar esta información para responder a la pregunta?

   Usa los dos puntos para hallar una ecuación para el punto de ebullición como una función

   de la altitud y luego, sustituye la altitud por 2500 para hallar el punto de ebullición.

Planear la solución

3. ¿Cuál es la fórmula de la pendiente?

   $m = \frac{y_2 - y_1}{x_2 - x_1}$

4. Sustituye los valores dados en la fórmula de la pendiente y simplifica. Muestra tu trabajo.

   −0.0018

5. ¿Qué punto se puede usar para escribir la ecuación en forma punto-pendiente?

   Cualquiera de los dos: (8000, 197.6) ó (4500, 203.9).

6. ¿Qué estrategia puedes usar para resolver este problema?

   Sustitución.

7. ¿Cómo puedes determinar el punto de ebullición del agua a 2500 pies?

   Sustituye a por 2500 y halla el valor de e.

Hallar una respuesta

8. Escribe una ecuación que dé el punto de ebullición e del agua, en grados Fahrenheit, en función de la altitud a.

   Las respuestas variarán. Ejemplo: $e = -0.0018a + 212$.

9. ¿Cuál es el punto de ebullición del agua a 2500 pies? Muestra tu trabajo.

   207.5 °F

Página 151

5-4 Práctica
Forma punto-pendiente
Modelo G

Escribe una ecuación en forma punto-pendiente de la recta que pasa por el punto dado y tiene la pendiente m dada.

1. $(2, 1)$; $m = 3$ $y = 3x - 5$

2. $(-3, -5)$; $m = -2$ $y = -2x - 11$

3. $(-4, 11)$; $m = \frac{3}{4}$ $y = \frac{3}{4}x + 14$

4. $(0, -3)$; $m = -\frac{2}{3}$ $y = -\frac{2}{3}x - 3$

Representa con una gráfica cada ecuación.

5. $y - 2 = 2(x + 3)$ 6. $y + 3 = -2(x + 1)$ 7. $y + 1 = -\frac{3}{5}(x + 5)$

Escribe una ecuación en forma punto-pendiente para cada recta.

8.
9.
10.

$y + 3 = -2(x + 1)$ ó $y + 3 = 3(x - 1)$ ó $y - 4 = -\frac{1}{2}(x - 6)$ ó

$y - 3 = -2(x + 4)$ $y - 3 = 3(x - 3)$ $y - 9 = -\frac{1}{2}(x + 4)$

Escribe una ecuación en forma punto-pendiente de la recta que pasa por los puntos dados. Luego, escribe la ecuación en forma pendiente-intercepto.

11. $(4, 0)$, $(-2, 1)$

$y - 0 = -\frac{1}{6}(x - 4)$;

$y = -\frac{1}{6}x + \frac{2}{3}$

12. $(-3, -2)$, $(5, 3)$

$y + 2 = \frac{5}{8}(x + 3)$;

$y = \frac{5}{8}x - \frac{1}{8}$

13. $(-5, 1)$, $(3, 4)$

$y - 1 = \frac{3}{8}(x + 5)$;

$y = \frac{3}{8}x + 2\frac{7}{8}$

14. **Respuestas de desarrollo** Escribe la ecuación de una recta que tiene una pendiente de $-\frac{1}{2}$ en cada forma.

a. Forma punto-pendiente
   Las respuestas variarán. Ejemplo:
   $y - 1 = -\frac{1}{2}(x + 5)$.

b. Forma pendiente-intercepto
   Las respuestas variarán. Ejemplo:
   $y = -\frac{1}{2}x - \frac{3}{2}$.

Página 152

5-4 Práctica (continuación)
Forma punto-pendiente
Modelo G

Representa los datos de cada tabla con una ecuación lineal en forma pendiente-intercepto. ¿Qué representan la pendiente y el intercepto en y?

15.

Tiempo de lavado (h)	Carros lavados
3	18
5	30
6	36
8	48

$y = 6x$; Carros lavados por hora, cantidad inicial de carros lavados.

16.

Tiempo de vuelo (h)	Distancia del aeropuerto (mi)
2	3600
4	2700
6	1800
8	900

$y = -450x + 4500$; Velocidad en mi/h, distancia inicial del aeropuerto.

Representa con una gráfica la recta que pasa por el punto dado y que tiene la pendiente m dada.

17. $(-3, -4)$; $m = 6$ 18. $(-2, 1)$, $m = -3$ 19. $(-4, -2)$; $m = \frac{1}{2}$

20. **Escribir** Describe lo que sabes sobre la gráfica de una recta representada por la ecuación $y - 3 = -\frac{2}{3}(x + 4)$.

   La pendiente es $-\frac{2}{3}$ y pasa por el punto $(-4, 3)$.

21. **Escribir** Describe cómo usarías la forma punto-pendiente para escribir la ecuación de una recta que pasa por los puntos $(-1, 4)$ y $(-3, -5)$ en forma pendiente-intercepto.

   Primero, halla la pendiente: $\frac{-5 - 4}{-3 + 1} = \frac{9}{2}$. Luego, uso un punto en la forma punto-pendiente de la ecuación y simplifico: $y = \frac{9}{2}x + \frac{17}{2}$.

22. **Escribir** Describe cómo pueden ayudarte los datos lineales dados en una tabla a escribir una ecuación de una recta en forma pendiente-intercepto.

   Hallo la pendiente usando $m = \frac{y_2 - y_1}{x_2 - x_1}$ para cualquier par de filas de la tabla. Luego, sustituyo $y - b = m(x - a)$ con un punto (a, b) de cualquier fila y simplifico.

23. Un cartel dice que 3 boletos cuestan $22.50 y 7 boletos cuestan $52.50. Escribe una ecuación en forma punto-pendiente que represente el costo de los boletos. ¿Cuál es la gráfica de la ecuación?

   $y - 22.5 = 7.5(x - 3)$

Página 153

5-4 Preparación para el examen estandarizado
Forma punto-pendiente

Opción múltiple

Escoge la letra que contiene la respuesta correcta para los Ejercicios 1 a 5.

1. ¿Qué ecuación es equivalente a $y - 6 = -12(x + 4)$? C
   A. $y = -6x - 48$ C. $y = -12x - 42$
   B. $y = 6x - 48$ D. $y = -12x - 54$

2. ¿Qué punto se encuentra sobre la recta representada por la ecuación $y + 4 = -5(x - 3)$? H
   F. $(-4, -5)$ G. $(-5, -4)$ H. $(3, -4)$ I. $(-3, 4)$

3. ¿Qué ecuación representa la recta que pasa por los puntos $(6, -3)$ y $(-4, -9)$? D
   A. $y + 4 = -\frac{3}{5}(x + 9)$ C. $y - 3 = \frac{3}{5}(x + 6)$
   B. $y + 4 = \frac{5}{3}(x + 9)$ D. $y + 3 = \frac{3}{5}(x - 6)$

4. ¿Qué ecuación representa la recta que se muestra en la gráfica? H
   F. $y = -3x - 2$
   G. $y = 3x + 2$
   H. $y + 4 = -3(x - 2)$
   I. $y + 8 = -3(x - 2)$

5. La población de una ciudad aumenta en 4000 personas cada año. Según las proyecciones, en el año 2025 la población será de 450.000 personas. ¿Qué ecuación representa la población de la ciudad p, en miles de personas, x años después de 2010? B
   A. $p = 4x + 450$ C. $p - 15 = 4(x - 450)$
   B. $p - 450 = 4(x - 5)$ D. $p = 4x + 15$

Respuesta breve

6. La tabla muestra el precio de una pizza de queso grande con ingredientes adicionales.

Ingredientes	Costo ($)
2	10.50
3	11.75
5	14.25

   a. ¿Qué ecuación en la forma punto-pendiente representa la relación entre la cantidad de ingredientes y el precio de la pizza? $y = 1.25x + 8$

   b. ¿Cuál es la gráfica de la ecuación?

   [2] Las respuestas de ambas partes son correctas.
   [1] La respuesta de una parte es correcta.
   [0] Ninguna respuesta es correcta.

Álgebra 1, de Prentice Hall • Cuaderno de práctica y resolución de problemas Guía del maestro

Página 154

5-5 Pensar en un plan

Forma estándar

Deportes Un equipo de fútbol americano anota 63 puntos. Todos los puntos que anotó el equipo local fueron por goles de campo de 3 puntos y anotaciones con intentos de puntos extra exitosos de 7 puntos. Escribe y representa con una gráfica una ecuación lineal para esta situación. Enumera todas las combinaciones posibles de goles de campo y anotaciones que el equipo pudo haber obtenido.

Comprender el problema

1. ¿Qué datos tienes?

   El puntaje total; el valor de un gol, 3, y el valor de una anotación, 7.

2. ¿Cómo se pueden representar las anotaciones y los goles? ¿Cómo se pueden escribir como términos para representar el valor de cada uno?

   a, g; 7a, 3g

Planear la solución

3. ¿Cuál es la ecuación en forma estándar que representa la situación?

   7a + 3g = 63; 7y + 3x = 63

4. ¿Cómo puedes hallar el intercepto en y?

   Hallo el valor de y cuando x = 0 7y = 63 → y = 9

5. ¿Cómo puedes hallar el intercepto en x?

   Hallo el valor de x cuando y = 0 3x = 63 → x = 21

6. ¿Cómo puedes usar los interceptos para representar la recta con una gráfica?

   Marco (0, 9) y (21, 0) y uno los puntos.

Hallar una respuesta

7. Representa la relación en una gráfica de coordenadas.

8. Usa la gráfica para determinar y enumerar todas las combinaciones.

   (0, 9); (7, 6); (14, 3); (21, 0)

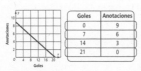

Goles	Anotaciones
0	9
7	6
14	3
21	0

Página 155

5-5 Práctica   *Modelo G*

Forma estándar

Halla los interceptos en x y en y de la gráfica de cada ecuación.

1. $x + y = 7$ 7; 7
2. $x - 3y = 9$ 9; −3
3. $2x + 3y = -6$ −3; −2
4. $-4x - 2y = -8$ 2; 4
5. $5x - 4y = -12$ $-\frac{12}{5}$; 3
6. $-2x + 7y = 11$ $-\frac{11}{2}$; $\frac{11}{7}$

Traza una recta con los interceptos dados.

7. Intercepto en x: 4
   Intercepto en y: 5
8. Intercepto en x: −3
   Intercepto en y: 1
9. Intercepto en x: −6
   Intercepto en y: −8

Representa con una gráfica cada ecuación usando los interceptos en x y en y.

10. $-5x + y = -10$
11. $-3x - 6y = 12$
12. $4x - 12y = -24$

Para cada ecuación, indica si su gráfica es una recta *horizontal* o *vertical*.

13. $y = -2$
    Horizontal
14. $x = 0$
    Vertical
15. $y = -0.25$
    Horizontal
16. $x = -\frac{3}{5}$
    Vertical

Representa con una gráfica cada ecuación.

17. $y = 6$
18. $x = -2$
19. $y = -7$
20. $x = 3$

Página 156

5-5 Práctica (continuación)   *Modelo G*

Forma estándar

Escribe cada ecuación en forma estándar usando enteros.

21. $y = x - 4$
    $x - y = 4$
22. $y - 4 = 5(x - 8)$
    $5x - y = 36$
23. $y + 6 = -3(x + 1)$
    $3x + y = -9$
24. $y = -\frac{3}{5}x + 2$
    $3x + 5y = 10$
25. $y = \frac{1}{2}x - 10$
    $x - 2y = 20$
26. $y - 3 = -\frac{7}{9}(x + 4)$
    $7x + 9y = -1$

27. En tu alcancía sólo tienes monedas de 5¢ y de 10¢. Cuando pasaste las monedas por un contador de cambio, éste te indicó que tenías 595 centavos. Escribe y representa con una gráfica una ecuación para esta situación. ¿Cuáles son tres combinaciones de monedas de 5¢ y de 10¢ que podrías tener?

    $5c + 10d = 595$

Las respuestas variarán. Ejemplo: 11 monedas de 5¢ y 54 monedas de 10¢; 21 monedas de 5¢ y 49 monedas de 10¢; 45 monedas de 5¢ y 37 monedas de 10¢.

En cada gráfica, halla los interceptos en x y en y. Luego, escribe una ecuación en forma estándar usando enteros.

28.
    3; −2; $2x - 3y = 6$

29. 2; 1; $x + 2y = 2$

Halla los interceptos en x y en y de la recta que pasa por los puntos dados.

30. $(4, -2), (5, -4)$
    3; 6
31. $(1, 1), (-5, 7)$
    2; 2
32. $(-3, 2), (-4, 10)$
    $-\frac{11}{4}$; −22

Página 157

5-5 Preparación para el examen estandarizado

Forma estándar

Opción múltiple

Escoge la letra que contiene la respuesta correcta para los Ejercicios 1 a 4.

1. ¿Cómo se escribe $y = -\frac{5}{3}x - 6$ en forma estándar usando enteros? C

   A. $\frac{5}{3}x + y = -6$ B. $5x + 3y = -6$ C. $5x + 3y = -18$ D. $-5x + 3y = 6$

2. ¿Cuál de las siguientes opciones es una ecuación de una recta vertical? G

   F. $4x + 5y = 0$ G. $-4 = 16x$ H. $3y = -9$ I. $4x + 5y = -1$

3. ¿Cuáles son los interceptos en x y en y de la gráfica de $-7x + 4y = -14$? D

   A. Intercepto en x: −7
      Intercepto en y: 4
   C. Intercepto en x: −2
      Intercepto en y: 3.5
   B. Intercepto en x: 7
      Intercepto en y: −4
   D. Intercepto en x: 2
      Intercepto en y: −3.5

4. Cheryl planea gastar $75 en un regalo de Navidad para su padre. Necesita medias y corbatas nuevas. En una tienda, las medias m y las corbatas c están en oferta a $4 y $11, respectivamente. ¿Qué ecuación representa esta situación? F

   F. $4m + 11c = 75$ H. $m = 15c + 75$
   G. $11m + 4c = 75$ I. $c = 4m - 11$

Respuesta desarrollada

5. En el almacén se vende la docena de huevos por $2 y la libra de panceta por $5. Planeas gastar $50 en comida para el desayuno de beneficencia. Escribe y representa con una gráfica una ecuación para esta situación. ¿Cuáles son tres combinaciones de docenas de huevos y libras de panceta que puedes comprar? $2h + 5p = 50$

Las respuestas variarán. Ejemplo: 5 docenas de huevos y 8 lb de panceta; 10 docenas de huevos y 6 lb de panceta; 15 docenas de huevos y 4 lb de panceta.

[2] Todas las respuestas son correctas.
[1] Las respuestas de una o dos partes son correctas.
[0] Ninguna respuesta es correcta.

Página 158

5-6 Pensar en un plan
Rectas paralelas y perpendiculares

Agricultura Dos agricultores usan cosechadoras para recolectar el maíz en sus campos. Uno de los agricultores tiene 600 acres de maíz y el otro tiene 1000 acres de maíz. Las máquinas pueden cosechar hasta 100 acres por día cada una. Escribe dos ecuaciones que correspondan al número de acres de maíz y que no se han cosechado después de x días. ¿Las gráficas de las ecuaciones son *paralelas, perpendiculares* o *ninguna de las dos*? ¿Cómo lo sabes?

Comprender el problema

1. ¿En qué se diferencian los dos campos? ¿En qué se parecen?
   El número de acres de maíz es diferente; El número de acres que una máquina puede cosechar por día es el mismo.

2. ¿Cómo puedes determinar si las gráficas de las dos ecuaciones son paralelas, perpendiculares o ninguna de las dos?
   Son paralelas si las pendientes son iguales; Son perpendiculares si las pendientes son recíprocos inversos.

Planear la solución

3. ¿Cuál es una expresión algebraica que representa la cantidad de maíz que cada agricultor puede cosechar por día?

   $100x$

4. Escribe una ecuación que represente el número de acres de maíz y que no se cosecharon después de x días en el campo de 600 acres.

   $y = 600 - 100x$

5. Escribe una ecuación que represente el número de acres de maíz y que no se cosecharon después de x días en el campo de 1000 acres.

   $y = 1000 - 100x$

Hallar una respuesta

6. Escribe las ecuaciones de los Pasos 4 y 5 en forma pendiente-intercepto.

   $y = -100x + 600; \; y = -100x + 1000$

7. ¿Cuáles son las pendientes de las ecuaciones?

   Ambas son -100.

8. ¿Las gráficas de las ecuaciones son paralelas, perpendiculares o ninguna de las dos? Explica tu respuesta.

   Paralelas, porque las pendientes son iguales.

Página 159

5-6 Práctica
Rectas paralelas y perpendiculares

Modelo G

Escribe una ecuación de la recta que pasa por el punto dado y es paralela a la gráfica de la ecuación dada.

1. $(3, 2); y = 3x - 2$
   $y = 3x - 7$

2. $(-4, -1); y = 2x + 14$
   $y = 2x + 7$

3. $(-8, 6); y = -\frac{1}{4}x + 5$
   $y = -\frac{1}{4}x + 4$

4. $(6, 2); y = \frac{2}{3}x + 19$
   $y = \frac{2}{3}x - 2$

5. $(10, -5); y = \frac{3}{2}x - 7$
   $y = \frac{3}{2}x - 20$

6. $(-3, 4); y = 2$
   $y = 4$

Determina si las gráficas de las ecuaciones dadas son *paralelas, perpendiculares* o *ninguna de las dos*. Explica tu respuesta.

7. $y = 4x + 5$
   $-4x + y = -13$
   Paralelas; Las pendientes son iguales.

8. $y = \frac{7}{9}x - 7$
   $y = -\frac{7}{9}x + 3$
   Ninguna de las dos; Tienen diferentes pendientes que no son recíprocos inversos.

9. $y = \frac{7}{8}$
   $x = -4$
   Perpendiculares; Una es horizontal y la otra es vertical.

10. $y = -6x - 8$
    $-x + 6y = 12$
    Perpendiculares; Las pendientes son recíprocos inversos.

11. $3x + 6y = 12$
    $y - 4 = -\frac{1}{2}(x + 2)$
    Paralelas; Las pendientes son iguales.

12. $y = 4x + 12$
    $x + 4y = 32$
    Perpendiculares; Las pendientes son recíprocos inversos.

Determina si cada enunciado es verdadero *siempre, a veces* o *nunca*. Explica tu respuesta.

13. Dos rectas con pendientes diferentes son perpendiculares.
    A veces; Cuando las pendientes diferentes son recíprocos inversos, las rectas son perpendiculares.

14. Las pendientes de las rectas verticales y las rectas horizontales son recíprocos inversos.
    Nunca; Aunque las rectas verticales y horizontales son siempre perpendiculares, las pendientes son indefinidas y 0, que no son recíprocos inversos.

15. Una recta vertical es perpendicular al eje de las x.
    Siempre; Las rectas verticales son perpendiculares a todas las rectas horizontales, incluido el eje de las x.

Página 160

5-6 Práctica (continuación)
Rectas paralelas y perpendiculares

Modelo G

Escribe una ecuación de la recta que pasa por el punto dado y es perpendicular a la gráfica de la ecuación dada.

16. $(2, -1); y = -2x + 1$
    $y = \frac{1}{2}x - 2$

17. $(5, 7); y = \frac{1}{3}x + 2$
    $y = -3x + 22$

18. $(3, -6); x + y = -4$
    $y = x - 9$

19. $(-9, 3); 3x + y = 5$
    $y = \frac{1}{3}x + 6$

20. $(-8, 3); y + 4 = -\frac{2}{3}(x - 2)$
    $y = \frac{3}{2}x + 15$

21. $(0, -5); x - 6y = -2$
    $y = -6x - 5$

22. **Respuesta de desarrollo** Escribe las ecuaciones de tres rectas cuyas gráficas son paralelas entre sí.
    Las respuestas variarán. Ejemplo: $y = \frac{1}{2}x$, $y = \frac{1}{2}x + 2$, $y = \frac{1}{2}x - 3$.

23. **Respuesta de desarrollo** Escribe las ecuaciones de dos rectas cuyas gráficas son perpendiculares entre sí.
    Las respuestas variarán. Ejemplo: $y = \frac{3}{4}x - 1$, $y = -\frac{4}{3}x + 5$.

24. ¿Cuál es la pendiente de una recta que es paralela al eje de las x?
    0

25. ¿Cuál es la pendiente de una recta que es perpendicular al eje de las x?
    Indefinida.

26. ¿Cuál es la pendiente de una recta que es paralela al eje de las y?
    Indefinida.

27. ¿Cuál es la pendiente de una recta que es perpendicular al eje de las y?
    0

28. En un mapa, la calle Sandusky pasa por las coordenadas $(2, -1)$ y $(4, 8)$. La avenida Pennsylvania cruza la calle Sandusky y pasa por las coordenadas $(1, 3)$ y $(6, 2)$. ¿Las calles son perpendiculares? Explica tu respuesta.
    La calle Sandusky tiene una pendiente de $\frac{9}{2}$; La avenida Pennsylvania tiene una pendiente de $-\frac{1}{5}$; Las pendientes no son recíprocos inversos; por tanto, las calles no son perpendiculares.

29. **Escribir** Explica cómo puedes determinar si las gráficas de dos rectas son paralelas o perpendiculares sin representar las rectas con una gráfica.
    Hallo las pendientes. Si son iguales, las rectas son paralelas. Si son recíprocos inversos, las gráficas son perpendiculares.

Página 161

5-6 Preparación para el examen estandarizado
Rectas paralelas y perpendiculares

Opción múltiple

Escoge la letra que contiene la respuesta correcta para los Ejercicios 1 a 5.

1. ¿Qué ecuación tiene una gráfica paralela a la gráfica de $9x + 3y = -22$? **D**
   A. $y = 3x - 22$ **B.** $y = -3x + 8$ **C.** $y = \frac{1}{3}x + 12$ **D.** $y = -\frac{1}{3}x - 2$

2. ¿Qué ecuación tiene una gráfica perpendicular a la gráfica de $7x = 14y - 8$? **F**
   F. $y = -2x - 7$ **G.** $y = -\frac{1}{2}x + 4$ **H.** $y = \frac{1}{2}x - 1$ **I.** $y = 2x + 9$

3. ¿Qué ecuación es la ecuación de una recta que pasa por $(-10, 3)$ y es perpendicular a $y = 5x - 7$? **C**
   A. $y = 5x + 53$ **B.** $y = -\frac{1}{5}x - 7$ **C.** $y = -\frac{1}{5}x + 1$ **D.** $y = \frac{1}{5}x + 5$

4. ¿Cuál de las siguientes coordenadas del punto P hará que $\overleftrightarrow{MN}$ sea paralela a $\overleftrightarrow{OP}$ en el diagrama de la derecha? **H**
   F. $(-2, -5)$ **H.** $(3, 2)$
   G. $(-3, 6)$ **I.** $(3, 5)$

5. El segmento XY representa la trayectoria de un avión que pasa por las coordenadas $(2, 1)$ y $(4, 5)$. ¿Cuál es la pendiente de una recta que representa la trayectoria de otro avión que está viajando paralelamente al primer avión? **C**
   A. -2 **C.** $\frac{1}{2}$
   B. $-\frac{1}{2}$ **D.** 2

Respuesta breve

6. Un urbanista está dibujando el mapa de caminos para un nuevo complejo habitacional. En el mapa, la calle Palm pasa por las coordenadas $(11, 5)$ y $(-1, 1)$. La calle Pepperdine será perpendicular a la calle Palm. Las coordenadas de la calle Pepperdine son $(4, 7)$ y $(7, y)$. ¿Cuál es el valor de y? ¿Cuál es la ecuación de la recta que representa a la calle Pepperdine en forma pendiente-intercepto?
   $y = -2; \; y = -3x + 19$
   [2] Las respuestas de ambas partes son correctas.
   [1] La respuesta de una parte es correcta.
   [0] Ninguna respuesta es correcta.

Página 162

5-7 Pensar en un plan
Diagramas de dispersión y líneas de tendencia

Población de los Estados Unidos Usa los siguientes datos.

Población estimada de los Estados Unidos (millares)

Año	2000	2001	2002	2003	2004	2005	2006
Hombres	138,482	140,079	141,592	142,937	144,467	145,973	147,512
Mujeres	143,734	145,147	146,533	147,858	149,170	150,533	151,886

FUENTE: Oficina de Censos de los Estados Unidos

a. Haz un diagrama de dispersión con los pares de datos (hombres, mujeres).
b. Traza una línea de tendencia y escribe su ecuación.
c. Usa la ecuación para predecir cuántas mujeres habrá en los Estados Unidos si la cantidad de hombres aumenta a 150,000,000.
d. **Razonamiento** Imagina un diagrama de dispersión con los pares de datos (año, hombres). ¿Sería razonable usar este diagrama de dispersión para predecir cuántos hombres habrá en los Estados Unidos en 2035? Explica tu razonamiento.

1. Haz un diagrama de dispersión con los pares de datos usando la cantidad de hombres para las coordenadas x y la cantidad de mujeres para las coordenadas y de cada año.
Ver los puntos de la derecha para el diagrama de dispersión.

2. Traza la línea de tendencia en el diagrama de dispersión.
Ver la gráfica del Ejercicio 1.

3. ¿Cómo determinas la ecuación de una línea de tendencia? ¿Cuál es la ecuación de esta línea de tendencia? Muestra tu trabajo.

Escojo dos puntos de la línea. Hallo la pendiente y uso la forma punto-pendiente;
$y = 0.9x + 19$

4. Sustituye x por 150,000,000 para predecir cuántas mujeres habrá. **154,000,000 mujeres**

5. Haz un diagrama de dispersión con los pares de datos (año, hombres).

6. ¿Sería razonable usar este diagrama de dispersión para predecir cuántos hombres habrá en 2035? Explica tu razonamiento.
Los datos van de $x = 0$ a $x = 6$; Predecir a $x = 35$ es una extrapolación muy amplia.

Página 163

5-7 Práctica
Diagramas de dispersión y líneas de tendencia

Modelo G

Para cada tabla, haz un diagrama de dispersión con los datos. Describe el tipo de correlación que muestra el diagrama de dispersión.

1.

Calificaciones					
Calificación	76	85	83	97	92
Tiempo de estudio (min)	33	52	49	101	65

Positiva

2.

Boletos vendidos					
Boletos para adultos	10	20	30	40	50
Boletos para niños	30	55	80	112	137

Positiva

Usa la siguiente tabla y una calculadora gráfica para resolver los Ejercicios 3 a 6.

Población residente en la Florida

Año	1980	1990	1995	2000	2002	2003	2004	2005	2006
Población (en millares)	9746	12,938	14,538	15,983	16,682	16,982	17,367	17,768	18,090

FUENTE: Oficina de Censos de los Estados Unidos

3. Haz un diagrama de dispersión con los pares de datos (años desde 1980, población).
Ver los puntos en la gráfica de abajo.

4. Dibuja la recta de regresión para los datos.
Ver la gráfica del Ejercicio 3.

5. Escribe una ecuación de la línea de tendencia.
$y = 318x + 9735$

6. De acuerdo con los datos, ¿cuál será la población residente en la Florida que se estima para 2020?
22,455 millares ó 22,455,000 personas.

Página 164

5-7 Práctica (continuación)
Diagramas de dispersión y líneas de tendencia

Modelo G

Usa la siguiente tabla y una calculadora gráfica para resolver los Ejercicios 7 a 10.

Total bruto de taquilla

Año	1999	2000	2001	2002	2003	2004	2005	2006	2007
Ingresos brutos (en millones de $)	7500	7750	8370	9320	9300	9450	8960	9300	9680

FUENTE: www.mediabynumbers.com

7. Haz un diagrama de dispersión con los pares de datos (años desde 1999, ingresos). **Ver los puntos en la gráfica.**

8. Traza la recta de regresión de los datos.
Ver la gráfica del Ejercicio 7.

9. Escribe una ecuación para la recta de regresión.
$y = 244.6x + 7869$

10. De acuerdo con los datos, ¿cuál será el ingreso bruto estimado para 2015? **Aproximadamente $11,782,600,000**

En cada situación, indica si es probable que haya correlación. Si es así, indica si la correlación refleja una relación causal. Explica tu razonamiento.

11. La cantidad de tiros libres que practicas y la cantidad de tiros libres que anotas en un partido. **Sí; Sí; La práctica debería mejorar tu juego.**

12. La altura de una montaña y el promedio de elevación del estado en el que se encuentra. **Sí; Sí; Cuando se calcula el promedio de elevación de un estado, se toma en cuenta la elevación de la montaña.**

13. La cantidad de horas trabajadas y el salario de un empleado.
Sí; Sí; El salario a menudo depende de la cantidad de horas trabajadas.

14. Una caída en el precio del barril de petróleo y la cantidad de gasolina vendida.
Sí; Sí; Si la gasolina es más económica, las personas comprarán más.

15. **Respuesta de desarrollo** Describe una situación de la vida diaria que muestre una correlación negativa marcada. Explica tu razonamiento.
Las respuestas variarán. Ejemplo: A medida que el precio de un producto aumenta, las ventas del producto disminuyen.

16. **Escribir** Describe la diferencia entre interpolación y extrapolación. Explica cómo pueden ser útiles.
Interpolación es la estimación de un valor que está entre dos valores conocidos. Extrapolación es la estimación de valores más pequeños o más grandes que todos los valores conocidos; Ambas son útiles para estimar valores desconocidos.

17. **Escribir** Describe cómo se relaciona la pendiente de una recta con una línea de tendencia. ¿Qué representa el intercepto en y?
La pendiente de una línea de tendencia es el promedio de la tasa de cambio de los datos; El intercepto en y es el valor estimado cuando $x = 0$.

Página 165

5-7 Preparación para el examen estandarizado
Diagramas de dispersión y líneas de tendencia

Opción múltiple

Escoge la letra que contiene la respuesta correcta para los Ejercicios 1 a 5.

1. En la siguiente situación, determina si hay correlación. Si es así, ¿la correlación refleja una relación causal? **C**
La cantidad de horas que pasas practicando en las jaulas de bateo y tu promedio de bateo
A. Correlación negativa y una relación causal
B. Correlación positiva, pero no una relación causal
C. Correlación positiva y una relación causal
D. Sin correlación

2. Cuando evalúas los datos de un diagrama de dispersión, ¿qué puedes usar para hacer predicciones sobre el futuro? **G**
F. Interpolación
G. Extrapolación
H. Coeficiente de correlación
I. Causalidad

3. El Sr. Bolton ha trabajado en misma empresa durante 17 años. ¿Qué relación esperarías hallar entre la cantidad de años que ha estado en la empresa y su salario anual? **A**
A. Correlación positiva
B. Correlación negativa
C. Sin correlación
D. Ninguna de las anteriores

4. Una ciudad tenía una población de 150,000 personas en 1990. Su crecimiento poblacional se representa mediante la ecuación $p = 5t + 150$, donde p es la población en miles de personas y t es el tiempo en años desde 1990. ¿En qué año se habrá duplicado la población? **H**
F. 1993
G. 2000
H. 2020
I. 2030

5. ¿Qué tipo de correlación representan los datos del diagrama de dispersión? **C**
A. Correlación positiva
B. Correlación negativa
C. Sin correlación
D. Ninguna de las anteriores

Respuesta Breve

6. Usa el diagrama de dispersión para responder a las siguientes preguntas.
a. ¿Cuál es una ecuación de la línea de tendencia de los datos?
$y = 9x + 25$
b. ¿Cuáles serían los ingresos para 40 horas trabajadas?
385
[2] Las respuestas de ambas partes son correctas.
[1] La respuesta de una parte es correcta.
[0] Ninguna respuesta es correcta.

Página 166

5-8 Pensar en un plan
Representar con una gráfica funciones de valor absoluto

¿Qué punto o puntos tienen en común las gráficas de $y = -|x| + 7$ y $y = |x - 3|$?

Comprender el problema

1. ¿Cuál es la función madre de ambas ecuaciones?

   $y = |x|$

2. ¿Qué forma tiene la gráfica de la función madre de ambas ecuaciones?

   Tiene forma de V.

3. ¿Qué transformaciones ocurren en $y = -|x| + 7$?

   Reflexión sobre el eje de las x y traslación vertical 7 unidades hacia arriba.

4. ¿Qué traslaciones se dan en $y = |x - 3|$?

   Traslación horizontal 3 unidades hacia la derecha.

Planear la solución

5. ¿Podría una tabla ayudarte a responder a la pregunta? Explica tu respuesta.

   Sí; Podría hacer una tabla de y para $|x|$ y la ecuación trasladada, y averiguar el cambio

   en los valores de y.

6. ¿Podría una gráfica ayudarte a responder a la pregunta? Explica tu respuesta.

   Sí; Podría hacer una gráfica y hallar los puntos de intersección.

7. ¿Qué método es mejor? ¿Por qué?

   La representación gráfica; Es posible que los puntos de intersección no estén en la

   tabla.

Hallar una respuesta

8. Representa ambas ecuaciones en una gráfica de coordenadas.

9. ¿Qué punto o puntos tienen en común las gráficas?

   $(-2, 5)$ y $(5, 2)$

Página 167

5-8 Práctica
Modelo G

Representar con una gráfica funciones de valor absoluto

Describe cómo se relaciona cada gráfica con $y = |x|$.

1. 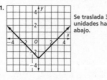 Se traslada 3 unidades hacia abajo.

2. 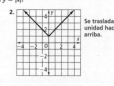 Se traslada 1 unidad hacia arriba.

3. 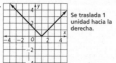 Se traslada 1 unidad hacia la derecha.

4.  Se traslada 4 unidades hacia la izquierda.

Representa con una gráfica cada función trasladando $y = |x|$.

5. $y = |x| + 3$

6. $y = |x| - 2$

7. $y = |x| - 1.5$

Escribe una ecuación para cada traslación de $y = |x|$.

8. 2 unidades hacia abajo

   $y = |x| - 2$

9. 1 unidad hacia arriba

   $y = |x| + 1$

10. 1.18 unidades hacia arriba

   $y = |x| + 1.18$

Representa con una gráfica cada función trasladando $y = |x|$.

11. $y = |x + 6|$

12. $y = |x - 5|$

13. $y = |x + 3.2|$

Página 168

5-8 Práctica (continuación)
Modelo G

Representar con una gráfica funciones de valor absoluto

Escribe una ecuación para cada traslación de $y = |x|$.

14. 7 unidades hacia la izquierda

   $y = |x + 7|$

15. $\frac{1}{2}$ unidades hacia la izquierda

   $y = |x + 0.5|$

16. $\frac{2}{3}$ unidades a la derecha

   $y = |x - \frac{2}{3}|$

A la derecha se muestra la gráfica de $y = -|x|$. Representa con una gráfica cada función trasladando $y = -|x|$.

17. $y = -|x + 2|$

18. $y = -|x| - 2$

Escribe una ecuación para cada traslación de $y = -|x|$.

19. 5 unidades hacia abajo

   $y = -|x| - 5$

20. 8 unidades hacia la derecha

   $y = -|x - 8|$

21. 3.25 unidades hacia la izquierda

   $y = -|x + 3.25|$

22. **Razonamiento** Observa las expresiones $|m - n|$ y $|n - m|$. Sustituye $m = 2$ y $n = 3$ en cada expresión y simplifica. Ahora, sustituye $m = 3$ y $n = 2$ en cada expresión y simplifica. Repite este proceso con otros tres conjuntos de números para m y n. ¿Cuál es tu conclusión?

   $|m - n| = |n - m|$

23. **Escribir** ¿Puede el valor absoluto de un número ser igual a un número negativo? Explica tu razonamiento.

   No; El valor absoluto de un número debe ser mayor que o igual a cero.

Representa con una gráfica cada traslación de $y = |x|$. Describe cómo se relaciona cada gráfica con la gráfica de $y = |x|$.

24. $y = |x + 3| - 2$

    Se desplazó 3 unidades hacia la izquierda y 2 unidades hacia abajo.

25. $y = |x - 2| + 4$

    Se desplazó 2 unidades hacia la derecha 2 y 4 unidades hacia arriba.

Página 169

5-8 Preparación para el examen estandarizado
Representar con una gráfica funciones de valor absoluto

Opción múltiple

Escoge la letra que contiene la respuesta correcta para los Ejercicios 1 a 6.

1. ¿Qué ecuación representa una traslación de 6 unidades hacia la derecha de $y = |x|$? B
   A. $y = |x| - 6$ B. $y = |x - 6|$ C. $y = |x| + 6$ D. $y = |x| + 6$

2. ¿Cómo se relaciona la gráfica de la derecha con $y = |x|$? I
   F. Se traslada 5 unidades hacia la izquierda.
   G. Se traslada 5 unidades hacia la derecha.
   H. Se traslada 5 unidades hacia arriba.
   I. Se traslada 5 unidades hacia abajo.

3. ¿Cuál es el intercepto en y de $y = |x| - 3$? A
   A. -3 C. $\frac{1}{3}$
   B. $-\frac{1}{3}$ D. 3

4. ¿Qué ecuación representa $y = |x|$ trasladada 4 unidades hacia arriba? H
   F. $y = |x| - 4$ G. $y = |x - 4|$ H. $y = |x| + 4$ I. $y = |x + 4|$

5. ¿Qué ecuación representa la gráfica de la derecha? C
   A. $y = |x + 2|$ C. $y = -|x + 2|$
   B. $y = |x| + 2$ D. $y = -|x| + 2$

6. ¿Cuál es el intercepto en y de $y = |x + 8|$? I
   F. -8 H. $\frac{1}{8}$
   G. $-\frac{1}{8}$ I. 8

Respuesta breve

7. Sea $f(x) = |x - 3| + 1$.
   a. ¿Cuál es la gráfica de la función?
   b. ¿Cómo se relaciona la gráfica con la gráfica de $y = |x|$?

   Se traslada 3 unidades hacia la derecha y 1 unidad hacia arriba.

   [2] Las respuestas de ambas partes son correctas.
   [1] La respuesta de una parte es correcta.
   [0] Ninguna respuesta es correcta.

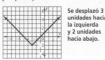

Página 170

6-1 Pensar en un plan
Resolver sistemas usando gráficas

Planes telefónicos Un proveedor de teléfonos celulares ofrece un plan (#1) que cuesta $40 por mes más $.20 por cada mensaje de texto enviado o recibido. Un plan similar (#2) cuesta $60 por mes, pero ofrece un servicio ilimitado de mensajes de texto.

a. ¿Cuántos mensajes de texto deberías enviar o recibir para que los planes costaran lo mismo cada mes?

b. Si enviaras o recibieras un promedio de 50 mensajes de texto cada mes, ¿qué plan escogerías? ¿Por qué?

Lo que sabes

1. ¿Qué ecuaciones puedes escribir para representar la situación?

Costo por mensaje de texto	por	Cantidad de mensajes de texto	más	Cuota mensual	=	Costo total y (total)

Costo mensual del plan telefónico #2 __$y = 60$__

Costo mensual del plan telefónico #1 __$y = 0.20x + 40$__

2. ¿Cómo puede ayudarte representar con una gráfica las ecuaciones a hallar las respuestas? __La intersección de las gráficas es el punto en el que los costos de los dos planes son iguales, en base a la cantidad de mensajes de texto.__

Lo que necesitas

3. ¿Cómo hallarás el mejor plan? __Represento con una gráfica las dos ecuaciones. La uso para hallar qué plan cuesta menos si la cantidad de mensajes de texto es 50.__

Planea

4. ¿Cuáles son las ecuaciones que representan los dos planes? __$y = 60$__ y __$y = 0.20x + 40$__

5. Representa con una gráfica las ecuaciones.

6. ¿En qué lugar de la gráfica estará la solución? __Las gráficas se intersecan en (100, 60). Cuando la cantidad de mensajes de texto es 100, los costos de los dos planes son iguales.__

7. ¿Cuál es la solución? __Si la cantidad de mensajes de texto es 50, escogería el plan 1, porque el costo es menor.__

Página 171

6-1 Práctica
Resolver sistemas usando gráficas
Modelo G

Resuelve cada sistema usando una gráfica. Comprueba tu solución.

1. $x + y = 3$ (1, 2)
   $2x + 5y = 12$

2. $4x + 3y = 2$ (2, −2)
   $3x − 2y = 10$

3. $5x − 8y = −4$ (−4, −2)
   $2x − 7y = 6$

4. $x + 6y = 11$ (5, 1)
   $2x − 3y = 7$

5. $3x = y$ $\left(\frac{10}{11}, \frac{30}{11}\right)$
   $2x + 3y = 10$

6. $3x − 5y + 1 = 0$ (−2, −1)
   $2x − y + 3 = 0$

7. $x + 3y = 0$ (12, −4)
   $2x + 3y = 12$

8. $2x + 4y = 6$ Gráficas iguales significa infinitas soluciones
   $x + 2y = 3$

9. $x − 2y = 1$ (3, 1)
   $x + y = 4$

10. **Razonamiento** ¿Puede haber más de un punto de intersección entre las gráficas de dos ecuaciones lineales? Explica por qué. A menos que las gráficas de dos ecuaciones lineales coincidan, sólo puede haber un punto de intersección, porque dos rectas se intersecan como máximo en un punto.

11. **Razonamiento** Si las gráficas de las ecuaciones de un sistema de ecuaciones lineales coinciden entre sí, ¿qué te indica eso acerca de la solución del sistema? Explica tu respuesta. Si las gráficas de dos ecuaciones lineales coinciden, entonces el sistema tiene infinitas soluciones, porque cada solución de una ecuación es también la solución de la otra ecuación.

12. **Escribir** Explica el método que usas para representar con una gráfica una recta usando la pendiente y el intercepto en y. Primero, uso el intercepto en y para marcar un punto en el eje de las y. Desde ese punto, me desplazo una unidad hacia la derecha y desplazo verticalmente el valor de la pendiente para marcar un segundo punto. Luego, uno los dos puntos.

13. **Razonamiento** Si el par ordenado (3, −2) satisface una de las dos ecuaciones lineales de un sistema, ¿cómo puedes saber si el punto satisface la otra ecuación del sistema? Explica tu respuesta. Se sustituye x por 3 y y por −2 en la otra ecuación. Si la ecuación que se obtiene es verdadera, (3, −2) es una solución de la ecuación.

14. **Escribir** Si las gráficas de dos rectas de un sistema no se intersecan en ningún punto, ¿qué conclusión puedes sacar acerca de la solución del sistema? ¿Por qué? Explica tu respuesta. Si las rectas no se intersecan, entonces el sistema no tiene solución, porque ningún par ordenado satisface ambas ecuaciones.

15. **Razonamiento** Sin representar con una gráfica, decide si el siguiente sistema de ecuaciones lineales tiene una solución, infinitas soluciones o no tiene solución. Explica tu respuesta.
   $y = 3x − 5$
   $6x = 2y + 10$
   El sistema tiene infinitas soluciones porque cuando vuelves a escribir la segunda ecuación en forma pendiente-intercepto, ésta es idéntica a la primera.

16. En cinco años, la edad de un padre será tres veces la edad de su hijo. Hace 5 años el padre tenía siete veces la edad de su hijo. ¿Cuántos años tienen en la actualidad? El padre tiene 40; el hijo tiene 10.

Página 172

6-1 Práctica (continuación)
Resolver sistemas usando gráficas
Modelo G

17. El denominador de una fracción es mayor que su numerador en 9. Si se resta 7 tanto del numerador como del denominador, la nueva fracción es igual a $\frac{2}{3}$. ¿Cuál es la fracción original? $\frac{25}{34}$

18. La suma de las distancias que recorrieron dos excursionistas es 53 mi y la diferencia es 25 mi. ¿Cuáles son las distancias? 39 mi; 14 mi

19. El resultado de dividir un número de dos dígitos por el número con sus dígitos intercambiados es $\frac{7}{4}$. Si la suma de los dígitos es 12, ¿cuál es el número? 84

Resuelve cada sistema usando una gráfica. Indica si el sistema tiene *una solución, infinitas soluciones* o *no tiene solución.*

20. $x + y + 3 = 0$
    $3x − 2y + 4 = 0$
    (−2, −1); Una solución

21. $x + 2y = 7$
    $2x − y = −1$
    (1, 3); Una solución

22. $2x + y = 8$
    $x + 1 = 2y$
    (3, 2); Una solución

23. $x + y = −2$
    $3x − 4y = 15$
    (1, −3); Una solución

24. $3x − 5y = −18$
    $3x + 5y = 12$
    (−1, 3); Una solución

25. $2x − y = 3$
    $x + 3y = 5$
    (2, 1); Una solución

26. $5x − y = 15$
    $5x − 6y = −10$
    (4, 5); Una solución

27. $y = 6x + 4$
    $−2 + y = 6x$
    No tiene solución.

28. $5x − y = 2$
    $2x − \frac{1}{2}y = 3$
    (−4, −22); Una solución

29. $18x − 3y = 2$
    $−y = −6x + 7$
    Infinitas soluciones

30. $y = 6x + 4$
    $−x + 2y = 6$
    $\left(\frac{4}{13}, \frac{41}{13}\right)$; Una solución

31. $−x + 2y = 5$
    $x + y = 1$
    (−1, 2); Una solución

32. La medida de uno de los ángulos de un triángulo es 35°. La suma de las medidas de los otros dos ángulos es 145° y la diferencia entre sus medidas es 15°. ¿Cuáles son las medidas de los ángulos desconocidos? 80° y 60°

Página 173

6-1 Preparación para el examen estandarizado
Resolver sistemas usando gráficas

Opción múltiple

Escoge la letra que contiene la respuesta correcta para los Ejercicios 1 a 4.

1. ¿Qué opción describe mejor un sistema de ecuaciones que no tiene solución? D
   A. compatible, independiente
   B. incompatible, dependiente
   C. compatible, dependiente
   D. incompatible

2. ¿Cuántas soluciones tiene este sistema? $\begin{array}{l}2x + y = 3\\6x = 9 − 3y\end{array}$ H
   F. 1
   G. ninguna
   H. infinitas
   I. 2

3. ¿Cuál es la solución aproximada del sistema lineal que representa la gráfica de la derecha? D
   A. (4, −3)
   B. (6, −1)
   C. (−1, 4)
   D. (4, −1)

4. ¿Cuál de las siguientes opciones no puede describir un sistema de ecuaciones lineales? G
   F. sin solución
   G. exactamente dos soluciones
   H. infinitas soluciones
   I. exactamente una solución

Respuesta desarrollada

5. Un granjero alimenta a sus vacas con 200 libras de alimento cada día y tiene 700 libras de alimento en su granero. Otro granjero alimenta a sus vacas con 350 libras de alimento cada día y tiene 1000 libras de alimento en su granero.

a. ¿En cuántos días les quedará a los dos granjeros la misma cantidad de alimento?
   __2 días.__

b. ¿Tiene sentido tu respuesta? Explícala.
   __La respuesta tiene sentido porque en dos días, a ambos granjeros les quedarán 300 lb de alimento.__

c. ¿Cómo cambiaría tu respuesta si ambos granjeros compraran 1000 libras más de alimento? __Las gráficas estarían 1000 unidades más arriba, pero aún se intersecarían en $x = 2$. La respuesta sería la misma: 2 días.__

[2] Las respuestas de las tres partes son correctas. Las explicaciones son claras.
[1] Las respuestas de algunas partes son correctas, pero las explicaciones pueden estar incompletas.
[0] Ninguna respuesta es correcta.

Álgebra 1, de Prentice Hall • Cuaderno de práctica y resolución de problemas Guía del maestro

Página 174

6-2 Pensar en un plan
Resolver sistemas usando la sustitución

Arte Un artista venderá grabados de dos tamaños en una feria de artesanías. El artista cobrará $20 por un grabado pequeño y $45 por un grabado grande. El artista quiere vender el doble de grabados pequeños que de grabados grandes. El puesto que el artista alquila cuesta $510 por día. ¿Cuántos grabados de cada tamaño debe vender el artista para recuperar los gastos?

Comprender el problema

1. ¿Cuánto gastará el artista para alquilar un puesto? **$510**

2. ¿Qué sabes sobre los precios de venta de los grabados? **Grabado pequeño: $ 20; Grabado grande: $45.**

3. ¿Qué sabes sobre la cantidad de grabados que le gustaría vender al artista? **El artista quiere vender el doble de grabados pequeños que de grabados grandes.**

4. ¿Qué te pide el problema que determines? **Cuántos grabados de cada tamaño debe vender el artista para recuperar los gastos.**

Planear la solución

5. ¿Qué variables se necesitan? **p = cantidad de grabados pequeños vendidos; g = cantidad de grabados grandes vendidos**

6. ¿Qué ecuación se puede usar para determinar la cantidad de grabados que al artista le gustaría vender según el tamaño? **$p = 2g$**

7. ¿Qué ecuación se puede usar para determinar cuántos grabados debe vender el artista para recuperar los gastos? **$20p + 45g = 510$**

Hallar una respuesta

8. ¿Cuál es la solución del sistema de ecuaciones?
El artista debe vender 6 grabados grandes y 12 grabados pequeños para recuperar los gastos.

Página 175

6-2 Práctica
Modelo G
Resolver sistemas usando la sustitución

Resuelve cada sistema usando la sustitución. Comprueba tu solución.

1. $x = y$ **(1, 1)**
$x + 2y = 3$

2. $y = -x + 4$ **(1, 3)**
$y = 3x$

3. $y = 2x - 10$ **(4, −2)**
$2y = x - 8$

4. $2y = x + 1$ **(−3, −1)**
$-2x - y = 7$

5. $x + 2y = 14$ **(6, 4)**
$y = 3x - 14$

6. $x2x - 3y = 13$**(5, −1)**
$y = \frac{1}{2}x - \frac{7}{2}$

7. $-3x - 2y = 5.5$ **(−4.5, 4)**
$x + 3y = 7.5$

8. $6x - 4y = 54$ **(7, −3)**
$-9x + 2y = -69$

9. $y = \frac{-x}{2} - 4$ **(6, −7)**
$-2x - y = -5$

10. **Escribir** ¿Cómo sabes que la sustitución da la solución de un sistema de ecuaciones? Explica tu respuesta. **Puedes verificar tu respuesta sustituyendo por los valores de x y de y en las ecuaciones originales.**

11. **Razonamiento** Con el método de sustitución, ¿qué variable debes hallar primero? Explica tu respuesta. **Debes hallar la variable que ya tiene un coeficiente de 1 ó −1.**

12. **Escribir** ¿Cómo puedes usar el método de sustitución para resolver un sistema de ecuaciones que no tiene una variable con un coeficiente de 1 ó −1? **Se puede hallar una variable aislando el término y luego dividiendo por el coeficiente.**

13. **Escribir** Cuando resuelves el sistema de ecuaciones $\begin{array}{c}6y + 2x = 3\\2x + y = 8\end{array}$ usando la sustitución, ¿qué variable hallas y en qué ecuación la sustituyes? **Hallas y en la segunda ecuación y luego la sustituyes en la primera ecuación.**

14. **Razonamiento** ¿Puedes darte cuenta de que un sistema no tiene solución con sólo observar las ecuaciones? Explica tu respuesta y da un ejemplo. **Si las dos ecuaciones son idénticas pero tienen una constante diferente, entonces el sistema no tiene solución.**

15. Si la diferencia en las longitudes de los lados de dos cuadrados es 10 y la suma de los lados es 18, ¿cuáles son las longitudes de los lados? **14 y 4**

16. Una persona compró 8 camisetas y 5 pares de pantalones por $220. Al día siguiente, compró 5 camisetas y 1 par de pantalones por $112. ¿Cuánto cuesta cada camiseta y cada par de pantalones? **Camiseta: $20; Par de pantalones: $12.**

Página 176

6-2 Práctica (continuación)
Modelo G
Resolver sistemas usando la sustitución

17. Una estudiante compró 1 caja de crayones y 5 resmas de papel por $54. Luego, compró 5 cajas de crayones y 3 resmas de papel por $50. ¿Cuánto cuesta cada caja de crayones y cada resma de papel?
Crayones: $4; Papel: $10.

18. Supón que compraste 8 mangos y 3 manzanas por $18, y 3 mangos y 5 manzanas por $14.50. ¿Cuánto cuesta cada mango y cada manzana?
Mango: $1.50; Manzana: $2.00.

19. Una persona compró 4 mesas y 2 sillas por $200. Luego, compró 2 mesas y 7 sillas por $200. ¿Cuánto cuesta cada mesa y cada silla?
Mesas: $25; Sillas: $50.

20. Si la longitud de un rectángulo es dos veces su ancho y el perímetro del rectángulo es 30 cm, ¿cuáles son la longitud y el ancho del rectángulo?
10 cm; 5 cm

21. La población de una ciudad es 2,500 habitantes. Si hay 240 hombres más que mujeres, ¿cuántos hombres y mujeres hay en la ciudad?
1130 mujeres y 1370 hombres.

Resuelve cada sistema usando la sustitución. Indica si el sistema tiene *una solución, infinitas soluciones* o si *no tiene solución.*

22. $7x + 2y = -13$
$-3x - 8y = -23$
(−3, 4); Una solución

23. $x - 9y = -10$
$6x + y = -5$
(−1, 1); Una solución

24. $x = \frac{y}{4} + 1$
$y = 4x - 5$
No tiene solución.

25. $x - 2y - 1 = 0$
$y - 5x + 14 = 0$
(3, 1); Una solución

26. $y = -8x - 37$
$x + 3y = 4$
(−5, 3); Una solución

27. $3x + 6y = 18$
$3y = -\frac{3}{2}x + 9$
Infinitas soluciones

28. $5x - 9y = 29$
$12x + y = 47$
(4, −1); Una solución

29. $2x = 3y - 9$
$-3x + y = 10$
(−3, 1); Una solución

30. $5y = 7x + 22$
$x = -6y + 17$
(−1, 3); Una solución

31. $x = 6y + 16$
$9x - 2y = -12$
(−2, −3); Una solución

32. $4x - y - 4 = 0$
$3x + 2y - 14 = 0$
(2, 4); Una solución

33. $x + 3y = -5$
$-2x - y = 5$
(−2, −1); Una solución

Página 177

6-2 Preparación para el examen estandarizado
Resolver sistemas usando la sustitución

Respuesta en plantilla

Resuelve cada ejercicio y marca tus respuestas en la plantilla.

1. Para el siguiente sistema de ecuaciones, ¿cuál es el valor de x de la solución? **0**
$-x + 2y = 6$
$6y = x + 18$

2. La suma de las medidas del ángulo X y del ángulo Y es 90. Si el ángulo X mide 30 menos que dos veces la medida del ángulo Y, ¿cuánto mide el ángulo X? **50**

3. Un número es 4 menos que 3 veces un segundo número. Si 3 más que dos veces el primer número disminuye en 2 por el segundo número, el resultado es 11. Usa el método de sustitución. ¿Cuál es el primer número? **8**

4. Un inversor compró 3 acciones clase A y 2 acciones clase B, por un total de $41. Cada acción clase A cuesta $2.00 más que una acción clase B. ¿Cuánto cuesta una acción clase A en dólares? **9**

5. Resuelve el siguiente sistema de ecuaciones usando la sustitución. ¿Cuál es el valor de y? **25**
$2x + 3y = 105$
$x + 2y = 65$

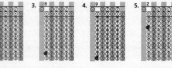

Página 178

6-3 **Pensar en un plan**
Resolver sistemas usando la eliminación

Nutrición La mitad de una pizza de pepperoni más tres cuartos de una pizza de jamón y piña tienen 765 calorías. Un cuarto de una pizza de pepperoni más una pizza entera de jamón y piña tienen 745 calorías. ¿Cuántas calorías tiene una pizza entera de pepperoni? ¿Cuántas calorías tiene una pizza entera de jamón y piña?

Lo que sabes

1. ¿Qué ecuación representará la combinación de pizza de 765 calorías? $\frac{1}{2}x + \frac{3}{4}y = 765$

2. ¿Qué ecuación representará la combinación de pizza de 745 calorías? $\frac{1}{4}x + y = 745$

Lo que necesitas

3. ¿Qué métodos podrías usar para resolver el sistema de ecuaciones?
Se puede resolver el sistema representando con una gráfica, usando la sustitución o usando la eliminación.

Planea

4. ¿Cómo puedes resolver el sistema de ecuaciones usando la eliminación?
Se puede multiplicar una ecuación por una constante y luego sumar la ecuación revisada a la otra ecuación original. Si la constante se escoge con cuidado, una variable se eliminará y se podrá hallar la otra variable de la ecuación resultante. Luego, se puede sustituir por ese valor en una de las ecuaciones originales para hallar la otra variable.

5. ¿Cómo puedes eliminar una de las variables para resolver el sistema de ecuaciones?
Se puede eliminar la variable x multiplicando la segunda ecuación por –2 y luego sumando las dos ecuaciones.

6. Resuelve el sistema de ecuaciones.
660; 580

7. ¿Cuál es la solución del sistema?
660; 580

8. ¿Cuántas calorías tiene cada tipo de pizza?
Pepperoni: 660 calorías; jamón y piña: 580 calorías

Página 179

6-3 **Práctica**   *Modelo G*
Resolver sistemas usando la eliminación

Resuelve cada sistema usando la eliminación.

1. $x + y = 2$ (3, –1)
   $x - y = 4$

2. $x + 2y = 3$ (5, –1)
   $x - y = 6$

3. $2x - y = 4$ (–2, –8)
   $3x - y = 2$

4. $x - 2y = -2$ (–4, –1)
   $-x + y = 3$

5. $-x - 3y = -3$ $(2, \frac{1}{3})$
   $2x + 3y = 5$

6. $x + 2y = -4$ (8, –6)
   $x + y = 2$

7. $3x - 2y = 8$ $(3, \frac{1}{2})$
   $2x - 2y = 5$

8. $x - 2y = 3$ $(\frac{1}{5}, -\frac{7}{5})$
   $3x - y = 2$

9. $2x - 4y = -6$ (1, 2)
   $x - y = -1$

10. **Escribir** Para el sistema $\begin{array}{l}3x - 5y = 9 \\ 2x + y = 3\end{array}$, ¿qué variable debes eliminar primero y por qué? ¿Cómo eliminarías la variable?
Primero, se debe eliminar la y porque sólo se necesita multiplicar una ecuación por una constante. Se multiplicaría la segunda ecuación por 5 y luego se sumarían las ecuaciones para eliminar y.

11. **Respuesta de desarrollo** Si no tienes coeficientes iguales para ambas variables, ¿puedes usar el método de eliminación de todos modos? Explica tu respuesta.
Se puede usar el método de eliminación multiplicando una o ambas ecuaciones por una constante.

12. En una clase, 45 estudiantes rinden el examen SAT. La cantidad de muchachos es 8 más que la cantidad de muchachas.
a. Escribe un sistema que represente la situación anterior. $x + y = 45$, $x - y = 8$
b. ¿Debes multiplicar alguna de las ecuaciones por una constante? Si es así, ¿qué ecuación y cuál es la constante? No es necesario multiplicar ninguna de las ecuaciones por una constante.

13. **Respuesta de desarrollo** Escribe un sistema que resulte más fácil de resolver usando el método de eliminación que el método de sustitución. Explica tu respuesta. Revise el trabajo de los estudiantes.

14. **Analizar errores** Un estudiante resolvió un sistema de ecuaciones lineales usando el método de eliminación, como se muestra abajo. Describe y corrige el error que cometió el estudiante.

$3x - 5y = 4$ $6x - 10y = 8$ Multiplica la ecuación 1 por 2.
$-2x + 3y = 2$ $\underline{-6x + 3y = 6}$ Multiplica la ecuación 2 por 3.
                        $-7y = 14$ Suma las ecuaciones.
                        $y = -2$ Divide por –7.

Cuando el estudiante multiplicó la segunda ecuación por 3, olvidó multiplicar el término de y. Respuesta correcta: (–22, –14)

Página 180

6-3 **Práctica** (continuación)   *Modelo G*
Resolver sistemas usando la eliminación

15. Una granja cría un total de 220 gallinas y cerdos. Los animales de la granja suman un total de 520 patas. ¿Cuántas gallinas y cuántos cerdos hay en la granja?
180 gallinas y 40 cerdos

16. Conduces un carro que funciona a etanol y gasolina. Tienes que llenar un tanque de 20 galones y puedes comprar combustible que es el 25 por ciento etanol o el 85 por ciento etanol. ¿Cuánto debes comprar de cada tipo de combustible para llenar el tanque para que sea un 50 por ciento etanol?
8.33 gals. de un 85% etanol; 11.67 gals. de un 25% etanol

17. Tu examen de matemáticas tiene 38 preguntas y vale 200 puntos. El examen consiste en preguntas de opción múltiple que valen 4 puntos cada una y preguntas de desarrollo que valen 20 puntos cada una. ¿Cuántas preguntas hay de cada tipo?
35 de opción múltiple; 3 de desarrollo

18. Un estudiante compró 3 cajas de lápices y 2 cajas de bolígrafos por $6. Luego, compró 2 cajas de lápices y 4 cajas de bolígrafos por $8. Halla el precio de cada caja de lápices y cada caja de bolígrafos. Lápices: $1.00; bolígrafos: $1.50

Resuelve cada sistema usando la eliminación. Indica si el sistema tiene *una solución, infinitas soluciones* o *si no tiene solución*.

19. $x - 3y = -7$
    $2x = 6y - 14$
    Infinitas soluciones

20. $3x - 5y = -2$
    $x + 3y = 4$
    (1, 1); Una solución

21. $x + 2y = 6$
    $2x - 4y = -12$
    (0, 3); Una solución

22. $5x + y = 15$
    $3y = -15x + 6$
    No tiene solución

23. $3x = 4y - 5$
    $12y = 9x + 15$
    Infinitas soluciones

24. $3x - y = -2$
    $-2x + 2y = 8$
    (1, 5); Una solución

25. $x + 2y = -4$
    $-3x + 2y = 4$
    (–2, –1); Una solución

26. $x + y = -2$
    $-x - y = 4$
    No tiene solución

27. $3x - 2y = -3$
    $6y = 9x + 9$
    Infinitas soluciones

28. $-4x - 3y = 5$
    $3x - 2y = -8$
    (–2, 1); Una solución

29. $x - 3y = 1$
    $2x + 2y = 10$
    (4, 1); Una solución

30. $-4x - 2y = 20$
    $2x + y = 19$
    No tiene solución

31. ¿Cómo se usan las propiedades multiplicativa o de división de la igualdad en el método de eliminación? ¿Se necesitan siempre las propiedades? Explica tu respuesta. Las propiedades multiplicativa o de división de la igualdad se usan cuando se multiplica o divide una ecuación por una constante para obtener otra ecuación verdadera. No son necesarias cuando una variable ya tiene coeficientes opuestos.

Página 181

6-3 **Preparación para el examen estandarizado**
Resolver sistemas usando la eliminación

Opción múltiple

Escoge la letra que contiene la respuesta correcta para los Ejercicios 1 a 5.

1. ¿Cuál es la solución del siguiente sistema de ecuaciones? $\begin{array}{l}5x + 7y = 3 \\ 2x + 3y = 1\end{array}$ C
   A. (–2, 1)   B. (1, –2)   C. (2, –1)   D. (–1, 2)

2. El perímetro de un rectángulo es 24 pulgs. y su longitud l es 3 veces el ancho a. ¿Cuáles son la longitud y el ancho (l, a) del rectángulo? I
   F. (3, 9)   G. (14.4, 4.8)   H. (12, 4)   I. (9, 3)

3. ¿Qué tienen en común los sistemas dependientes y los sistemas incompatibles? C
   A. no tienen solución   C. la misma pendiente
   B. el mismo intercepto en y   D. la misma pendiente y el mismo intercepto en y

4. Dos ecuaciones lineales tienen el mismo intercepto en y y diferentes pendientes. ¿Cómo clasificarías al sistema? F
   F. compatible, independiente   H. dependiente, incompatible
   G. compatible, dependiente   I. independiente, incompatible

5. ¿Cuál es la solución del siguiente sistema de ecuaciones? B
   $5x + 7y = 3$
   $2x = -3y + 1$
   A. (11, 17)   B. (2, –1)   C. (11.5, 8)   D. (–2, 1)

Respuesta breve

6. Un hotel ofrece los dos planes especiales de fin de semana que se describen abajo.
   Plan 1: 3 noches y 4 comidas por $233
   Plan 2: 3 noches y 3 comidas por $226.50
   A efectos contables, el hotel registrará los ingresos por la estadía y por las comidas por separado. Por tanto, el costo por noche de cada plan especial debe ser igual y el costo por comida de cada plan especial debe ser igual.
   a. ¿Cuál es un sistema de ecuaciones para representar la situación? $\begin{array}{l}3x + 4y = 223 \\ 3x + 3y = 226.5\end{array}$
   b. Resuelve el sistema. ¿Cuál es el costo por noche y por comida?
   Costo por noche: $69.00; costo por comida: $6.50
   [2] Las respuestas de ambas partes son correctas.
   [1] La respuesta de algunas partes son correctas.
   [0] Ninguna respuesta es correcta.

Álgebra 1, de Prentice Hall • Cuaderno de práctica y resolución de problemas Guía del maestro
Copyright © by Pearson Education, Inc., or its affiliates. All Rights Reserved.

Página 182

6-4 Pensar en un plan
Aplicaciones del sistema lineal

Química En un laboratorio químico, hay dos tipos de vinagre. Uno contiene 5% de ácido acético y el otro, 6.5% de ácido acético. Quieres obtener 200 mL de vinagre que contenga 6% de ácido acético. ¿Cuántos mililitros de cada tipo de vinagre debes mezclar?

Lo que sabes

1. ¿Qué tipos de vinagre hay?
   Uno que contiene 5% de ácido acético y otro que contiene 6.5% de ácido acético.

2. ¿Qué cantidad de vinagre mixto necesitas?
   200 mL

3. ¿Qué porcentaje de ácido acético quieres que tenga el vinagre mixto?
   6%

Lo que necesitas

4. ¿Qué necesitas hallar para resolver el problema?
   La cantidad de mL de cada tipo de vinagre.

Planea

5. ¿Cómo definirás las dos variables de este problema?
   x = cantidad de vinagre al 5% y y = cantidad de vinagre al 6.5%

6. ¿Cuál es una ecuación para la cantidad total de vinagre que quieres obtener?
   $x + y = 200$

7. ¿Cuál es una ecuación para el contenido de ácido acético?
   $0.05x + 0.065y = 0.06(200)$

8. ¿Qué método usarás para resolverla?
   Las respuestas variarán. Ejemplo: Usaré la sustitución, porque hay términos variables con coeficientes de 1.

9. ¿Cuál es la solución del sistema de ecuaciones?
   (66.67, 133.33)

10. ¿Qué cantidad de cada tipo de vinagre debes mezclar?
    Se necesitan 66.67 mL de vinagre al 5% y 133.33 mL de vinagre al 6.5%.

Página 183

6-4 Práctica
Modelo G
Aplicaciones del sistema lineal

Resuelve cada problema verbal.

1. Tienes $6000 para invertir en dos cuentas de acciones. La primera cuenta paga 5% de interés anual y la segunda cuenta paga 9% de interés anual. Si después de un año ganaste $380 en intereses, ¿cuánto dinero invertiste en cada cuenta?
   $4000 al 5%; $2000 al 9%

2. Durante una gran venta en una tienda local, compraste tres sudaderas y dos pares de pantalones deportivos por $85.50. Luego, regresas a la misma tienda y compras tres sudaderas y cuatro pares de pantalones más por $123. ¿Cuál es el precio rebajado de cada sudadera y de cada par de pantalones deportivos?
   Sudadera: $16; par de pantalones: $18.75

3. La suma de dos números es 27. El número más grande es 3 más que el número más pequeño. ¿Cuáles son los dos números?
   (15, 12)

4. Un avión que vuela a 520 pies de altura está ascendiendo a una velocidad de 40 pies por minuto, mientras que otro avión que se encuentra a 3800 pies está descendiendo a una velocidad de 120 pies por minuto. ¿Cuánto tiempo les tomará a los dos aviones estar a la misma altitud?
   20.5 min

5. El perímetro de un rectángulo es 24 pulgs. y su longitud es 3 veces su ancho. ¿Cuáles son la longitud y el ancho del rectángulo?
   Longitud: 9 pulgs.; ancho: 3 pulgs.

6. Te estás preparando para mudarte y les has pedido ayuda a algunos amigos. Para el almuerzo compras los siguientes sándwiches en una tienda cercana por $30: seis sándwiches de atún y seis sándwiches de pavo. A la noche, todos vuelven a tener hambre y compras cuatro sándwiches de atún y ocho sándwiches de pavo por $30.60. ¿Cuánto cuesta cada sándwich?
   Atún: $2.35; pavo: $2.65

7. Tienes un servicio de televisión por cable que cobra $39 por mes por el servicio básico más un canal de películas. Tu amigo tiene el mismo servicio básico más dos canales de películas por $45.50. ¿Cuánto cuesta el servicio básico que ambos pagan?
   $32.50

8. En una barbacoa libre para recaudar fondos que tú promocionas, los adultos pagan $6 por una cena y los niños pagan $4 por una cena. Asisten 212 personas y recaudas $1128. ¿Cuántos adultos y cuántos niños asisten en total?

   a. ¿Cuál es un sistema de ecuaciones que puedes usar para resolver el problema?
   $x + y = 212$
   $6x + 4y = 1128$

   b. ¿Qué método usarías para resolver el sistema? ¿Por qué?
   Usaría la sustitución porque en la primera ecuación los coeficientes ya son 1.

Página 184

6-4 Práctica (continuación)
Modelo G
Aplicaciones del sistema lineal

Resuelve cada sistema. Explica por qué escogiste el método que usaste.

9. $2y = x + 1$
   $-2x - y = 7$
   (−3, −1); Sustitución, porque había un coeficiente de 1.

10. $6x - 4y = 54$
    $-9x + 2y = -69$
    (7, −3); Eliminación, porque ningún coeficiente era 1 ó −1.

11. $3y - 2y = 8$
    $2x - y = 5$
    $\left(3, \frac{1}{3}\right)$; Eliminación, porque los coeficientes de x son iguales.

12. $2x - y = 4$
    $3x - y = 2$
    (−2, −8); Eliminación, porque los coeficientes de y son iguales.

13. $2x - 3y = 13$
    $y = \frac{1}{2}x - \frac{7}{2}$
    (5, −1); Sustitución, porque y está aislada en la segunda ecuación.

14. $-x - 3y = -3$
    $2x + 3y = 5$
    $\left(2, \frac{1}{3}\right)$; Eliminación, porque los coeficientes de y son opuestos.

15. **Respuesta de desarrollo** ¿Cuáles son tres diferencias entre un sistema incompatible y un sistema compatible e independiente? Explica tu respuesta.
    Las respuestas variarán. Ejemplo: Un sistema independiente tiene una sola solución, pero un sistema incompatible no tiene solución y un sistema dependiente tiene infinitas soluciones. Las gráficas de las ecuaciones de un sistema independiente tienen diferentes pendientes, pero las pendientes son las mismas para las rectas de un sistema incompatible o dependiente. Cuando se resuelve un sistema algebraicamente, se obtiene un valor específico para cada variable si el sistema es independiente, pero se obtiene un enunciado falso para un sistema incompatible y un enunciado que siempre es verdadero para un sistema dependiente.

16. **Razonamiento** Un número es 4 menos que 3 veces un segundo número. Si 3 más que dos veces el primer número disminuye dos veces el segundo número, el resultado es 11. ¿Cuáles son los dos números?
    (8, 4)

17. **Analizar errores** En el Ejercicio 16, ¿qué tipo de errores probablemente ocurran al resolver el problema?
    Las respuestas variarán. Ejemplo: Se podría interpretar mal la descripción. Por ejemplo, se podría pensar que "4 menos que 3 veces un número" significa $4 - 3y$ en vez de $3y - 4$.

18. Un avión parte de Chicago y vuela 750 millas hasta Nueva York. Si el vuelo hasta Nueva York en dirección contraria al viento tarda 2.5 horas, pero el vuelo de regreso a Chicago tarda sólo 2 horas, ¿cuál es la velocidad del avión y cuál es la velocidad del viento?
    Viento: 37.5 mi/h; avión: 337.5 mi/h

19. En una alcancía hay 250 monedas, de 10¢ y 25¢, por un valor de $39.25. ¿Cuántas monedas de cada tipo hay en la alcancía?
    155 monedas de 10¢; 95 monedas de 25¢

20. En 4 años, una madre será 5 veces mayor que su hija. Actualmente, la madre tiene 9 veces la edad de la hija. ¿Cuántos años tienen la madre y la hija actualmente?
    Madre: 36; hija: 4

Página 185

6-4 Preparación para el examen estandarizado
Aplicaciones del sistema lineal

Opción múltiple

Escoge la letra que contiene la respuesta correcta para los Ejercicios 1 a 5.

1. Resolviste un sistema lineal de dos ecuaciones y dos variables y obtuviste la ecuación $-6 = -6$. ¿Cuántas soluciones tiene el sistema de ecuaciones? **B**
   A. no tiene solución
   B. infinitas soluciones
   C. exactamente 1 solución
   D. 2 soluciones

2. La suma de dos números es 12. La diferencia de los mismos dos números es 4. ¿Cuál es el mayor de los dos números? **I**
   F. 4
   G. 5
   H. 7
   I. 8

3. Resolviste un sistema lineal y obtuviste la ecuación $-6 = 0$. ¿Cuántas soluciones tiene el sistema de ecuaciones? **A**
   A. no tiene solución
   B. infinitas soluciones
   C. exactamente 1 solución
   D. 2 soluciones

4. ¿Cuál es la solución del sistema de ecuaciones? **H**
   $-y + 3x = 6$
   $y = -6x + 12$
   F. (−2, 0)
   G. (0, −2)
   H. (2, 0)
   I. (0, 2)

5. Un canoero rema contra la corriente durante 1.5 horas; luego, gira su kayak y regresa a su carpa en 1 hora. Recorre 3 millas en cada dirección. ¿Cuál es la velocidad de la corriente del río? **A**
   A. 0.5 mi/h
   B. 2 mi/h
   C. 1 mi/h
   D. 1.5 mi/h

Respuesta breve

6. El rectángulo $EFGH$ tiene un perímetro de 24 pulgadas y el triángulo BCD tiene un perímetro de 18 pulgadas.

   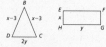

   a. ¿Cuál es un sistema de ecuaciones para representar los perímetros de las figuras?

   b. Sin resolverlo, ¿qué método usarías para resolver el sistema? Explica tu respuesta.
   $2x + 2y = 24$
   $2(x - 3) + 2y = 18$
   Usaría la eliminación porque los coeficientes de y son iguales.
   [2] Las respuestas de ambas partes son correctas. La explicación es clara.
   [1] La respuesta de una parte es correcta o la explicación no es clara o está incompleta.
   [0] Ninguna respuesta es correcta.

Página 186

6-5 Pensar en un plan
Desigualdades lineales

Empleo Un estudiante que tiene dos trabajos de verano gana $10 por hora en una cafetería y $8 por hora en una tienda de comestibles. El estudiante quiere ganar al menos $800 por mes.
   a. Escribe una desigualdad y represéntala con una gráfica para mostrar la situación.
   b. El estudiante trabaja 60 h por mes en la tienda de comestibles y puede trabajar 90 h mensuales como máximo. ¿Puede ganar al menos $800 por mes? Explica cómo puedes usar tu gráfica para determinarlo.

Comprender el problema

1. ¿Qué sabes acerca de lo que gana el estudiante por hora?
El estudiante gana $10/h en la cafetería y $8/h en la tienda de comestibles.

2. ¿Qué sabes acerca de cuánto dinero le gustaría ganar al estudiante por mes?
Al estudiante le gustaría ganar por lo menos $800 por mes.

3. ¿Qué sabes acerca de la cantidad de horas que el estudiante puede trabajar por mes?
El estudiante puede trabajar de 60 a 90 horas por mes.

Planear la solución

4. ¿Qué desigualdad representa la cantidad de horas que el estudiante puede trabajar por mes? $c + t \le 90$

5. ¿Qué desigualdad representa la cantidad de dinero que el estudiante puede ganar por mes? $10c + 8t \ge 800$

Hallar una respuesta

6. ¿Cómo puedes usar estas dos desigualdades para saber si trabajando 60 horas por mes en la tienda el estudiante llegaría a ganar $800 por mes?
Se halla una de las variables en la primera desigualdad y se la sustituye en la segunda desigualdad.

7. ¿Cómo puedes determinar la cantidad de horas que el estudiante debe trabajar por mes? ¿Qué cantidad de horas debe trabajar en la tienda y en la cafetería para ganar por lo menos $800 por mes?
El estudiante tendría que trabajar 32 h en la cafetería para ganar más de $800. Como en la cafetería sólo puede trabajar 30 h como máximo, el estudiante no puede ganar $800 por mes.

Página 187

6-5 Práctica
Desigualdades lineales
Modelo G

Representa con una gráfica cada desigualdad lineal.

1. $x \ge -4$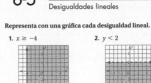

2. $y < 2$

3. $3x - y \ge 6$

4. $-4x + 5y < -3$

5. $3x + 2y > 6$

6. $y < x$

7. $3x - 5y > 6$

8. $x \le \frac{y}{9}$

9. $\frac{x}{4} < 4y - 3$

10. Analizar errores Un estudiante representó con una gráfica $y \le -4x + 3$ como se muestra. Describe y corrige el error del estudiante.
El estudiante coloreó arriba del borde del semiplano, cuando debería haberlo hecho por debajo del borde del semiplano.

11. Escribir ¿Cómo decides qué semiplano colorear cuando representas con una gráfica una desigualdad? Explica tu respuesta. Si se trata de una desigualdad en la forma $y > mx + b$ ó $y = mx + b$, se debe colorear arriba del borde del semiplano. De lo contrario, se debe colorear por debajo del borde del semiplano.

Página 188

6-5 Práctica (continuación)
Desigualdades lineales
Modelo G

Determina si el par ordenado es una solución de la desigualdad lineal.

12. $7x + 2y > -5, (-1, 1)$
No es una solución.

13. $x - y \le 3, (2, -1)$
Solución

14. $y + 2x > 5, (4, 1)$
Solución

15. $x + 4y \le -2, (-8, -2)$
Solución

16. $y < x + 4, (-9, -5)$
Solución

17. $y < 3x + 2, (3, 10)$
Solución

18. $x - \frac{1}{2}y > 3, (9, 12)$
No es una solución.

19. $0.3x - 2.4y > 0.9, (8, 0.5)$
Solución

Escribe una desigualdad que represente cada gráfica.

20. $y \ge -\frac{1}{3}x + 2$

21. 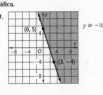 $y \ge -3x + 5$

22. Unos amigos y tú tienen $30. Quieren comprar pizzas grandes (p) que cuestan $9 cada una y bebidas ($b$) que cuestan $1 cada una. Escribe y representa con una gráfica una desigualdad que muestre cuántas pizzas y bebidas pueden comprar.
$b \le -9p + 30$

Pizza y bebidas por $30

23. Las entradas para una obra de teatro cuestan $5 en la puerta y $4 si las compras por adelantado. El Club de teatro quiere recaudar con la obra por lo menos $400. Escribe y representa con una gráfica una desigualdad para la cantidad de entradas que el Club de teatro debe vender. Si el Club vende 40 entradas por adelantado, ¿cuántas debe vender en la puerta para alcanzar su objetivo?
$5x + 4y \ge 400; 48$

24. Razonamiento Dos estudiantes resolvieron un problema como el anterior, pero uno usó x como la primera variable y y como la segunda variable; el otro estudiante usó x como la segunda variable y y como la primera variable. ¿En qué se diferencian sus respuestas y cuál es incorrecta, si alguna lo es?
Las respuestas de los estudiantes están invertidas. Ninguna de las dos es incorrecta.

Página 189

6-5 Preparación para el examen estandarizado
Desigualdades lineales

Opción múltiple

Escoge la letra que contiene la respuesta correcta para los Ejercicios 1 a 5.

1. ¿Qué punto de los ejes satisface la desigualdad $y < x$? **C**
  A. $(0, 1)$ B. $(-1, 0)$ C. $(1, 0)$ D. $(0, 0)$

2. En la gráfica de la desigualdad $x - 2y \ge 4$, ¿cuál es un valor de x para un punto que está en el borde del semiplano y los ejes? **F**
  F. 4   G. -2 H. 2   I. -4

3. Si $x \ge 0$ y $y \ge 0$, entonces ¿en qué cuadrante están las soluciones? **C**
  A. IV   B. III   C. I   D. II

4. ¿Cuál es el valor de y de un punto que está en el borde del semiplano y que es un punto de intersección que no está en los ejes de esta región: $x \ge 0, y \ge 0, x \le 4$ y $y \le 3$? **I**
  F. 4   G. 0   H. 1   I. 3

5. ¿Cómo decides dónde debes colorear una desigualdad cuyo borde no pasa por el origen? **B**
  A. Para $<$, se colorea arriba del borde.
  B. Si $(0, 0)$ es una solución, se colorea el lado donde se encuentra $(0, 0)$.
  C. Para $<$, se colorea por debajo del borde.
  D. Si $(0, 0)$ es una solución, se colorea el lado donde no se encuentra $(0, 0)$.

Respuesta breve

6. En una función para recaudar fondos, una escuela vende tarjetas de fin de año y papel para envolver. Intenta recaudar por lo menos $400. Obtiene una ganancia de $1.50 por cada caja de tarjetas y $1.00 por cada paquete de papel para envolver.
  a. ¿Cuál es una desigualdad para la ganancia que la escuela quiere obtener con la función para recaudar fondos? $1.5x + y \ge 400$
  b. Si en la función se venden 100 cajas de tarjetas y 160 paquetes de papel para envolver, ¿alcanzará su objetivo? Muestra tu trabajo.
  No, no alcanzará su objetivo.
  [2] Las respuestas de ambas partes son correctas. La explicación es clara.
  [1] La respuesta de una parte es correcta o la explicación no es clara o está incompleta.
  [0] Ninguna respuesta es correcta.

Álgebra 1, de Prentice Hall • Cuaderno de práctica y resolución de problemas Guía del maestro

Página 190

6-6 Pensar en un plan
Sistemas de desigualdades lineales

Cupones de regalo Recibes un cupón de regalo de $100 para gastar en una tienda de ropa. En la tienda se venden camisetas por $15 y camisas por $22. No quieres gastar más que la cantidad del cupón. Quieres que te queden $10 como máximo del cupón sin gastar. Necesitas por lo menos una camisa. ¿Cuáles son todas las combinaciones posibles de camisetas y camisas que puedes comprar?

Comprender el problema

1. ¿Qué sabes acerca del precio de cada tipo de prenda que quieres comprar?
   Camisetas: $15; camisas: $22

2. ¿Qué sabes acerca de cuánto puedes gastar? ¿Qué sabes acerca de cuánto no quieres gastar?
   Puedes gastar hasta $100. No quieres gastar menos de $90.

3. ¿Qué sabes acerca de la cantidad de camisas que quieres comprar?
   Quieres comprar al menos una camisa.

Planear la solución

4. ¿Qué desigualdad representa la cantidad de camisas que quieres comprar? $15c + 22s \le 100$

5. ¿Qué desigualdad representa la cantidad del cupón de regalo que no quieres gastar? $15c + 22s \ge 90$

6. ¿Qué desigualdad representa la cantidad de camisas que quieres comprar? $s \ge 1$

Hallar una respuesta

7. ¿Cómo puedes usar estas desigualdades para hallar la cantidad de camisetas y camisas que puedes comprar? Puedes representar con una gráfica las desigualdades y hallar puntos que satisfagan las tres desigualdades. Las coordenadas de los puntos te indican cuántas prendas de cada tipo puedes comprar.

8. Representa con una gráfica el sistema de desigualdades lineales. Señala la región que muestra la respuesta.

9. ¿Qué combinaciones de camisetas y camisas son posibles?
   1 camisa y 5 camisetas ó 3 camisas y 2 camisetas

10. ¿Hay otras combinaciones posibles? Explica tu respuesta.
    No. Cualquier otra combinación cuesta más de $100, menos de $90 o no incluiría una camisa.

Página 191

6-6 Práctica
Sistemas de desigualdades lineales *Modelo G*

Resuelve cada sistema de desigualdades con una gráfica.

1. $3x + y \le 1$
   $x - y \le 3$

2. $5x - y \le 1$
   $x + 3y \le -2$

3. $4x + 3y \le 1$
   $2x - y \le 2$

4. **Escribir** ¿Cuál es la diferencia entre la solución de un sistema de desigualdades lineales y la solución de un sistema de ecuaciones lineales? Explica tu respuesta.
   La gráfica de un sistema de ecuaciones está compuesta por rectas; por tanto, la solución, si existe, es un único punto. La gráfica de un sistema de desigualdades está compuesta por semiplanos coloreados; por tanto, si existe una solución, es una región donde se superponen las regiones coloreadas.

5. **Respuesta de desarrollo** ¿Cuándo puedes decir que un sistema de desigualdades lineales no tiene solución? Explica y muestra tu respuesta con un sistema y una gráfica.
   Las respuestas variarán. Ejemplo: Un sistema de desigualdades no tiene solución cuando los bordes de los semiplanos son paralelos y las regiones coloreadas no se superponen. Ejemplo: $y \le x - 1$; $y \ge x + 2$; Revise las gráficas de los estudiantes.

6. **Analizar errores** Un estudiante representa con una gráfica el siguiente sistema. Describe y corrige el error del estudiante.
   $x - y \ge 3$
   $y < -2$
   $x \ge 1$
   Cuando representó con una gráfica la desigualdad $x \ge 1$, el estudiante coloreó la mitad equivocada del plano.

Determina si el par ordenado es una solución del sistema dado.

7. $(0, 1)$;
   $1 - x \ge 3y$
   $3y - 1 > 2x$
   No es una solución.

8. $(-2, 3)$;
   $2x + 3y > 2$
   $3x + 5y > 1$
   Solución

9. $(1, 4)$;
   $2x + y > 3$
   $-3x - y \le 5$
   Solución

Página 192

6-6 Práctica (continuación)
Sistemas de desigualdades lineales *Modelo G*

10. Mark es estudiante. Puede trabajar como máximo 20 horas por semana. Necesita ganar por lo menos $75 para cubrir sus gastos semanales. En su trabajo como paseador de perros le pagan $5 por hora y como empleado en el lavadero de carros le pagan $4 por hora. Escribe un sistema de desigualdades para la situación y represéntalo con una gráfica.
    $x + y \le 20$, $4x + 5y \ge 75$

11. Britney quiere hornear al menos 10 panes para una venta de pasteles. Quiere hacer pan de plátano para vender a $1.25 cada uno y pan de nuez para vender a $1.50 cada uno. Quiere vender al menos $24. Escribe un sistema de desigualdades para la situación dada y represéntalo con una gráfica.
    $x + y \le 10$, $1.25x + 1.5y \ge 24$

12. Escribe un sistema de desigualdades para la siguiente gráfica.
    $y < -\frac{1}{2}x$; $y > -\frac{7}{10}x - \frac{4}{5}$

Resuelve cada sistema de desigualdades con una gráfica.

13. $5x + 7y > -6$
    $x + 3y < -1$

14. $x + 4y - 2 \ge 0$
    $2x - y + 1 > 2$

15. $\frac{x}{2} - 5 > -6y$
    $3x + y > 2$

Página 193

6-6 Preparación para el examen estandarizado
Sistemas de desigualdades lineales

Opción múltiple

Escoge la letra que contiene la respuesta correcta para los Ejercicios 1 a 4.

1. Tú y un amigo quieren comprar una ensalada y una bebida pequeña. Entre los dos tienen $8.00. Una ensalada cuesta $2.49 y una bebida pequeña cuesta $.99. ¿Puede alguno de los dos comprar una segunda ensalada o bebida? **C**
   A. sí, 1 ensalada   B. sí, 1 de cada una   C. sí, 1 bebida   D. no, no se puede

2. ¿Cuál de los siguientes sistemas de desigualdades representa la gráfica?
   F. $y > 2x + 4$
      $y \le -x + 2$
   G. $2x - y \ge 4$
      $y < -x + 2$
   H. $y \ge 2x + 4$
      $-x + y < 2$
   I. $-2x + y \ge 4$
      $x + y < 2$

3. En la gráfica anterior, ¿cuál es el valor de y aproximado del punto de intersección? **C**
   A. -1 B. 4   C. 3   D. 2

4. Un estudiante no pasa más de 2 horas con sus tareas de matemáticas e inglés. Si la tarea de matemáticas le lleva aproximadamente el doble que la de inglés, ¿cuál es la cantidad máxima de tiempo que el estudiante puede pasar con su tarea de inglés? **I**
   F. $\frac{1}{3}$ de hora   G. $\frac{1}{2}$ hora   H. 1 hora   I. $\frac{2}{3}$ de hora

Respuesta breve

5. Una joven quiere ganar por lo menos $200 por semana y no puede trabajar más de 30 horas por semana. Trabaja en la biblioteca por $8 la hora y cuida niños por $6 la hora.
   a. ¿Qué sistema de desigualdades muestra la combinación posible de horas y trabajos que puede hacer? $x + y \le 30$; $6x + 8y \ge 200$; $x \ge 0$; $y \ge 0$
   b. ¿Por qué excluiste los puntos a la izquierda del eje de las y y por debajo del eje de las x?
      No se puede trabajar un número negativo de horas o ganar una cantidad negativa de dólares.
   [2] Las respuestas de ambas partes son correctas. La explicación es clara.
   [1] La respuesta de una parte es correcta o la explicación no es clara o está incompleta.
   [0] Ninguna respuesta es correcta.

Página 194

7-1 Pensar en un plan
El exponente cero y los exponentes negativos

Fabricación Una empresa fabrica varillas de metal con un diámetro objetivo de 1.5 mm. Una varilla es aceptable cuando su diámetro está dentro de los 10^{-3} mm del diámetro objetivo. Escribe una desigualdad para el rango aceptable de diámetros.

Comprender el problema

1. ¿Cuál es el diámetro objetivo para las varillas de metal? __1.5 mm__

2. ¿Cómo sabes si una varilla es aceptable? __Debe estar dentro de los 10^{-3} de 1.5 mm.__

3. ¿Qué te pide el problema que determines? __Una desigualdad para el rango__ __aceptable de diámetros.__

Planear la solución

4. ¿Qué te indica la palabra "dentro" acerca del rango aceptable de diámetros? __El diámetro no puede ser mayor que 1.50 + 0.001 mm ni menor que 1.5 − 0.001 mm.__

5. ¿Qué te indica esto acerca del tipo de desigualdad que debes usar?

__En la desigualdad se usarán los símbolos < y >.__

Hallar una respuesta

6. Escribe 10^{-3} como una fracción y como un decimal. $\frac{1}{10}$, 0.1

7. Halla el rango aceptable para el diámetro de las varillas. Entre 14.999 y 15.001 mm.

8. Escribe tu respuesta como una desigualdad. __14.99 < d < 15.001__

Página 195

7-1 Práctica *Modelo G*
El exponente cero y los exponentes negativos

Simplifica cada expresión.

1. 13^0 1

2. 5^{-3} $\frac{1}{125}$

3. $\frac{3}{3^{-4}}$ 243

4. $\frac{2}{4^{-1}}$ 8

5. $-(7)^{-2}$ $-\frac{1}{49}$

6. 46^{-1} $\frac{1}{46}$

7. -6^0 1

8. $-(12x)^{-2}$ $-\frac{1}{144x^2}$

9. $\frac{1}{8^0}$ 1

10. $6bc^0$ 6b

11. $-(11x)^0$ -1

12. $\left(\frac{2}{9}\right)^{-2}$ $20\frac{1}{4}$

13. $3m^{-8}p^0$ $\frac{3}{m^8}$

14. $\frac{5a^{-4}}{2c}$ $\frac{5}{2a^4c}$

15. $\frac{-3k^{-3}(mn)^3}{p^{-8}}$ $\frac{-3p^8m^3n^3}{k^3}$

16. $\left(\frac{2m}{3n}\right)^{-3}$ $\frac{27n^3}{8m^3}$

17. $8^{-2}q^3r^{-5}$ $\frac{q^3}{64r^3}$

18. $-(10a)^{-4}b^0$ $\frac{-1}{10,000a^4}$

19. $\frac{11xy^{-1}z^0}{v^{-3}}$ $\frac{11xv^3}{y}$

20. $\frac{5m^{-1}}{9(ab)^{-4}c^7}$ $\frac{5a^4b^4}{9mc^7}$

Página 196

7-1 Práctica (continuación) *Modelo G*
El exponente cero y los exponentes negativos

Evalúa cada expresión cuando $a = -4$, $b = 3$ y $c = 2$.

21. $3a^{-1}$ $-\frac{3}{4}$

22. b^{-3} $\frac{1}{27}$

23. $4a^2b^{-2}c^3$ $\frac{512}{9}$

24. $9a^0c^4$ 144

25. $-a^{-2}$ $-\frac{1}{16}$

26. $(-c)^{-2}$ $\frac{1}{4}$

Escribe cada número como una potencia de 10 usando exponentes negativos.

27. $\frac{1}{1000}$ 10^{-3}

28. $\frac{1}{10}$ 10^{-1}

Escribe cada expresión como un decimal.

29. 10^{-3} 0.001

30. $8 \cdot 10^{-4}$ 0.0008

31. La cantidad de personas que votan con anticipación se duplica todas las semanas a medida que se acercan las elecciones. Esta semana, 1200 personas votaron con anticipación. La expresión $1200 \cdot 2^s$ representa la cantidad de personas que votarán en s semanas de anticipación después de esta semana. Evalúa la expresión cuando $s = -3$. Describe qué representa el valor de la expresión en la situación.
150; La expresión $1200 \cdot 2$ representa la cantidad de personas que votaron con anticipación tres semanas atrás.

32. Una pizzería prepara pizzas grandes con un diámetro objetivo de 16 pulgadas. Una pizza es aceptable si el diámetro está dentro de las $3 \cdot 2^{-2}$ pulgs. del diámetro objetivo. Sea d la letra que representa el diámetro de una pizza. Escribe una desigualdad para el rango de diámetros de pizzas grandes aceptables en pulgadas.
$15\frac{1}{4} < d < 16\frac{3}{4}$

33. **Respuesta de desarrollo** Escoge una fracción para usar como un valor para la variable c. Halla los valores de c^{-1}, c^{-3} y c^3.
Las respuestas variarán. Ejemplo: $c = \frac{2}{3}$, $c^{-1} = \frac{3}{2}$, $< c^{-3} = \frac{27}{8}$, $c^3 = \frac{8}{27}$.

Página 197

7-1 Preparación para el examen estandarizado
El exponente cero y los exponentes negativos

Opción múltiple

Escoge la letra que contiene la respuesta correcta para los Ejercicios 1 a 6.

1. ¿Cuál es la forma simplificada de $3a^4b^{-2}c^3$? D
A. $\frac{81a^4c^3}{b^2}$ B. $\frac{81a^4}{b^2c^3}$ C. $\frac{3a^4}{b^2c^3}$ D. $\frac{3a^4c^3}{b^2}$

2. ¿Cuál es el valor de $-a^{-2}$ cuando $a = -5$? H
F. -25 G. 25 H. $-\frac{1}{25}$ I. $\frac{1}{25}$

3. ¿Cuál de las siguientes opciones se simplifica a un número negativo? A
A. -4^{-4} B. $(-4)^{-4}$ C. 4^{-4} D. $\frac{1}{4^{-4}}$

4. ¿Cuál es la forma simplificada de $-(14x)^0 y^{-7}z$? I
F. $-\frac{14z}{y^7}$ G. $\frac{14z}{y^7}$ H. $\frac{z}{y^7}$ I. $-\frac{z}{y^7}$

5. ¿Cuál es el valor de $(-m)^{-3}n$ cuando $m = 2$ y $n = -24$? A
A. 3 B. -3 C. 4 D. -4

6. ¿Cuál es la forma simplificada de $\left(-\frac{5a}{3}\right)^{-3}$? G
F. $\frac{27}{125a^3}$ G. $-\frac{27}{125a^3}$ H. $\frac{125a^3}{27}$ I. $-\frac{125a^3}{27}$

Respuesta breve

7. La cantidad de bacterias que hay en un cultivo de laboratorio se cuadruplica cada hora. A las 8:00 A.M., había 65,536 bacterias en el cultivo. La expresión $65,536 \cdot 4^h$ representa la cantidad de bacterias que hay en el cultivo h horas después de las 8:00 A.M.
a. ¿Cuál es el valor de la expresión cuando $h = -4$?
b. ¿Qué representa el valor de la expresión de la parte a?

256; La cantidad de bacterias que hay en el cultivo a las 4:00 A.M.
[2] Las respuestas de ambas partes son correctas.
[1] La respuesta de una parte es correcta.
[0] Ninguna respuesta es correcta.

Página 198

7-2 Pensar en un plan
Notación científica

Física El radio de una molécula de agua es aproximadamente 1.4 angstroms. Un angstrom equivale a 0.00000001 cm. ¿Cuál es el diámetro de la molécula de agua en centímetros? Usa la notación científica.

1. ¿Qué datos geométricos y qué operación(es) aritmética(s) deberás usar para resolver el problema? ¿Cuál es la relación entre diámetro y radio? ¿Cómo conviertes las unidades dadas?

El diámetro de un círculo es dos veces la longitud de su radio.

1 angstrom = 0.00000001 cm

Se multiplica para convertir angstroms a centímetros.

2. ¿Cuántos angstroms hay en el diámetro de una molécula de agua? _____ 2.8

¿Cómo conviertes angstroms a centímetros? _____ Se multiplica por 0.00000001.

3. Vuelve a escribir 0.00000001 en notación científica. Recuerda que un número escrito en notación científica tiene la forma $a \times 10^n$.

$a =$ _____ 1 _____ $n =$ _____ -8 _____ $0.00000001 =$ _____ 1×10^{-8}

4. Multiplica la cantidad de angstroms que hay en el diámetro de una molécula de agua por la longitud de un angstrom en centímetros para hallar la cantidad de centímetros que hay en el diámetro de una molécula de agua.

2.8×10^{-8} cm

Página 199

7-2 Práctica
Notación científica _____ *Modelo G*

¿El número está escrito en notación científica? Si no es así, explica por qué.

1. 32.1×10^5 No; Porque 32 es mayor que 10.   2. 5.6×10^{12} Sí.

3. 4.6×10^{-5} Sí.   4. 0.7×10^{34} No; Porque 0.7 es menor que 1.

Escribe cada número en notación científica.

5. 3,200,000,000,000 3.2×10^{12} 6. 0.00000802 8.02×10^{-6}

7. 70,030,000 7.003×10^7 8. 8.7 mil millones 8.7×10^9

Escribe cada número en notación estándar.

9. 3.37×10^{12} 3,370,000,000,000   10. 3.060×10^7 30,600,000

11. 4.2×10^{-6} 0.0000042   12. 4.56×10^0 4.56

Simplifica. Escribe cada respuesta en notación científica.

13. $5(3.2 \times 10^{-4})$ 1.6×10^{-3} 14. $0.7(8.54 \times 10^4)$ 5.978×10^4

15. $87(6.4 \times 10^5)$ 5.568×10^7 16. $0.03(6 \times 10^{-7})$ 1.8×10^{-8}

17. **Escribir** Generalmente, la notación científica se usa para trabajar con números muy pequeños o muy grandes. Describe dos situaciones en las que sería apropiado usar la notación científica. Las respuestas variarán. Ejemplo: La notación científica es apropiada para describir la distancia que hay entre las estrellas y la distancia que hay entre las partes de una molécula.

18. **Razonamiento** ¿Cómo cambia un número escrito en notación científica cuando lo multiplicas por 100? El exponente de 10 aumenta en 2.

19. El País A tiene una población de 8.7×10^9. Te comentan que el País B tiene dos veces más habitantes que el País A y que el País C tiene dos veces más habitantes que el País B. ¿Cuántos habitantes tiene el País C? 3.48×10^{10}

Página 200

7-2 Práctica (continuación)
Notación científica _____ *Modelo G*

Escribe un número en notación científica que esté entre los dos números dados.

20. 6.2×10^5, 9.6×10^4
Ejemplo: 2.4×10^5

21. 3.7×10^{-3}, 9.4×10^{-2}
Ejemplo: 8.6×10^{-2}

22. 7.94×10^6, 7.93×10^7
Ejemplo: 5.27×10^7

23. 9×10^{-6}, 6×10^{-7}
Ejemplo: 5.3×10^{-7}

Escribe un número en notación estándar que esté entre los dos números dados.

24. 3.42×10^8, 3.421×10^8
Ejemplo: 342,070,000

25. 1.3×10^{-4}, 1×10^{-3}
Ejemplo: 0.000256

26. 5.708×10^{-6}, 5.7008×10^{-6}
Ejemplo: 0.000005707

27. 1.2×10^0, 1.3×10^0
Ejemplo: 1.25

Escribe un número en palabras que esté entre los dos números dados.

28. 6.52×10^7, 1.2×10^8
Setenta y siete millones, setecientos mil.

29. 3.9×10^{-5}, 2.8×10^{-4}
Cuarenta y un millonésimas.

30. **Respuesta de desarrollo** Escribe dos factores que, al multiplicarlos entre sí, den un producto de 3.6×10^8. Uno de los factores debe estar escrito en notación científica. $2 \times 1.8 \times 10^8$

31. La luz viaja a una velocidad de 1.86×10^5 millas por segundo. Si una partícula viaja a la mitad de la velocidad de la luz, ¿a qué velocidad se mueve? 9.3×10^4 mi/s

32. Un átomo de carbono tiene una masa de 1.99×10^{-23} gramos.
a. ¿Cuál es la masa de dos átomos de carbono? 3.98×10^{-23} g
b. ¿Cuál es la masa de cinco átomos de carbono? 9.95×10^{-23} g

Página 201

7-2 Preparación para el examen estandarizado
Notación científica

Opción múltiple

Escoge la letra que contiene la respuesta correcta para los Ejercicios 1 a 6.

1. ¿Cuál de las siguientes expresiones está escrita en notación científica? D
A. 73.4×10^5 B. 0.09×10^7 C. 80×10^3 D. 4.22×10^{-5}

2. ¿Cuál de las siguientes opciones es 0.0000000708 escrito en notación científica? F
F. 7.08×10^{-8} G. 7.8×10^{-8} H. 708×10^{-10} I. 70.8×10^{-9}

3. ¿Qué expresión representa el número más grande? A
A. 40.1×10^{-6} B. 4.1×10^{-7} C. 0.411×10^{-6} D. 0.04001×10^{-5}

4. ¿Qué expresión es igual a $\frac{1}{8000}$ escrito en notación científica? G
F. 8.0×10^3 G. 1.25×10^{-4} H. 125×10^{-5} I. 1.25×10^4

5. ¿Cuál de los siguientes enunciados acerca de una expresión escrita en notación científica en la forma $a \times 10^n$ *no* es verdadero? C
A. El valor de a debe ser mayor que o igual a 1 y menor que 10.
B. El valor de n debe ser un entero.
C. Duplicar n dará como resultado el doble del valor de la expresión.
D. Duplicar a dará como resultado el doble del valor de la expresión.

6. ¿Qué número es igual a $7(3.5 \times 10^4)$ escrito en notación científica? G
F. 24.5×70^4 G. 2.45×10^5 H. 24.5×10^4 I. 1.05×10^5

Respuesta breve

7. El gobierno de un estado tiene 5.7×10^7 dólares invertidos en un fondo de pensión para empleados jubilados. Se espera que esta inversión duplique su valor cada 8 años. ¿Cuál es el valor de la inversión después de 8 años, 16 años y 24 años? Escribe tu respuesta en notación científica.

8 años: 1.14×10^8; 16 años: 2.28×10^8; 24 años: 4.56×10^8
[2] La respuesta de cada periodo correctamente escrito en notación científica es correcta.
[1] Las respuestas de la mayoría de los períodos son correctas, con algunos errores de cálculo.
[0] Hay errores importantes en las respuestas de la mayoría de los períodos.

Página 202

7-3 Pensar en un plan
Multiplicar potencias que tienen la misma base

Química En química, un *mol* es una unidad de medida igual a 6.02×10^{23} átomos de una sustancia. La masa de un solo átomo de neón es aproximadamente 3.35×10^{-23} g. ¿Cuál es la masa de 2 moles de átomos de neón? Escribe tu respuesta en notación científica.

Comprender el problema

1. ¿Cuál es la masa de un solo átomo de neón?

   Aproximadamente 3.35×10^{-23} g.

2. ¿Cuántos átomos hay en 1 mol?

   6.02×10^{23} átomos

Planear la solución

3. Sin resolver, explica cómo puedes determinar la masa de 1 mol de átomos de neón. ¿Cómo determinarías la masa de 2 moles de átomos de neón?

   Multiplicar 6.02×10^{23} átomos por 3.35×10^{-23} g por átomo; luego, multiplicar por 2.

4. ¿Qué reglas y pautas exponenciales te ayudarán con tus cálculos?

   Sumar los exponentes.

Hallar una respuesta

5. Muestra cómo se pueden ordenar los números para simplificar la multiplicación.

   $6.02 \times 3.35 \times 10^{23} \times 10^{-23}$ para 1 mol; $2 \times 6.02 \times 3.35 \times 10^{23} \times 10^{-23}$ para 2 moles.

6. Completa tus cálculos.

   1 mol: $20.167 \times 10^0 = 20.167$ g; 2 moles: $40.334 \times 10^0 = 40.334$ g.

7. ¿Tu respuesta está escrita en notación científica? Explica tu respuesta.

   No; En notación estándar: $10^{23} \times 10^{-23} = 1$.

Página 203

7-3 Práctica
Multiplicar potencias que tienen la misma base
Modelo G

Vuelve a escribir cada expresión usando cada base sólo una vez.

1. $4^5 \cdot 4^3$ 4^8

2. $2^4 \cdot 2^6 \cdot 2^2$ 2^{12}

3. $5^6 \cdot 5^{-2} \cdot 5^{-1}$ 5^3

4. $10^{-4} \cdot 10^4 \cdot 10^2$ 10^2

5. $7^9 \cdot 7^3 \cdot 7^{-10}$ 7^2

6. $9^2 \cdot 9^{-8} \cdot 9^6$ 9^0

Simplifica cada expresión.

7. $z^8 z^5$

   z^{13}

8. $-4k^{-3} \cdot 6k^4$

   $-24k$

9. $(-5b^3)(-3b^6)$

   $15b^9$

10. $(13x^{-8})(3x^{10})$

    $39x^2$

11. $(-2h^5)(4h^{-3})$

    $-8h^2$

12. $-8n \cdot 11n^9$

    $-88n^{10}$

13. $(t^3)(t^6)(t^9)$

    t^{18}

14. $(-f^{-8})(4f^{12})$

    $-4f^4$

15. $(-5d^{-5})(6d^2)$

    $-\dfrac{30}{d^3}$

16. $mn^2 \cdot m^2n^{-4} \cdot mn^{-1}$

    $\dfrac{m^4}{n^3}$

17. $(6a^3b^{-2})(-4ab^{-8})$

    $-\dfrac{24a^4}{b^{10}}$

18. $(12mn)(-m^3n^{-2}p^5)(2m)$

    $-\dfrac{6m^3p^5}{n}$

19. $q^4 \cdot r^{-5} \cdot q^3 \cdot r^5$

    q^7

20. $-3c^7d^{-2} \cdot 5c^{-3}d$

    $-\dfrac{15c^4}{d}$

21. $fg^{-1} \cdot f^3g^5h^2 \cdot 2h^{-1}$

    $\dfrac{f^4g^4h}{2}$

Simplifica cada expresión. Escribe cada respuesta en notación científica.

22. $(5 \times 10^4)(1 \times 10^7)$

    5×10^{11}

23. $(3 \times 10^{-6})(2 \times 10^{12})$

    6×10^6

24. $(6 \times 10^7)(4 \times 10^{-5})$

    -2.4×10^3

25. $(7 \times 10^4)(7 \times 10^{-5})$

    4.9×10^0

26. $(8 \times 10^3) \cdot 10^{-8}$

    8×10^{-5}

27. $(9 \times 10^{-6})(2 \times 10^{-7})$

    1.8×10^{-12}

Escribe cada respuesta en notación científica.

28. La población de un país en 1950 era 6.2×10^7. Según una proyección, la población en 2030 será 3×10^2 veces la población de 1950. Si la proyección es correcta, ¿cuál será la población del país en 2030? 1.86×10^{10}

29. El área de Rhode Island es aproximadamente 1.5×10^3 millas cuadradas. El área de Alaska es un poco más que 4.3×10^2 veces el área de Rhode Island. ¿Cuál es el área aproximada de Alaska en millas cuadradas? 6.45×10^5 mi²

Completa cada ecuación.

30. $9^{-2} \cdot 9^4 = 9^{\square}$ 2

31. $5^{\square} \cdot 5^3 = 5^{-5}$ -8

32. $2^8 \cdot 2^{\square} = 2^{-2}$ -10

33. $z^{\square} \cdot z^{-5} = z^3$ 8

34. $m^{-3} \cdot m^6 \cdot m^{\square} = m^2$ -1 35. $d^7 \cdot d^{-13} \cdot d^{\square} = d^{\square}$ -15

Página 204

7-3 Práctica (continuación)
Multiplicar potencias que tienen la misma base
Modelo G

Halla el área de cada figura.

36.
   $3x^2 + 2x$
   $4x^2$

   $12x^4 + 8x^3$

37.
   $3n$
   $6n + 5$

   $18n^3 + 15n^2$

38.
   $5b$
   $2b^2 - 4$

   $5b^3 - 10b$

39.
   $3z^4$

   $9z^8$

Simplifica cada expresión. Escribe cada respuesta en notación científica.

40. $(7 \times 10^{17})(8 \times 10^{-28})$

    5.6×10^{-10}

41. $(4 \times 10^{-11})(0.8 \times 10^7)$

    3.2×10^{-4}

42. $(0.9 \times 10^{15})(0.1 \times 10^{-6})$

    9.0×10^7

43. $(0.8 \times 10^5)(0.6 \times 10^{-17})$

    4.8×10^{-13}

44. $(0.5 \times 10^3)(0.6 \times 10^9)$

    3.0×10^2

45. $(0.2 \times 10^{11})(0.4 \times 10^{-14})$

    8.0×10^{-5}

46. El diámetro de la Luna es aproximadamente 3.5×10^3 kilómetros.

   a. El diámetro de la Tierra es aproximadamente 3.7 veces el de la Luna. Determina el diámetro de la Tierra. Escribe tu respuesta en notación científica. 1.295×10^4 km

   b. La distancia desde el centro de la Tierra hasta el centro de la Luna es aproximadamente 30 veces el diámetro de la Tierra. Determina la distancia que hay desde el centro de la Tierra hasta el centro de la Luna. Escribe tu respuesta en notación científica. 3.885×10^5 km

Simplifica cada expresión.

47. $\dfrac{1}{n^{-8} \cdot n^3}$ n^5

48. $\dfrac{1}{x^4 \cdot x^{-9}}$ x^5

49. $7k^4(-2k^6 - k)$ $-14k^{10} - 7k^5$

50. $-2x^2(-3x^4 + 5)$

    $6x^6 - 10x^2$

51. $4^x \cdot 4^{x+1} \cdot 4$

    4^{2x+2}

52. $(n + 2)^5(n + 2)^{-3}$

    $n^2 + 4n + 4$

53. **Escribir** Explica qué ocurre con el valor de un número al mover el punto decimal 4 lugares hacia la derecha o hacia la izquierda. En notación científica, ¿por qué potencia de 10 multiplicarías para compensar el movimiento del punto decimal? Al mover el punto decimal de un número 4 lugares hacia la derecha, se multiplica el número por 10,000. En notación científica, sería lo mismo que multiplicar por 10^4. Al mover el punto decimal de un número 4 lugares hacia la izquierda, se divide el número por 10,000. En notación científica, se multiplicaría por 10^{-4}.

Página 205

7-3 Preparación para el examen estandarizado
Multiplicar potencias que tienen la misma base

Opción múltiple

Escoge la letra que contiene la respuesta correcta para los Ejercicios 1 a 5.

1. ¿Cuál es la forma simplificada de $(-3x^3y^2)(5xy^{-1})$? C

   A. $\dfrac{-15x^3}{y^2}$ B. $-15x^3y^2$ C. $-15x^4y$ D. $15x^4y$

2. ¿Cuál es la forma simplificada de $-9m^{-2}n^5 \cdot 2m^{-3}n^{-6}$? G

   F. $-18m^5n$ G. $\dfrac{-18}{m^5n}$ H. $\dfrac{-18m^6}{n^{30}}$ I. $-18m^6n^{30}$

3. Un pastizal rectangular tiene una valla alrededor de su perímetro. La valla mide $16x^7$ de longitud y $48x^4$ de ancho. ¿Cuál es el área del pastizal? C

   A. $3x^3$ B. $128x^{11}$ C. $768x^{11}$ D. $768x^{28}$

4. ¿Cuál es la forma simplificada de $(3.25 \times 10^3)(7.8 \times 10^6)$ escrito en notación científica? F

   F. 2.535×10^{10} G. 2.535×10^{18} H. 2.535×10^{19} I. 25.35×10^9

5. El tamaño de cierta célula es 2.5×10^{-9} m. Otra célula es 1.5×10^3 veces más grande. ¿Qué tamaño tiene la célula más grande en notación científica? D

   A. 4×10^{-27} m   B. 4×10^{-12} m   C. 3.75×10^6 m   D. 3.75×10^{-6} m

Respuesta desarrollada

6. La distancia que hay entre dos cuerpos astronómicos es 6.75×10^6 millas. La distancia que hay desde el primer cuerpo hasta un tercer cuerpo es 3.56×10^4 veces la distancia que hay entre los dos primeros cuerpos.

   a. Escribe una expresión que represente la distancia que hay entre el primer y el tercer cuerpo. $3.56 \times 6.75 \times 10^4 \times 10^6$ mi

   b. Simplifica la distancia de la parte a. 2.403×10^{11} mi

   c. Escribe una expresión que represente la distancia que recorrería la luz desde el primer cuerpo hasta el tercer cuerpo y de regreso al primero. $2 \times 3.56 \times 6.75 \times 10^4 \times 10^6$ mi

   d. Simplifica la distancia que recorre la luz en la parte c. 4.806×10^{11} mi

   [4] Todas las respuestas son correctas.

   [3] La mayoría de las respuestas son correctas, con algunos errores de cálculo.

   [2] Hay 2 ó 3 respuestas correctas. Hay errores importantes de comprensión o de resolución en las demás respuestas.

   [1] Hay 1 respuesta correcta. Hay errores importantes de resolución en las demás respuestas.

   [0] No se hizo ningún esfuerzo o ninguna respuesta es correcta.

Página 206

7-4 Pensar en un plan
Más propiedades multiplicativas de los exponentes

a. **Geografía** La Tierra tiene un radio de aproximadamente 6.4×10^6 m. ¿Cuál es el área total aproximada de la Tierra? Usa la fórmula para hallar el área total de una esfera, A.T. $= 4\pi r^2$. Escribe tu respuesta en notación científica.

6.4×10^6 m

b. Los océanos cubren aproximadamente el 70% de la superficie de la Tierra. Aproximadamente, ¿cuántos metros cuadrados de la superficie de la Tierra están cubiertos por el agua de los océanos?

c. Los océanos tienen un promedio de profundidad de 3790 m. Estima el volumen del agua de los océanos de la Tierra.

1. ¿Qué puedes sustituir en la fórmula?

Se puede sustituir r por 6.4×10^6.

2. ¿Qué números debes elevar al cuadrado?

$(6.4 \times 10^6)^2$; por tanto, se deben elevar al cuadrado 6.4 y 10^6.

3. Calcula el área total usando 3.14 para π. Muestra tu trabajo. Escribe tu respuesta en notación científica.

5.57056×10^{14} m^2

4. Para la parte b, establece una proporción de porcentaje con las unidades apropiadas.

$\dfrac{w}{5.144576 \times 10^{14}} = \dfrac{70}{100}$

5. Resuelve la proporción. Muestra tu trabajo. Escribe tu respuesta en notación científica.

$\dfrac{70(5.144576 \times 10^{14})}{10^2} = 3.6012032 \times 10^{12}$

6. Dado que calculaste el área total del océano, ¿cómo puedes usar tus cálculos para determinar el volumen del agua?

Se multiplica el área total por el promedio de profundidad.

7. Determina el volumen. Muestra tu trabajo. Escribe tu respuesta en notación científica.

$1.949794304 \times 10^{18}$ m^3

Página 207

7-4 Práctica
Más propiedades multiplicativas de los exponentes

Modelo G

Simplifica cada expresión.

1. $(z^5)^3$
z^{15}

2. $(m^4)^{10}$
m^{40}

3. $(v^7)^2$
v^{14}

4. $(k^4)^3$
k^{12}

5. $(x^7)^{-2}$
$\frac{1}{x^{14}}$

6. $(r^4)^{-6}$
$\frac{1}{r^{24}}$

7. $b(b^{-8})^{-3}$
b^{25}

8. $h^2(h^7)^0$
h^2

9. $(m^2)^7 n^5$
$m^{14} n^5$

10. $(x^6)^2 (y^3)^0$
x^{12}

11. $(g^5)^{-5}(g^6)^{-2}$
$\frac{1}{g^{37}}$

12. $(v^2)^3(w^4)^{-3}$
$\frac{v^6}{w^{12}}$

13. $(6a)^4$
$1296a^4$

14. $(5f)^{-3}$
$\frac{1}{125f^3}$

15. $(9z)^{-1}$
$\frac{1}{6561z^4}$

16. $(10m^3)^{-2}$
$\frac{1}{100m^6}$

17. $(6f^{-2})^{-3}$
$\frac{f^6}{216}$

18. $(9d^{10})^{-2}$
$\frac{1}{18d^{20}}$

19. $(gh)^0$
1

20. $(qr^6)^4$
$q^4 r^{24}$

21. $(4a^3)^2 a^5$
$16a^{11}$

22. $(m^4 n^3)^7 (m^4)^3$
$m^{40} n^{21}$

23. $(xy^2)(xy^2)^{-1}$
1

24. $z(y^{-5}z^7)^{-1}y^{-5}$
$\frac{1}{z^6}$

25. $(7t^{-3})^3(5t^4)^2$
$\frac{343s^{10}}{t}$

26. $m^{-9}(m^{-1}n)^2 n^8$
$\frac{n^{10}}{m^{11}}$

27. $(3b^{-4}c^{-2})^6 c^3$
$\frac{729}{b^{24}c^9}$

28. $5x^{-5}y^2(2x^{-14})^2$
$\frac{20y^2}{x^{33}}$

Simplifica. Escribe cada respuesta en notación científica.

29. $(5 \times 10^7)^2$
2.5×10^{15}

30. $(2 \times 10^4)^6$
6.4×10^{25}

31. $(9 \times 10^{-12})^2$
8.1×10^{-23}

32. $(3 \times 10^{-8})^3$
2.7×10^{-23}

33. $(3.6 \times 10^5)^2$
1.296×10^{11}

34. $(9.3 \times 10^{-6})^{-2}$
1.16×10^{10}

35. $(1.7 \times 10^{-8})^3$
4.913×10^{-29}

36. $(6.24 \times 10^{13})^3$
2.4297×10^{41}

37. El radio de un cilindro es 5.4×10^6 cm. La altura del cilindro mide 2.5×10^3 cm. ¿Cuál es el volumen del cilindro? (*Pista:* $V = \pi r^2 h$).
2.28906×10^{11} cm^3

38. La longitud del lado de un cuadrado es 9.6×10^5 pulgs. ¿Cuál es el área del cuadrado?
9.216×10^{11} pulgs.^{2}

39. La longitud del lado de un cubo es 3.78×10^3 pies. ¿Cuál es el volumen del cubo?
5.401×10^{10} pies^3

Página 208

7-4 Práctica (continuación)
Más propiedades multiplicativas de los exponentes

Modelo G

Completa cada ecuación.

40. $(p^4)^\square = p^8$
2

41. $(z^\square)^6 = z^{-24}$
-4

42. $(t^{12})^\square = 1$
0

43. $(w^3)^\square = w^{-12}$
-4

44. $(n^{-8})^\square = n^8$
-1

45. $10(g^2)^\square = 10g^6$
3

46. $(3a^\square)^3 = 27a^{-9}$
-3

47. $(6q^4 r^\square)^2 = 36q^8$
0

48. $(x^4 y^3)^\square = \frac{1}{x^8 y^6}$
-2

49. **Escribir** ¿Es verdadero el enunciado $(y^m)^n = (y^n)^m$? Explica tu razonamiento.
Sí; $(y^m)^n = (y^n)^m$ porque $y^{mn} = y^{nm}$. El producto $mn = nm$ según la propiedad conmutativa.

50. **Razonamiento** ¿Cuál es la diferencia entre $x^4 x^3$ y $(x^4)^3$? Justifica tu respuesta.
El producto de x^4 y x^3 es $x^{4+3} = x^7$. La expresión $(x^4)^3$ significa x^4 por x^4 por x^4 ó x^{12}, un producto de tres términos.

Simplifica cada expresión.

51. $2^3(2m)^2$
32 m^2

52. $(68.68)^8(68.68)^{-8}$
1

53. $\frac{(d^2)^{-5}d^3}{}$
$\frac{1}{d^7}$

54. $(-7p)^3 + 7p^3$
$-336p^3$

55. $4a(0^8)b^4(-b)^{-7}$
0

56. $(10^{-5})^3(9.9 \times 10^{-12})^2$
9.801×10^{-98}

57. El volumen de un cono circular se puede determinar con la fórmula $V = \frac{1}{3}3.14 r^2 h$, donde r es el radio de la base y h es la altura del cono. Halla el volumen del cono de la derecha en función de x.
$251.2x^6$

58. El volumen de una esfera se puede determinar con la fórmula $V = \frac{4}{3}3.14 r^3$, donde r es el radio. Halla el volumen de la esfera de la derecha en función de t.
$904.32t^4$

Página 209

7-4 Preparación para el examen estandarizado
Más propiedades multiplicativas de los exponentes

Respuesta en plantilla

Resuelve cada ejercicio y marca tus respuestas en la plantilla.

1. ¿Cuál es la forma simplificada de $(2 \times 10^2)^2$ en notación estándar?
40,000; Revise las plantillas de los estudiantes.

2. ¿Cuál es la forma simplificada de $(0.00038 \times 10^3)^2$ en notación estándar?
0.1444; Revise las plantillas de los estudiantes.

3. El lado de un cuadrado mide $2x^2 y^3$. ¿Cuál es el área del cuadrado si $x = -2$ y $y = 2$?
4096; Revise las plantillas de los estudiantes.

4. El lado de un cuadrado mide $3mn^2$. ¿Cuál es el área del cuadrado si $m = 4$ y $n = -2$?
11.664; Revise las plantillas de los estudiantes.

5. El radio de un círculo es 0.00012×10^5 pies. ¿Cuál es el área del círculo? Usa la fórmula $A = \pi r^2$.
452.16; Revise las plantillas de los estudiantes.

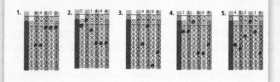

Página 210

7-5 **Pensar en un plan**
Propiedades de división de los exponentes

Física La longitud de onda de una onda de radio se define como la velocidad dividida por la frecuencia. Una emisora de radio FM tiene una frecuencia de 9×10^7 ondas por segundo. La velocidad de las ondas es aproximadamente 3×10^8 metros por segundo. ¿Cuál es la longitud de onda de la emisora?

1. La longitud de onda es la velocidad dividida por la frecuencia. ¿Cuál de los valores dados se debe dividir por el otro?

   _____ 3×10^8 _____ dividido por _____ 9×10^7 _____ .

2. ¿Cuál es el cociente de la primera parte de los números?
   $\frac{1}{3}$

3. ¿Cuál es el cociente de las potencias de 10?
   10

4. ¿Cuál es el cociente, escrito en notación científica, de la velocidad dividida por la frecuencia?
   3.3×10^{-1}

5. ¿Cuántos metros tiene la longitud de onda de la emisora?
   3.3 m

Página 211

7-5 **Práctica** *Modelo G*
Propiedades de división de los exponentes

Simplifica cada expresión.

1. $\frac{5^6}{5^2}$ 625

2. $\frac{5^5}{5^2}$ 125

3. $\frac{x^7}{x^4}$ x^3

4. $\frac{m^{-3}}{m^{-5}}$ m^2

5. $\frac{x^6 y^9}{x^2 y^5}$ $x^4 y^4$

6. $\frac{21m^8}{3m^2}$ $7m^6$

7. $\left(\frac{3}{5}\right)^4$ $\frac{81}{625}$

8. $\left(\frac{3x}{2y}\right)^3$ $\frac{27x^3}{8y^3}$

9. $\left(\frac{4}{7}\right)^{-2}$ $\frac{49}{16}$

10. $\left(\frac{3x^4}{2y^5}\right)^{-3}$ $\frac{8y^{15}}{27x^{12}}$

11. $\left(\frac{12p^3}{15p}\right)^4$ $\frac{256p^8}{625}$

12. $\left(\frac{ab^3}{a^5 b}\right)^{-2}$ $\frac{a^8}{b^4}$

13. $\left(\frac{3x^2 y^5 z^{-2}}{5xz^5}\right)^{-3}$ $\frac{125z^{21}}{27x^3 y^{15}}$

14. $\frac{(4m^2)(3n^5)}{(2m^{-3})(-mn)^3}$ $-6m^2 n^2$

Explica por qué cada expresión *no* está en su mínima expresión.

15. $2^4 r^3$
    2^4 no está simplificado.

16. $(3x)^2$
    Ambos factores se deben elevar al cuadrado.

17. $m^3 n^0$
    $n^0 = 1$; por tanto, $m^3 n^0 = m^3$.

18. $\frac{y^5}{y}$
    $\frac{y^5}{y}$ se puede simplificar como y^4.

Simplifica cada cociente. Escribe cada respuesta en notación científica.

19. $\frac{3.6 \times 10^7}{1.5 \times 10^3}$ 2.4×10^4

20. $\frac{4.5 \times 10^{-6}}{5 \times 10^{-2}}$ 9.0×10^{-5}

Página 212

7-5 **Práctica** (continuación) *Modelo G*
Propiedades de división de los exponentes

21. **Escribir** Explica cómo divides expresiones que tienen numeradores y denominadores escritos en notación científica. ¿Qué haces con los exponentes? ¿Y con los coeficientes? Relaciona tu respuesta con las reglas que has aprendido sobre las propiedades de división de los exponentes.
    En las expresiones que tienen numeradores y denominadores en notación científica, tratar por separado las partes numéricas y las potencias de 10. Para dividir las potencias de 10, restar los exponentes. Luego, volver a escribir la respuesta en notación científica.

22. Una computadora puede hacer un cálculo en 6.8×10^{-9} segundos. ¿Cuántos cálculos puede hacer en 5 minutos? **4.41×10^{10}**

23. **Analizar errores** Un estudiante simplifica la expresión $\left(\frac{6^4}{3^2}\right)^3$ de la siguiente manera: $\left(\frac{6^4}{3^2}\right)^3 = [(6 \div 3)^{4-2}]^3 = (2^2)^3 = 64$. ¿Qué error cometió el estudiante al simplificar la expresión? ¿Cuál es la simplificación correcta?
    El estudiante tendría que haber expandido primero las potencias que están entre paréntesis para seguir el orden de las operaciones:
    $\left(\frac{6 \cdot 6 \cdot 6 \cdot 6}{3 \cdot 3}\right)^3 = (2 \cdot 2 \cdot 6 \cdot 6)^3 = 144^3 = 2{,}985{,}984$

24. **Razonamiento** La propiedad de división de los exponentes establece que para simplificar potencias que tienen la misma base debes restar los exponentes. Usa ejemplos para mostrar por qué las potencias tienen que tener la misma base para que esta técnica funcione.
    Las respuestas variarán. Ejemplo:
    $\frac{6^5}{6^3} = \frac{6 \cdot 6 \cdot 6 \cdot 6 \cdot 6}{6 \cdot 6 \cdot 6} = 6 \cdot 6 = 36$; $\frac{6^5}{6^3} = 6^{5-3} = 6^2 = 36$; **misma base**
    $\frac{6^5}{3^3} = \frac{6 \cdot 6 \cdot 6 \cdot 6 \cdot 6}{3 \cdot 3 \cdot 3} = 6 \cdot 6 \cdot 2 \cdot 2 = 288$; $\frac{6^5}{3^3} = \left(\frac{6}{3}\right)^2 = 2^2 = 4$; **base diferente**
    misma base = misma respuesta; bases diferentes = respuestas diferentes; La propiedad de división funciona sólo con números que tienen las mismas bases.

25. El área de un triángulo es $80x^5 y^3$. La altura del triángulo es $x^4 y$. ¿Cuál es la longitud de la base del triángulo? **$160xy^2$**

26. **Respuesta de desarrollo** Primero, simplifica la expresión $\left(\frac{12m^5}{15m}\right)^3$ elevando a la tercera potencia cada factor que está entre paréntesis y después simplifica el resultado. Luego, simplifica usando algún otro método. Explica el método que usaste. ¿Los resultados son los mismos? ¿Qué método prefieres?
    $\left(\frac{12m^5}{15m}\right)^3 = \frac{(12m^5)^3}{(15m)^3} = \frac{1728m^{15}}{3375m^3} = \frac{64m^{12}}{125}$; $\left(\frac{12m^5}{15m}\right)^3 = \left(\frac{4m^4}{5}\right)^3 = \frac{64m^{12}}{125}$; **Si primero simplifico lo que está entre paréntesis y luego elevo a la tercera potencia cada factor, obtengo los mismos resultados; Prefiero este método porque los números son más fáciles de calcular.**

Página 213

7-5 **Preparación para el examen estandarizado**
Propiedades de división de los exponentes

Opción múltiple

Escoge la letra que contiene la respuesta correcta para los Ejercicios 1 a 6.

1. ¿Cuál de las siguientes opciones es equivalente a $\frac{x^5 y}{xy^2}$ cuando $x \neq 0$ y $y \neq 0$? **D**
   A. $x^6 y^5$ B. $x^5 y$ C. $x^4 y$ D. x^4

2. ¿Qué expresión *no* es igual a 125? **F**
   F. $5\left(\frac{5^3}{2}\right)^2$ G. $\left(\frac{5^3}{5^4}\right)^{-3}$ H. $\frac{5^{-2}}{5^{-5}}$ I. $5\left(\frac{5^3}{5^3}\right)$

3. La forma simplificada de una fracción es 36. Si el numerador es $(6x)^5$, ¿cuál es el denominador? **B**
   A. $6^3 x$ B. $6^3 x^5$ C. $6x^5$ D. $6^7 x^5$

4. ¿Cuál es la simplificación correcta de $\frac{5.4 \times 10^{12}}{1.2 \times 10^3}$ escrita en notación científica? **G**
   F. 4.5×10^7 G. 4.5×10^9 H. 45×10^6 I. 6.48×10^7

5. ¿Cuál de los siguientes enunciados acerca de las operaciones con exponentes *no* es verdadero? **B**
   A. Para dividir potencias que tienen la misma base, se restan los exponentes.
   B. Para restar potencias que tienen la misma base, se dividen los exponentes.
   C. Para multiplicar potencias que tienen la misma base, se suman los exponentes.
   D. Para elevar una potencia a una potencia, se multiplican los exponentes.

6. ¿Cuál de las siguientes expresiones está escrita en su mínima expresión? **I**
   F. $3^5 x^2$ G. $(5y)^3$ H. $a^0 b$ I. $x^2 y^3 z$

Respuesta breve

7. Un rectángulo tiene un área de $12x^3 y^4$ cm². Su ancho mide $3xy$ cm. ¿Qué razón usarías para determinar la longitud? ¿Cuál es la longitud del rectángulo?
   $\frac{12x^3 y^4}{3xy}$; $4x^2 y^3$

   [2] El estudiante usa la razón correcta y halla la longitud correcta.
   [1] El estudiante halla la razón correcta o muestra la habilidad para hallar la longitud correcta.
   [0] La respuesta del estudiante muestra que él no hizo ningún esfuerzo o que no halló correctamente la razón o la longitud.

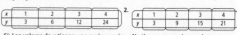

Página 214

7-6 Pensar en un plan
Funciones exponenciales

Computadoras Una computadora que vale $1500 pierde el 20% de su valor cada año.
  a. Escribe una regla de la función que represente el valor de la computadora.
  b. Halla el valor de la computadora después de 3 años.
  c. ¿Después de cuántos años el valor de la computadora será menor que $500?

1. Haz una tabla en la que una columna represente la cantidad de años desde que se compró la computadora y otra represente el valor de la computadora al final de cada año.

Años desde que se compró	Valor de la computadora
0	$1500
1	$1200
2	$960
3	$768
4	$614.40

2. Usa la tabla para determinar si la función es exponencial. ¿Hay una razón común? Si es así, ¿cuál es? ¿Qué relación tiene la razón común con la situación representada en el problema? ¿Dónde se ve esa relación en la función exponencial?

Razón común: 0.8; Razón común = 1 − 0.2; La razón común es la base de la potencia.

3. Recuerda la forma general de una función exponencial: $f(x) = a \cdot b^x$. Dadas tu tabla y la situación, determina los valores de a y de b. Escribe la función exponencial apropiada.

$a = 1500; b = 0.8; f(x) = 1500 \cdot (0.8)^x$

4. Usa la función exponencial para responder la parte b.

$f(x) = 768$

5. Establece que la función exponencial es igual a $500 y resuelve o amplía tu tabla para responder la parte c.

$500 = 1500 \cdot (0.8)^x$ ampliando la tabla un año más; El valor de la computadora será menor que $500 después de 5 años.

Página 215

7-6 Práctica
Funciones exponenciales   *Modelo G*

Determina si cada tabla o regla representa una función exponencial. Explica por qué.

1.

x	1	2	3	4
y	3	6	12	24

Sí; Los valores de x tienen una razón común de 0.5.

2.

x	1	2	3	4
y	3	9	15	21

No tienen una razón común.

3. $y = 5 \cdot 2^x$ Sí; Está en la forma $y = ab^x$.

4. $y = 6 \cdot x^3$ No; La variable no es un exponente.

5. $y = 3x − 8$ No tiene exponente.

6. $y = 4 \cdot 0.3^x$ Sí; Está en la forma $y = ab^x$.

Evalúa cada función para el valor dado.

7. $f(x) = 5^x$ cuando $x = 4$ 625

8. $h(t) = 3 \cdot 4^t$ cuando $t = −3$ 0.046875

9. $y = 8 \cdot 0.7^x$ cuando $x = 3$ 2.744

Representa con una gráfica cada función exponencial.

10. $f(x) = 3^x$

11. $y = 0.25^x$

12. $y = 8 \cdot 1.2^x$

13. Una inversión de $8000 en un determinado Certificado de depósito (CD) duplica su valor cada siete años. La función que representa el crecimiento de esta inversión es $f(x) = 8000 \cdot 2^x$, donde x es la cantidad de períodos de duplicación. Si el inversor no retira ninguna suma de dinero de su CD, ¿cuánto dinero podrá retirar después de 28 años? **$128,000**

14. Una población de amebas en una placa de Petri triplica su tamaño cada 20 minutos. Al comienzo de un experimento hay 800 amebas. La función $y = 800 \cdot 3^x$, donde x es la cantidad de períodos de 20 minutos, representa el crecimiento de la población. ¿Cuántas amebas hay en la placa de Petri después de 3 horas? **15,746,400**

15. En 2010, la fabricación de un carro nuevo cuesta $15,000. Los analistas financieros de la empresa esperan que el costo aumente un 6% por año durante los 10 años en los que planean fabricar el carro. El costo de fabricación se puede representar con la función $f(t) = 15,000 (1.06)^t$, donde t es la cantidad de años después de 2010. ¿Cuánto le costará a la empresa fabricar un carro en 2017? **$22,554.45**

Página 216

7-6 Práctica (continuación)
Funciones exponenciales   *Modelo G*

Evalúa cada función en el dominio $\{−2, −1, 0, 1, 2, 3\}$. A medida que los valores del dominio aumentan, ¿los valores del rango *aumentan* o *disminuyen*?

17. $f(x) = 3^x$
$\frac{1}{9}; \frac{1}{3}; 1; 3; 9; 27$; El rango aumenta.

18. $y = 4.2^x$
0.567; 0.238; 1; 4.2; 17.64; 74.09; El rango aumenta.

19. $m(x) = 0.3^x$
11.11; 3.33; 1; 0.3; 0.09; 0.027; El rango aumenta.

20. $g(t) = 4 \cdot 3^t$
$\frac{4}{9}; \frac{4}{3}; 4; 12; 86; 108$; El rango aumenta.

21. $y = 50 \cdot 0.1^x$
5000; 500; 50; 5; 0.5; 0.05; El rango disminuye.

22. $f(x) = 2 \cdot 4^x$
0.125; 0.5; 2; 8; 32; 128; El rango aumenta.

¿Qué función tiene el valor mayor para el valor dado de x?

23. $y = 5^x$ ó $y = x^5$ cuando $x = 2$
$y = x^5$

24. $y = 300 \cdot x^3$ ó $y = 100 \cdot 3^x$ cuando $x = 4$
$y = 300 \cdot x^3$

Resuelve cada ecuación.

25. $3^x = 81$ 4

26. $5 \cdot 2^x = 40$ 3

27. $4^x + 4 = 68$ 3

28. $3 \cdot 2^x − 16 = 80$ 5

29. Razonamiento La función que representa el crecimiento de una inversión de $1000 que recibe una ganancia del 7% anual es $f(x) = 1000(1.07)^x$. ¿Cómo escribirías una función que represente el crecimiento de $1500 y una ganancia del 8% anual? Usa esa función para determinar cuánto dinero tendría una persona después de 5 años si invirtiera $1500 en una cuenta que recibe una ganancia del 8% anual.
$f(x) = 1500 \cdot 1.08^x$; **$2203.99**

30. Escribir Comenta las diferencias entre las funciones exponenciales que tienen una base de 2 y 3, $y = 2^x$ y $y = 3^x$, y las funciones cuadráticas y cúbicas $y = x^2$ y $y = x^3$. Concéntrate en las formas de las diferentes gráficas y tasas de crecimiento. Las respuestas variarán. Ejemplo: 2^x y 3^x tienen valores menores que 1 cuando $x < 0$, pero aumentan rápidamente cuando $x > 0$; Las funciones cuadrática y cúbica x^2 y x^3 son simétricas con respecto al eje de las y y pasan por el origen. Los valores son mayores que las funciones exponenciales cuando $x < 0$ y sus valores son menores que las funciones exponenciales cuando $x > 0$. 3^x tiene una pendiente más pronunciada que 2^x y x^3 tiene una pendiente más pronunciada que x^2.

31. Respuesta de desarrollo Halla el valor de cada una de las funciones a) $f(x) = 2x^2$ y b) $f(x) = 2 \cdot 2^x$ cuando $x = 5$. Escribe otra función cuadrática y otra función exponencial con una base de dos cuyos valores en $x = 5$ se encuentren entre los valores que hallaste para las funciones a y b. Revise el trabajo de los estudiantes.
$f(5) = 2 \cdot 5^2 = 50$
$f(5) = 2 \cdot 2^5 = 64$ Ejemplo de respuesta: $2x^2 + 10; 2 \cdot 2^x − 10$.

Página 217

7-6 Preparación para el examen estandarizado
Funciones exponenciales

Opción múltiple

Escoge la letra que contiene la respuesta correcta para los Ejercicios 1 a 6.

1. ¿Cuál de las siguientes ecuaciones representa una función exponencial? **B**
  A. $y = 3x^2$ **B.** $y = 3(2^x)$ **C.** $y = 2x^3$ **D.** $y = 5x + 4$

2. ¿Cuál es la solución de $4 \cdot 3^x = 36$? **F**
  F. 2   **G.** 3   **H.** 4   **I.** 6

3. ¿Qué función tiene el mayor valor cuando $x = 3$? **D**
  A. $f(x) = 2 \cdot 4^x$ **B.** $f(x) = 4 \cdot 2^x$ **C.** $f(x) = 4 \cdot x^2$ **D.** $f(x) = 2 \cdot x^4$

4. Si se representa con una gráfica, ¿qué función no tendrá un intercepto en x? **I**
  F. $y = 2x + 3$ **G.** $y = 2x^3$ **H.** $y = 3x^2$ **I.** $y = 3 \cdot 2^x$

5. ¿Cuál de los siguientes enunciados acerca de la función $y = 2^x$ *no* es verdadero? **C**
  A. La función es una función exponencial.
  B. El dominio de la función son todos los números reales.
  C. A medida que el valor de x aumenta, el valor de y se acerca a cero.
  D. A medida que el valor de x aumenta en uno, el valor de y se duplica.

6. ¿Cuál de los siguientes pares ordenados está en la gráfica de $y = 3 \cdot 4^x$? **I**
  F. $(0, 0)$ **G.** $(1, 81)$ **H.** $(2, 24)$ **I.** $(2, 48)$

Respuesta breve

7. Inviertes $1000 en una cuenta que recibe 7% de interés compuesto anualmente. ¿Cuál es la ecuación exponencial que representa la situación? De acuerdo con tu ecuación, ¿cuál será el valor de la inversión después de 3 años?
$y = 1000(1.07)^x$; **$1225.04**
[2] Se usó la ecuación correcta para hallar el total correcto.
[1] Se usó la ecuación correcta, pero el total se calculó incorrectamente, o el total se derivó correctamente de la ecuación equivocada.
[0] No se hizo ningún esfuerzo o ninguna respuesta es correcta.

Página 218

7-7 Pensar en un plan
Incremento exponencial y decaimiento exponencial

Negocios Abres una cuenta bancaria para ahorrar para la universidad y depositas $400. Cada año, el saldo de tu cuenta aumentará 5%.
  a. Escribe una función que represente tu saldo anual.
  b. ¿Cuál será el saldo *total* de tu cuenta después de 7 años?

1. Haz una tabla en la que una columna represente la cantidad de años que se abrió la cuenta, una segunda columna represente el saldo de cada año y una tercera columna represente el saldo *total*.

Años desde la apertura de la cuenta	Saldo del año	Saldo total
0	400	400
1	420	820
2	441	1261
3	463.05	1724.05

2. La primera fila de la tabla representa el año 0. El año 0 es el año de inicio, el año en el que el saldo era $400. Si deseas saber cuánto dinero tendrás en 3 años, debes leer el saldo a partir de la cuarta fila de la tabla, que comienza con el número 3. Para responder la pregunta de la parte b, ¿qué fila de la tabla debes usar? ¿Con qué número comenzará esa fila? ¿Por qué?

   Se usa la octava fila de la tabla; La fila comenzará con el número 7, para

   representar 7 años desde que se abrió la cuenta.

3. Recuerda que la forma general de una función exponencial es $f(x) = a \cdot b^x$. Dada la situación descrita, ¿cuánto es *a*? ¿Cuánto es *b*? Escribe la función que representa tu saldo anual. Comprueba para asegurarte de que la función que creaste da los mismos valores que escribiste en la tabla para los años 1, 2 y 3.

$a = $ 400 $b = $ 1.05 $f(x) = $ $400 \cdot 1.05^x$

4. Usa la función exponencial y amplía la tabla para responder la parte b.

Años desde la apertura de la cuenta	Saldo del año	Saldo total
0	400	400
1	420	820
2	441	1261
3	463.05	1724.05
4	486.20	2210.25
5	510.51	2720.76
6	536.04	3256.80
7	562.84	3819.64

Después de 7 años, el saldo de la cuenta será de $3819.64.

Página 219

7-7 Práctica   Modelo G
Incremento exponencial y decaimiento exponencial

Identifica la suma inicial *a* y el factor incremental *b* en cada función exponencial.

1. $f(x) = 3 \cdot 5^x$
   $a = 3, b = 5$

2. $y = 250 \cdot 1.065^x$
   $a = 250, b = 1.065$

3. $g(t) = 3.5^t$
   $a = 1, b = 3.5$

4. $h(x) = 5 \cdot 1.02^x$
   $a = 5, b = 1.02$

Halla el saldo de cada cuenta después del período dado.

5. Capital de $8000 que recibe 5% de interés compuesto anualmente, después de 6 años.
   $10,770.77

6. Capital de $2000 que recibe 5.4% de interés compuesto anualmente, después de 4 años.
   $2468.27

7. Capital de $500 que recibe 4% de interés compuesto trimestralmente, después de 10 años.
   $744.43

8. Capital de $6500 que recibe 2.8% de interés compuesto mensualmente, después de 2 años.
   $6819.28

Identifica la cantidad inicial *a* y el factor de decaimiento *b* de cada función exponencial.

9. $y = 8 \cdot 0.8^x$ $a = 8, b = 0.8$

10. $f(x) = 12 \cdot 0.1^x$ $a = 12, b = 0.1$

Determina si la ecuación representa un *incremento exponencial*, un *decaimiento exponencial* o *ninguno*.

11. $y = 0.82 \cdot 3^x$ Incremento exponencial

12. $f(x) = 5 \cdot 0.3^x$ Decaimiento exponencial

13. $f(x) = 18 \cdot x^2$ Ninguno

14. $y = 0.9^x$ Decaimiento exponencial

15. El administrador municipal informa que los ingresos de un determinado año son $2.5 millones. El director de presupuestos predice que el ingreso aumentará 4% por año. Si la predicción del director resulta verdadera, ¿de cuánto serán los ingresos de la ciudad 10 años después de la fecha del informe del administrador municipal?
   $3.7 millones

16. Un administrador de la fauna y la flora determina que hay aproximadamente 200 venados en cierto parque estatal.
   a. La población crece a una tasa del 7% anual. ¿Cuántos venados habrá en el parque después de 4 años? Aproximadamente 262.
   b. Si el parque tiene capacidad para albergar 350 venados, ¿cuánto tiempo tardará la población de venados en alcanzar la capacidad máxima? Entre 8 y 9 años.

Página 220

7-7 Práctica (continuación)   Modelo G
Incremento exponencial y decaimiento exponencial

17. **Respuesta de desarrollo** Escribe una función exponencial que comience a aumentar rápidamente cuando $2 \leq x \leq 3$. Escribe otra que comience a aumentar rápidamente cuando $5 \leq x \leq 4$. Escribe una tercera función que comience a aumentar rápidamente cuando $6 \leq x \leq 8$. Revise el trabajo de los estudiantes.

18. Una empresa compra un sistema informático por $3000. Si el valor del sistema disminuye a una tasa del 15% anual, ¿cuál será el valor de la computadora después de 4 años? $1566.02

19. **Escribir** Explica la diferencia entre las maneras en que representarías las siguientes situaciones. La persona A coloca $1000 en una caja fuerte en su casa y guarda $50 más por año. La persona B coloca $1000 en una cuenta que recibe 5% de interés anualmente. ¿Por qué una función es exponencial y la otra es lineal? ¿Cómo se podrían comparar sus gráficas? ¿Cómo se compararían los valores a través del tiempo?
   Para la persona A: $y = 1000 + 50x$, donde $y = $ total de los ahorros y $x = $ cantidad de años. Esta función es lineal porque x y y tienen una diferencia constante. Para la persona B: $y = 1000(1.05)^x$, donde $y = $ total de los ahorros y $x = $ cantidad de años. Esta es una función exponencial porque x tiene una diferencia constante y y tiene una razón constante; La gráfica de la persona A es una línea recta. La gráfica de la persona B es una curva exponencial; Los valores de la persona B aumentarán con mayor rapidez.

Indica si cada gráfica muestra una *función de incremento exponencial*, una *función de decaimiento exponencial* o *ninguna*.

20. Ninguna

21. 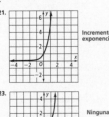 Incremento exponencial

22. Decaimiento exponencial

23. 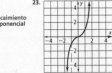 Ninguna

24. **Razonamiento** ¿La gráfica de una función exponencial puede tener un intercepto en y de 0? ¿Por qué?
   Las respuestas variarán. Ejemplo: No, porque $a > 0$ y b^x es siempre positivo.

Página 221

7-7 Preparación para el examen estandarizado
Incremento exponencial y decaimiento exponencial

Opción múltiple

Escoge la letra que contiene la respuesta correcta para los Ejercicios 1 a 5.

1. ¿Cuál de las siguientes funciones representa un decaimiento exponencial? B
   A. $f(x) = 12 \cdot 3^x$ B. $y = 2 \cdot 0.8^x$ C. $y = -3x^2$ D. $f(x) = 1.8^x$

2. Supón que depositas $500 en una cuenta que recibe 7.8% de interés compuesto anualmente. ¿Cuántos años deberán pasar para que la cuenta tenga $1000? I
   F. Entre 6 y 7 años
   G. Entre 7 y 8 años
   H. Entre 8 y 9 años
   I. Entre 9 y 10 años

3. ¿Qué enunciado acerca de las funciones que representan un incremento exponencial es siempre verdadero? B
   A. Las gráficas son siempre simétricas respecto del eje de las y.
   B. El rango depende del factor incremental.
   C. El valor de y es siempre mayor que el valor de x.
   D. El valor de y disminuye a medida que el valor de x se vuelve más negativo.

4. ¿Cuál es el valor de $3 \cdot 2^x$ si $x = 3$? G
   F. 18   G. 24   H. 125   I. 216

5. ¿Dónde se intersecarán las gráficas de $y = 4^x$, $y = 1.2^x$ y $y = 0.6^x$? C
   A. $(0, 0)$ B. $(1, 0)$ C. $(0, 1)$ D. $(1, 1)$

Respuesta breve

6. Supón que depositas $2000 en una cuenta que recibe 5% de interés compuesto trimestralmente. ¿Cuál es el saldo de la cuenta después de 4 años? Redondea tu respuesta al dólar más cercano. $2440
   [2] La respuesta es correcta y se mostró el trabajo.
   [1] La respuesta es correcta, pero no se mostró el trabajo.
   [0] La respuesta es incorrecta o no se hizo ningún intento.

Página 222

8-1 Pensar en un plan
Sumar y restar polinomios

Geometría El perímetro de un trapecio es $39a - 7$. Tres lados tienen las siguientes longitudes: $9a$, $5a + 1$ y $17a - 6$. ¿Cuál es la longitud del cuarto lado?

Comprender el problema

1. ¿Cuál es el perímetro del trapecio? <u> $39a - 7$ </u>

2. ¿Cuáles son las longitudes de los lados que te dan? <u> $9a$ </u>, <u> $5a + 1$ </u>, <u> $17a - 6$ </u>

3. ¿Cuántos lados tiene un trapecio? <u> 4 lados </u>

4. ¿Cómo hallas el perímetro de un trapecio? <u>Se suman las longitudes de los lados.</u>

5. ¿Qué te pide que determines el problema? <u> La longitud del cuarto lado. </u>

Planear la solución

6. Haz un diagrama del trapecio y rotula la información que conoces.

7. Escribe una ecuación que se pueda usar para determinar la longitud del cuarto lado.
$l = (39a - 7) - (9a + 5a + 1 + 17a - 6)$

Hallar una respuesta

8. Resuelve la ecuación para hallar la longitud del cuarto lado del trapecio.
$8a - 2$

Página 223

8-1 Práctica
Sumar y restar polinomios   *Modelo G*

Halla el grado de cada monomio.

1. $2b^2c^2$ 4   2. $5x$ 1   3. $7y^5$ 5   4. $19ab$ 2

5. 12 0   6. $\frac{1}{2}z^2$ 2   7. t 1   8. $4d^4e$ 5

Simplifica.

9. $2a^3b + 4a^3b$ $6a^3b$ 10. $5x^3 - 4x^3$ x^3 11. $3m^6n^3 - 5m^6n^3$ $-2m^6n^3$

12. $-6ab + 3ab$ $-3ab$ 13. $4c^2d^6 - 7c^2d^6$ $-3c^2d^6$ 14. $315x^2 - 30x^2$ $285x^2$

Escribe cada polinomio en forma estándar. Luego, nombra cada polinomio basándote en el grado y en la cantidad de términos.

15. $15x - x^3 + 3$
$-x^3 + 15x + 3$

16. $5x + 2x^2 - x + 3x^4$
$3x^4 + 2x^2 + 4x$

17. $9x^3$
$9x^3$

18. $7b^2 + 4b$
$7b^2 + 4b$

19. $-3x^2 + 11 + 10x$
$-3x^2 + 10x + 11$

20. $12x^2 + 1 - 3x + 8 - 2x$
$12t^2 - 5x + 9$

Simplifica.

21. $\begin{array}{r} 8z - 12 \\ + 6z + 90 \\ \hline 14z - 3 \end{array}$

22. $\begin{array}{r} 9x^3 + 3 \\ + 4x^3 + 7 \\ \hline 13x^3 + 10 \end{array}$

23. $\begin{array}{r} 6j^2 - 2j + 5 \\ + 3j^2 + 4j - 6 \\ \hline 9j^2 + 2j - 1 \end{array}$

24. $(3k^2 + 5) + (16x^2 + 7)$
$3k^2 + 16x^2 + 12$

25. $(g^4 - 4g^2 + 11) + (-g^3 + 8g)$
$g^4 - g^3 - 4g^2 + 8g + 11$

26. Una tienda de comidas local llevó un registro de los sándwiches que vendió durante tres meses. Los siguientes polinomios representan la cantidad de sándwiches vendidos, donde s representa los días.

Jamón y queso: $4s^3 - 28s^2 + 33s + 250$
Pastrami: $-7.4s^2 + 32s + 180$

Escribe un polinomio que represente la cantidad total de estos sándwiches que se vendieron. $4s^3 - 35.4s^2 + 65s + 430$

Página 224

8-1 Práctica (continuación)
Sumar y restar polinomios   *Modelo G*

Simplifica.

27. $\begin{array}{r} 11n - 4 \\ - (5n + 2) \\ \hline 6n - 6 \end{array}$

28. $\begin{array}{r} 7x^4 + 9 \\ - (8x^4 + 2) \\ \hline x^4 + 7 \end{array}$

29. $\begin{array}{r} 3d^2 + 8d - 2 \\ - (2d^2 - 7d + 6) \\ \hline d^2 + 15d - 8 \end{array}$

30. $(28e^3 + 3e^2) + (19e^3 + e^2)$
$47e^3 + 4e^2$

31. $(-12h^4 + h) - (-6h^4 + 3h^2 - 4h)$
$-6h^4 - 3h^2 + 5h$

32. En un pequeño pueblo quieren comparar el número de estudiantes inscritos en escuelas públicas y privadas. Los siguientes polinomios muestran las inscripciones en cada tipo de escuela.

Escuelas públicas: $-19c^2 + 980c + 48,989$
Escuelas privadas: $40c + 4046$

Escribe un polinomio que represente cuántos estudiantes más se inscribieron en escuelas públicas que en escuelas privadas. $-19c^2 + 940c + 53.035$

Simplifica. Escribe cada respuesta en forma estándar.

33. $(3a^2 + a + 5) - (2a - 5)$
$3a^2 - a + 10$

34. $(6d - 10d^3 + 3d^2) - (5d^3 + 3d - 4)$
$-15d^3 + 3d^2 + 3d + 4$

35. $(-4s^3 + 2s - 3) + (-2s^2 + s + 7)$
$-4s^3 - 2s^2 + 3s + 4$

36. $(8p^3 - 6p + 2p^2) + (9p^2 - 5p - 11)$
$8p^3 + 11p^2 - 11p - 11$

37. La valla que rodea un pastizal con forma de cuadrilátero mide $3a^2 + 15a + 9$ de largo. Tres lados de la valla tienen las siguientes longitudes: $5a$, $10a - 2$, $a^2 - 7$. ¿Cuál es la longitud del cuarto lado de la valla?
$2a^2 + 18$

38. **Analizar errores** Describe y corrige el error que se cometió al simplificar la suma de la derecha.
Se sumaron dos términos no semejantes, $6x^3$ y $-3x^2$.
$6x^3 - 3x^2 + 6x - 2$.

$\begin{array}{r} 6x^3 + 4x - 10 \\ + (-3x^2 + 2x + 8) \\ \hline 3x^3 + 6x - 2 \end{array}$

39. **Respuesta de desarrollo** Escribe tres ejemplos diferentes de la suma de un trinomio cuadrático y un monomio cúbico.
Las respuestas variarán. Ejemplo: $(x^2 + 2x + 1) + x^3$;
$(2x^2 + 5x + 6) + 3x^3$; $(r^2 + r + 1) + 8r^3$.

Página 225

8-1 Preparación para el examen estandarizado
Sumar y restar polinomios

Opción múltiple

Escoge la letra que contiene la respuesta correcta para los Ejercicios 1 a 6.

1. ¿Cuál es el grado del monomio $3x^2y^3$? C
   A. 2   B. 3   C. 5   D. 6

2. ¿Cuál es la forma simplificada de $8b^3c^2 + 4b^3c^2$? G
   F. $12bc$ G. $12b^3c^2$ H. $12b^6c^4$ I. $12b^9c^4$

3. ¿Cómo se escribe $6d - 8 + 4d^2$ en forma estándar? A
   A. $4d^2 + 6d - 8$ B. $4d^2 + 6d + 8$ C. $4d^2 - 6d - 8$ D. $4d^2 - 6d + 8$

4. ¿Cuál es la forma simplificada de $(4j^2 + 6) + (2j^2 - 3)$? G
   F. $6j^2 - 3$ G. $6j^2 + 3$ H. $6j^2 + 9$ I. $4j^4 + 3$

5. ¿Cuál es la diferencia de los siguientes polinomios? D
   $\begin{array}{r} 6x^3 - 2x^2 + 4 \\ - (2x^3 + 4x^2 - 5) \end{array}$
   A. $4x^3 - 2x^2 - 1$ B. $8x^3 + 6x^2 - 1$ C. $4x^3 - 2x^2 + 1$ D. $4x^3 - 6x^2 + 9$

6. ¿Cuál es la forma simplificada de $(3x^2 - 4x + 6x) + (5x^3 + 2x^2 - 3x)$ en forma estándar? I
   F. $5x^3 + 10x^2 - x$ G. $8x^3 - 2x^2 + 3x$ H. $5x^3 + 10x^2 - 5x$ I. $5x^3 + 5x^2 - x$

Respuesta breve

7. Supón que tienes este polinomio.
   $5b + 4b^2 - 3b^4 + 3$

a. ¿Cómo puedes escribir el polinomio en forma estándar?
<u>$-3b^4 + 4b^2 + 5b + 3$</u>

b. ¿Cuál es el grado del polinomio? Explica tu respuesta. _____
<u>4; b^4 es el término con el grado más alto.</u>

[2] Las respuestas de ambas partes son correctas y las explicaciones están completas.
[1] Las respuestas de una parte son correctas o las respuestas de ambas partes son correctas, pero las explicaciones están incompletas.
[0] Ninguna respuesta es correcta.

Álgebra 1, de Prentice Hall • Cuaderno de práctica y resolución de problemas Guía del maestro

Página 226

8-2 Pensar en un plan

Multiplicar y descomponer en factores

a. Descompón en factores $n^2 + n$.

b. **Escribir** Supón que n es un entero ¿Es $n^2 + n$ un entero par *siempre, a veces* o *nunca*? Justifica tu respuesta.

1. Extrae n como factor común de la expresión.

$$n\left(\boxed{n} + \boxed{1}\right)$$

2. ¿Cuáles son los dos factores? __n__ , __$n + 1$__

3. ¿Qué es un entero? **Los números enteros positivos y negativos, y el cero.**

4. ¿Son n y $n + 1$ enteros consecutivos? Explica tu respuesta. **Sí; El número que sigue a n es $n + 1$.**

5. ¿Qué sabes acerca del producto de enteros pares e impares?

PAR $\times$ PAR = __**Par**__

IMPAR $\times$ IMPAR = __**Impar**__

PAR $\times$ IMPAR = __**Par**__

IMPAR $\times$ PAR = __**Par**__

6. De dos enteros consecutivos, ¿cuántos son impares? __**1**__

7. ¿El producto de enteros consecutivos es *par* o *impar*? Explica tu respuesta. **Par; Dos enteros consecutivos deben ser un entero impar y un entero par. Si 1 factor es par, el producto será par.**

8. $n^2 + n$ __**siempre**__ es un entero par porque __**es el producto de dos enteros consecutivos**__.

Página 227

8-2 Práctica   *Modelo G*

Multiplicar y descomponer en factores

Simplifica cada producto.

1. $2x(x + 8)$
$2x^2 + 16x$

2. $(n + 7)5n$
$5n^2 + 35n$

3. $6h^2(7 + h)$
$6h^3 + 42h^2$

4. $-b^2(b - 10)$
$-b^3 + 10b^2$

5. $-3c(8 + 2c - c^3)$
$3c^3 - 6c^2 - 24c$

6. $y(2y^2 - 3y + 6)$
$2y^3 - 3y^2 + 6y$

7. $4t(t^2 - 6t + 2)$
$4t^3 - 24t^2 + 8t$

8. $-m(4m^3 - 8m^2 + m)$
$-4m^4 + 8m^3 - m^2$

9. $7j(-2j^2 - 8j - 3)$
$-14j^3 - 56j^2 - 21j$

10. $-t^2(2t^4 + 4t - 8)$
$-2t^6 - 4t^3 + 8t^2$

11. $2k(-3k^3 + k^2 - 10)$
$-6k^4 + 2k^3 - 20k$

12. $8a^2(-a^7 + 7a - 7)$
$-8a^9 + 56a^3 - 56a^2$

13. $4v^3(2v^2 - 3v + 5)$
$8v^5 - 12v^4 + 20v^3$

14. $5d(-d^3 + 2d^2 - 3d)$
$-5d^4 + 10d^3 - 15d^2$

15. $11u(w^2 + 2w + 6)$
$11w^3 + 22w^2 + 66w$

Halla el M.C.D. de los términos de cada polinomio.

16. $15x + 27$
3

17. $6u^3 - 14w$
$2w$

18. $63s + 45$
9

19. $72y^5 + 18y^2$
$18y^2$

20. $-18q^3 - 6q^2$
$-6q^2$

21. $108j^3 - 54$
54

22. $b^3 + 5b^2 - 20b$
b

23. $9m^3 + 30m - 24$
3

24. $4p^3 + 12p^2 - 18p$
$2p$

25. $2e^2 + 12e - 22$
2

26. $14b^3 + 21b^2 - 42b$
$7b$

27. $-12x^3 + 24x^2 - 16x$
$4x$

28. $8a^4 + 24a^3 - 40a^2$
$8a^2$

29. $36j^3 - 3j^2 - 15j$
$3j$

30. $12j^8 + 30j^4 - 6j^3$
$6j^3$

Descompón en factores cada polinomio.

31. $12x - 9$
$3(4x - 3)$

32. $18s^2 + 54$
$18(s^2 + 3)$

33. $108t^2 - 60t$
$12t(9t - 5)$

34. $-20u^2 + 16w$
$-4w(5w - 4)$

35. $32y^3 + 8y^2$
$8y^2(4y + 1)$

36. $300d^2 - 175d$
$25d(12d - 7)$

37. $12n^3 - 36n^2 + 18$
$6(2n^3 - 6n^2 + 3)$

38. $40t^2 + 25t^2 + 80t$
$5t(15t + 16)$

39. $42x^4 - 56x^3 + 28x^2$
$14x^2(3x^2 - 4x + 2)$

40. $15c^4 + 24c^3 - 6c^2 + 12c$
$3c(5c^3 + 8c^2 - 2c + 4)$

41. $8m^3 + 14m^2 + 6m$
$2m(4m^2 + 7m + 3)$

42. $10x^2 + 50x - 25$
$5(2x^2 + 10x - 5)$

43. $36p^4 + 14p^3 + 35p^2$
$p^2(36p^2 + 14p + 35)$

44. $9a^5 + 27a^3 + 21a$
$9a(a^3 + 3a^2 + 7)$

45. $4b^4 + 20b^3 + 12b$
$4b(b^3 + 5b^2 + 3)$

46. $x^6 - x^4 + x^2$
$x^2(x^4 - x^2 + 1)$

47. $34g^3 + 51g^2 + 17g$
$17g(2g^2 + 3g + 1)$

48. $18h^4 - 27h^2 + 18h$
$9h(2h^3 - 3h + 2)$

Página 228

8-2 Práctica (*continuación*)   *Modelo G*

Multiplicar y descomponer en factores

49. Un seto circular rodea una escultura de base cuadrada. El radio del seto es $6x$. La longitud del lado de la base cuadrada de la escultura es $4x$. ¿Cuál es el área del seto? Escribe tu respuesta en forma descompuesta en factores. **$4x^2(9\pi - 4)$**

50. Supón que haces una galleta de chocolate gigante para una rifa. Primero, estiras una porción cuadrada de masa de galletas. Luego, usas un molde circular para cortar la galleta y retirarla de la masa. ¿Cuál es el área de la masa que sobra? Escribe tu respuesta en forma descompuesta en factores. **$r^2(4 - \pi)$**

Simplifica. Escribe el polinomio en forma estándar.

51. $-3x(4x^2 - 6x + 12)$
$-12x^3 + 18x^2 - 36x$

52. $-7y^2(-4y^3 + 6y)$
$28y^5 - 42y^3$

53. $9a(-3a^2 + a - 5)$
$-27a^3 + 9a^2 - 45a$

54. $p(p + 4) - 2p(p - 8)$
$-p^2 + 20p$

55. $t(t + 4) - t(4t^2 - 2)$
$-4t^3 + t^2 + 6t$

56. $6c(2c^2 - 4) - c(8c)$
$12c^3 - 8c^2 - 24c$

57. $-5m(2m^3 - 7m^2 + m)$
$-10m^4 + 35m^3 - 5m^2$

58. $2q(q + 1) - q(q - 1)$
$q^2 + 3q$

59. $-n^2(-6n^2 + 2n)$
$6n^4 - 2n^3$

Descompón en factores cada polinomio.

60. $15xy^4 + 60x^2y^3$
$15xy^3(y + 4x)$

61. $8m^3n^4 - 32mn^2$
$8mn^2(m^2n^2 - 4)$

62. $26a^5b^2 + 51a^4$
$a^4(26ab^2 + 51)$

63. $36j^2k^4 + 24j^4k^2$
$12j^2k^2(3k^2 + 2j^2)$

64. $12w^4x^3 - 42wx^2$
$6wx^2(2w^3x - 7)$

65. $54c^4d^3 - 36c^3d^2$
$18c^2d^2(3d - 2c)$

66. $12st^4 + 46s^3t^4$
$2st^4(6 + 23s^2)$

67. $9j^6w^3 + 33j^4w^5$
$3j^4w^3(3j^2 + 11w^2)$

68. $11e^2f^3 + 132e^2f^4$
$11e^2f^3(e + 12f)$

69. **Analizar errores** Un estudiante descompuso en factores el polinomio de la derecha. Describe y corrige el error que cometió al descomponer en factores. **El estudiante no halló el M.C.D. correcto. $7x^2(9x^2 - 2x + 5)$.**

$$63x^4 - 14x^3 + 35x^2$$
$$= 7x(9x^3 - 2x^2 + 5x)$$

70. **Razonamiento** El M.C.D. de dos números j y k es 8. ¿Cuál es el M.C.D. de $2j$ y $2k$? Justifica tu respuesta. **16; El M.C.D. será el producto de 2 y 8.**

71. Un cilindro tiene un radio de $3m^2n$ y una altura de $7mn$. La fórmula para hallar el volumen de un cilindro es $V = \pi r^2h$, donde r es el radio y h es la altura. ¿Cuál es el volumen del cilindro? Simplifica tu respuesta. **$63\pi m^5n^3$**

Página 229

8-2 Preparación para el examen estandarizado

Multiplicar y descomponer en factores

Opción múltiple

Escoge la letra que contiene la respuesta correcta para los Ejercicios 1 a 5.

1. ¿Cómo se puede simplificar este producto?
$$5x^2(2x - 3)\ \text{B}$$
A. $5x^2 + 2x - 3$ B. $10x^3 - 15x^2$ C. $-5x^2$ D. $7x^3 - 15x^2$

2. ¿Cuál es el M.C.D. de los términos de $8c^3 + 12c^2 + 10c$? **H**
F. 2   G. 4   H. $2c$ I. $4c$

3. ¿Cómo se puede descomponer en factores el polinomio $6d^4 + 9d^3 - 12d^2$? **A**
A. $3d^2(2d^2 + 3d - 4)$
B. $3d^2(3d^2 + 6d - 9)$
C. $3d(d^3 + 3d^2 - 4)$
D. $6d^2(d^2 + 3d^3 - 6)$

4. Hay un jardín circular en el centro de un patio cuadrado. El radio del círculo es $4x$. La longitud del lado del patio es $20x$. ¿Cuál es el área de la parte del patio que no está cubierta por el círculo? **I**
F. $4x(5)$ G. $8x^2(5 - \pi)$ H. $16x(25 + \pi)$ I. $16x^2(25 - \pi)$

5. ¿Cuál es la forma simplificada de $-3z^2(z + 2) - 4(z^2 + 1)$? **D**
A. $-7z^2 + 1$
B. $-3z^3 - 4z^2 - 6z - 4$
C. $-3z^3 - 2z^2 - 4$
D. $-3z^3 - 10z^2 - 4$

Respuesta breve

6. Se construyó un rectángulo de asfalto con una longitud de $5x$ y un ancho de $3x$ dentro de un campo rectangular que mide $12x$ de longitud y $7x$ de ancho.
a. ¿Cuál es el área de la parte del campo que no está cubierta con asfalto? **$69x^2$**

b. En el campo rectangular, hay una fuente circular que tiene un radio de $3x$. ¿Cuál es el área de la parte del campo que no incluye el asfalto o la fuente? Descompón en factores tu respuesta. **$3x^2(23 - 3\pi)$**

[2] Las respuestas de ambas partes son correctas.
[1] La respuesta de una parte es correcta.
[0] Ninguna respuesta es correcta.

Página 230

8-3 Pensar en un plan
Multiplicar binomios

Geometría Las dimensiones de un prisma rectangular son n, $n + 7$ y $n + 8$. Usa la fórmula $V = lah$ para escribir un polinomio en forma estándar para el volumen del prisma.

Lo que sabes

1. ¿Cuáles son las dimensiones del prisma rectangular? __n__, __$n + 7$__, __$n + 8$__

2. ¿Cuál es la fórmula para hallar el volumen de un prisma rectangular? __$V = lah$__

3. En la fórmula del volumen, ¿qué representan l, a y h? __longitud__, __ancho__, __altura__

4. Explica cómo se escribe un polinomio en forma estándar. __Se ordenan los términos__ según su grado, colocando primero el término con el grado más alto.

Lo que necesitas

5. Para resolver el problema necesitas hallar __un polinomio en forma estándar que__ represente el volumen del prisma rectangular

Planea

6. Haz un diagrama del prisma rectangular y rotula la información que conoces.

7. Escribe una expresión para el volumen del prisma rectangular.
   $V = n(n + 7)(n + 8)$

8. Escribe el volumen del prisma rectangular como un polinomio en forma estándar.
   $n^3 + 15n^2 + 56n$

Página 231

8-3 Práctica
Multiplicar binomios
Modelo G

Simplifica cada producto usando la propiedad distributiva.

1. $(x + 3)(x + 8)$
   $x^2 + 11x + 24$

2. $(y - 4)(y + 7)$
   $y^2 + 3y - 28$

3. $(m + 9)(m - 3)$
   $m^2 + 6m - 27$

4. $(c - 6)(c - 4)$
   $c^2 - 10c + 24$

5. $(2r - 5)(r + 3)$
   $2r^2 + r - 15$

6. $(3x + 1)(5x - 3)$
   $15x^2 - 4x - 3$

7. $(d + 2)(4d - 3)$
   $4d^2 + 5d - 6$

8. $(5t - 1)(3t - 2)$
   $15t^2 - 13t + 2$

9. $(a + 11)(11a + 1)$
   $11a^2 + 122a + 11$

Simplifica cada producto usando una tabla.

10. $(x + 3)(x - 5)$
    $x^2 - 2x - 15$

11. $(a - 2)(a - 13)$
    $a^2 - 15a + 26$

12. $(w - 4)(w + 8)$
    $w^2 + 4w - 32$

13. $(5h - 3)(h + 7)$
    $5h^2 + 32h - 21$

14. $(x - 3)(2x + 3)$
    $2x^2 - 3x - 9$

15. $(2p + 1)(6p + 4)$
    $12p^2 + 14p + 4$

Simplifica cada producto usando el método PEIU.

16. $(2x - 6)(x + 3)$
    $2x^2 - 18$

17. $(n - 5)(3n - 4)$
    $3n^2 - 19n + 20$

18. $(4p^2 + 2)(3p - 1)$
    $12p^3 - 4p^2 + 6p - 2$

19. $(a + 7)(a - 3)$
    $a^2 + 4a - 21$

20. $(x + 3)(3x - 2)$
    $3x^2 + 7x - 6$

21. $(k - 9)(k + 5)$
    $k^2 - 4k - 45$

22. $(b - 5)(b - 11)$
    $b^2 - 16b + 55$

23. $(4m - 1)(m + 4)$
    $4m^2 + 15m - 4$

24. $(7z + 3)(4z - 6)$
    $28z^2 - 30z - 18$

25. $(2h + 6)(5h - 3)$
    $10h^2 + 24h - 18$

26. $(3w + 12)(w + 3)$
    $3w^2 + 21w + 36$

27. $(6c - 2)(9c - 8)$
    $54c^2 - 66c + 16$

Página 232

8-3 Práctica (continuación)
Multiplicar binomios
Modelo G

28. ¿Cuál es el área total del cilindro de la derecha? Escribe tu respuesta en forma simplificada.
    $4\pi x^2 + 38\pi x + 88\pi$

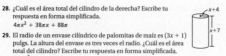

29. El radio de un envase cilíndrico de palomitas de maíz es $(3x + 1)$ pulgs. La altura del envase es tres veces el radio. ¿Cuál es el área total del cilindro? Escribe tu respuesta en forma simplificada.
    $72\pi x^2 + 48\pi x + 8\pi$

30. El radio de un tubo cilíndrico de pelotas de tenis es $(2x + 1)$ cm. La altura del tubo de pelotas es seis veces el radio. ¿Cuál es el área total del cilindro? Escribe tu respuesta en forma simplificada.
    $56\pi x^2 + 56\pi x + 14\pi$

Simplifica cada producto.

31. $(x + 3)(x^2 - 2x + 4)$
    $x^3 + x^2 - 2x + 12$

32. $(k^2 - 5k + 2)(k - 5)$
    $k^3 - 10k^2 + 27k - 10$

33. $(3a^2 + a + 4)(2a - 6)$
    $6a^3 - 16a^2 + 2a - 24$

34. $(2x^2 + 2x - 6)(3x - 4)$
    $6x^3 - 2x^2 - 26x + 24$

35. $(4g + 5)(2g^2 - 7g + 3)$
    $8g^3 - 18g^2 - 23g + 15$

36. $(m^2 - 2m + 7)(3m + 6)$
    $3m^3 + 9m + 42$

37. $(2c + 8)(2c^2 - 4c - 1)$
    $4c^3 + 8c^2 - 34c - 8$

38. $(t + 8)(3t^2 + 4t + 5)$
    $3t^3 + 28t^2 + 37t + 40$

39. El estacionamiento rectangular de un centro médico tiene actualmente una longitud de 30 metros y un ancho de 20 metros. El centro médico planea extender la longitud y el ancho del estacionamiento en $2x$ metros. ¿Qué polinomio en forma estándar representa el área del estacionamiento ampliado?
    $4x^2 + 100x + 600$

40. **Analizar errores** Describe y corrige el error que se cometió al hallar el producto.

En la tabla, el 3 debería ser -3. Por tanto, $3x$ debería ser $-3x$ y 21 debería ser -21. La respuesta es $2x^2 + 11x - 21$.

41. **Varios pasos** La altura de un cuadro es el doble de su ancho x. Quieres un marco de madera de 3 pulgadas de ancho para el cuadro. El área del marco solo es de 216 pulgadas cuadradas.
    a. Haz un diagrama que represente esta situación.
    b. Escribe una expresión variable para el área del marco solo.
       $18x + 36$
    c. ¿Cuáles son las dimensiones del marco? La longitud es de 26 pulgs.; El ancho es de 16 pulgs.

Página 233

8-3 Preparación para el examen estandarizado
Multiplicar binomios

Opción múltiple

Escoge la letra que contiene la respuesta correcta para los Ejercicios 1 a 5.

1. ¿Cuál es la forma simplificada de $(x - 2)(2x + 3)$? Usa la propiedad distributiva. **A**
   A. $2x^2 - x - 6$
   B. $2x^2 - 6$
   C. $2x^2 - 7x - 6$
   D. $2x^2 + x - 6$

2. ¿Cuál es la forma simplificada de $(3x + 2)(4x - 3)$? Usa una tabla. **I**
   F. $12x^2 + 18x + 6$
   G. $12x^2 + x - 6$
   H. $12x^2 + 18x - 6$
   I. $12x^2 - x - 6$

3. ¿Cuál es la forma simplificada de $(4p - 2)(p - 4)$? **B**
   A. $4p^2 + 6p - 16$
   B. $4p^2 - 18p + 8$
   C. $4p^2 - 14p - 6$
   D. $4p^2 - 6p + 16$

4. El radio de un cilindro es $3x - 2$ cm. La altura del cilindro es $x + 3$ cm. ¿Cuál es el área total del cilindro? **I**
   F. $2\pi(3x^2 + 10x - 8)$
   G. $2\pi(12x^2 + 7x - 2)$
   H. $2\pi(12x^2 - 2x + 13)$
   I. $2\pi(12x^2 - 5x - 2)$

5. ¿Cuál es la forma simplificada de $(2x^2 + 4x - 3)(3x + 1)$? **C**
   A. $6x^3 + 10x^2 - 5x + 3$
   B. $6x^3 + 14x^2 + 5x - 3$
   C. $6x^3 + 14x^2 - 5x - 3$
   D. $6x^3 - 10x^2 - 5x - 3$

Respuesta breve

6. Una lata de sopa cilíndrica tiene un radio de $2x - 1$ y una altura de $3x$. ¿Cuál es el área total de la lata de sopa? Muestra tu trabajo. $20\pi x^2 - 14\pi x + 2\pi$
   [2] El polinomio se escribió correctamente y se mostró todo el trabajo.
   [1] El polinomio se escribió con un error menor de cálculo o el trabajo no se mostró de forma adecuada.
   [0] No se mostró un trabajo correcto.

Página 234

8-4 Pensar en un plan
Multiplicar casos especiales

Construcción Un piso cuadrado de madera tiene una longitud de lado de $x + 5$. Vas a extender el piso para que cada lado sea cuatro veces más largo que la longitud de lado del piso original. ¿Cuál es el área del piso nuevo? Escribe tu respuesta en forma estándar.

Comprender el problema

1. ¿Qué forma tiene el piso? ___Cuadrada.___

2. ¿Qué longitud tiene cada lado del piso? ___$x + 5$___

3. El piso nuevo tiene lados que son ___4___ veces más largos que los lados originales.

4. ¿Qué te pide el problema que halles? ___El área del piso nuevo.___

Planear la solución

5. Escribe una expresión para la nueva longitud de los lados del piso.
$4(x + 5)$ ó $4x + 20$

6. Escribe una expresión para el área del piso nuevo.
$(4x + 20)^2$

Hallar una respuesta

7. ¿Cuál es la forma estándar de la expresión para área del piso nuevo?
$16x^2 + 160x + 400$

Página 235

8-4 Práctica
Multiplicar casos especiales
Modelo G

Simplifica cada expresión.

1. $(x + 7)^2$
$x^2 + 14x + 49$

2. $(w + 9)^2$
$w^2 + 18w + 81$

3. $(h + 3)^2$
$h^2 + 6h + 9$

4. $(2s + 4)^2$
$4s^2 + 16s + 16$

5. $(3s + 1)^2$
$9s^2 + 6s + 1$

6. $(5s + 2)^2$
$25s^2 + 20s + 4$

7. $(a - 5)^2$
$a^2 - 10a + 25$

8. $(k - 10)^2$
$k^2 - 20k + 100$

9. $(n - 4)^2$
$n^2 - 8n + 16$

10. $(3m - 4)^2$
$9m^2 - 24m + 16$

11. $(6m - 2)^2$
$36m^2 - 24m + 4$

12. $(4m - 2)^2$
$16m^2 - 16m + 4$

Las siguientes figuras son cuadrados. Halla una expresión para el área de cada región sombreada. Escribe tus respuestas en forma estándar.

13. $x + 2$; $6x + 3$
$x - 1$; $x + 2$; $x - 1$

14. $x + 6$; $12x + 36$
x ; $x + 6$; x

15. $x + 1$; $8x + 24$
$x + 1$; $x + 5$; $x + 5$

16. $18x + 45$
$x - 2$; $x + 7$; $x - 2$; $x + 7$

17. Una lona cuadrada marrón tiene un parche cuadrado verde en una esquina. La longitud de los lados de la lona es $(x + 8)$ y la longitud de los lados del parche es x. ¿Cuál es el área de la parte marrón de la lona? $16x + 64$

18. Un mantel individual cuadrado de color rojo tiene un cuadrado dorado en el centro. La longitud de los lados del cuadrado dorado es $(x - 2)$ pulgadas y el ancho de la región roja es de 4 pulgadas. ¿Cuál es el área de la parte roja del mantel? $-x^2 + 4x + 12$ pulgadas cuadradas

Página 236

8-4 Práctica (continuación)
Multiplicar casos especiales
Modelo G

Cálculo mental Simplifica cada producto.

19. 48^2 2304

20. 31^2 961

21. 29^2 841

22. 52^2 2704

23. 63^2 3969

24. 41^2 1681

25. 89^2 7921

26. 199^2 39,601

27. 302^2 91,204

Simplifica cada producto.

28. $(v + 7)(v - 7)$
$v^2 - 49$

29. $(b + 2)(b - 2)$
$b^2 - 4$

30. $(z - 9)(z + 9)$
$z^2 - 81$

31. $(x + 12)(x - 12)$
$x^2 - 144$

32. $(8 + y)(8 - y)$
$64 - y^2$

33. $(t - 15)(t + 15)$
$t^2 - 225$

34. $(m + 1)(m - 1)$
$m^2 - 1$

35. $(a + 4)(a - 4)$
$a^2 - 16$

36. $(5 + g)(5 - g)$
$25 - g^2$

37. $(p + 20)(p - 20)$
$p^2 - 400$

38. $(f - 18)(f + 18)$
$f^2 - 324$

39. $(2c + 3)(2c - 3)$
$4c^2 - 9$

Cálculo mental Simplifica cada producto.

40. $61 \cdot 59$
3559

41. $27 \cdot 33$
891

42. $202 \cdot 198$
39,996

43. $74 \cdot 66$
4884

44. $597 \cdot 603$
359,991

45. $85 \cdot 75$
6375

Simplifica cada producto.

46. $(m + 4n)^2$
$m^2 + 8mn + 16n^2$

47. $(3a + b)^2$
$9a^2 + 6ab + b^2$

48. $(6s - t)^2$
$36s^2 - 12st + t^2$

49. $(s + 7t^2)^2$
$s^2 + 14st + 49t^2$

50. $(p^5 - 8q^3)^2$
$p^{10} - 16p^5q^3 + 64q^6$

51. $(e^4 + f^2)^2$
$e^8 + 2e^4f^2 + f^4$

52. $(r^2 + 5s)(r^2 - 5s)$
$r^4 - 25s^2$

53. $(6p^2 + 2q)(6p^2 - 2q)$
$36p^4 - 4q^2$

54. $(3w^4 - z^3)(3w^4 + z^3)$
$9w^8 + 3w^4z^3 - 24w^4 - 8z^3$

55. **Analizar errores** Describe y corrige el error que se cometió al simplificar el producto.
Los términos x deberían tener una suma de cero; $4x^2 - 49$.

$(2x + 7)(2x - 7)$
$= 4x^2 - 28x - 49$

56. La fórmula $V = \frac{4}{3}\pi r^3$ da el volumen de una esfera cuyo radio es r. Halla el volumen de una esfera con radio $x + 9$. Escribe tu respuesta en forma estándar.
$V = \frac{4}{3}\pi x^3 + 36\pi x^2 + 324\pi x + 972\pi$

Página 237

8-4 Preparación para el examen estandarizado
Multiplicar casos especiales

Respuesta en plantilla

Resuelve cada ejercicio y marca tu respuesta en la plantilla.

1. ¿Cuál es el coeficiente del término x en la forma simplificada de $(2x + 4)^2$? 16

2. ¿Cuánto es 27^2? Calcula mentalmente. 729

3. ¿Qué es constante en la forma simplificada de $(x - 6)^2$? 36

4. ¿Cuál es el producto de 38 y 42? Calcula mentalmente. 1596

5. ¿Cuánto mayor es el producto de 73 y 67 que el producto de 74 y 66? 7

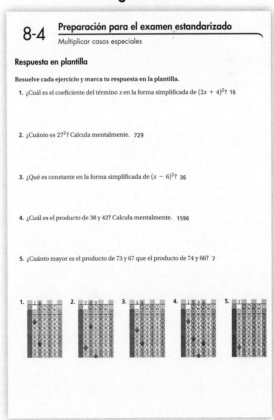

Página 238

8-5 Pensar en un plan
Descomponer $x^2 + bx + c$ en factores

Diversión Una pista de patinaje rectangular tiene un área de $x^2 + 15x + 54$. ¿Cuáles son las dimensiones posibles de la pista? Usa la descomposición en factores.

Lo que sabes

1. El área de la pista de patinaje es __$x^2 + 15x + 54$__.

2. Las dimensiones del rectángulo son su __longitud__ y su __ancho__.

3. Los __factores__ del polinomio del área son las dimensiones posibles de la pista de patinaje.

Lo que necesitas

4. Para resolver el problema necesito hallar __los factores__ de $x^2 + 15x + 54$

Planea

5. Completa la tabla. Enumera los pares de factores de 54 . Identifica el par que tenga una suma de 15 .

Factores	Suma
1 y 54	55
2 y 27	29
3 y 18	21
6 y 9	15

Factores de 54	Suma de factores

6. Escribe el polinomio descompuesto en factores.
$(x + 6)(x + 9)$

7. ¿Cuáles son las dimensiones posibles de la pista de patinaje?
Longitud: $x + 9$; Ancho $x + 6$.

8. Justifica tu respuesta.
Si la longitud es $x + 9$ y el ancho es $x + 6$, entonces el área es
$(x + 9)(x + 6) = x^2 + 15x + 54.$

Página 239

8-5 Práctica
Descomponer $x^2 + bx + c$ en factores

Modelo G

Completa.

1. $k^2 + 11k + 30 = (k + 5)(k + \boxed{6})$

2. $x^2 + 6x + 9 = (x + 3)(x + \boxed{3})$

3. $t^2 + 7t + 10 = (t + 2)(t + \boxed{5})$

4. $n^2 + 9n + 14 = (n + 7)(n + \boxed{2})$

5. $w^2 + 13w + 36 = (w + 4)(w + \boxed{9})$

6. $y^2 + 18y + 65 = (y + 13)(y + \boxed{5})$

7. $s^2 - 12s + 32 = (s - 8)(s - \boxed{4})$

8. $g^2 - 14g + 45 = (g - 9)(g - \boxed{5})$

9. $v^2 - 17v + 60 = (v - 12)(v - \boxed{5})$

10. $q^2 - 13q + 42 = (q - 6)(q - \boxed{7})$

11. $d^2 - 9d + 8 = (d - 8)(d - \boxed{1})$

12. $r^2 - 9r + 20 = (r - 5)(r - \boxed{4})$

Descompón cada expresión en factores. Comprueba tu respuesta.

13. $y^2 + 5y + 6$
$(y + 3)(y + 2)$

14. $t^2 + 9t + 18$
$(t + 6)(t + 3)$

15. $x^2 + 16x + 63$
$(x + 9)(x + 7)$

16. $n^2 - 12n + 35$
$(n - 7)(n - 5)$

17. $r^2 - 12r + 27$
$(r - 9)(r - 3)$

18. $q^2 - 12q + 20$
$(q - 10)(q - 2)$

19. $w^2 + 19w + 60$
$(w + 15)(w + 4)$

20. $b^2 - 11b + 24$
$(b - 8)(b - 3)$

21. $z^2 - 13z + 12$
$(z - 12)(z - 1)$

Completa.

22. $q^2 + q - 56 = (q - 7)(q + \boxed{8})$

23. $z^2 - 3z - 18 = (z - 6)(z + \boxed{3})$

24. $n^2 - 6n - 40 = (n + 4)(n - \boxed{10})$

25. $y^2 + 3y - 4 = (y + 4)(y - \boxed{1})$

26. $v^2 - 5v - 36 = (v - 9)(v + \boxed{4})$

27. $d^2 + 2d - 15 = (d - 3)(d + \boxed{5})$

28. $m^2 - 5m - 14 = (m + 2)(m - \boxed{7})$

29. $p^2 - 6p - 16 = (p - 8)(p + \boxed{2})$

Página 240

8-5 Práctica (continuación)
Descomponer $x^2 + bx + c$ en factores

Modelo G

Descompón cada expresión en factores. Comprueba tu respuesta.

30. $r^2 + 3r - 10$
$(r + 5)(r - 2)$

31. $w^2 + 2w - 8$
$(w + 4)(w - 2)$

32. $z^2 + 3z - 40$
$(z + 8)(z - 5)$

33. $d^2 - 4d - 12$
$(d - 6)(d + 2)$

34. $p^2 - 7p - 8$
$(p - 8)(p + 1)$

35. $s^2 - 5s - 24$
$(s - 8)(s + 3)$

36. $x^2 + 5x - 6$
$(x + 6)(x - 1)$

37. $v^2 + 3v - 28$
$(v + 7)(v - 4)$

38. $n^2 + 2n - 63$
$(n + 9)(n - 7)$

39. $t^2 - 2t - 24$
$(t - 6)(t + 4)$

40. $a^2 - 7a - 18$
$(a - 9)(a + 2)$

41. $c^2 - c - 30$
$(c - 6)(c + 5)$

42. El área de una puerta rectangular está dada por el trinomio $x^2 - 14x + 45$. El ancho de la puerta es $(x - 9)$. ¿Cuál es la longitud de la puerta? **$x - 5$**

43. El área de un cuadro rectangular está dada por el trinomio $a^2 - 6a - 16$. La longitud del cuadro es $(a + 2)$. ¿Cuál es el ancho del cuadro? **$a - 8$**

Escribe la forma descompuesta en factores que corresponda a cada expresión.

44. $k^2 + 4kn - 96n^2$
$(k + 12n)(k - 8n)$

45. $g^2 - 13gh + 42h^2$
$(g - 6h)(g - 7h)$

46. $m^2 - 4mn - 32n^2$
$(m - 8n)(m + 4n)$

47. $x^2 + 5xy - 14y^2$
$(x + 7y)(x - 2y)$

48. $s^2 + 17st + 72t^2$
$(s + 8t)(s + 9t)$

49. $h^2 + 3hj - 88j^2$
$(h + 11j)(h - 8j)$

50. **Analizar errores** Describe y corrige el error que se cometió al descomponer el trinomio en factores.

Los signos de las operaciones son incorrectos. La respuesta debería ser $(x - 8)(x + 10)$.

51. Una cubierta de piscina rectangular tiene un área de $p^2 + 9p - 36$. ¿Cuáles son las dimensiones posibles de la cubierta de la piscina? Usa la descomposición en factores.
$(p + 12)$ y $(p - 3)$

Página 241

8-5 Preparación para el examen estandarizado
Descomponer $x^2 + bx + c$ en factores

Opción múltiple

Escoge la letra que contiene la respuesta correcta para los Ejercicios 1 a 7.

1. ¿Qué número hace que esta ecuación sea verdadera? **A**
$v^2 + 10v + 16 = (v + 8)(v + \square)$
A. 2   B. 4   C. 6   D. 8

2. ¿Cuál es la forma descompuesta en factores de $x^2 + 6x + 8$? **G**
F. $(x + 5)(x + 3)$ G. $(x + 4)(x + 2)$ H. $(x + 7)(x + 1)$ I. $(x + 3)(x + 3)$

3. ¿Cuál es la forma descompuesta en factores de $x^2 - 7x + 12$? **D**
A. $(x - 5)(x - 3)$ B. $(x - 6)(x - 1)$ C. $(x - 2)(x - 5)$ D. $(x - 4)(x - 3)$

4. ¿Qué número hace que esta ecuación sea verdadera? **H**
$q^2 + 3q - 18 = (q + 6)(q - \square)$
F. 1   G. 2   H. 3   I. 12

5. ¿Cuál es la forma descompuesta en factores de $x^2 + 3x - 10$? **A**
A. $(x + 5)(x - 2)$ C. $(x - 2)(x - 5)$
B. $(x - 5)(x + 2)$ D. $(x + 5)(x + 2)$

6. El área de un jardín está dada por el trinomio $g^2 - 2g - 24$. La longitud del jardín es $g + 4$. ¿Cuál es el ancho del jardín? **G**
F. $g - 2$ G. $g - 6$ H. $g - 8$ I. $g + 2$

7. ¿Cuál es la forma descompuesta en factores de $x^2 + 3xy - 28y^2$? **D**
A. $(x + 14y)(x - 2y)$ B. $(x + 2y)(x - 14y)$ C. $(x + 4y)(x - 7y)$ D. $(x - 4y)(x + 7y)$

Respuesta breve

8. El área de un patio trasero rectangular está dada por el trinomio $b^2 + 5b - 24$. ¿Cuáles son las dimensiones posibles del patio? Muestra por qué tu respuesta es correcta.
Longitud: $(b + 8)$; Ancho: $(b - 3)$; $(b + 8)(b - 3) = b^2 + 5b - 24$.
[2] La longitud y el ancho se calcularon correctamente y se mostró todo el trabajo.
[1] La respuesta es correcta, pero tiene un error menor de cálculo o el trabajo no se mostró de forma adecuada.
[0] No se mostró un trabajo correcto.

Página 242

8-6 Pensar en un plan
Descomponer $ax^2 + bx + c$ en factores

Carpintería El tablero de una mesa rectangular tiene un área de $18x^2 + 69x + 60$. El ancho de la mesa es $3x + 4$. ¿Cuál es la longitud de la mesa?

Lo que sabes

1. El área del tablero es ___$18x^2 + 69x + 60$___ .

2. El ancho del tablero es ___$3x + 4$___ .

3. Algunos trinomios cuadráticos se pueden escribir como el producto de dos ___binomios___ .

4. Uno de los factores del polinomio $18x^2 + 69x + 60$ es ___$3x + 4$___ .

Lo que necesitas

5. Para resolver el problema necesito hallar ___el otro factor___
_____

Planea

6. Halla el factor que falta.

¿Qué número puedes multiplicar por $3x$ para obtener $18x^2$? $3x \cdot \boxed{6} = 18x^2$

¿Qué número puedes multiplicar por 4 para obtener 60? $4 \cdot \boxed{15} = 60$

7. ¿Cuál es la forma descompuesta en factores de $18x^2 + 69x + 60$? ___$(3x + 4)(6x + 15)$___

8. ¿Cuál es la longitud de la mesa? Comprueba tu respuesta.

Longitud: $(6x + 15)$

Comprobación: $(3x + 4)(6x + 15) = 18x^2 + 69x + 60$

Página 243

8-6 Práctica
Descomponer $ax^2 + bx + c$ en factores

Modelo G

Descompón cada expresión en factores.

1. $2u^2 + 13w + 15$
$(2w + 3)(w + 5)$

2. $3d^2 + 20d + 12$
$(3d + 2)(d + 6)$

3. $4n^2 + 26n - 32$
$2(2n - 1)(n + 16)$

4. $3p^2 - 7p - 40$
$(3p + 8)(p - 5)$

5. $6r^2 - 10r - 24$
$2(3r + 4)(r - 3)$

6. $5z^2 - 17z + 14$
$(5z - 7)(z - 2)$

7. $14k^2 - 32k + 63$
$(2k - 7)(7k - 9)$

8. $2m^2 - m - 15$
$(2m + 5)(m - 3)$

9. $3x^2 + 9x - 84$
$3(x + 7)(x - 4)$

10. $4y^2 + 26y + 30$
$2(2y + 3)(y + 5)$

11. $5t^2 - 24t - 5$
$(5t + 1)(t - 5)$

12. $7c^2 - 2c - 9$
$(7c - 9)(c + 1)$

13. $8k^2 - 42k + 27$
$(4k - 3)(2k - 9)$

14. $6g^2 - 2g - 20$
$2(3g + 5)(g - 2)$

15. $2c^2 - 36c + 11$
$(2c - 1)(c - 11)$

16. El área de una pantalla de computadora rectangular es $4x^2 + 20x + 16$. El ancho de la pantalla es $2x + 8$. ¿Cuál es la longitud de la pantalla?
$2x + 2$

17. El área de una encimera de granito rectangular es $12x^2 + 10x - 12$. El ancho de la encimera es $2x + 3$. ¿Cuál es la longitud de la encimera?
$6x - 4$

18. El área de una cubierta de un libro rectangular es $4x^2 - 6x - 40$. El ancho de la cubierta del libro es $2x - 8$. ¿Cuál es la longitud de la cubierta del libro?
$2x + 5$

19. El área de un estacionamiento rectangular es $21x^2 - 44x + 15$. El ancho del estacionamiento es $3x - 5$. ¿Cuál es la longitud del estacionamiento?
$7x - 3$

Descompón cada expresión en factores completamente.

20. $6x^2 - 10x - 4$
$2(3x + 1)(x - 2)$

21. $6d^2 + 21d + 15$
$3(2d + 5)(d + 1)$

22. $8n^2 + 68n + 84$
$4(2n + 3)(n + 7)$

23. $20p^2 - 115p - 30$
$5(4p + 1)(p - 6)$

24. $15r^2 + 141r - 90$
$3(5r - 3)(r + 10)$

25. $12z^2 - 14z + 4$
$2(2z - 1)(3z - 2)$

26. $20k^2 + 110k + 120$
$10(2k + 3)(k + 4)$

27. $9m^2 - 66m + 21$
$3(3m - 1)(m - 7)$

28. $40x^2 - 136x - 96$
$8(5x + 3)(x - 4)$

29. $42y^2 + 28y - 14$
$14(3y - 1)(y + 1)$

30. $8t^2 - 16t - 90$
$2(2t + 5)(2t - 9)$

31. $24c^2 + 96c + 90$
$6(2c + 5)(2c + 3)$

Página 244

8-6 Práctica (continuación)
Descomponer $ax^2 + bx + c$ en factores

Modelo G

Respuesta de desarrollo Halla dos valores diferentes que completen cada expresión para que el trinomio se pueda descomponer en factores como el producto de dos binomios. Descompón tus trinomios en factores.

32. $4x^2 + \square x + 12$
Las respuestas variarán.
Ejemplo: 19, 16;
$(4x + 3)(x + 4)$;
$(4x + 4)(x + 3)$.

33. $6t^2 - \square t - 4$
Las respuestas variarán.
Ejemplo: 23, −5;
$(6x + 1)(x - 8)$;
$(3x + 4)(2x - 1)$.

34. $9m^2 - \square m + 8$
Las respuestas variarán.
Ejemplo: 73, 27;
$(9x - 1)(x - 8)$;
$(3x - 8)(3x - 1)$.

35. $8n^2 + \square n - 10$
Las respuestas variarán.
Ejemplo: 11, −11;
$(8n - 5)(n + 2)$;
$(n - 2)(8n + 5)$.

36. $12t^2 - \square v + 1$
Las respuestas variarán.
Ejemplo: 29, 27;
$(4v - 3)(3v - 5)$;
$(4v - 5)(3v - 3)$.

37. $5w^2 - \square w - 24$
Las respuestas variarán.
Ejemplo: 26, 14;
$(5w + 4)(w - 6)$;
$(5w + 6)(w - 4)$.

38. **Analizar errores** Describe y corrige el error que se cometió al descomponer en factores la expresión de la derecha.

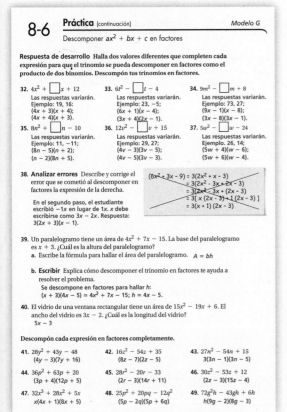

$(6x^2 + 3x - 9) = 3(2x^2 + x - 3)$
$= 3(2x^2 - 3x + 2x - 3)$
$= 3(2x^2 - 3x + (2x - 3)$
$= 3[x(2x - 3) - 1(2x - 3)]$
$= 3(x + 1)(2x - 3)$

En el segundo paso, el estudiante escribió $-1x$ en lugar de $1x$. x debe escribirse como $3x - 2x$. Respuesta:
$3(2x + 3)(x - 1)$.

39. Un paralelogramo tiene un área de $4x^2 + 7x - 15$. La base del paralelogramo es $x + 3$. ¿Cuál es la altura del paralelogramo?
a. Escribe la fórmula para hallar el área del paralelogramo. $A = bh$

b. **Escribir** Explica cómo descomponer el trinomio en factores te ayuda a resolver el problema.
Se descompone en factores para hallar h:
$(x + 3)(4x - 5) = 4x^2 + 7x - 15$; $h = 4x - 5$.

40. El vidrio de una ventana rectangular tiene un área de $15x^2 - 19x + 6$. El ancho del vidrio es $3x - 2$. ¿Cuál es la longitud del vidrio?
$5x - 3$

Descompón cada expresión en factores completamente.

41. $28y^2 + 43y - 48$
$(4y - 3)(7y + 16)$

42. $16z^2 - 54z + 35$
$(8z - 7)(2z - 5)$

43. $27n^2 - 54n + 15$
$3(3n - 1)(3n - 5)$

44. $36p^2 + 63p + 20$
$(3p + 4)(12p + 5)$

45. $28r^2 - 20r - 33$
$(2r - 3)(14r + 11)$

46. $30z^2 - 53z + 12$
$(2z - 3)(15z - 4)$

47. $32x^3 + 28x^2 + 5x$
$x(4x + 1)(8x + 5)$

48. $25p^2 + 20pq - 12q^2$
$(5p - 2q)(5p + 6q)$

49. $72g^2h - 43gh + 6h$
$h(9g - 2)(8g - 3)$

Página 245

8-6 Preparación para el examen estandarizado
Descomponer $ax^2 + bx + c$ en factores

Opción múltiple

Escoge la letra que contiene la respuesta correcta para los Ejercicios 1 a 5.

1. ¿Cuál es la forma descompuesta en factores de $4x^2 + 12x + 5$? **C**
A. $(2x + 4)(2x + 3)$ B. $(4x + 5)(x + 1)$ C. $(2x + 1)(2x + 5)$ D. $(4x + 1)(x + 5)$

2. ¿Cuál es la forma descompuesta en factores de $2x^2 + x - 3$? **F**
F. $(2x + 3)(x - 1)$ G. $(2x + 1)(x - 3)$ H. $(2x - 3)(x + 1)$ I. $(2x - 1)(x + 3)$

3. El área de una piscina rectangular es $10x^2 - 19x - 15$. La longitud de la piscina es $5x + 3$. ¿Cuál es el ancho de la piscina? **B**
A. $2x - 18$ B. $2x - 5$ C. $5x - 5$ D. $5x - 22$

4. ¿Cuál es la forma descompuesta en factores de $16x^2 - 16x - 12$? **I**
F. $4(2x - 2)(2x + 2)$
G. $4(4x - 6)(x + 2)$
H. $4(2x - 2)(2x + 3)$
I. $4(2x - 3)(2x + 1)$

5. ¿Cuál es la forma descompuesta en factores de $3x^2 + 21x - 24$? **A**
A. $3(x + 8)(x - 1)$
B. $3(x + 6)(x + 1)$
C. $3(x + 5)(x - 3)$
D. $3(x + 7)(x - 3)$

Respuesta breve

6. El perímetro de un sector para perros es $20x^2 + 28x + 8$. La longitud del sector para perros es $10x + 4$. ¿Cuál es el ancho del sector para perros? Muestra por qué tu respuesta es correcta. $2x + 2$

[2] La expresión se escribió correctamente y se mostró todo el trabajo.
[1] La expresión se escribió con un error menor de cálculo o el trabajo no se mostró de forma adecuada.
[0] No se mostró un trabajo correcto.

Página 246

8-7 Pensar en un plan
Descomponer en factores casos especiales

Diseño de interiores Una alfombra cuadrada tiene un área de $49x^2 - 56x + 16$. Otra alfombra cuadrada tiene un área de $16x^2 + 24x + 9$. ¿Qué expresión representa la diferencia de las áreas de las alfombras? Muestra dos maneras diferentes de hallar la solución.

1. ¿Qué dos métodos podrías usar para resolver este problema? _Restar; Descomponer en factores antes de restar._

2. ¿Cómo hallarías la diferencia sin descomponer en factores? _Restaría los polinomios._

3. ¿Qué polinomio obtienes si usas este método? _$33x^2 - 80x + 7$_

4. ¿Puedes descomponer en factores ese polinomio? _Sí; $(11x - 1)(3x - 7)$_

5. ¿Cómo podrías usar la descomposición en factores para resolver el problema? _

   Descomponer en factores te da una segunda manera de hallar la diferencia. Puedes representar la diferencia en la forma $a^2 - b^2$.

6. ¿Qué te indican la forma de la alfombra y los polinomios acerca de cómo descomponer en factores los polinomios del área de las alfombras? _Los factores de cada polinomio cuadrado serán iguales._

7. Descompón en factores cada trinomio.

   $49x^2 - 56x + 16 = (\square - \square)(\square - \square) = (\square\square\square)^2$ $(7x - 4)(7x - 4) = (7x - 4)^2$
   $16x^2 + 24x + 9 = (\square + \square)(\square + \square) = (\square\square\square)^2$ $(4x + 3)(4x + 3) = (4x - 3)^2$

8. Usa los resultados del Ejercicio 7 para escribir una expresión que represente la diferencia de las áreas.

   $(7x - 4)^2 - (4x + 3)^2$

9. Descompón en factores la expresión del Ejercicio 8 usando la diferencia de dos cuadrados. Simplifica las expresiones que están dentro de cada conjunto de paréntesis.

   $[(7x - 4) + (4x + 3)][(7x - 4) - (4x + 3)] = (11x - 1)(3x - 7)$

10. ¿Obtienes el mismo resultado con los dos métodos?
    Sí.

Página 247

8-7 Práctica
Descomponer en factores casos especiales   *Modelo G*

Descompón cada expresión en factores.

1. $h^2 + 10h + 25$ 2. $v^2 - 14v + 49$ 3. $d^2 - 22d + 121$
   $(h + 5)^2$ $(v - 7)^2$ $(d - 11)^2$

4. $m^2 + 4m + 4$ 5. $q^2 + 6q + 9$ 6. $p^2 - 24p + 144$
   $(m + 2)^2$ $(q + 3)^2$ $(p - 12)^2$

7. $36x^2 + 60x + 25$ 8. $64x^2 + 48x + 9$ 9. $49n^2 + 14n + 1$
   $(6x + 5)^2$ $(8x + 3)^2$ $(7n + 1)^2$

10. $16s^2 - 72s + 81$ 11. $25r^2 - 80r + 64$ 12. $9g^2 - 24g + 16$
    $(4s - 9)^2$ $(5r - 8)^2$ $(3g - 4)^2$

13. $81w^2 + 144w + 64$ 14. $16e^2 - 88e + 121$ 15. $25f^2 + 100f + 100$
    $(9w + 8)^2$ $(4e - 11)^2$ $(5f + 10)^2$

16. $144f^2 - 24f + 1$ 17. $4a^2 - 36a + 81$ 18. $49d^2 - 84d + 36$
    $(12f - 1)^2$ $(2a - 9)^2$ $(7d - 6)^2$

La expresión dada representa el área. Halla la longitud del lado del cuadrado.

19.   20.   21.
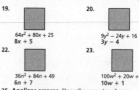
   $64x^2 + 80x + 25$ $9y^2 - 24y + 16$ $4t^2 + 36t + 81$
   $8x + 5$ $3y - 4$ $2t + 9$

22.   23.   24.
   $36n^2 + 84n + 49$ $100w^2 + 20w + 1$ $16z^2 + 104z + 169$
   $6n + 7$ $10w + 1$ $4s + 13$

25. **Analizar errores** Describe y corrige el error que se cometió al descomponer en factores la expresión de la derecha.

    $(25x^2 - 4)$ se descompone en factores como $(5x - 2)(5x + 2)$, no $(5x - 2)^2$.

$175x^2 - 28 = 7(25x^2 - 4)$
$= 7(5x - 2)(5x - 2)$
$= 7(5x - 2)^2$

Página 248

8-7 Práctica (continuación)
Descomponer en factores casos especiales   *Modelo G*

Descompón en factores cada expresión.

26. $m^2 - 49$ 27. $c^2 - 100$ 28. $p^2 - 16$
    $(m + 7)(m - 7)$ $(c + 10)(c - 10)$ $(p + 4)(p - 4)$

29. $4a^2 - 25$ 30. $64n^2 - 1$ 31. $25x^2 - 144$
    $(2a + 5)(2a - 5)$ $(8n + 1)(8n - 1)$ $(5x + 12)(5x - 12)$

32. $50g^2 - 8$ 33. $8d^2 - 8$ 34. $27x^2 - 48$
    $2(5g + 2)(5g - 2)$ $8(d + 1)(d - 1)$ $3(3x + 4)(3x - 4)$

35. $24e^2 - 54$ 36. $245k^2 - 20$ 37. $112h^2 - 63$
    $6(2e + 3)(2e - 3)$ $5(7k + 2)(7k - 2)$ $7(4h + 3)(4h - 3)$

38. $48x^2 + 72x + 27$ 39. $8b^2 + 80b + 200$ 40. $48w^2 + 48w + 12$
    $3(4x + 3)(4x + 3)$ $8(b + 5)^2$ $12(2w + 1)^2$

41. $45s^2 - 210s + 245$ 42. $45t^2 - 72t + 24$ 43. $100z^2 - 120z + 36$
    $5(3s - 7)^2$ $3(15t^2 - 24t + 8)$ $4(5z - 3)^2$

44. **Escribir** Explica cómo se reconoce un trinomio cuadrado perfecto.
    El coeficiente del término elevado al cuadrado y la constante serán cuadrados perfectos. El doble del producto de estos números es el coeficiente del término del medio. El signo delante de la constante será positivo.

45. a. **Respuesta de desarrollo** Escribe una expresión que muestre la forma descompuesta en factores de la diferencia de dos cuadrados.
    a. Las respuestas variarán. Ejemplo: $(2x + 3)(2x - 3)$.

    b. Explica cómo sabes que tu expresión es una diferencia de dos cuadrados.
    b. Las respuestas variarán. Ejemplo: $4x^2 - 9$; $4x^2$ y 9 son cuadrados.

Descompón cada expresión en factores.

46. $36s^8 - 60s^4 + 25$ 47. $c^{10} - 30c^5d^2 + 225d^4$ 48. $25n^6 + 40n^3 + 16$
    $(6s^4 - 5)^2$ $(c^5 - 15d^2)^2$ $(5n^3 + 4)^2$

Cálculo mental Para resolver los Ejercicios 49 a 51, halla un par de factores para cada número usando la diferencia de dos cuadrados.

49. 24 50. 28 51. 72
    $24 = 5^2 - 1^2$ $28 = 8^2 - 6^2$ $72 = 9^2 - 3^2$
    $= (5 + 1)(5 - 1) = (6)(4)$ $= (8 - 6)(8 + 6) = (2)(14)$ $= (9 + 3)(9 - 3) = (12)(6)$

52. **Razonamiento** Explica cómo invertir las reglas para multiplicar cuadrados de binomios puede ayudarte a descomponer en factores un trinomio cuadrado perfecto.
    Cuando el término b de un trinomio es exactamente el doble del producto de a y c, puedes descomponerlo en factores como $(a + b)^2$ o como $(a - b)^2$.

53. **Escribir** El área de un estacionamiento cuadrado es $49p^4 - 84p^2 + 36$.
    Explica cómo hallarías la longitud del estacionamiento.
    Descompones en factores $49p^4 - 84p^2 + 36$ para hallar la longitud. Obtienes $(7p^2 - 6)^2$; por tanto, cada lado tiene una longitud de $(7p^2 - 6)$.

Página 249

8-7 Preparación para el examen estandarizado
Descomponer en factores casos especiales

Opción múltiple

Escoge la letra que contiene la respuesta correcta para los Ejercicios 1 a 6.

1. ¿Cuál es la forma descompuesta en factores de $q^2 - 12q + 36$? **B**
   A. $(q + 6)(q - 6)$ B. $(q - 6)(q - 6)$ C. $(q - 9)(q + 4)$ D. $(q + 4)(q + 9)$

2. ¿Cuál es la forma descompuesta en factores de $9x^2 + 12x + 4$? **F**
   F. $(3x + 2)^2$ G. $(3x + 3)^2$ H. $(3x - 2)^2$ I. $(3x - 3)^2$

3. ¿Cuál es la forma descompuesta en factores de $x^2 - 196$? **D**
   A. $(x - 14)^2$ B. $(x + 14)^2$ C. $(x - 28)(4x + 7)$ D. $(x - 14)(x + 14)$

4. ¿Cuál es la forma descompuesta en factores de $9x^2 - 64$? **H**
   F. $(3x - 8)^2$ G. $(3x + 8)^2$ H. $(3x - 8)(3x + 8)$ I. $(9x - 8)(x + 8)$

5. ¿Cuál es la forma descompuesta en factores de $12m^2 - 75$? **B**
   A. $3(2m - 5)^2$ B. $3(2m + 5)(2m - 5)$ C. $3(2m + 5)^2$ D. $(6m - 25)(2m + 3)$

6. ¿Cuál es la forma descompuesta en factores de $49x^2 - 56x + 16$? **F**
   F. $(7x - 4)^2$ G. $(7x + 4)(7x - 4)$ H. $(7x + 4)^2$ I. $(7x - 8)^2$

Respuesta desarrollada

7. Un edificio de cuatro lados tiene un área de $36x^2 + 48x + 16$. Explica cómo hallar la longitud y el ancho posibles del edificio. ¿Cuál es la forma posible del edificio?

   $(6x + 4)^2$; La longitud y el ancho podrían ser iguales; por tanto, la figura es un cuadrado.

   [4] Se descompone el polinomio en factores correctamente y se indica que el edificio podría ser un cuadrado con una longitud de lado de $6x + 4$. Se da una explicación completa.
   [3] Hay un error menor de cálculo en la respuesta o la explicación está incompleta.
   [2] El polinomio se descompone en factores correctamente, pero no se relaciona con la longitud y el ancho del edificio.
   [1] Se completaron correctamente algunos pasos de la solución del problema.
   [0] No se mostró un trabajo correcto.

Álgebra 1, de Prentice Hall • Cuaderno de práctica y resolución de problemas Guía del maestro

Página 250

8-8 **Pensar en un plan**

Descomponer en factores por agrupación de términos

Arte El pedestal de una escultura es un prisma rectangular que tiene un volumen de $63x^3 - 28x$. ¿Qué expresiones pueden representar las dimensiones del pedestal? Usa la descomposición en factores.

Lo que sabes

1. El pedestal de la escultura tiene forma de _prisma rectangular_

2. El volumen del pedestal es _$63x^3 - 28x$_.

3. La fórmula que puedes usar para hallar las dimensiones del pedestal es _$V = lah$_.

Lo que necesitas

4. Para resolver el problema necesitas hallar _3 factores_

Planea

5. Descompón en factores el M.C.D del volumen del pedestal. _$7x(9x^2 - 4)$_

6. ¿Qué tipo de expresión es la expresión que queda? _La diferencia de dos cuadrados._

7. Descompón la expresión en factores completamente. _$7x(3x - 2)(3x + 2)$_

8. ¿Qué expresiones representan las dimensiones posibles del pedestal?
   _$7x$, $(3x - 2)$ y $(3x + 2)$_

Página 251

8-8 **Práctica** _Modelo G_

Descomponer en factores por agrupación de términos

Halla el M.C.D. de los dos primeros términos y el M.C.D. de los dos últimos términos de cada polinomio.

1. $12x^3 + 3x^2 + 20x + 5$
   $3x^2, 5$

2. $6v^3 + 42v^2 + 5v + 35$
   $6v^2, 5$

3. $8t^3 + 36t^2 + 2t + 9$
   $4t^2, 1$

4. $10s^3 + 35s^2 + 6s + 21$
   $5s^2, 3$

5. $9m^3 - 6m^2 + 12m - 8$
   $3m^2, 4$

6. $8u^3 + 6u^2 - 28w - 21$
   $2w^2, 7$

7. $7r^3 + 16r^2 - 9r - 72$
   $r^2, 9$

8. $21x^3 - 28x^2 - 6x + 8$
   $7x^2, 2$

Descompón cada expresión en factores.

9. $8j^3 + 4j^2 + 10j + 5$
   $(4j^2 + 5)(2j + 1)$

10. $2m^3 + 8m^2 + 9m + 36$
    $(2m^2 + 9)(m + 4)$

11. $10s^3 + 25s^2 + 8s + 20$
    $(5s^2 + 4)(2s + 5)$

12. $6x^3 + 9x^2 + 2x + 3$
    $(3x^2 + 1)(2x + 3)$

13. $21x^3 + 6x^2 - 28x - 8$
    $(3x^2 - 4)(7x + 2)$

14. $8u^3 + 12u^2 + 10w + 15$
    $(4w^2 + 5)(2w + 3)$

15. $18r^3 - 12r^2 + 21r - 14$
    $(6r^2 + 7)(3r - 2)$

16. $36n^3 - 27n^2 - 8n + 6$
    $(9n^2 - 2)(4n - 3)$

17. $110b^3 + 77b^2 - 60b - 42$
    $(11b^2 - 6)(10b + 7)$

18. $64d^3 - 40d^2 - 24d + 15$
    $(8d^2 - 3)(8d - 5)$

19. $10s^3 + 80s^2 - 7s - 56$
    $(10s^2 - 7)(s + 8)$

20. $25j^3 + 15j^2 - 5j - 3$
    $(5j^2 - 1)(5j + 3)$

21. $24c^3 - 84c^2 + 10c - 35$
    $(12c^2 + 5)(2c - 7)$

22. $27f^3 + 9f^2 - 24f - 8$
    $(9f^2 - 8)(3f + 1)$

Página 252

8-8 **Práctica** (continuación) _Modelo G_

Descomponer en factores por agrupación de términos

Descompón en factores completamente.

23. $32x^3 + 8x^2 + 48x + 12$
    $4(2x^2 + 3)(4x + 1)$

24. $45w^4 - 36w^3 + 15w^2 - 12w$
    $3w(3w^2 + 1)(5w - 4)$

25. $32k^4 - 16k^3 + 12k^2 - 6k$
    $2k(8k^2 + 3)(2k - 1)$

26. $6g^3 + 18g^2 + 60g + 180$
    $6(g^2 + 10)(g + 3)$

27. $30b^4 - 45b^3 - 10b^2 + 15b$
    $5b(3b^2 - 1)(2b - 3)$

28. $32m^3 + 72m^2 - 80m - 180$
    $4(2m^2 - 5)(4m + 9)$

29. $63j^4 + 84j^3 - 18j^2 - 24j$
    $3j(7j^2 - 2)(3j + 4)$

30. $96n^3 - 240n^2 - 168n + 420$
    $12(4n^2 - 7)(2n - 5)$

31. $12e^4 + 18e^3 + 36e^2 + 54e$
    $6e(e^2 + 3)(2e + 3)$

32. $60a^5 - 72a^4 - 210a^3 + 252a^2$
    $6a^2(2a^2 - 7)(5a - 6)$

Halla expresiones lineales para las dimensiones posibles de cada prisma rectangular.

33.
    $V = 15x^3 + 52x^2 + 32x$

    $x, 5x + 4, 3x + 8$

34.
    $V = 18d^3 + 84d^2 + 48d$

    $6d, 3d + 2, d + 4$

35.
    $V = 24y^3 + 54y^2 - 15y$

    $3y, 4y - 1, 2y + 5$

36.
    $V = 32p^3 - 224p^2 + 360p$

    $8p, 2p - 5, 2p - 9$

37. Una caja para envíos con forma de prisma rectangular tiene un volumen de $12x^3 + 32x^2 + 20x$. ¿Qué expresiones lineales pueden representar las dimensiones posibles de la caja?
    $4x, 3x + 5, x + 1$

38. **Analizar errores** Describe y corrige el error que se cometió al descomponer en factores completamente.

    $16x^4 + 24x^3 + 64x^2 + 96x = 4x(4x^3 + 6x^2 + 16x + 24)$
    $= 4x[2x^2 (2x + 3) + 8(2x + 3)]$
    $= 4x(2x^2 + 8)(2x + 3)$

    En el primer paso, el M.C.D. es 8x, no 4x.

39. **Respuesta de desarrollo** Escribe una expresión de 3 términos para representar el volumen de un prisma rectangular que se pueda descomponer en factores por agrupación de términos. Descompón en factores el polinomio.
    Las respuestas variarán. Ejemplo: $x^5 + 4x^3 + 3x^2 = x^3(x + 3)(x + 1)$.

Página 253

8-8 **Preparación para el examen estandarizado**

Descomponer en factores por agrupación de términos

Opción múltiple

Escoge la letra que contiene la respuesta correcta para los Ejercicios 1 a 5.

1. ¿Cuál es el M.C.D. de los dos primeros términos del polinomio $4y^3 + 8y^2 + 5y + 10$? B
   A. $4y$ B. $4y^2$ C. $4y^3$ D. 4

2. ¿Cuál es la forma descompuesta en factores de $4x^3 + 3x^2 + 8x + 6$? I
   F. $(2x^2 + 3)(2x + 3)$
   G. $(2x^2 + 2)(2x + 3)$
   H. $(x^2 + 2)(2x + 3)$
   I. $(x^2 + 2)(4x + 3)$

3. ¿Cuál es la forma descompuesta en factores de $9x^4 - 6x^3 + 18x^2 - 12x$? C
   A. $3x(x^2 - 2x)(x - 4)$
   B. $3x(x^2 - 2)(3x + 2)$
   C. $3x(x^2 + 2)(3x - 2)$
   D. $3x(3x^2 - 2x)(6x - 4)$

4. ¿Cuál es la forma descompuesta en factores de $20p^3 + 40p^2 + 15p + 30$? A
   F. $5(2p^2 + 3)(p + 2)$
   G. $5(2p^2 + 6)(p + 4)$
   H. $5(4p^2 + 3)(p + 2)$
   I. $5(4p^2 + 8p)(3p + 6)$

5. Una caja con forma de prisma rectangular tiene un volumen de $9x^3 + 24x^2 + 12x$. ¿Cuál no es una de las dimensiones posibles? (Sus dimensiones son todas expresiones lineales con coeficientes enteros). A
   A. $2x + 3$ B. $3x + 2$ C. $3x$ D. $x + 2$

Respuesta breve

6. El polinomio $3\pi x^3 + 24\pi x^2 + 48\pi x$ representa el volumen de un cilindro. La fórmula del volumen de un cilindro con radio r y altura h es $V = \pi r^2 h$.
   a. Descompón en factores $3\pi x^3 + 24\pi x^2 + 48\pi x$. $3\pi x(x + 4)^2$
   b. Escribe una expresión lineal para el radio posible del cilindro. Explica tu respuesta.
   $x + 4$, porque ése es el término elevado al cuadrado.
   [2] Las respuestas de ambas partes son correctas y la explicación está completa.
   [1] Las respuestas de una o ambas partes son correctas, pero la explicación está incompleta.
   [0] Ninguna respuesta es correcta.

Página 254

9-1 Pensar en un plan
Las gráficas cuadráticas y sus funciones

Física En una clase de demostración de física, se lanza una pelota desde el techo de un edificio, a 72 pies sobre el suelo. La altura h (en pies) de la pelota sobre el suelo está dada por la función $h = -16t^2 + 72$, donde t es el tiempo en segundos.
a. Representa la función con una gráfica.
b. ¿Qué distancia recorrió la pelota desde el tiempo $t = 0$ hasta el tiempo $t = 1$?
c. Razonamiento ¿La pelota recorre la misma distancia desde el tiempo $t = 1$ hasta el tiempo $t = 2$ que desde $t = 0$ hasta $t = 1$? Explica tu respuesta.

1. Completa la siguiente tabla de valores.

2. Usa la tabla que completaste para representar con una gráfica la función $h = -16t^2 + 72$.

t	$h = -16t^2 + 72$	(t, h)
0	72	(0, 72)
1	56	(1, 56)
2	8	(2, 8)
3	-72	(3, -72)

3. ¿Cuál fue la altura de la pelota en $t = 0$? __72 pies__

¿Cuál fue la altura de la pelota en $t = 1$? __56 pies__

¿Qué distancia recorrió la pelota desde $t = 0$ hasta $t = 1$? __16 pies__

4. ¿Cuál es la altura de la pelota en $t = 2$? __8 pies__

¿Qué distancia recorrió la pelota desde $t = 1$ hasta $t = 2$? __48 pies__

5. ¿La pelota recorre la misma distancia desde $t = 1$ hasta $t = 2$ que desde $t = 0$ hasta $t = 1$? Explica tu respuesta.

__No; Cae tres veces más lejos.__

Página 255

9-1 Práctica
Las gráficas cuadráticas y sus funciones
Modelo G

Identifica el vértice de cada gráfica. Indica si es un punto mínimo o un punto máximo.

1.
(1, −3); Mínimo

2.
(3, −1); Mínimo

3.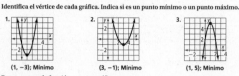
(1, 5); Mínimo

Representa cada función con una gráfica.

4. $f(x) = 3x^2$

5. $f(x) = -2.5x^2$

6. $f(x) = -\frac{1}{5}x^2$

Ordena cada grupo de funciones cuadráticas de la gráfica más ancha a la gráfica más angosta.

7. $y = -3x^2, y = -5x^2, y = -1x^2$
$-x^2; -3x^2; -5x^2$

8. $y = 4x^2, y = -2x^2, y = -6x^2$
$-2x^2; 4x^2; -6x^2$

9. $y = x^2, y = \frac{1}{3}x^2, y = 2x^2$
$\frac{1}{3}x^2; x^2; 2x^2$

10. $y = \frac{1}{6}x^2, y = \frac{1}{4}x^2, y = \frac{1}{2}x^2$
$\frac{1}{6}x^2; \frac{1}{4}x^2; \frac{1}{2}x^2$

Representa cada función con una gráfica.

11. $f(x) = x^2 + 1$

12. $f(x) = x^2 - 2$

13. $f(x) = 2x^2 + 1$

14. $f(x) = -\frac{1}{2}x^2 + 5$

15. $f(x) = -3x^2 - 4$

16. $f(x) = 5x^2 - 10$

Página 256

9-1 Práctica (continuación)
Las gráficas cuadráticas y sus funciones
Modelo G

17. Para un experimento de física, la clase deja caer una pelota de golf desde un puente al suelo. El puente tiene 75 pies de altura. La función $h = -16t^2 + 75$ da la altura h de la pelota de golf sobre el suelo, en pies, después de t segundos. Representa la función con una gráfica. ¿Cuántos segundos tarda la pelota de golf en llegar al suelo?
Aproximadamente 2.2 s.

18. Una organización de socorro sobrevoló un pueblo y dejó caer un paquete con alimentos y remedios. El avión vuela a 1000 pies de altura. La función $h = -16t^2 + 1000$ da la altura h del paquete sobre el suelo, en pies, después de t segundos. Representa la función con una gráfica. ¿Cuántos segundos tarda el paquete en llegar al suelo?
Aproximadamente 8 s.

Identifica el dominio y el rango de cada función.

19. $y = 5x^2 - 5$
D: todos los números reales; R: $y \geq -5$

20. $y = -\frac{1}{2}x^2 + 3$
D: todos los números reales; R: $y \leq 3$

21. $y = \frac{3}{5}x^2 - 2$
D: todos los números reales; R: $y \geq -2$

22. $f(x) = -9x^2 + 1$
D: todos los números reales; R: $f(x) \leq 1$

Usa una calculadora gráfica para representar cada función con una gráfica. Identifica el vértice y el eje de simetría.

23. $y = 2.75x^2 + 3$
(0, 3); $x = 0$;

24. $y = -\frac{1}{3}x^2 - 8$
(0, −8); $x = 0$;

25. $y = -2x^2 + 7$
(0, 7); $x = 0$;

26. Escribir Comenta en qué se diferencian la función $y = x^2 + 4$ y la gráfica $y = x^2$.
La función madre de $y = x^2 + 4$ es $y = x^2$. Ambas gráficas tienen el mismo ancho y son parábolas que se abren hacia arriba. El vértice de la gráfica de $y = x^2$ está en (0, 0). El vértice de la gráfica de $y = x^2 + 4$ está en (0, 4), así que está desplazada 4 unidades hacia arriba de la gráfica de $y = x^2$.

27. Escribir Explica cómo puedes determinar si la parábola se abre hacia arriba o hacia abajo con sólo examinar la ecuación.
El coeficiente del término de x^2 determina si la parábola se abre hacia arriba o hacia abajo. Si el coeficiente es positivo, la gráfica se abre hacia arriba. Si el coeficiente es negativo, la gráfica se abre hacia abajo.

Página 257

9-1 Preparación para el examen estandarizado
Las gráficas cuadráticas y sus funciones

Opción múltiple

Escoge la letra que contiene la respuesta correcta para los Ejercicios 1 a 4.

1. ¿Cuál es el vértice de la parábola que se muestra a la derecha? **C**
A. $(-1, 0)$
B. $(0, -3)$
C. $(1, -4)$
D. $(3, 0)$

2. ¿Cuál de las siguientes opciones tiene una gráfica que es más ancha que la gráfica de $y = 3x^2 + 2$? **G**
F. $y = 3x^2 + 3$
G. $y = 0.5x^2 + 1$
H. $y = -4x^2 - 1$
I. $y = 4x^2 + 1$

3. ¿Qué gráfica representa la función $y = -2x^2 - 5$? **D**

A.   B.   C.   D.

4. ¿Cuál es el orden, de la más angosta a la más ancha, de las gráficas de las funciones cuadráticas $f(x) = -10x^2, f(x) = 2x^2$ y $f(x) = 0.5x^2$? **F**
F. $f(x) = -10x^2, f(x) = 2x^2$ y $f(x) = 0.5x^2$
G. $f(x) = 2x^2, f(x) = -10x^2$ y $f(x) = 0.5x^2$
H. $f(x) = 0.5x^2, f(x) = 2x^2$ y $f(x) = -10x^2$
I. $f(x) = 0.5x^2, f(x) = -10x^2$ y $f(x) = 2x^2$

Respuesta breve

5. Una pelota cayó de un precipicio al río desde una altura de 25 pies. La función $h = -30t^2 + 25$ da la altura h de la pelota sobre el agua después de t segundos. Representa la función con una gráfica. ¿Cuánto tiempo tarda la pelota en llegar al agua?
Revise las gráficas de los estudiantes; Aproximadamente 0.9 s.
[2] Las respuestas de ambas partes son correctas.
[1] La respuesta de una parte es correcta.
[0] Ninguna respuesta es correcta.

Página 258

9-2 Pensar en un plan
Funciones cuadráticas

Negocios Una empresa de teléfonos celulares vende cerca de 500 teléfonos por semana si cobra $75 por cada teléfono. Por cada $1 que disminuye el precio, vende cerca de 20 teléfonos más por semana. Los ingresos de la empresa son iguales al producto de la cantidad de teléfonos vendidos y el precio de cada teléfono. ¿Qué precio debe cobrar la empresa para maximizar sus ingresos?

1. Sea $d =$ la cantidad total de dólares rebajados del precio. Sea $i =$ los ingresos de la empresa. Escribe una función cuadrática que refleje los ingresos de la empresa.

Los ingresos equivalen a 500 teléfonos más d por 20 teléfonos por $75 menos d.

$$i = \left(\boxed{500} + \left(d \times \boxed{20} \right) \right) \times \left(\boxed{75} - d \right)$$

$i = \underline{(20d + 500)(75 - d) \text{ ó } -20d^2 + 1000d + 37{,}500}$

$i = \underline{-20(d^2 - 50d - 1875)}$

$i = \underline{-20(d + 25)(d - 75)}$

2. Halla el vértice de la función cuadrática anterior. ¿Cómo te ayudará encontrar el vértice a determinar qué precio debe cobrar la empresa para maximizar sus ingresos?

$\underline{(25, 50{,}000);}$ El vértice indica la cantidad que se debe reducir del precio para obtener el ingreso máximo.

3. ¿Qué precio debe cobrar la empresa?

$50

Página 259

9-2 Práctica
Funciones cuadráticas   *Modelo G*

Halla la ecuación del eje de simetría y las coordenadas del vértice de la gráfica de cada función.

1. $y = 4x^2 - 2$
$(0, -2); x = 0$

2. $y = -x^2 + 4x - 6$
$(2, -2); x = 2$

3. $y = x^2 + 4x + 5$
$(-2, 1); z = -2$

4. $y = x^2 - 8x + 12$
$(4, -4); x = 4$

5. $y = -6x^2 + 3$
$(0, 3); x = 0$

6. $y = -3x^2 + 12x - 7$
$(2, 5); x = 2$

7. $y = 2x^2 + x - 14$
$\left(-\frac{1}{4}, -14\frac{1}{8}\right); x = -\frac{1}{4}$

8. $y = -6x^2 - 8x + 10$
$\left(-\frac{2}{3}, 12\frac{2}{3}\right); x = -\frac{2}{3}$

9. $y = -2x^2 + 3x + 6$
$\left(\frac{3}{4}, 7\frac{1}{8}\right); x = \frac{3}{4}$

Representa cada función con una gráfica. Identifica el eje de simetría y el vértice.

10. $f(x) = x^2 - 2x - 1$

11. $f(x) = -2x^2 + 8x - 10$

12. $f(x) = 2x^2 - 12x + 19$

13. $f(x) = -3x^2 - 6x - 8$

14. $f(x) = 2x^2 + 2x + 1$

15. $f(x) = -2x^2 + 12x - 2$

16. Un jugador patea la pelota al aire con una velocidad ascendente de 62 pies/s. La altura h, en pies, después de t segundos está dada por la función $h = -16t^2 + 62t + 2$. ¿Cuál es la altura máxima que alcanza la pelota? ¿Cuánto tardará la pelota en alcanzar su altura máxima? ¿Cuánto tardará la pelota en llegar al suelo?
62.06 pies; 1.94 s; Alrededor de 3.91 s.

17. Se arroja un disco al aire con una velocidad ascendente de 20 pies/s. La altura h, en pies, después de t segundos está dada por la función $h = -16t^2 + 20t + 6$. ¿Cuál es la altura máxima que alcanza el disco? ¿Cuánto tardará el disco en alcanzar su altura máxima? ¿Cuánto tiempo pasará hasta que el disco sea atrapado a 3 pies del suelo?
12.25 pies; 0.625 s; 1.385 s

Página 260

9-2 Práctica (continuación)
Funciones cuadráticas   *Modelo G*

Representa cada función con una gráfica. Identifica el eje de simetría y el vértice.

18. $f(x) = \frac{3}{2}x^2 + 6x + 2$

19. $f(x) = \frac{2}{3}x^2 + 8x + 5$

20. $f(x) = \frac{1}{4}x^2 + 4x - 10$

21. $f(x) = \frac{1}{2}x^2 - 12x + 11$

22. $f(x) = -\frac{3}{4}x^2 + 2x + 3$

23. $f(x) = \frac{5}{4}x^2 - 4x + 1$

Respuesta de desarrollo En los Ejercicios 24 a 26, da un ejemplo de una función cuadrática con la(s) característica(s) dada(s).

24. Su gráfica se abre hacia arriba y su vértice está en $(-3, 0)$.
Las respuestas variarán. Ejemplo: $y = x^2 - 3$.

25. Su gráfica está completamente debajo del eje de las x.
Las respuestas variarán. Ejemplo: $y = -x^2 - 2$.

26. El vértice está en el eje de las x y la gráfica se abre hacia abajo.
Las respuestas variarán. Ejemplo: $y = -\frac{1}{2}x^2$.

27. Una fuente que mide 5 pies de altura arroja agua al aire con una velocidad ascendente de 22 pies/s. ¿Qué función da la altura h del agua, en pies, t segundos después de que sale hacia arriba? ¿Cuál es la altura máxima del agua?
$h = -16t^2 + 22t + 5$; 12.6 pies

28. La parábola de la derecha tiene la forma $y = ax^2 + bx + c$.
a. ¿Cuál es el intercepto en y? -2
b. ¿Cuál es el eje de simetría? $x = -1$
c. Usa la fórmula $x = \frac{-b}{2a}$ para hallar b. $b - 4$
d. ¿Cuál es la ecuación de la parábola? $2x^2 + 4x - 2$

Página 261

9-2 Preparación para el examen estandarizado
Funciones cuadráticas

Opción múltiple

Escoge la letra que contiene la respuesta correcta para los Ejercicios 1 a 5.

1. ¿Qué ecuación representa el eje de simetría de la función $y = -2x^2 + 4x - 6$? B
A. $y = 1$ B. $x = 1$ C. $x = 3$ D. $x = -3$

2. ¿Cuáles son las coordenadas del vértice de la gráfica de la función $y = -x^2 + 6x - 11$? F
F. $(3, -2)$ G. $(3, 16)$ H. $(-3, -29)$ I. $(-3, -20)$

3. ¿Cuáles son las coordenadas del vértice de la gráfica de la función $y = 3x^2 - 12x + 3$? C
A. $(-2, 29)$ B. $(2, -15)$ C. $(2, -9)$ D. $(3, -6)$

4. ¿Qué gráfica representa la función $y = 3x^2 + 12x - 6$? G

5. ¿Qué ecuación se corresponde con la gráfica de la derecha? D
A. $y = 8x^2 + 2x - 5$
B. $y = 8x^2 + 2x + 5$
C. $y = 2x^2 + 8x + 5$
D. $y = 2x^2 + 8x - 5$

Respuesta breve

6. Una pelota de golf se lanza al aire desde un soporte elevado hacia un hoyo con una velocidad ascendente de 160 pies/s. La altura h, en pies, después de t segundos está dada por la función $h = -16t^2 + 160t + 18$. ¿Cuánto tardará la pelota en alcanzar su altura máxima? ¿Cuál es la altura máxima de la pelota?

5 s; 418 pies.
[2] Las respuestas de ambas partes son correctas.
[1] La respuesta de una parte es correcta.
[0] Ninguna respuesta es correcta.

Página 262

9-3 Pensar en un plan
Resolver ecuaciones cuadráticas

Colchas de retazos A la derecha se muestra el diseño de una colcha de retazos cuadrada que estás haciendo. Halla la longitud x del lado del cuadrado interior que hará que el área de este cuadrado sea el 50% del área total de la colcha. Redondea a la décima de pie más cercana.

← 6 pies →

1. ¿Cuál es una expresión para el área del cuadrado interior? x^2

2. ¿Cuál es el área total de la colcha de retazos? 36 pies

3. ¿Cuánto es el 50% del área total de la colcha? 18 pies^2

4. Escribe una ecuación para el área del cuadrado interior usando las expresiones de los pasos 1 y 3. $x^2 = 18$

5. Resuelve la ecuación cuadrática.
$x = \pm 3\sqrt{2}$

6. ¿Qué solución de la ecuación cuadrática describe mejor la longitud del lado del cuadrado interior? Explica tu respuesta.

La solución positiva; Porque la longitud no puede ser negativa.

Página 263

9-3 Práctica   Modelo G
Resolver ecuaciones cuadráticas

Resuelve cada ecuación representando la función relacionada con una gráfica. Si la ecuación no tiene solución de números reales, escribe *sin solución*.

1. $x^2 - 16 = 0$ 4; −4   2. $x^2 + 12 = 0$ Sin solución   3. $2x^2 - 18 = 0$ 3; −3

4. $7x^2 = 0$ 0   5. $\frac{1}{2}x^2 - 2 = 0$ 2; −2   6. $x^2 + 49 = 0$ Sin solución

7. $x^2 - 15 = -15$ 0   8. $4x^2 - 36 = 0$ 3; −3   9. $x^2 + 36 = 0$ Sin solución

Resuelve cada ecuación hallando raíces cuadradas. Si la ecuación no tiene solución de números reales, escribe *sin solución*.

10. $t^2 = 25$ 5; −5   11. $k^2 = 484$ 22; −22   12. $z^2 - 256 = 0$ 16; −16

13. $d^2 - 14 = -50$
Sin solución   14. $9y^2 - 16 = 0$
$\frac{4}{3}; -\frac{4}{3}$ 15. $2g^2 - 32 = -32$
0

16. $4a^2 = 36$ 3; −3   17. $7x^2 + 28 = 0$ Sin solución   18. $6n^2 - 54 = 0$ 3; −3

19. $81 - c^2 = 0$ 9; −9   20. $16x^2 - 49 = 0$ $\frac{7}{4}; -\frac{7}{4}$ 21. $64 + j^2 = 0$ Sin solución

Representa cada problema con una ecuación cuadrática. Luego, resuélvela. Si es necesario, redondea a la décima más cercana.

22. Halla la longitud de los lados de un cuadrado con un área de 196 pies^2.
$x^2 = 196$; 14 pies

23. Halla el radio de un círculo con un área de 100 pulgs^2.
$\pi r^2 = 100$; 5.6 pulgs.^{2}

24. Halla la longitud de los lados de un cuadrado con un área de 50 cm^2.
$x^2 = 50$; $5\sqrt{2}$ cm ó 7.1 cm

Página 264

9-3 Práctica (continuación)   Modelo G
Resolver ecuaciones cuadráticas

25. Estás barriendo hojas sobre una lona cuadrada que tiene un área de 150 pies^2. ¿Cuál es la longitud de los lados de la lona? Si es necesario, redondea tu respuesta a la décima de pie más cercana.
12.2 pies

26. Hay suficiente mantillo para esparcir sobre un cantero con un área de 85 m^2. ¿Cuál es el radio del cantero circular más grande que se puede cubrir con el mantillo? Si es necesario, redondea tu respuesta a la décima de pie más cercana.
5.2 pies

Cálculo mental Indica cuántas soluciones tiene cada ecuación.

27. $q^2 - 22 = -22$
Una   28. $m^2 + 15 = 0$
Ninguna   29. $b^2 - 12 = 12$
Dos

Resuelve cada ecuación hallando raíces cuadradas. Si la ecuación no tiene solución de números reales, escribe *sin solución*. Si una solución es un número irracional, redondea a la décima más cercana.

30. $3.35z^2 + 2.75 = -14$
Sin solución   31. $100t^2 + 36 = 100$
0.8; −0.8   32. $5a^2 - \frac{1}{125} = 0$
0.04; −0.04

33. $\frac{1}{3}h^2 - 12 = 0$
6; −6   34. $-\frac{1}{2}m^2 + 5 = -10$
5.5; −5.5   35. $11x^2 - 0.75 = 3.21$
0.6; −0.6

36. Halla el valor de n tal que la ecuación $x^2 - n = 0$ tenga las soluciones 24 y −24.
576

Halla el valor de x para el cuadrado y el triángulo. Si es necesario, redondea a la décima más cercana.

37.   38.

34 pulgs.^{2} 2.9 pulgs.
2x

4.6 m
3x   95 m^2
3x

39. **Escribir** Explica cómo se relaciona la cantidad de soluciones de una ecuación cuadrática con la gráfica de la función.
Cuando no tiene solución, la gráfica no cruza el eje de las x. Cuando tiene sólo una solución, el vértice de la gráfica está sobre el eje de las x. Cuando la gráfica tiene dos interceptos en x, la ecuación tiene dos soluciones.

Página 265

9-3 Preparación para el examen estandarizado
Resolver ecuaciones cuadráticas

Opción múltiple

Escoge la letra que contiene la respuesta correcta para los Ejercicios 1 a 7.

1. ¿Cuál es la solución de $n^2 - 49 = 0$? C
   A. −7   B. 7   C. ±7   D. Sin solución

2. ¿Cuál es la solución de $x^2 + 64 = 0$? I
   F. −5   G. 8   H. ±8   I. Sin solución

3. ¿Cuál es la solución de $a^2 + 17 = 42$? C
   A. −5   B. 5   C. ±5   D. Sin solución

4. ¿Cuál es la longitud del lado de un cuadrado con un área de $144x^2$? G
   F. 12   G. 12x   H. ±12x   I. Sin solución

5. ¿Cuál es el valor de b en el triángulo de la derecha? B
   A. −4 pulgs.
   B. 4 pulgs.
   C. ±4 pulgs.
   D. Sin solución

3b   24 pulgs.^{2} b

6. ¿Cuál es el radio de una esfera cuya área total es 100 centímetros cuadrados? Usa la fórmula $A.T. = 4\pi r^2$ para determinar el área total de la esfera y 3.14 para π. Redondea tu respuesta a la centésima más cercana. F
   F. 2.82 cm   G. 5 cm   H. 5.64 cm   I. 125,600 cm

7. ¿Cuál es el valor de z de modo que −9 y 9 sean las soluciones de $x^2 + z = 103$? C
   A. −22   B. 3   C. 22   D. 184

Respuesta desarrollada

8. Se arroja una pelota desde el techo de un edificio de 250 pies de altura. La altura h de la pelota, en pies, después de t segundos se representa con la función $h = -16t^2 + 250$. Si es necesario, redondea a la décima más cercana.
   a. ¿Cuánto tardará la pelota en llegar al suelo? Muestra tu trabajo. 4 s.
   b. ¿Cuánto tardará la pelota en alcanzar una altura de 75 pies? Muestra tu trabajo. 3.3 s

   [2] Las respuestas de ambas partes son correctas.
   [1] La respuesta de una parte es correcta.
   [0] Ninguna respuesta es correcta.

Página 266

9-4 Pensar en un plan
Descomponer en factores para resolver ecuaciones cuadráticas

Deportes Lanzas al aire una pelota de sóftbol con una velocidad ascendente inicial de 38 pies/s y desde una altura inicial de 5 pies.

a. Usa el modelo de movimiento vertical para escribir una ecuación que dé la altura h de la pelota, en pies, en el tiempo t, en segundos.

b. Cuando está en el suelo, la altura de la pelota es 0 pies. Resuelve la ecuación que escribiste en la parte (a) cuando $h = 0$ para hallar el momento en que la pelota llega al suelo.

¿Qué sabes?

1. Escribe un modelo de movimiento vertical que describa mejor la ecuación de la altura h de la pelota en el tiempo t. ¿Cuáles son los valores de v y c?

$$h = -16t^2 + v \cdot t + c$$

$$h = -16t^2 + \boxed{38} \cdot t + \boxed{5}$$

2. ¿Cómo te ayudaría hacer la gráfica de la ecuación cuadrática a entender el problema?

La gráfica mostraría la altura inicial, la altura máxima (el vértice) y el momento en

que la pelota de sóftbol llega al suelo (el intercepto en x).

¿Cómo resuelves el problema?

3. La altura de la pelota es 0 pies cuando está en el suelo. Resuelve la ecuación que escribiste en la parte (a) cuando $h = 0$ para hallar el momento en que la pelota llega al suelo.

$(8t + 1)(-2t + 5) = 0; \frac{5}{2}$ s

Página 267

9-4 Práctica
Modelo G
Descomponer en factores para resolver ecuaciones cuadráticas

Usa la propiedad del producto cero para resolver cada ecuación.

1. $(y + 6)(y - 4) = 0$ $-6; 4$

2. $(3f + 2)(f - 5) = 0$ $5; -\frac{2}{3}$

3. $(2x - 7)(4x + 10) = 0$ $\frac{7}{2}; -\frac{5}{2}$

4. $(8t - 7)(3t + 5) = 0$ $\frac{7}{8}; -\frac{5}{3}$

5. $d(d - 8) = 0$ $0; 8$

6. $3m(2m + 9) = 0$ $0; -\frac{9}{2}$

Resuelve descomponiendo en factores.

7. $n^2 + 2n - 15 = 0$ $-5; 3$

8. $a^2 - 15a + 56 = 0$ $7; 8$

9. $z^2 - 10z + 24 = 0$ $6; 4$

10. $8x^2 + 10x + 3 = 0$ $-\frac{3}{4}; -\frac{1}{2}$

11. $3b^2 + 7b - 6 = 0$ $\frac{2}{3}; -3$

12. $5p^2 - 9p - 2 = 0$ $2; -\frac{1}{5}$

13. $w^2 + w = 12$ $3; -4$

14. $s^2 + 12s = -32$ $-4; -8$

15. $d^2 = 5d$ $0; 5$

16. $3j^2 - 20j = -12$ $\frac{2}{3}; 6$

17. $12y^2 + 40y = 7$ $\frac{1}{6}; -\frac{7}{2}$

18. $27r^2 + 69r = 8$ $\frac{1}{9}; -\frac{8}{3}$

Usa la propiedad del producto cero para resolver cada ecuación. Escribe las soluciones como un conjunto en notación por extensión.

19. $k^2 - 11k + 30 = 0$ $\{6; 5\}$

20. $x^2 - 6x - 7 = 0$ $\{-1; 7\}$

21. $n^2 + 17n + 72 = 0$ $\{-8; -9\}$

22. El volumen de un cajón de arena con forma de prisma rectangular es de 48 pies^3. La altura del cajón de arena es de 2 pies. El ancho es a pies y la longitud es $a + 2$ pies. Usa la fórmula $V = lah$ para hallar el valor de a.
4

23. El área del recubrimiento de goma para un techo plano era de 96 pies^2. El marco rectangular que construyó el carpintero para el techo plano tiene dimensiones tales que la longitud es 4 pies mayor que su ancho. ¿Cuáles son las dimensiones del marco?
8 pies por 12 pies.

24. Ling está cortando alfombra para una habitación rectangular. El área de la habitación es de 324 pies^2. La longitud de la habitación es 3 pies mayor que el doble de su ancho. ¿Cuáles deben ser las dimensiones de la alfombra?
12 pies por 27 pies.

Página 268

9-4 Práctica (continuación)
Modelo G
Descomponer en factores para resolver ecuaciones cuadráticas

Escribe cada ecuación en forma estándar. Luego, resuélvelas.

25. $21x^2 + 5x - 35 = 3x^2 - 4x$ $18x^2 + 9x - 35; -\frac{5}{3}; \frac{7}{6}$

26. $3n^2 - 2n + 1 = -3n^2 + 9n + 11$ $6n^2 - 11n - 10; \frac{5}{2}; -\frac{2}{3}$

Halla el valor de x en relación con cada rectángulo o triángulo.

27. Área = 60 cm^2 6 cm

28. Área = 234 yd^2 13 yd

29. Área = 20 pulgs.^{2} 5 pulgs.

30. Área = 150 m^2 12 m

Razonamiento Para cada ecuación, halla k y el valor de las soluciones que faltan.

31. $x^2 - kx - 16 = 0$, donde -2 es una solución de la ecuación.
6; 8

32. $x^2 - 6x = k$, donde 10 es una solución de la ecuación.
40; -4

33. $kx^2 - 13x = 5$, donde $-\frac{1}{3}$ es una solución de la ecuación.
6; $\frac{5}{2}$

34. **Escribir** Explica cómo resolver una ecuación descomponiendo en factores.

Escribir la ecuación en forma estándar igual a cero. Escribir dos conjuntos de paréntesis. Hallar factores del término x^2. Se hallan factores del término constante. Hallar la combinación de factores cuya suma es igual al término x.

Página 269

9-4 Preparación para el examen estandarizado
Descomponer en factores para resolver ecuaciones cuadráticas

Respuesta en plantilla

Resuelve cada ejercicio y marca tus respuestas en la plantilla.

1. ¿Cuál es la solución positiva de $3x^2 - 10x - 8 = 0$? 4

2. Una pared de forma triangular tiene una base de $2x + 4$ y una altura de $x + 3$. El área del triángulo es 56 pulgs.^{2}. ¿Cuál es el valor de x? 5

3. El producto de dos enteros consecutivos, n y $n + 1$, es 42. ¿Cuál es el entero positivo que cumple la condición? 6

4. Se debe cortar un trozo más de revestimiento exterior de metal de forma rectangular para cubrir un granero. El área del trozo es de 30 pies^2. La longitud es 1 menos que 3 veces el ancho. ¿Cuál es el ancho que debe tener el trozo de metal? Redondea a la centésima de pie más cercana. 3.33

5. ¿Qué solución tienen en común $2x^2 - 31x + 21 = 0$ y $2x^2 + 9x - 56 = 0$? Si es necesario, redondea tu respuesta a la décima más cercana. 3.5

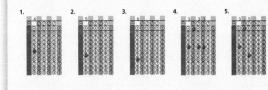

Página 270

9-5 Pensar en un plan
Completar el cuadrado

Jardinería ornamental En una escuela, coloca un vallado alrededor de un área rectangular para hacer un área de juego. El vallado se coloca en tres lados, como se muestra a la derecha. La escuela presupuestó dinero suficiente para 75 pies de vallado y quiere que el área de juego tenga un área de 600 pies².

a. Sea a el ancho del área de juego. Escribe una expresión en función de a para la longitud del área de juego.
b. Escribe y resuelve una ecuación para hallar el ancho a. Redondea a la décima de pie más cercana.
c. ¿Cuál debe ser la longitud del área de juego?

¿Qué sabes?

1. Sea a el ancho del área de juego. Escribe una expresión en función de a para la longitud del área de juego.

$$a + a + l = \boxed{75} \text{ pies}$$

$$l = -2a + 75$$

2. Escribe una ecuación para la superficie del área de juego.

$$a \cdot l = \boxed{600} \text{ pies}^2$$

¿Qué necesitas para resolver el problema?

3. En la ecuación del paso 2, sustituye l por la expresión del paso 1.
$a(-2a + 75) = 600$

¿Cómo resuelves el problema?

4. Resuelve la ecuación del paso 3 para hallar el ancho a. Redondea a la décima de pie más cercana. ¿Cuál debe ser la longitud l del área de juego?
$a = 25.9$ pies; $l = 23.2$ pies

Página 271

9-5 Práctica
Completar el cuadrado

Modelo G

Halla el valor de c tal que cada expresión sea un trinomio cuadrado perfecto.

1. $x^2 + 4x + c$ **4**
2. $b^2 + 12b + c$ **36**
3. $g^2 - 20g + c$ **100**
4. $a^2 - 7a + c$ **$\frac{49}{4}$**
5. $u^2 + 18w + c$ **81**
6. $n^2 - 9n + c$ **$\frac{81}{4}$**

Resuelve cada ecuación completando el cuadrado. Si es necesario, redondea a la centésima más cercana.

7. $z^2 - 19z = 66$
22; −3
8. $p^2 - 5p = -4$
4; 1
9. $b^2 + 6b = 16$
−8; 2
10. $c^2 - 4c = 21$
7; −3
11. $a^2 - 2a = 15$
5; −3
12. $v^2 + 8v = 15$
−9.57; 1.57
13. $y^2 + 16y = 17$
−17; 1
14. $x^2 + 4x + 3 = 0$
−3; −1
15. $h^2 + 4h = 1$
−4.24; 0.24
16. $r^2 + 8r + 13 = 0$
−5.73; −2.27
17. $d^2 - 2d - 4 = 0$
3.24; −1.24
18. $m^2 - 24m + 44 = 0$
22; 2

Resuelve cada ecuación completando el cuadrado. Si es necesario, redondea a la centésima más cercana.

19. $3y^2 + 5y = 12$
$\frac{4}{3}$; −3
20. $2h^2 - 5h = -1$
0.22, 2.28
21. $4k^2 + 4k = 5$
0.72; −1.72
22. $2c^2 + 7c + 3 = 0$
−3; −$\frac{1}{2}$
23. $3f^2 - 2f = 1$
1; −$\frac{1}{3}$
24. $9x^2 - 42x + 49 = 0$
$\frac{7}{3}$

25. El rectángulo de la derecha tiene un área de 56 m². ¿Cuál es el valor de x?
4 m

$3x + 2$

Página 272

9-5 Práctica (continuación)
Completar el cuadrado

Modelo G

26. ¿Cuáles son todos los valores de c que harán que $x^2 + cx + 49$ sea un cuadrado perfecto?
14 ó −14

27. ¿Cuáles son todos los valores de c que harán que $x^2 + cx + 121$ sea un cuadrado perfecto?
22 ó −22

Resuelve cada ecuación. Si es necesario, redondea a la centésima más cercana. Si la ecuación no tiene solución, escribe *sin solución*.

28. $k^2 - 24k + 4 = -2$ 23.7; 0.25
29. $4x^2 - 20x + 25 = 0$ $\frac{5}{2}$
30. $2b^2 + 10b + 15 = 3$ −2; −3
31. $p^2 + 3p + 2 = -1$ Sin solución
32. $5m^2 + 10m - 80 = 75$ −6.66; 4.66
33. $2a^2 - 3a + 4 = 0$ Sin solución
34. $5a^2 - 12a + 28 = 0$ Sin solución
35. $5t^2 - 6t = 35$ 3.32; −2.12

36. **Escribir** Comenta las estrategias de representar con una gráfica, descomponer en factores y completar el cuadrado para resolver la ecuación cuadrática $x^2 + 4x - 6 = 0$.
Al representar con una gráfica, los interceptos en x representan los valores de x que resuelven la ecuación. Al completar el cuadrado, se puede encontrar la solución usando el álgebra. La ecuación dada no se puede descomponer en factores.

37. La altura de un triángulo es $4x$ pulgadas y la base es $(5x + 1)$ pulgadas. El área del triángulo es 500 pulgadas cuadradas. ¿Cuáles son las dimensiones de la base y la altura del triángulo?
27.8 pulgs.; 35.85 pulgs.

38. La fórmula para hallar el volumen de un prisma rectangular es $V = lah$. La altura h de un prisma rectangular es de 12 centímetros. El prisma tiene un volumen de 10,800 centímetros cúbicos. La longitud l del prisma es $3x$ centímetros y su ancho a es $(2x + 1)$ centímetros. ¿Cuál es el valor de x? ¿Cuáles son las dimensiones de la longitud y el ancho?
$x = 12$; $l = 36$ cm; $a = 25$ cm

39. **Escribir** Para resolver una ecuación cuadrática completando el cuadrado, ¿cuál tiene que ser el coeficiente del término elevado al cuadrado? Si el coeficiente no es igual a éste, ¿cuál es el primer paso que debes seguir para completar el cuadrado? 1; Dividir cada término por el coeficiente de x^2.

Página 273

9-5 Preparación para el examen estandarizado
Completar el cuadrado

Opción múltiple

Escoge la letra que contiene la respuesta correcta para los Ejercicios 1 a 6.

1. ¿Cuál es el valor de n tal que la expresión $x^2 + 11x + n$ sea un trinomio cuadrado perfecto? **C**
A. 11
B. 25
C. 30.25
D. 36

2. ¿Cuál es la solución de $x^2 + 6x = -5$? **G**
F. $x = -6$
G. $x = -1$
H. $x = 1$
I. $x = 6$

3. ¿Cuál de las siguientes opciones es una solución de $x^2 + 4x - 1 = 0$? Si es necesario, redondea a la centésima más cercana. **A**
A. $x = -0.94$
B. $x = 14.94$
C. $x = -14.94$
D. Sin solución

4. ¿Cuál de las siguientes opciones es una solución de $x^2 + 14x + 112 = 0$? Si es necesario, redondea a la centésima más cercana. **I**
F. $x = -0.24$
G. $x = -4.24$
H. $x = 4.24$
I. Sin solución

5. El cartel rectangular de la derecha tiene un área de 5400 cm². ¿Cuál es el valor de a? **C**
A. −45 cm
B. 45 cm
C. 60 cm
D. 90 cm

Se buscan actores
Audiciones para la obra de teatro escolar
Martes – 3:30 p.m.
Auditorio de la escuela

$2a - 30$

a

6. Una caja con forma de prisma rectangular tiene una altura de 17 pulgs. y un volumen de 2720 pulgs.³. La longitud es 4 pulgadas más grande que el doble del ancho. ¿Cuál es el ancho de la caja? **G**
F. −10 pulgs.
G. 8 pulgs.
H. 20 pulgs.
I. 40 pulgs.

Respuesta breve

7. El área de una pantalla de televisión rectangular es 3456 pulgs.². El ancho de la pantalla es 24 pulgadas mayor que su longitud. ¿Cuál es la ecuación cuadrática que representa el área de la pantalla? ¿Cuáles son las dimensiones de la pantalla?
$l^2 + 24l = 3456$; 48 pulgs. por 72 pulgs.

[2] Las respuestas de ambas partes son correctas.
[1] La respuesta de una parte es correcta.
[0] Ninguna respuesta es correcta.

Página 274

9-6 Pensar en un plan
La fórmula cuadrática y el discriminante

Deportes Tu escuela quiere publicar un anuncio en el periódico para felicitar al equipo de básquetbol por su exitosa temporada, como se muestra a la derecha. El área de la fotografía ocupará la mitad del área de todo el anuncio. ¿Cuál será el ancho del borde x?

Foto 5 pulgs.
7 pulgs.

¿Qué sabes?

1. ¿Cuáles son las dimensiones de la fotografía y del anuncio? Sea a = el ancho de la fotografía y l = la longitud de la fotografía.

   5 pulgs. por 7 pulgs.; $(x + 5)$pulgs. por $(x + 7)$ pulgs.

¿Qué necesitas para resolver el problema?

2. ¿Qué ecuación cuadrática puede describir mejor la relación entre el área de la fotografía y el área del anuncio?

   $\frac{1}{2}(x + 5)(x + 7) = 35$ ó $x^2 + 12x - 35 = 0$

¿Cómo resuelves el problema?

3. Usando la fórmula cuadrática, ¿cómo podrás hallar el valor de x, el ancho del borde? ¿Cuál es el ancho del borde?

   Sustituir a por 1, b por 12 y c por 35; Aproximadamente 2.41 pulgs.

Página 275

9-6 Práctica
La fórmula cuadrática y el discriminante

Modelo G

Usa la fórmula cuadrática para resolver cada ecuación.

1. $7c^2 + 8c + 1 = 0$
   $-1; -\frac{1}{7}$

2. $2u^2 - 28w = -98$
   7

3. $2j^2 - 3j = -1$
   $1; \frac{1}{2}$

4. $2x^2 - 6x + 4 = 0$
   2; 1

5. $2n^2 - 6n = 8$
   4; -1

6. $-7d^2 + 2d + 9 = 0$
   $-1; \frac{9}{7}$

7. $2a^2 + 4a - 6 = 0$
   $-3; 1$

8. $-3p^2 + 17p = 20$
   4; $\frac{5}{3}$

9. $4d^2 - 8d + 3 = 0$
   $\frac{3}{2}; \frac{1}{2}$

Usa la fórmula cuadrática para resolver cada ecuación. Redondea tus respuestas a la centésima más cercana.

10. $h^2 - 2h - 2 = 0$
    2.75; -0.75

11. $5x^2 + 3x = 1$
    $-0.84; 0.24$

12. $-z^2 - 4z = -2$
    0.45; -4.45

13. $t^2 + 10t = -22$
    $-3.25; -6.75$

14. $3n^2 + 10n = 5$
    $-3.78; 0.44$

15. $s^2 - 10s + 14 = 0$
    8.32; 1.68

16. Se lanza una pelota de básquetbol al aire. La altura h de la pelota, en pies, después de la distancia horizontal d, en pies, que recorre la pelota está dada por $h = -d^2 + 10d + 5$. ¿A qué distancia del jugador que la lanza aterrizará la pelota?
    Aproximadamente 10.48 pies.

¿Qué método(s) escogerías para resolver cada ecuación? Justifica tu razonamiento.

17. $h^2 + 4h + 7 = 0$
    Sin solución

18. $a^2 - 4a - 12 = 0$
    Descomponer en factores es lo más fácil.

19. $24y^2 - 11y - 14 = 0$
    Fórmula cuadrática

20. $2p^2 - 7p - 4 = 0$
    Descomponer en factores.

21. $4x^2 - 144 = 0$
    Usar raíces cuadradas.

22. $f^2 - 2f - 35 = 0$
    Completar el cuadrado.

23. **Escribir** Explica cómo se puede usar el discriminante para determinar la cantidad de soluciones que tiene una ecuación cuadrática.

    Si el discriminante es > 0, hay dos soluciones de números reales. Si el discriminante = 0, hay una solución. Si el discriminante es < 0, no hay soluciones de números reales.

Página 276

9-6 Práctica (continuación)
La fórmula cuadrática y el discriminante

Modelo G

Halla la cantidad de soluciones de números reales que tiene cada ecuación.

24. $x^2 - 8x + 7 = 0$
    Dos

25. $x^2 - 6x = 0$
    Dos

26. $2x^2 - 5x + 16 = 0$
    Sin solución de números reales

27. $-3x^2 - 4x - 8 = 0$
    Sin solución de números reales

28. $7x^2 + 12x - 21 = 0$
    Dos

29. $2x^2 + 4x + 2 = 0$
    Una

Usa cualquier método para resolver cada ecuación. Si es necesario, redondea tus respuestas a la centésima más cercana.

30. $5m^2 - 3m - 15 = 0$
    2.06; -1.46

31. $9y^2 + 6y = -12$
    Sin solución

32. $4a^2 = 36$
    3; -3

33. $6t^2 - 96 = 0$
    4; -4

34. $z^2 + 7z = -10$
    $-2; -5$

35. $-g^2 + 4g + 3 = 0$
    4.65; -0.65

Halla el valor del discriminante y la cantidad de soluciones de números reales que tiene cada ecuación.

36. $x^2 + 11x - 10 = 0$
    161; Dos

37. $x^2 + 7x + 8 = 0$
    17; Dos

38. $3x^2 + 5x - 9 = 0$
    133; Dos

39. $-2x^2 + 10x - 1 = 0$
    92; Dos

40. $3x^2 + 6x + 3 = 0$
    0; Una

41. $6x^2 + x + 12 = 0$
    -287; Sin solución de números reales

42. Las ganancias semanales de una empresa se representan con la función $g = -p^2 + 120p - 28$. Las ganancias semanales, g, dependen de la cantidad de productos vendidos, p. Si el punto de equilibrio está en $g = 0$, ¿cuántos productos tiene que vender la empresa cada semana para alcanzar el punto de equilibrio?

    120 productos

43. **Razonamiento** La ecuación $4x^2 + bx + 9 = 0$ no tiene soluciones de números reales. ¿Qué debe ser verdadero acerca de b?

    $-12 < b < 12$

44. **Respuesta de desarrollo** Describe tres métodos diferentes para resolver $x^2 - x - 56 = 0$. Indica qué método prefieres. Explica tu razonamiento.

    Descomponer en factores: $(x - 8)(x + 7) = 0$ usando la propiedad del producto cero para hallar que $x = 8$ ó $x = -7$; Representar con una gráfica y hallar los interceptos en x en $x = 8$ y $x = -7$; Usar la fórmula cuadrática para hallar soluciones en 8 y -7; Prefiero descomponer en factores, es lo más rápido.

Página 277

9-6 Preparación para el examen estandarizado
La fórmula cuadrática y el discriminante

Opción múltiple

Escoge la letra que contiene la respuesta correcta para los Ejercicios 1 a 6.

1. ¿Qué expresión es la solución de $-5 + 2x^2 = -6x$? **C**

   A. $\frac{2 \pm \sqrt{4 - (4)(6)(-5)}}{12}$

   B. $\frac{-5 \pm \sqrt{25 - (4)(2)(6)}}{-10}$

   C. $\frac{-6 \pm \sqrt{36 - (4)(2)(-5)}}{4}$

   D. $\frac{6 \pm \sqrt{36 - (4)(2)(5)}}{4}$

2. ¿Cuáles son las soluciones aproximadas de $2x^2 - x + 10 = 0$? **I**
   F. $-2, 2.5$
   G. $-1.97, 2.47$
   H. $-2.5, 2$
   I. Sin solución

3. ¿Cuáles son las soluciones aproximadas de $7x^2 + 4x - 9 = 0$? **B**
   A. $-1.42, 0.85$
   B. $-1.5, 0.88$
   C. $-0.88, 1.5$
   D. Sin solución

4. ¿Cuál es el mejor método para resolver la ecuación $8x^2 - 13x + 3 = 0$? **I**
   F. Raíces cuadradas
   G. Descomponer en factores
   H. Representar con una gráfica
   I. Fórmula cuadrática

5. ¿Cuántas soluciones tiene la ecuación $5x^2 + 7x - 4 = 0$? **C**
   A. 0
   B. 1
   C. 2
   D. 3

6. El perímetro de un rectángulo es 54 cm. El área del mismo rectángulo es 176 cm². ¿Cuáles son las dimensiones del rectángulo? **F**
   F. 11 cm por 16 cm
   G. 8 cm por 22 cm
   H. 5.5 cm por 32 cm
   I. 4 cm por 44 cm

Respuesta breve

7. El recorrido de una pelota de béisbol que fue golpeada cuando estaba a 4 pies del suelo se expresa con la función $h = -16t^2 + 75t + 4$ donde h es la altura, en pies, de la pelota de béisbol después de t segundos. Redondeando a la centésima más cercana, ¿cuánto tiempo tardará la pelota en tocar el suelo? Muestra tu trabajo.

   4.74 s
   [2] Las respuestas de ambas partes son correctas.
   [1] La respuesta de una parte es correcta.
   [0] Ninguna respuesta es correcta.

Página 278

9-7 Pensar en un plan
Modelos lineales, cuadráticos y exponenciales

Zoología Una organización de protección del medio ambiente recopila datos sobre la cantidad de ranas que habitan en un pantano local. ¿Qué tipo de función representa mejor los datos? Escribe una ecuación para representar los datos.

Año	Cantidad de ranas
0	120
1	101
2	86
3	72
4	60

¿Qué sabes?

1. Sea $x = $ año y $y = $ cantidad de ranas. Representa con una gráfica los puntos de la tabla.

2. ¿Cómo te ayudará representar con una gráfica los puntos de la tabla a determinar qué función representa mejor los datos?

La forma de la gráfica indica qué modelo se ajusta mejor a los datos.

¿Qué necesitas para resolver el problema?

3. ¿Cómo te ayudará hallar diferencias o razones entre puntos a determinar qué función representa mejor los datos?

El patrón de diferencias o razones indica qué modelo se ajusta mejor a los datos.

Diferencia común: lineal; Diferencia secundaria común: cuadrática; Razón común: exponencial.

¿Cómo resuelves el problema?

4. Escribe una ecuación que represente mejor los datos.
$y = 120 + 0.84^x$

Página 279

9-7 Práctica
Modelo G
Modelos lineales, cuadráticos y exponenciales

Representa cada conjunto de puntos con una gráfica. ¿Qué modelo es el más apropiado para cada conjunto?

1. $(-3, -8), (-1, -2), (0, 1), (1, 4), (3, 10)$
   Lineal

2. $(-2, 0.75), (-1, 1.5), (0, 3), (1, 6)$
   Exponencial

3. $(-2, 1), (-1, 0), (0, 1), (1, 4), (2, 9)$
   Cuadrática; Revise las gráficas.

4. $(-2, -11), (-1, -5), (0, -3), (1, -5), (2, -11)$
   Cuadrática; Revise las gráficas.

5. $(-4, 0), (-2, -1), (0, -2), (2, -3), (4, -4)$
   Lineal; Revise las gráficas.

6. $(-1, -0.67), (0, -2), (1, -6), (2, -18)$
   Exponencial; Revise las gráficas.

7. $(-3, 10), (-1, 2), (0, 1), (1, 2), (3, 10)$
   Cuadrática; Revise las gráficas.

8. $(-2, 4), (-1, 2), (0, 0), (1, -2), (2, -4)$
   Lineal; Revise las gráficas.

¿Qué tipo de función representa mejor los datos de cada tabla? Usa diferencias o razones.

9. Cuadrática

x	y
0	−12
1	−11
2	−8
3	−3
4	4

10. Lineal

x	y
0	3
1	−2
2	−7
3	−12
4	17

11. Exponencial

x	y
0	3
1	12
2	48
3	192
4	768

12. ¿Qué tipo de función representa mejor los pares ordenados $(-1, 6), (0, 1), (1, 2)$ y $(2, 9)$? Usa diferencias o razones. Cuadrática

13. ¿Qué tipo de función representa mejor los pares ordenados $(-1, -0.25), (0, -0.5), (1, -1)$ y $(2, -2)$? Usa diferencias o razones. Exponencial

Página 280

9-7 Práctica (continuación)
Modelo G
Modelos lineales, cuadráticos y exponenciales

¿Qué tipo de función representa mejor los datos de cada tabla? Escribe una ecuación para representar los datos.

14.
x	y
0	−7
1	−1
2	5
3	11
4	17

Lineal; $y = -7 + 6x$

15.
x	y
−4	32
−3	16
−2	8
−1	4
0	2

Exponencial; $y = 2 \cdot 0.5^x$

16.
x	y
0	4
1	0
2	−12
3	−32
4	−60

Cuadrática; $y = -4x^2 + 4$

17.
x	y
−1	22
0	15
1	10
2	7
3	6

Cuadrática; $y = x^2 - 6x + 15$

18.
x	y
−2	−1
−1	−2
0	−4
1	−8
2	−16

Exponencial; $y = -4 \cdot 2^x$

19.
x	y
0	−1
1	−2
2	−3
3	−4
4	−5

Lineal; $y = -x - 1$

¿Qué tipo de función representa mejor los datos de cada par ordenado? Escribe una ecuación para representar los datos.

20. $(-3, 33), (-1, 21), (0, 15), (1, 9), (3, -3)$
Lineal; $y = -6x + 15$

21. $(-2, -16), (-1, -8), (0, -4), (1, -2), (2, -1)$
Exponencial; $y = 4 \cdot 0.5^x$

22. $(-2, \frac{1}{27}), (-1, \frac{1}{9}), (0, \frac{1}{3}), (1, 1), (2, 3)$
Exponencial; $y = \frac{1}{3} \cdot 3^x$

23. $(-2, -2), (-1, -3.5), (0, -4), (1, -3.5), (2, -2)$
Cuadrática; $y = \frac{1}{2}x^2 - 4$

24. $(-6, 5), (-3, 4.5), (0, 4), (3, 3.5), (6, 3)$
Lineal; $y = \frac{1}{2}x - 4$

25. $(-1, 10), (0, 3), (1, 0), (2, 1)$
Cuadrática; $y = -2x^2 - 5x + 3$

26. La tabla muestra la población de una ciudad desde el año 2000. ¿Qué tipo de función representa mejor los datos? Escribe una ecuación para representar los datos. Exponencial; $y = 1500 \cdot 4^x$

Años desde 2000	0	2	4	6	8
Población	1500	6000	24,000	96,000	384,000

Página 281

9-7 Preparación para el examen estandarizado
Modelos lineales, cuadráticos y exponenciales

Opción múltiple

Escoge la letra que contiene la respuesta correcta para los Ejercicios 1 a 4.

1. ¿Qué tipo de función representa mejor el conjunto de datos $(-1, 22), (0, 6), (1, -10), (2, -26), (3, -42)$? A
   A. Lineal   B. Cuadrática   C. Exponencial   D. Ninguna de las anteriores

2. ¿Qué tipo de función representa mejor el conjunto de datos $(-3, 18), (-2, 6), (-1, 2), (0, 11), (1, 27)$? G
   F. Lineal   G. Cuadrática   H. Exponencial   I. Ninguna de las anteriores

3. ¿Qué función se puede usar para representar pares de datos que tienen una razón común? C
   A. Lineal   B. Cuadrática   C. Exponencial   D. Ninguna de las anteriores

4. La asistencia a los partidos de básquetbol de la escuela secundaria parece verse afectada por el éxito del equipo. La gráfica de la derecha representa la asistencia durante la primera mitad de la temporada. ¿Qué función también representaría los datos que se muestran en la gráfica, donde a representa la asistencia y p representa la cantidad de partidos que ganó el equipo? G

   F. $a = 25(3)^p$
   G. $a = 25p + 100$
   H. $a = 25p^2 + 100$
   I. $a = -25p^2 + 100$

Respuesta breve

5. Los datos de la tabla muestran el crecimiento de la población de una ciudad desde el año 2000. ¿Qué tipo de función representa los datos? ¿Cómo lo sabes? Exponencial; Porque la población se multiplica por una razón común de 2 cada año.

   [2] Las respuestas de ambas partes son correctas.
   [1] La respuesta de una parte es correcta.
   [0] Ninguna respuesta es correcta.

Año	Población
0	5275
1	10,550
2	21,100
3	42,200
4	84,400

Página 282

9-8 Pensar en un plan
Sistemas de ecuaciones lineales y cuadráticas

Negocios La cantidad diaria de clientes en una cafetería se puede representar con la función $y = 0.25x^2 - 5x + 80$, donde x es la cantidad de días desde el comienzo del mes. La cantidad diaria de clientes en otra cafetería se puede representar con una función lineal. Ambas cafeterías tienen la misma cantidad de clientes en los días 10 y 20. ¿Qué función representa la cantidad de clientes que hay en la segunda cafetería?

¿Qué sabes?

1. Usando la función $y = 0.25x^2 - 5x + 80$, halla los valores de y si $x = 10$ y $x = 20$.

   Si $x = 10$, $y = $ ____55____.

   Si $x = 20$, $y = $ ____80____.

¿Qué necesitas para resolver el problema?

2. ¿Cómo puedes usar estos dos puntos para escribir una función lineal que represente la cantidad de clientes que hay en la segunda cafetería?

   Usar los dos puntos para hallar la pendiente de la recta. Luego, usar uno de los puntos para hallar el valor de b en $y = mx + b$.

¿Cómo resuelves el problema?

3. Escribe la función lineal que representa los datos de la segunda cafetería.

   $y = 2.5x + 30$

4. Comprueba tu función del paso 3. Explica el método que usaste.

   Sustituir uno de los puntos en la ecuación:

   $55 = 2.5(10) + 30$

   $55 = 25 + 30$

   $55 = 55$

Página 283

9-8 Práctica
Sistemas de ecuaciones lineales y cuadráticas
Modelo G

Resuelve cada sistema con una gráfica.

1. $y = x^2 + 2$
   $y = x + 2$
   $(0, 2); (1, 3)$

2. $y = x^2$
   $y = 2x$
   $(0, 0); (2, 4)$

3. $y = x^2 - 5$
   $y = x - 3$
   $(-1, -4); (2, -1)$

4. $y = x^2 + 1$
   $y = x + 1$
   $(0, 1); (1, 2)$

5. $y = x^2 - 4x - 2$
   $y = -x - 2$
   $(0, -2); (3, -5)$

6. $y = x^2 - 6x - 7$
   $y = x + 1$
   $(-1, 0); (8, 9)$

Resuelve cada sistema usando la eliminación.

7. $y = x^2$
   $y = x + 2$
   $(-1, 1); (2, 4)$

8. $y = x^2 - 4$
   $y = -x - 2$
   $(-2, 0); (1, -3)$

9. $y = x^2 - 2x + 2$
   $y = 2x - 2$
   $(2, 2)$

10. $y = -x^2 + 4x - 3$
    $y = -x + 1$
    $(1, 0); (4, -3)$

11. $y = -x^2 + 2x + 4$
    $y = -x + 4$
    $(0, 4); (3, 1)$

12. $y = x^2 - x - 6$
    $y = 2x - 2$
    $(-1, -4); (4, 6)$

13. Las ganancias semanales de dos empresas que venden productos similares y que empezaron a funcionar al mismo tiempo se representan con las ecuaciones que se muestran debajo. Las ganancias se representan con y y la cantidad de semanas que las empresas han estado operando se representan con x. Según las proyecciones, ¿en qué semana(s) las empresas tuvieron la misma ganancia? ¿Cuál fue la ganancia de ambas empresas durante la(s) semana(s) en que tuvieron igual ganancia?
    Empresa A: $y = x^2 - 70x + 3341$
    Empresa X: $y = 50x + 65$ Semanas 42 y 78; Semana 42: $2165 de ganancia; Semana 78: $3965 de ganancia.

14. Las poblaciones de dos ciudades se expresan con las ecuaciones que se muestran debajo. La población en miles, se representan con y y la cantidad de años desde 1970 se representan con x. ¿En qué año(s) las ciudades tuvieron la misma cantidad de habitantes? ¿Cuál fue la cantidad de habitantes de ambas ciudades durante el/los año(s) en que tuvieron igual cantidad de habitantes?
    Baskinville: $y = x^2 - 22x + 350$
    Cryersport: $y = 55x - 950$

    Años 1995 y 2022; En 1995: 425,000 habitantes; En 2022: 1,910,000 habitantes.

Página 284

9-8 Práctica (continuación)
Sistemas de ecuaciones lineales y cuadráticas
Modelo G

Resuelve cada sistema usando la sustitución.

15. $y = x^2 + x - 60$
    $y = 2x - 4$
    $(-7, -18); (8, 18)$

16. $y = x^2 - 3x + 7$
    $y = 4x - 3$
    $(2, 5); (5, 17)$

17. $y = x^2 - 2x - 5$
    $y = x - 5$
    $(0, -5); (3, -2)$

18. $y = -x^2 - 2x - 4$
    $7x + y = 2$
    $(2, -12); (3, -19)$

19. $y = x^2 + 6x$
    $x - y = 4$
    $(-4, -8); (-1, -5)$

20. $y = x^2 + 4x - 15$
    $y - 25 = x$
    $(-8, 17); (5, 30)$

Resuelve cada sistema usando una calculadora gráfica.

21. $y = x^2 + 5x + 13$
    $y = -5x + 3$
    $(-1.13, 8.64); (-8.37, 47.36)$

22. $y = x^2 - x + 82$
    $y = 2x + 50$
    Sin solución

23. $y = x^2 - 12x + 150$
    $y = 15x - 20$
    $(10, 130); (17, 235)$

24. $y = x^2 - 2x + 2.5$
    $y = 2x - 1.25$
    $(1.5, 1.75); (2.5, 3.75)$

25. $y = x^2 - 0.9x - 1$
    $y = 0.5x + 0.76$
    $(-0.8, 0.36); (22, 1.86)$

26. $y = x^2 - 68$
    $y = -5x + 25.75$
    $(7.5, -11.75); (-12.5, 88.75)$

27. **Razonamiento** ¿Cuáles son las soluciones del sistema $y = 2x^2 - 11$ y $y = x^2 + 2x - 8$? Explica cómo resolviste el sistema.

    Igualar las ecuaciones: $2x^2 - 11 = x^2 + 2x - 8$
    Simplificar para obtener 0 de un lado: $x^2 - 2x - 3 = 0$
    Descomponer en factores: $(x - 3)(x + 1) = 0$;
    Las soluciones son $(-1, -9)$ y $(3, 7)$.

28. **Escribir** Explica por qué un sistema de ecuaciones lineales y cuadráticas sólo puede tener 0, 1 ó 2 soluciones posibles.

    Las soluciones de un sistema son los puntos donde las gráficas se intersecan. Se pueden intersecar en 0, 1 ó 2 puntos. Es imposible que una recta y una parábola se intersequen en más de dos puntos.

29. **Razonamiento** La gráfica de la derecha muestra una función cuadrática y la función lineal $x = b$.
    a. ¿Cuántas soluciones tiene este sistema? Una solución.
    b. Si se cambiara la función lineal a $y = b$, ¿cuántas soluciones tendría el sistema? Ninguna.
    c. Si se cambiara la función lineal a $y = b + 3$, ¿cuántas soluciones tendría el sistema? Una, en el vértice de la parábola.

Página 285

9-8 Preparación para el examen estandarizado
Sistemas de ecuaciones lineales y cuadráticas

Opción múltiple

Escoge la letra que contiene la respuesta correcta para los Ejercicios 1 a 4.

1. ¿Qué sistema de ecuaciones representa la gráfica de la derecha? D
   A. $y = x + 3$
      $y = x^2 - 9$
   B. $y = x - 3$
      $y = x^2 - 9$
   C. $y = x + 3$
      $y = 2x^2 - 18$
   D. $y = x - 3$
      $y = 2x^2 - 18$

2. ¿Cuál es la solución del siguiente sistema de ecuaciones?
   $y = x - 2$
   $y = x^2 - 8x + 6$ I
   F. $(-1, -3)$ y $(-8, -10)$
   G. $(2, 0)$ y $(-8, -10)$
   H. $(0, -2)$ y $(5, 3)$
   I. $(1, -1)$ y $(8, 6)$

3. ¿Cuál es la solución del siguiente sistema de ecuaciones?
   $y = x^2 - 5x + 18$
   $y = 4x + 4$ C
   A. $(-2, -4)$ y $(-7, -24)$
   B. $(0, 4)$ y $(2, 12)$
   C. $(2, 12)$ y $(7, 32)$
   D. $(4, 20)$ y $(5, 24)$

4. Un arquitecto dibuja un arco en forma de parábola con un soporte lineal que lo interseca en dos lugares. La parábola se puede representar con la función $y = x^2 - 5x + 10$. La recta interseca la parábola donde $x = 2$ y $x = 4$. ¿Cuál es la ecuación de la recta? H
   F. $y = x - 6$ G. $y = x - 2$ H. $y = x + 2$ I. $y = x + 6$

Respuesta breve

5. Representa el siguiente sistema de ecuaciones con una gráfica. ¿Cuántas soluciones tiene el sistema? Explica tu razonamiento.
   $y = 2x^2 + 2$ Sin soluciones; Las gráficas no se intersecan.
   $y = 2x - 2$

   [2] Las respuestas de ambas partes son correctas.
   [1] La respuesta de una parte es correcta.
   [0] Ninguna respuesta es correcta.

RESPUESTAS

Página 286

10-1 Pensar en un plan
El teorema de Pitágoras

Construcción Un obrero corta la diagonal de una tabla rectangular de 15 pies de longitud y 8 pies de ancho. ¿Cuál es la longitud del corte?

LO QUE SABES

1. La tabla mide **15** pies de largo y **8** pies de ancho.

2. La tabla tiene forma de **rectángulo**, que tiene 4 ángulos **rectos**.

3. Un corte diagonal divide la tabla en 2 triángulos **rectángulos** iguales.

4. El teorema de Pitágoras establece que **el cuadrado de la hipotenusa es igual a la suma de los cuadrados de los catetos**.

LO QUE NECESITAS

5. Para resolver el problema necesito hallar **la longitud del corte**

PLANEA

6. ¿Qué dibujo puedes hacer para mostrar lo que se da y lo que tratas de hallar?

8 pies / 15 pies

7. ¿Qué ecuación puedes usar para hallar la longitud del corte?
$c^2 = 15^2 + 8^2$

8. Resuelve la ecuación.
17 pies

9. ¿Es razonable la solución? Explica tu respuesta.
Sí; La longitud del corte debe ser más larga que la longitud del cateto.

Página 287

10-1 Práctica
El teorema de Pitágoras
Modelo G

Usa el triángulo de la derecha. Halla la longitud del lado que falta. Si es necesario, redondea a la décima más cercana.

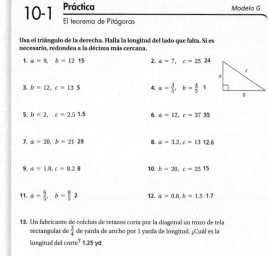

1. $a = 9$, $b = 12$ **15**
2. $a = 7$, $c = 25$ **24**
3. $b = 12$, $c = 13$ **5**
4. $a = \frac{3}{5}$, $b = \frac{4}{5}$ **1**
5. $b = 2$, $c = 2.5$ **1.5**
6. $a = 12$, $c = 37$ **35**
7. $a = 20$, $b = 21$ **29**
8. $a = 3.2$, $c = 13$ **12.6**
9. $a = 1.8$, $c = 8.2$ **8**
10. $b = 20$, $c = 25$ **15**
11. $a = \frac{6}{5}$, $b = \frac{8}{5}$ **2**
12. $a = 0.8$, $b = 1.5$ **1.7**

13. Un fabricante de colchas de retazos corta por la diagonal un trozo de tela rectangular de $\frac{3}{4}$ de yarda de ancho por 1 yarda de longitud. ¿Cuál es la longitud del corte? **1.25 yd**

14. ¿Cuál es la longitud de la diagonal de una cara que mide 12 mm por 16 mm de un prisma rectangular? **20 mm**

15. Una piloto vuela en un avión hacia el sur y luego 600 millas hacia el oeste, donde aterriza. ¿Qué distancia voló hacia el sur si aterriza a 610 millas del punto de partida? **110 mi**

16. Un constructor divide un terreno rectangular por la mitad, a lo largo de la diagonal. Si el terreno mide $\frac{1}{2}$ milla de ancho y la diagonal mide $1\frac{3}{10}$ millas de largo, ¿cuál es la longitud del terreno? **1.2 mi**

Página 288

10-1 Práctica (continuación)
El teorema de Pitágoras
Modelo G

Determina si las longitudes dadas pueden ser las longitudes de los lados de un triángulo rectángulo.

17. 16 cm, 30 cm, 34 cm **Sí.**
18. 0.8 m, 1.5 m, 1.7 m **Sí.**
19. 60 pulgs., 91 pulgs., 110 pulgs. **No.**
20. 10 pies, 24 pies, 26 pies **Sí.**
21. 12 cm, 36 cm, 37 cm **No.**
22. 18 mi, 81 mi, 82 mi **No.**
23. 2.0 km, 2.1 km, 2.9 km **Sí.**
24. $\frac{1}{3}$ yd, $\frac{1}{4}$ yd, $\frac{1}{5}$ yd **No.**

Todo conjunto de tres enteros positivos que satisfaga la ecuación $a^2 + b^2 = c^2$ es una tripleta de Pitágoras. Determina si cada conjunto de números es una tripleta de Pitágoras.

25. 36, 77, 85 **Sí.**
26. 40, 96, 104 **Sí.**
27. 9, 16, 25 **No.**
28. 54, 72, 85 **No.**
29. 70, 240, 250 **Sí.**
30. 12, 60, 61 **No.**

31. Un paisajista sujeta un cable tirante a 10 pies de altura en el tronco de un árbol recién plantado. Amarra el cable a una estaca a una distancia de entre 20 y 25 pies del árbol. ¿Cuál podría ser la longitud del cable si forma un triángulo rectángulo con el árbol?
Cualquier longitud entre 22.4 y 26.9 pies, aproximadamente.

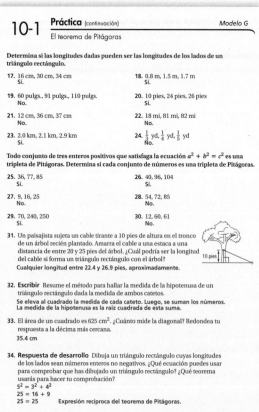

32. **Escribir** Resume el método para hallar la medida de la hipotenusa de un triángulo rectángulo dada la medida de ambos catetos.
Se eleva al cuadrado la medida de cada cateto. Luego, se suman los números. La medida de la hipotenusa es la raíz cuadrada de esta suma.

33. El área de un cuadrado es 625 cm². ¿Cuánto mide la diagonal? Redondea tu respuesta a la décima más cercana.
35.4 cm

34. **Respuesta de desarrollo** Dibuja un triángulo rectángulo cuyas longitudes de los lados sean números enteros no negativos. ¿Qué ecuación puedes usar para comprobar que has dibujado un triángulo rectángulo? ¿Qué teorema usarás para hacer tu comprobación?
$5^2 = 3^2 + 4^2$
$25 = 16 + 9$
$25 = 25$ Expresión recíproca del teorema de Pitágoras.

Página 289

10-1 Preparación para el examen estandarizado
El teorema de Pitágoras

Opción múltiple

Escoge la letra que contiene la respuesta correcta para los Ejercicios 1 a 6.

1. ¿Cuál es la longitud del lado que falta? **B**
   A. 21.8   C. 28
   B. 26   D. 34

2. ¿Cuál es la longitud del lado que falta? **G**
   F. 16 mm   H. 42 mm
   G. 28 mm   I. 69.5 mm

3. ¿Qué conjunto de longitudes podrían ser las longitudes de los lados de un triángulo rectángulo? **D**
   A. 20 cm, 22 cm, 29 cm   C. 7 km, 24 km, 28 km
   B. 10 pies, 12 pies, 15 pies   D. 13 pulgs., 84 pulgs., 85 pulgs.

4. Un triángulo rectángulo tiene un lado que mide 4 m y una hipotenusa que mide 8.5 m. ¿Cuánto mide el otro lado del triángulo? **F**
   F. 7.5 m   G. 8.1 m   H. 9.4 m   I. 9.8 m

5. ¿Cuánto mide la diagonal de un jardín rectangular de 12 pies por 16 pies? **D**
   A. 6 pies   B. 14 pies   C. 18 pies   D. 20 pies

6. Quieres dividir un trozo de papel cuadrado en dos triángulos equivalentes. Si el cuadrado mide 20 cm de lado, ¿cuánto medirá el tercer lado de cada triángulo? **H**
   F. 8.9 cm   G. 20 cm   H. 28.3 cm   I. 40 cm

Respuesta breve

7. Joe corta tres contrahuellas para una escaleras. Cada contrahuella es un triángulo rectángulo cuyos catetos miden $7\frac{1}{2}$ pulgs. y 10 pulgs.

   a. ¿Qué ecuación podrías usar para hallar la longitud del tercer lado de una contrahuella?
   $c^2 = (7.5)^2 + 10^2$

   b. ¿Cuánto medirá la escalera una vez que se instalen las tres contrahuellas? Explica tu respuesta. **37.5 pulgs.; La longitud del tercer lado de cada contrahuella es 12.5 pulgs. Hay tres contrahuellas; por tanto, se multiplica 12.5 por 3. La longitud total es 37.5 pulgs.**

   [2] La ecuación, la solución y la explicación son correctas.
   [1] La ecuación o la solución es correcta y la explicación es adecuada.
   [0] Ninguna respuesta es correcta o no se respondió.

Página 290

10-2 Pensar en un plan
Simplificar radicales

Deportes Las bases de un rombo de sóftbol están ubicadas en las esquinas de un cuadrado de 3600 pies². ¿Qué distancia recorre un lanzamiento desde la segunda base hasta el *home*?

Comprender el problema

1. ¿Cuál es el área del rombo de sóftbol? ___ **3600 pies²**

2. ¿Dónde están ubicados la segunda base y el *home*? **En los extremos de una diagonal**
   del cuadrado.

3. ¿Qué te pide que determines el problema? **La distancia entre la segunda base y el *home*.**

Planear la solución

4. ¿Qué ecuación se puede usar para determinar la longitud de lado del rombo
   de sóftbol? **$3600 = l^2$**

5. ¿Qué ecuación se puede usar para determinar la longitud del lanzamiento
   desde la segunda base hasta el *home*? **$c^2 = 60^2 + 60^2$**

6. ¿En cuántos pasos resolverás este problema?
   En dos pasos.

Hallar una respuesta

7. ¿Cuál es el primer paso para hallar la solución? ¿Cuál es la solución del primer
   paso? ¿Cuál es el segundo paso para hallar la solución? ¿Cuál es la solución?

   Resuelve la ecuación 3600 = l^2 para hallar la longitud de un lado del cuadrado;
   60 pies; Usa el teorema de Pitágoras para hallar la distancia entre la segunda
   base y el *home*; aproximadamente 84.9 pies

Página 291

10-2 Práctica
Simplificar radicales — *Modelo G*

Simplifica cada expresión radical.

1. $\sqrt{169}$ **13**

2. $\sqrt{200}$ **$10\sqrt{2}$**

3. $\sqrt{125}$ **$5\sqrt{5}$**

4. $-5\sqrt{112}$ **$-20\sqrt{7}$**

5. $\sqrt{68}$ **$2\sqrt{17}$**

6. $3\sqrt{121}$ **33**

7. $\sqrt{63t^4}$ **$3t^2\sqrt{7}$**

8. $\sqrt{48n^3}$ **$4n\sqrt{3n}$**

9. $-\sqrt{60m^7}$ **$-2m^3\sqrt{15m}$**

10. $x\sqrt{150x^5}$ **$5x^3\sqrt{6x}$**

11. $-3\sqrt{45y^3}$ **$-9y\sqrt{5y}$**

12. $-2b\sqrt{136b^2}$ **$-4b^2\sqrt{34}$**

Simplifica cada producto.

13. $\sqrt{6} \cdot \sqrt{30}$ **$6\sqrt{5}$**

14. $\sqrt{5} \cdot \sqrt{70}$ **$5\sqrt{14}$**

15. $2\sqrt{3} \cdot \sqrt{96}$ **$24\sqrt{2}$**

16. $-4\sqrt{7} \cdot \sqrt{42}$ **$-28\sqrt{6}$**

17. $\sqrt{4a} \cdot \sqrt{12a^5}$ **$4a^3\sqrt{3}$**

18. $\sqrt{2n^2} \cdot \sqrt{30n}$ **$2n\sqrt{15n}$**

19. $-3\sqrt{40x} \cdot 2\sqrt{56x^5}$ **$-48x^3\sqrt{35}$**

20. $\frac{3}{4}\sqrt{12t^3} \cdot \sqrt{20t^3}$ **$3t^3\sqrt{15}$**

21. $4\sqrt{14d^2} \cdot \frac{1}{2}\sqrt{28d^3}$ **$28d^2\sqrt{2d}$**

22. Una piscina tiene la forma de un rectángulo y su longitud es 4 veces su ancho
    a. ¿Cuál es una expresión para la distancia entre las esquinas opuestas de
    la piscina?
    $a\sqrt{17}$

23. Evelyn hizo un recorrido triangular a caballo. La distancia que recorrió hacia
    el sur fue cinco veces la distancia que recorrió hacia el este. Luego, regresó
    directamente al punto de partida. ¿Cuál es una expresión para la distancia
    total que recorrió?
    $6x + \sqrt{26x}$

Página 292

10-2 Práctica (continuación)
Simplificar radicales — *Modelo G*

Simplifica cada expresión radical.

24. $\sqrt{\frac{36}{49}}$ **$\frac{6}{7}$**

25. $\sqrt{\frac{81}{16}}$ **$\frac{9}{4}$**

26. $\sqrt{\frac{100}{225}}$ **$\frac{2}{3}$**

27. $\sqrt{\frac{18y}{36y^3}}$ **$\frac{\sqrt{2}}{2y}$**

28. $\sqrt{\frac{49x^5}{25x}}$ **$\frac{7x^2}{5}$**

29. $\sqrt{\frac{16a^2}{4b^4}}$ **$\frac{2a}{b^2}$**

30. $\frac{\sqrt{5}}{\sqrt{2}}$ **$\frac{\sqrt{10}}{2}$**

31. $\frac{\sqrt{12}}{\sqrt{15}}$ **$\frac{2\sqrt{5}}{5}$**

32. $\frac{\sqrt{72}}{\sqrt{40}}$ **$\frac{3\sqrt{5}}{5}$**

33. $\frac{\sqrt{25b}}{\sqrt{5b^3}}$ **$\frac{\sqrt{5}}{b}$**

34. $\frac{\sqrt{24}}{\sqrt{3n}}$ **$\frac{2\sqrt{2n}}{n}$**

35. $\frac{\sqrt{8}}{\sqrt{30m^2}}$ **$\frac{2\sqrt{15}}{15m}$**

36. Estás haciendo el diseño de un mosaico sobre un tablero cuadrado. Ya
    cubriste la mitad del tablero con 150 piezas de azulejos cuadrados de
    1 pulgada.
    a. ¿Cuáles son las dimensiones del tablero? **$10\sqrt{3}$ pulgs.**
    b. ¿Cuánto mide la diagonal desde una de las esquinas del tablero hasta la
       esquina opuesta? **$10\sqrt{6}$ pulgs.**

37. La ecuación $r = \sqrt{\frac{AT}{4\pi}}$ da el radio *r* de una esfera con un área total *AT*. ¿Cuál es
    el radio de una esfera que tiene el área total dada? Escribe tu respuesta como
    un radical simplificado y como un decimal redondeado a la centésima más
    cercana. Usa 3.14 para π.
    a. 1256 pulgs.² **10 pulgs.**   b. 200.96 cm² **4 cm**   c. 379.94 pies² **5.5 pies**

38. **Respuesta de desarrollo** ¿Cuáles son tres expresiones radicales que se
    simplifican a $2x\sqrt{3}$? **Las respuestas variarán. Ejemplos: $2\sqrt{3x^2}$, $x\sqrt{12}$, $\sqrt{12x^2}$**

Página 293

10-2 Preparación para el examen estandarizado
Simplificar radicales

Opción múltiple

Escoge la letra que contiene la respuesta correcta para los Ejercicios 1 a 5.

1. ¿Cuál es la forma simplificada de $\sqrt{140}$? **D**
   A. $4\sqrt{35}$ B. $10\sqrt{14}$ C. $2\sqrt{70}$ D. $2\sqrt{35}$

2. ¿Cuál es la forma simplificada de $\sqrt{48n^9}$? **G**
   F. $4n^3\sqrt{3}$ G. $4n^4\sqrt{3n}$ H. $3n\sqrt{4n^8}$ I. $4\sqrt{3n^9}$

3. ¿Cuál es la forma simplificada de $3\sqrt{5c} \cdot \sqrt{15c^3}$? **A**
   A. $15c^2\sqrt{3}$ B. $6c^2\sqrt{5}$ C. $5c^2\sqrt{3}$ D. $12c^4\sqrt{5}$

4. ¿Cuál de las siguientes expresiones radicales está en forma simplificada? **G**
   F. $\frac{11y}{\sqrt{3}}$ G. $\frac{\sqrt{6}}{5y}$ H. $\frac{\sqrt{17}}{\sqrt{4}}$ I. $\sqrt{\frac{25}{81}}$

5. Un jardinero corta un pastizal rectangular de 20 yd por 40 yd usando un
   patrón diagonal. Corta desde una esquina del pastizal hasta la esquina
   diagonalmente opuesta. ¿Cuál es la longitud de esta pasada con la cortadora
   de césped? Da tu respuesta en forma simplificada. **D**
   A. $10\sqrt{20}$ B. $20\sqrt{2}$ C. $400\sqrt{5}$ D. $20\sqrt{5}$

Respuesta breve

6. Supón que la altura del ascensor de carga de tu edificio, cuando las puertas
   están abiertas completamente, es la mitad de su ancho *a*.
   a. ¿Cuál es una expresión para la longitud del lado máxima de una placa de metal que
      pasa por las puertas del ascensor?

      $a\sqrt{5}$

   b. Si el ascensor mide 3 metros de altura, ¿cuál es la longitud máxima que
      pasa por las puertas?

      $3\sqrt{5}$ m

   [2] Las respuestas de ambas partes son correctas.
   [1] La respuesta de una parte es correcta.
   [0] Ninguna respuesta es correcta.

Página 294

10-3 Pensar en un plan
Operaciones con expresiones radicales

Química La razón de las tasas de difusión de dos gases está representada por la fórmula $\frac{r_1}{r_2} = \frac{\sqrt{m_2}}{\sqrt{m_1}}$, donde m_1 y m_2 son las masas de las moléculas de los gases. Halla $\frac{r_1}{r_2}$ cuando $m_1 = 12$ unidades y $m_2 = 30$ unidades. Escribe tu respuesta en forma de radical simplificado.

Comprender el problema

1. ¿Cuántos gases se mencionan en el problema? _____ Dos.

2. ¿Qué variables representan las masas de las moléculas de los dos gases? _m_1 y m_2_

3. ¿Cuáles son las masas (en unidades) de las moléculas de los dos gases? _12 y 30_

Planear la solución

4. ¿Qué razón puedes simplificar para hallar la razón $\frac{r_1}{r_2}$? _$\frac{\sqrt{m_2}}{\sqrt{m_1}}$_

5. ¿Por qué valores puedes sustituir m_1 y m_2? _12 y 30_

6. ¿Cómo puedes simplificar la expresión radical que resulta cuando sustituyes m_1 y m_2 por los valores? _Se simplifica $\frac{30}{12}$ y luego se halla la raíz cuadrada._

Hallar una respuesta

7. Simplifica la expresión radical. ¿Cuál es la razón de las tasas de difusión entre los dos gases? _$\frac{\sqrt{10}}{2}$_

8. ¿La difusión es más rápida o más lenta para la molécula con menos masa? _Más rápida._

9. ¿Es razonable la solución? Explica tu respuesta. _Sí; Si el elemento tiene menos masa, se difundirá más rápidamente._

Página 295

10-3 Práctica
Operaciones con expresiones radicales   *Modelo G*

Simplifica cada suma o diferencia.

1. $3\sqrt{7} + 5\sqrt{7}$ $8\sqrt{7}$

2. $8\sqrt{3} + \sqrt{3}$ $9\sqrt{3}$

3. $11\sqrt{5} - 4\sqrt{5}$ $7\sqrt{5}$

4. $2\sqrt{11} - 6\sqrt{11}$ $-4\sqrt{11}$

5. $4\sqrt{13} + 4\sqrt{13}$ $8\sqrt{13}$

6. $\sqrt{7} - 4\sqrt{7}$ $-3\sqrt{7}$

7. $4\sqrt{7} - \sqrt{63}$ $\sqrt{7}$

8. $8\sqrt{3} + 2\sqrt{48}$ $16\sqrt{3}$

9. $6\sqrt{8} - 2\sqrt{50}$ $2\sqrt{2}$

10. $3\sqrt{20} - 2\sqrt{45}$ 0

11. $5\sqrt{18} + 4\sqrt{32}$ $31\sqrt{2}$

12. $\sqrt{12} - 7\sqrt{75}$ $-33\sqrt{3}$

Simplifica cada producto.

13. $\sqrt{3}(\sqrt{12} + 4)$ $6 + 4\sqrt{3}$

14. $\sqrt{8}(\sqrt{3} + 3)$ $2\sqrt{6} + 6\sqrt{2}$

15. $\sqrt{7}(\sqrt{7} - 2)$ $7 - 2\sqrt{7}$

16. $(\sqrt{3} - 4)^2$ $19 - 8\sqrt{3}$

17. $(2\sqrt{3} + \sqrt{5})(6\sqrt{5} - 4\sqrt{3})$ $8\sqrt{15} + 6$

18. $(7 + 3\sqrt{5})(7 - 3\sqrt{5})$ 4

Simplifica cada cociente.

19. $\frac{12}{\sqrt{11} - \sqrt{7}}$ $3\sqrt{11} + 3\sqrt{7}$

20. $\frac{8}{\sqrt{3} + 1}$ $4\sqrt{3} - 4$

21. $\frac{32}{\sqrt{7} - \sqrt{3}}$ $8\sqrt{7} + 8\sqrt{3}$

22. $\frac{-2}{\sqrt{15} - \sqrt{7}}$ $\frac{-\sqrt{15} - \sqrt{7}}{4}$

23. $\frac{30}{\sqrt{5} + \sqrt{2}}$ $10\sqrt{5} - 10\sqrt{2}$

24. $\frac{128}{\sqrt{37} + \sqrt{5}}$ $4\sqrt{37} - 4\sqrt{5}$

Página 296

10-3 Práctica (continuación)
Operaciones con expresiones radicales   *Modelo G*

25. Un cuadro tiene forma de rectángulo áureo y mide 24 cm de longitud. ¿Cuál es el ancho del cuadro? Redondea tu respuesta a la décima de cm más cercana.
14.8 cm

26. Un tomate cabe en un rectángulo áureo de 10 pulgadas de longitud. ¿Cuál es el ancho del tomate? Redondea tu respuesta a la décima de pulgada más cercana.
6.2 pulgs.

27. La longitud de un rectángulo áureo es $4 + 4\sqrt{5}$. Usa la razón de la longitud al ancho $(1 + \sqrt{5}) : 2$ para hallar el ancho del rectángulo áureo. 8

28. **Analizar errores** Un estudiante multiplicó las expresiones radicales de la derecha. ¿Qué error cometió el estudiante? ¿Cuál es la forma simplificada de la expresión radical?
El estudiante sumó $3 + 3\sqrt{2}$ y obtuvo $6\sqrt{2}$, pero sólo se pueden sumar los términos que tienen el mismo radical; por tanto, la respuesta correcta es $3 + 3\sqrt{2}$.

$\sqrt{3}\ (\sqrt{3} + \sqrt{6})$
$= \sqrt{9} + \sqrt{18}$
$= 6\sqrt{2}$

29. **Escribir** ¿Cuál es el valor conjugado de $8\sqrt{3} - \sqrt{7}$? ¿Cuál es el producto de los valores conjugados? Muestra tu trabajo para explicar tu respuesta.
$8\sqrt{3} + \sqrt{7}$; 185

30. Halla la longitud de la hipotenusa del triángulo rectángulo de la derecha. Escribe tu respuesta en forma radical simplificada.
$\sqrt{14}$

$\sqrt{5} - \sqrt{2}$
$\sqrt{5} + \sqrt{2}$

31. **Respuesta de desarrollo** Escribe tres restas cuyos resultados sean mayores que o iguales a 10. Usa las raíces cuadradas de 2, 3, 5 ó 7 y números enteros no negativos menores que o iguales a 10. Por ejemplo, $10\sqrt{3} - 2\sqrt{7} \geq 10$.
Las respuestas variarán. Ejemplo: $9\sqrt{7} - 4\sqrt{2}$, $8\sqrt{5} - \sqrt{2}$, $6\sqrt{7} - 3\sqrt{2}$

32. Un parque grande está diseñado como dos cuadrados de 10 km conectados en la esquina y con las diagonales alineadas. Si Riley trota a lo largo de la diagonal de un extremo al otro del parque, ¿cuántos kilómetros trotará en total? Da tu respuesta en forma de radical simplificado y redondea a la décima de km más cercana.
$20\sqrt{2}$; 28.3 km

10 km ────recorrido

10 km

Página 297

10-3 Preparación para el examen estandarizado
Operaciones con expresiones radicales

Opción múltiple

Escoge la letra que contiene la respuesta correcta para los Ejercicios 1 a 6.

1. ¿Cuál es la forma simplificada de $8\sqrt{5} + 5\sqrt{5}$? B
   A. $3\sqrt{5}$ B. $13\sqrt{5}$ C. $40\sqrt{5}$ D. 200

2. ¿Cuál es la forma simplificada de $\sqrt{2} - 11\sqrt{2}$? F
   F. $-10\sqrt{2}$ G. $-11\sqrt{2}$ H. $-12\sqrt{2}$ I. -22

3. ¿Cuál es la forma simplificada de $4\sqrt{3} - \sqrt{27}$? C
   A. $-5\sqrt{3}$ B. $-7\sqrt{3}$ C. $\sqrt{3}$ D. $-\sqrt{9}$

4. ¿Cuál es la forma simplificada de $\sqrt{8}(\sqrt{5} + 4)$? I
   F. $16\sqrt{10}$ G. $2\sqrt{10} + 4\sqrt{2}$ H. $4\sqrt{10} + 4\sqrt{2}$ I. $2\sqrt{10} + 8\sqrt{2}$

5. ¿Cuál es la forma simplificada de $\frac{40}{\sqrt{11} + \sqrt{7}}$? A
   A. $10\sqrt{11} - 10\sqrt{7}$ B. $\frac{20\sqrt{11} - 20\sqrt{7}}{9}$ C. $30\sqrt{2}$ D. $10\sqrt{11} + 10\sqrt{7}$

6. Un rectángulo áureo mide 32 cm de largo. La razón de la longitud al ancho es $(1 + \sqrt{5}) : 2$. ¿Cuál es el ancho del rectángulo en forma radical simplificada? H
   F. $16\sqrt{5} + 16$ G. $8\sqrt{5} - 8$ H. $16\sqrt{5} - 16$ I. $\frac{32\sqrt{5} - 32}{3}$

Respuesta breve

7. El diagrama de la derecha muestra el diseño de la colcha de retazos de 12 pulgs. que está cosiendo un fabricante de colchas.
   a. ¿Cuáles son las dimensiones de cada triángulo de la colcha? Da tus respuestas como radicales simplificados.
   12 pulgs., 12 pulgs., $12\sqrt{2}$ pulgs.; $6\sqrt{2}$ pulgs., $6\sqrt{2}$ pulgs., 12 pulgs.

   12 pulgs.

   12 pulgs.

   b. ¿Cuáles son las dimensiones de cada triángulo? Redondea tu respuesta a la décima de pulgada más cercana.
   12 pulgs., 12 pulgs., 17 pulgs.; 8.5 pulgs., 8.5 pulgs., 12 pulgs.

   [2] Las respuestas de ambas partes son correctas.
   [1] La respuesta de una parte es correcta, con algunos errores de cálculo.
   [0] Ninguna respuesta es correcta.

Álgebra 1, de Prentice Hall • Cuaderno de práctica y resolución de problemas Guía del maestro

Página 298

10-4 Pensar en un plan
Resolver ecuaciones radicales

Paquetes La fórmula $r = \sqrt{\frac{V}{\pi h}}$ da el radio, r, de una lata cilíndrica con un volumen V y una altura h. ¿Cuál es la altura de una lata con un radio de 2 pulgs. y un volumen de 75 pulgs.^{3}?

LO QUE SABES

1. ¿Qué ecuación puedes usar para hallar la altura de una lata cilíndrica? $r = \sqrt{\frac{V}{\pi h}}$

2. ¿Por qué valores conocidos sustituirás en la ecuación? __Radio; Volumen.__

3. ¿Qué significa el símbolo π? __3.14__

LO QUE NECESITAS

4. ¿Qué variable representa la altura de la lata? __h__

PLANEA

5. ¿Qué ecuación obtienes después de sustituir por los valores conocidos? $2 = \sqrt{\frac{75}{\pi h}}$

6. ¿Puedes resolver esta ecuación elevando ambos lados al cuadrado? __Sí.__

7. ¿Cómo puedes aislar la otra variable? __Se multiplica ambos lados por h y se divide ambos lados por 4.__

8. ¿Hay soluciones extrañas? Si es así, ¿cuáles son? __No.__

9. ¿Cuál es la altura de la lata? __5.97 pulgs.__

10. ¿Es razonable la solución? Explica tu respuesta. __Sí; El radio mide 2 pulgs.; por tanto, tiene sentido que la altura sea aproximadamente 6 pulgs.__

Página 299

10-4 Práctica
Modelo G
Resolver ecuaciones radicales

Resuelve cada ecuación radical. Comprueba tu solución.

1. $\sqrt{x} + 4 = 7$ 9

2. $\sqrt{2t} - 3 = 11$ 98

3. $4 - \sqrt{2s} = -6$ 50

4. $\sqrt{6c + 4} = 8$ 10

5. $\sqrt{3t - 2} = 5$ 9

6. $2 = \sqrt{-3y - 5}$ −3

7. $\sqrt{5n - 4} = 6$ 8

8. $\sqrt{\frac{b^4}{16}} = 16$ ±8

9. $\sqrt{\frac{a}{2} - 3} = -32$ Sin solución

10. Decides instalar un columpio de cuerda en la curva del río. El tiempo t, en segundos, que tarda el columpio en completar un vaivén está dado por $2\sqrt{\frac{l}{3.3}}$, donde l es la longitud del columpio en pies. Si un vaivén se completa en 3.5 segundos, ¿cuál es la longitud del columpio? Redondea tu respuesta a la décima de pie más cercana. 10.1 pies

11. El radio, r, de una esfera está dado por $r = \sqrt{\frac{AT}{4\pi}}$, donde AT representa el área total de la esfera. Si una esfera tiene un área total de 531 pulgs.^{2}, ¿cuál es la longitud del radio? Usa $\pi = 3.14$. Redondea tu respuesta a la centésima de pulgada más cercana. Aproximadamente 6.56 pulgs.

12. La velocidad, V, en pies por segundo de una bellota que cae de un árbol está dada por $V = \sqrt{64d}$, donde d es la distancia, en pies, a la que cayó la bellota. Una bellota llega al suelo a una velocidad de 28 pies por segundo. ¿A qué distancia cayó la bellota? 12.25 pies

13. Harrison compró una rampa de 10 pies para cargar su bicicleta de montaña en la parte trasera de su camión. La rampa se engancha a la puerta de carga de 3 pies de altura. ¿A qué distancia de la puerta de carga se apoya la rampa en el suelo? Redondea tu respuesta a la décima de pie más cercana. 9.5 pies

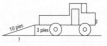

Página 300

10-4 Práctica (continuación)
Modelo G
Resolver ecuaciones radicales

Resuelve cada ecuación radical. Comprueba tu solución.

14. $\sqrt{4d + 3} = \sqrt{7d - 3}$ 2

15. $\sqrt{x + 7} = \sqrt{15 - x}$ 4

16. $\sqrt{48 - 3y} = \sqrt{3y - 6}$ 9

17. $\sqrt{a^2 + 20} = \sqrt{9a}$ 5; 4

18. $\sqrt{2x^2 + 17} = \sqrt{(x + 3)^2}$ 4; 2

19. $\sqrt{d + 7} = 3\sqrt{4d}$ $\frac{1}{5}$

20. $11 = \sqrt{12b - 59}$ 15

21. $\frac{f}{3} = \sqrt{f - 2}$ 6; 3

22. $\frac{t}{4} = \sqrt{\frac{7t - 10}{16}}$ 2; 5

Resuelve cada ecuación radical. Comprueba tu solución. Si no hay solución, escribe *sin solución*.

23. $x = \sqrt{2x + 8}$ 4

24. $m = \sqrt{-6m + 7}$ 1

25. $-n = \sqrt{4n + 12}$ −2

26. $x = \sqrt{3x + 28}$ 7

27. $\frac{-y}{2} = \sqrt{\frac{-5y + 24}{4}}$ −8

28. $-f = \sqrt{-f + 56}$ −8

29. **Analizar errores** Un estudiante resolvió la ecuación $-t = \sqrt{5t + 14}$ y halló las soluciones 7 y −2. Describe y corrige el error.
El estudiante no comprobó las respuestas para hallar que 7 es una solución extraña.

30. La distancia d en pies que tardará en detenerse un automóvil que viaja a V millas por hora está dada por $V = \sqrt{21d}$. Halla la distancia que tardará en detenerse un automóvil que viaja a una velocidad de 60 millas por hora. Redondea tu respuesta a la décima de pie más cercana.
171.4 pies

31. **Respuesta de desarrollo** Escribe dos ecuaciones radicales que no tengan solución. Explica por qué todas las soluciones son extrañas.
Las respuestas variarán. Ejemplo: $-4 = \sqrt{x + 1}$, $-9 = \sqrt{3y}$; Cualquier valor que está debajo del símbolo de la raíz cuadrada debe ser positivo.

Página 301

10-4 Preparación para el examen estandarizado
Resolver ecuaciones radicales

Opción múltiple

Escoge la letra que contiene la respuesta correcta para los Ejercicios 1 a 6.

1. ¿Cuál es la solución de la ecuación radical $\sqrt{t} + 9 = 16$? D
   A. 5   B. 7   C. 25   D. 49

2. ¿Cuál es la solución de $\sqrt{6g - 23} = \sqrt{12 - g}$? F
   F. 5   G. 7   H. 11   I. 35

3. ¿Cuáles son las soluciones de $\sqrt{d^2 - 11} = 5$? D
   A. 4, −4   B. 5, −5   C. 5, 6   D. 6, −6

4. ¿Cuál es la solución extraña de $-x = \sqrt{2x + 15}$? I
   F. −5   G. −3   H. 3   I. 5

5. El péndulo de un reloj cucú tarda t segundos en completar un vaivén. La variable t está determina por la función $t = 2\sqrt{\frac{l}{3.3}}$ donde l es la longitud del péndulo en metros. Si el péndulo tarda 0.5 segundos en completar cada vaivén, ¿cuántos centímetros de largo tiene el péndulo? A
   A. 20.625 cm   B. 41.25 cm   C. 82.5 cm   D. 330 cm

6. Una empresa invierte $ 15,000 en una cuenta que paga un interés compuesto anualmente. Después de dos años, la cuenta tiene $ 16,099.44. Usa la función $D = C(1 + t)^2$, donde t es la tasa de interés anual, C es el capital y D es la cantidad de dinero después de $ñ$ años. ¿Cuál es la tasa de interés de la cuenta? G
   F. 1.04%   G. 3.6%   H. 5.4%   I. 7.3%

Respuesta desarrollada

7. El radio de la Tierra es aproximadamente 6378 kilómetros. La velocidad de escape V_e está determinada por la función $V_e = \sqrt{2gR}$ donde g es la aceleración causada por la gravedad en m/s^2 y R es el radio de la Tierra en metros. Si para la Tierra g es 9.8 m/s^2, ¿cuál es la velocidad de escape de la Tierra? Muestra tu trabajo. 11,180.7 m/s

[4] La solución es correcta y se mostró todo el trabajo.
[3] Se mostró todo el trabajo, con sólo un error menor de cálculo.
[2] Algunas partes de la solución son correctas, con errores importantes que impiden que el trabajo se complete correctamente.
[1] La solución es correcta, pero no se mostró el trabajo.
[0] No se intentó realizar el trabajo o no se hizo correctamente.

Página 302

10-5 Pensar en un plan
Representar con una gráfica las funciones de la raíz cuadrada

Bomberos Cuando los bomberos tratan de apagar un incendio, la tasa a la que pueden echar agua sobre el fuego depende de la presión de la boca de la manguera. Puedes hallar la tasa del flujo de agua f en galones por minuto usando la función $f = 120\sqrt{p}$, donde p es la presión de la boca de la manguera en libras por pulgada cuadrada.

a. Representa la función con una gráfica.

b. ¿Qué presión da una tasa de flujo de 800 gals./min?

1. ¿Cuáles son las variables independiente y dependiente de esta función?
Independiente: p; Dependiente: f

2. ¿Cuáles son el dominio y el rango de la función?

Dominio: $p \geq$ [0]

Rango: $f \geq$ [0]

3. Usa la función para completar la tabla de valores para la presión de la boca de la manguera y la tasa del flujo de agua.

p	f
0	0
9	360
16	480
25	600
36	720

4. Representa la función con una gráfica.

5. En la gráfica, ¿qué presión de la boca de la manguera corresponde a una tasa de flujo de 800 gals./min?
Aproximadamente $\frac{45 \text{ lb}}{\text{pulgs.}^2}$

6. ¿Es razonable tu respuesta? Explica tu respuesta.
Sí; $\left(\frac{800}{120}\right)^2 \approx 45$

Página 303

10-5 Práctica
Representar con una gráfica las funciones de la raíz cuadrada

Modelo G

Halla el dominio de cada función.

1. $y = 2x\sqrt{x}$
$x \geq 0$

2. $y = \frac{1}{4}\sqrt{x}$
$x \geq 0$

3. $y = \sqrt{x + 3}$
$x \geq -3$

4. $y = 4\sqrt{2x + 10}$
$x \geq -5$

5. $y = \sqrt{x - 9}$
$x \geq 4$

6. $y = 4\sqrt{\frac{x}{2}}$
$x \geq 0$

7. $y = 4.3\sqrt{x + 5}$
$x \geq -5$

8. $y = \sqrt{3x - 18}$
$x \geq 6$

9. $\sqrt{4(x - 7)}$
$x \geq 7$

10. $y = \frac{1}{2}\sqrt{12 - x}$
$x \leq 12$

11. $y = \sqrt{2x + 7} - 3$
$x \geq -\frac{7}{2}$

12. $y = 3\sqrt{5x - 4}$
$x \geq \frac{4}{5}$

Haz una tabla de valores y representa con una gráfica cada función.

13. $y = \sqrt{x + 2}$

14. $y = 3\sqrt{x}$

15. $y = \sqrt{x - 3} + 1$

16. $y = 5\sqrt{x - 5}$; $y \geq 30$

17. $y = 2\sqrt{x + 3} + 6$

18. $y = 7\sqrt{4x + 12} - 3$

19. La distancia d en pies que un carro resbala sobre asfalto seco está representada por $V = \sqrt{21d}$, donde V es la velocidad del carro en millas por hora al frenar repentinamente. ¿Cuáles son el dominio y el rango de la función? Representa la función con una gráfica. ¿Qué distancia de frenado indicará una velocidad igual a o mayor que 56 millas por hora?

$D: d \geq 0$; $R: v \geq 0$; Aproximadamente 150 pies o más

Página 304

10-5 Práctica (continuación)
Representar con una gráfica las funciones de la raíz cuadrada

Modelo G

Representa con una gráfica cada función trasladando la gráfica de $y = \sqrt{x}$.

20. $y = \sqrt{x} + 2$

21. $y = \sqrt{x} - 2$

22. $y = \sqrt{x + 5}$

23. $y = \sqrt{x} - 4$

24. $y = \sqrt{x + 1} - 2$

25. $y = 4\sqrt{x - 6}$

26. La distancia d, en millas, que puedes ver al horizonte si miras el océano está representada por la función $d = \sqrt{1.5a}$, donde a es la altitud en pies a la que te encuentras. Representa la función con una gráfica. ¿A qué altitud puedes ver 15 millas? ¿Y 100 millas? Redondea tu respuesta al pie más cercano.
150 pies; Aproximadamente 6666.77 pies

27. Stacey está diseñando una lata de sopa. La lata debe tener una capacidad para 32 pulgadas cúbicas de sopa y el radio debe ser aproximadamente la mitad de la altura. La función $r = \sqrt{\frac{32}{\pi h}}$ muestra el radio de la lata como una función de la altura. ¿Cuáles son el dominio y el rango de la función? Representa la función con una gráfica. ¿Qué altura debe tener la lata que está diseñando Stacey?
$D: h > x$; $R: r > 0$; Aproximadamente 3.4 pulgs.

28. **Analizar errores** Un estudiante representó la función $y = 6\sqrt{x - 3} + 4$ con la gráfica de la derecha. ¿Qué error(es) cometió? Dibuja la gráfica correcta.
El estudiante olvidó sumar el 4.

29. **Escribir** Describe los pasos para representar con una gráfica una función en la forma $y = a\sqrt{x - h} + k$.
Representa la función $y = \sqrt{x}$ con una gráfica. Desplaza la gráfica h unidades horizontalmente. Multiplica cada valor de y por a y haz la nueva gráfica. Por último, desplaza esta gráfica k unidades verticalmente.

Página 305

10-5 Preparación para el examen estandarizado
Representar con una gráfica las funciones de la raíz cuadrada

Opción múltiple

Escoge la letra que contiene la respuesta correcta para los Ejercicios 1 a 5.

1. ¿Cuál es el dominio de la función $y = 3\sqrt{6x + 42}$? **D**
A. $x \geq 0$ B. $x \leq 7$ C. $x \geq -6$ D. $x \geq -7$

2. ¿Cuáles son el dominio y el rango de la función $y = 2\sqrt{3x + 4} - 5$? **F**
F. $x \geq -\frac{4}{3}$; $y \geq -5$ G. $x \geq \frac{4}{3}$; $y \geq -5$ H. $x \leq -\frac{4}{3}$; $y \geq -5$ I. $x \geq -\frac{4}{3}$; $y \geq 5$

3. ¿En qué momento la variable dependiente de la ecuación $y = \sqrt{x + 4} - 3$ será igual a o mayor que 4? **B**
A. $x \geq -0.17$ B. $x \geq 45$ C. $x \geq 48$ D. $x \geq 53$

4. ¿Qué función se muestra en la gráfica de la derecha? **H**
F. $y = \sqrt{2x - 6} - 1$
G. $y = \sqrt{2x + 6} + 1$
H. $y = \sqrt{2x - 6} + 1$
I. $y = \sqrt{2x + 6} - 1$

5. La función $t = \sqrt{\frac{d}{16}}$ representa el tiempo t, en segundos, que un objeto ha tardado en caer después de haber caído d pies. ¿A qué distancia el tiempo será más de 1 minuto? **A**
A. $d \geq 16$ pies   B. $d \geq 225$ pies   C. $d \geq 3600$ pies   D. $d \geq 57,600$ pies

Respuesta breve

6. Un juego mecánico de un parque de diversiones es un cilindro giratorio. A cierta velocidad, los ocupantes quedan inmovilizados contra las paredes del cilindro por la fuerza del giro y el piso cae sin peligro. La velocidad v, en metros por segundo, que se necesita para inmovilizar a los ocupantes está dada por $v = 4.95\sqrt{r}$, donde r es el radio del cilindro en metros.
a. Representa la función con una gráfica.
b. ¿Cuál es una estimación para el radio del juego mecánico si $v = 12$ metros por segundo? Redondea tu respuesta a la centésima de metro más cercana.   5.88 m

[2] Las respuestas de ambas partes son correctas.
[1] La respuesta de una parte es correcta.
[0] Ninguna respuesta es correcta.

Página 306

10-6 Pensar en un plan
Razones trigonométricas

Pasatiempos Supón que remontas una cometa. El cordel de la cometa mide 60 m y el ángulo de elevación del cordel desde tu mano es 65°. Tu mano está a 1 m del suelo. ¿A qué distancia del suelo está la cometa?

LO QUE SABES

1. ¿A qué distancia del suelo está la base del triángulo que forma el cordel de la cometa? **1 m**

2. ¿Cuál es la longitud de la hipotenusa del triángulo que forma el cordel de la cometa? **60 m**

3. ¿Cuál es el ángulo de elevación? **65°**

LO QUE NECESITAS

4. ¿Qué cateto del triángulo necesitas hallar? **El opuesto.**

PLANEA

5. ¿Qué diagrama puedes hacer como ayuda para resolver el problema?

6. ¿Qué razón trigonométrica puedes usar para hallar la longitud del cateto que falta?

Seno.

7. Escribe y resuelve una ecuación para hallar la longitud del cateto que falta. **54.4 m**

8. Usa la distancia del suelo a la que está tu mano y la longitud del cateto que falta para hallar a qué distancia del suelo está la cometa. **55.4 m**

9. ¿Es razonable la solución? Explica tu respuesta.

Sí; La longitud del cateto del triángulo está cerca, pero es menor que la longitud de la hipotenusa.

Página 307

10-6 Práctica   Modelo G
Razones trigonométricas

Para el △JKL y el △RST, halla el valor de cada expresión.

1. sen J $\frac{3}{5}$ 2. cos J $\frac{4}{5}$ 3. tan L $\frac{4}{3}$

4. cos L $\frac{3}{5}$ 5. tan T $\frac{20}{21}$ 6. sen T $\frac{20}{29}$

7. tan J $\frac{3}{4}$ 8. cos R $\frac{20}{29}$ 9. sen R $\frac{21}{24}$

10. tan R $\frac{21}{20}$ 11. sen L $\frac{4}{5}$ 12. cos T $\frac{21}{29}$

Halla el valor de cada expresión. Redondea a la diezmilésima más cercana.

13. sen 15° 0.2588   14. tan 45° 1.0000   15. cos 60° 0.5000

16. tan 72° 3.0777   17. sen 30° 0.5000   18. cos 80° 0.1736

19. sen 65° 0.9063   20. cos 12° 0.9781   21. tan 87° 19.0811

22. tan 24° 0.4452   23. sen 35° 0.5736   24. cos 28° 0.8829

Para cada triángulo, halla la longitud del lado que falta. Redondea tu respuesta a la décima más cercana.

25. La hipotenusa mide 4 m de largo. ¿Cuánto mide el lado adyacente a un ángulo de 40°? 3.1 m

26. Un ángulo de 25° tiene un cateto opuesto de 6 cm de largo. ¿Cuánto mide el cateto adyacente? 12.9 cm

27. Un ángulo de 52° tiene un cateto adyacente de 10 pulgadas de largo. ¿Cuánto mide la hipotenusa? 16.2 pulgs.

28. La hipotenusa mide 20 mm de largo. ¿Cuánto mide el lado adyacente a un ángulo de 15°? 19.3 mm

29. Un ángulo de 60° tiene un cateto adyacente de 5 cm de largo. ¿Cuánto mide la hipotenusa? 10 cm

30. La hipotenusa mide 13 pulgadas de largo. ¿Cuánto mide el lado opuesto a un ángulo de 50°? 10 pulgs.

31. Un ángulo de 5° tiene un cateto opuesto de 2 pies de largo. ¿Cuánto mide el cateto adyacente? 22.9 pies

32. La hipotenusa mide 25 mm de largo. ¿Cuánto mide el lado adyacente a un ángulo de 70°? 8.6 mm

Página 308

10-6 Práctica (continuación)   Modelo G
Razones trigonométricas

Para cada uno de los triángulos rectángulos que se describen, halla los tres ángulos. Redondea tus respuestas a la décima más cercana.

33. La hipotenusa mide 8 pies de largo. El lado adyacente mide 5 pies de largo.
38.7°, 51.3°, 90°

34. El lado opuesto mide 12 cm de largo. El lado adyacente mide 15 cm de largo.
38.7°, 51.3°, 90°

35. La hipotenusa mide 6 pulgadas de largo. El lado opuesto mide 3 pulgadas de largo.
30°, 60°, 90°

36. El lado adyacente mide 1 m de largo. El lado opuesto mide 4 m de largo.
76°, 14°, 90°

37. La hipotenusa mide 5 pulgadas de largo. El lado opuesto mide 2 pulgadas de largo.
23.6°, 66.4°, 90°

38. El lado adyacente mide 16 mm de largo. La hipotenusa mide 22 mm de largo.
43.3°, 46.7°, 90°

39. La hipotenusa mide 4 m de largo. El lado opuesto mide 2.5 m de largo.
38.7°, 51.3°, 90°

40. El lado opuesto mide 7 pulgadas de largo. El lado adyacente mide 11 pulgadas de largo.
32.5°, 37.5°, 90°

41. Gayle se paró junto al borde de un cañón de 120 pies de profundidad. Su estatura es aproximadamente 5 pies. Cuando miró a través del cañón hacia la esquina más alejada, su línea de vista formó un ángulo de depresión de 22°. ¿Cuál era el ancho del cañón? **50.5 pies**

42. Un paralelogramo tiene una altura de 5 cm y los lados miden 8 cm y 12 cm. ¿Cuánto miden los ángulos?
38.7°, 141.1°, 38.7°, 141.1°

43. **Analizar errores** Un estudiante estaba hallando la medida de un ángulo. El lado opuesto medía 6 cm y la hipotenusa medía 13 cm. Su trabajo se muestra en el recuadro de la derecha. Describe y corrige el error del estudiante.

sen A = $\frac{6}{13}$
~~sen A = 0.461538461~~
~~A = 46°~~

El estudiante debió haber usado sen⁻¹ y no sen⁻¹$\left(\frac{6}{13}\right)$ = 27.5°

Página 309

10-6 Preparación para el examen estandarizado
Razones trigonométricas

Respuesta en plantilla

Resuelve cada ejercicio y marca tus respuestas en la plantilla.

1. Para el △ABC, ¿cuál es el valor del cos C? **0.8**

2. La hipotenusa de un triángulo rectángulo mide 20 cm de largo. ¿Cuál es la longitud del lado opuesto a un ángulo de 60°? Redondea tu respuesta a la décima de pulgada más cercana. **17.3**

3. Los catetos de un triángulo rectángulo miden 3 y 4 metros de largo. ¿Cuánto mide el ángulo adyacente al cateto de 4 metros? Redondea tu respuesta a la décima de grado más cercana. **36.9**

4. Para el △XYZ, ¿cuánto mide el ángulo más pequeño? Redondea tu respuesta a la décima de grado más cercana. **23.6**

5. Supón que estás mirando al jardinero que corta las ramas de un árbol grande de tu jardín. Trepó 15 metros y su asistente está sosteniendo una cuerda que usarán para guiar la rama cuando caiga. ¿Cuál es la longitud de la cuerda? Redondea tu respuesta al metro más cercano. **26**

Álgebra 1, de Prentice Hall • Cuaderno de práctica y resolución de problemas Guía del maestro

Página 310

11-1 Pensar en un plan
Simplificar expresiones racionales

a. Construcción Para que los costos de calefacción de un edificio se mantengan bajos, los arquitectos quieren que la razón del área total al volumen sea lo más pequeña posible. ¿Cuál es una expresión para la razón del área total al volumen de cada figura?

i. prisma cuadrangular   **ii. cilindro**

b. Halla la razón para cada figura cuando $b = 12$ pies, $h = 18$ pies y $r = 6$ pies.

Comprender el problema

1. ¿Qué es una razón? Una razón compara dos cantidades medidas en la misma unidad.

2. ¿Cuáles son las otras dos formas para expresar una razón de 2 a 4? $2:4, \frac{2}{4}$ ó $\frac{1}{2}$

3. ¿Cuáles son las fórmulas para hallar el área total de un prisma cuadrangular y de un cilindro? ¿Cuáles son las fórmulas para hallar el volumen de un prisma cuadrangular y de un cilindro?

A.T. de un prisma cuadrangular $= 2b^2 + 4bh$; A.T. de un cilindro $= 2\pi r^2 + 2\pi rh$;

V de un prisma cuadrangular $= b^2h$; V de un cilindro $= \pi r^2h$.

Planear la solución

4. ¿Cuál es la diferencia entre el área total y el volumen? El área total es el área combinada de todas las superficies de un objeto. El volumen de un objeto es la cantidad total de espacio dentro del objeto.

5. ¿Cuál es la razón del área total al volumen del prisma cuadrangular?

Razón del A.T. : Volumen $= \frac{2b^2 + 4bh}{b^2h}$

6. ¿Cuál es la razón del área total al volumen del cilindro?

Razón del A.T. : Volumen $= \frac{2\pi r^2 + 2\pi rh}{\pi r^2h}$

Hallar una respuesta

7. Usa la razón del Ejercicio 5 para hallar la razón del prisma cuadrangular con las medidas dadas. 1152:2592 ó 4:9

8. Usa la razón del Paso 6 para hallar la razón del cilindro con las medidas dadas. ¿Cómo se relacionan tu respuesta y la respuesta del Ejercicio 7? 288:648 ó 4:9; Las razones son iguales.

Página 311

11-1 Práctica
Modelo G

Simplificar expresiones racionales

Simplifica cada expresión. Indica cualquier valor excluido.

1. $\frac{6p - 36}{18} \quad \frac{p - 6}{3}$

2. $\frac{q + 1}{q + 4q + 3} \over \frac{1}{q + 3}$; $q \neq -3, -1$

3. $\frac{8b^5}{64b^4} \quad \frac{b}{8}$, $b \neq 0$

4. $\frac{x + 1}{x^2 - 1} \quad \frac{1}{x - 1}$; $x \neq 1, -1$

5. $\frac{56c - 14}{24c - 6} \quad \frac{7}{3}$; $c \neq \frac{1}{4}$

6. $\frac{3b - 6}{b^2 - 4} \quad \frac{3}{b + 2}$; $b \neq -2, 2$

7. $\frac{x^2 - 144}{3x^2 - 36x}$ $\frac{x + 12}{3x}$; $x \neq 0, 12$

8. $\frac{n^2 - n - 12}{n^2 - 4n}$ $\frac{n + 3}{n}$; $n \neq 0, 4$

9. $\frac{3x^2 + 19x - 14}{x^2 - 49}$ $\frac{3x - 2}{x - 7}$; $x \neq 7, -7$

10. $\frac{7d^3 + 14d}{6d^2 - 2d}$ $\frac{7(d + 2)}{2(3d - 1)}$; $d \neq 0, \frac{1}{3}$

11. $\frac{25y^2 - 121}{15y - 33}$ $\frac{5y + 11}{3}$; $y \neq \frac{11}{5}$

12. $\frac{99q^2 - 2q - 1}{9q - 1}$ $11q + 1$, $q \neq \frac{1}{9}$

13. La longitud de un rectángulo es $3h + 2$ y el ancho es $9h + 6$. ¿Cuál es la razón de su longitud a su ancho? Simplifica tu respuesta. $\frac{1}{3}$; $h \neq -\frac{2}{3}$

14. La longitud de un rectángulo es $x - 2$. Su área es $2x - 4$. ¿Cuál es una expresión simplificada para el ancho? 2

15. El área de un rectángulo es $x^2 - 9$. Su ancho es $x - 3$. ¿Cuál es una expresión simplificada para la longitud? $x + 3$

16. Escribir ¿Por qué el denominador de una expresión racional no puede ser igual a 0? Es indefinida; no se puede dividir por 0 ni se puede representar con una gráfica un denominador 0.

17. El área de un rectángulo es $16a^2$. La longitud es $2a$. ¿Cuál es una expresión simplificada para el ancho? $8a$

18. ¿Son opuestos los factores? Explica tu respuesta.
a. $3d - 7$; $7 - 3d$ Sí; $-1(3d - 7) = (-3d + 7) = (7 - 3d)$
b. $-y + 4$; $y + 4$ No; $(-1)(-y + 4) = (y - 4) \neq (y + 4)$
c. $27 + 8x$; $-27 - 8x$ Sí; $(-1)(27 + 8x) = (-27 - 8x)$

19. La razón del área de un círculo pequeño a la de un círculo más grande es $\frac{\pi(2x)^2}{\pi(6x)^2}$. Simplifica la expresión. $\frac{1}{9}$; $x \neq 0$

Página 312

11-1 Práctica (continuación)
Modelo G

Simplificar expresiones racionales

20. Una piloto empacó dos maletas rectangulares para su viaje a Hawai. Ambas tienen capacidad para el mismo volumen de ropa. La maleta verde tiene una longitud de $2y + 4$, un ancho de $y + 1$ y una altura de $4y$. La maleta azul tiene una longitud de $8y^2 - 6y$ y un ancho de $2y$. ¿Cuál es una expresión simplificada para la altura de la maleta azul? Muestra tu trabajo.

$\frac{2(y + 2)(y + 1)}{y(4y - 3)}$; $y \neq 0, \frac{1}{3}$

21. El área numérica de un círculo con radio c es igual al volumen numérico de una esfera con radio E. ¿Cuál es el radio de la esfera en función de c? Muestra tu trabajo. (Área del círculo $= \pi r^2$. Volumen de la esfera $= \frac{4}{3}\pi r^3$).

$\sqrt[3]{\frac{3}{4}c^2}$

Simplifica cada expresión. Indica cualquier valor excluido.

22. $\frac{x^2 - 9}{2x^2 - 6x} \quad \frac{x + 3}{2x}$; $x \neq 0, 3$

23. $\frac{n^2p^2}{n^2p}$ p; $n \neq 0, p \neq 0$

24. $\frac{2x^2 + 17x - 9}{x^2 - 81} \quad \frac{2x - 1}{x - 9}$; $x \neq 9, -9$

25. $\frac{4d^4 - 6d^3 - 4d^2}{d^2 - 2d}$ $(4d^2 + 2d)$; $d \neq 0, 2$

26. $\frac{11y^2 + 35y - 36}{y^2 - 16}$ $\frac{11y - 9}{(y - 4)}$, $y \neq 4, -4$

27. $\frac{6a^5b + 4ab^3 + 3a^4c + 2b^2c}{2ab + c}$ $(3a^4 + 2b^2)$; $2ab + c \neq 0$

28. El carro de tu hermano viaja $40\frac{\text{mi}}{\text{h}}$ más rápido que tu carro. En el mismo tiempo que te lleva recorrer 150 mi, tu hermano recorre 450 mi. Haz una tabla con la información y halla las velocidades. Tu velocidad es $20\frac{\text{mi}}{\text{h}}$; La velocidad de tu hermano es 60 mi/h.

	Distancia	Velocidad	Tiempo
Tú	150	v	t
Tu hermano	450	$v + 40$	t

Página 313

11-1 Preparación para el examen estandarizado
Simplificar expresiones racionales

Opción múltiple

Escoge la letra que contiene la respuesta correcta para los Ejercicios 1 a 4.

1. ¿Cuál es la forma simplificada de $\frac{x^4 - 81}{x + 3}$? A
A. $x^3 - 3x^2 + 9x - 27$
B. $(x^2 + 9)(x^2 - 9)$
C. $x^3 + 3x^2 + 9x + 27$
D. $x^3 + 3x^2 - 9x - 27$

2. ¿Cuál es la forma simplificada de $\frac{(x^2yz)^2(xy^2z^2)}{(xyz)^2}$? H
F. $\frac{(xyz)^2(xyz)}{x}$
G. $\frac{1}{(xyz)^2}$
H. $x^3y^2z^2$
I. x^4y^4z

3. ¿Cuál es el valor excluido de la expresión racional $\frac{2x + 6}{4x - 8}$? D
A. -3
B. -2
C. 0
D. 2

4. ¿Cuál es la forma simplificada de $\frac{x^2 - 25}{x^2 - 3x - 10}$? H
F. $\frac{x - 3}{x - 5}$
G. $\frac{(x - 5)(x + 5)}{(x + 5)(x - 3)}$
H. $\frac{x + 5}{x + 2}$
I. $\frac{x - 5}{x + 2}$

Respuesta breve

5. Cuando un objeto está en caída libre, la ecuación es $d = 16t^2$, donde d es la distancia en pies y t es el tiempo en segundos. ¿Qué ocurre con la distancia d a medida que t aumenta de 0 a 20? Haz una gráfica. Marca puntos para valores de t entre 0 y 20. ($d = 16t^2$ es una ecuación cuadrática. Puedes sustituir $y = 16x^2$ para representar con una gráfica la ecuación.)
A medida que t aumenta, d aumenta exponencialmente. Los valores de d y t no pueden ser negativos porque no existen distancias ni tiempos negativos.

[4] La respuesta es correcta.
[3] La respuesta incluye la gráfica correcta y una explicación con un error de cálculo.
[2] La respuesta incluye la gráfica o la explicación correcta, pero la otra parte es incorrecta.
[1] Parte del trabajo que se mostró es correcto.
[0] No se mostró un trabajo correcto.

Página 314

11-2 Pensar en un plan
Multiplicar y dividir expresiones racionales

Préstamos para automóviles Quieres comprar un carro que cuesta $18,000. La concesionaria ofrece dos planes de financiación diferentes para pagar en 48 meses. El primer plan ofrece 0% de interés durante 4 años. El segundo plan ofrece un descuento de $2000, pero debes financiar el resto del precio de compra a una tasa de interés del 7.9% durante 4 años. ¿Con qué plan de financiación será menor tu costo total? ¿Cuánto menor será?

Lo que sabes

1. El carro cuesta ___$18,000___.

2. Hay 2 planes diferentes para pagar en ___48___ meses.

3. El precio de compra para el Plan 1 es ___$18,000___.

4. La tasa de interés para el Plan 1 es ___0%___.

5. El precio de compra para el Plan 2 es ___$16,000___.

6. La tasa de interés para el Plan 2 es ___7.9%___.

Lo que necesitas

7. Para resolver los problemas para los dos planes, necesitas la ___ecuación/fórmula___.

Planea

8. Escribe la fórmula que se usará para los 2 planes. ___$y = a(1 + r)^t$___

9. Crea las 2 fórmulas, 1 para cada plan. ___$18,000(1)^4$; $16,000(1.079)^4$___

10. ¿Cuál es el costo total para el Plan 1? ¿Cuál es el costo total para el Plan 2?
Plan 1 = $18,000; Plan 2 = $21,687.31

11. ¿Con qué plan de financiación será menor tu costo total? ¿Cuánto menor será?
El Plan 1 cuesta $3687.31 menos.

Página 315

11-2 Práctica
Multiplicar y dividir expresiones racionales
Modelo G

Multiplica.

1. $\dfrac{2 - z}{4 + 5z} \cdot \dfrac{3}{z}$

$\dfrac{6 - 3z}{4z + 5z^2}$

2. $\dfrac{x - 9}{x + 7} \cdot \dfrac{x}{x - 6}$

$\dfrac{x^2 - 9x}{x^2 + x - 42}$

3. $\dfrac{5w - 25}{5w - 10} \cdot \dfrac{w}{w^2 - 25}$

$\dfrac{w}{w^2 + 3w - 10}$

4. $\dfrac{16u - 32}{2u} \cdot \dfrac{3u^3}{56u - 24}$

$\dfrac{3u^3 - 6u^2}{7u - 3}$

5. $\dfrac{j^2 + 11j - 42}{26j - 52} \cdot \dfrac{39j}{j - 3}$

$\dfrac{3j^2 + 42j}{2j - 4}$

6. $\dfrac{15r}{18r^2 + 9r - 27} \cdot \dfrac{3r - 3}{r^2}$

$\dfrac{5}{2r^2 + 3r}$

7. $\dfrac{45q^2 - 3q - 6}{q^2} \cdot \dfrac{14q^2 + 10q}{35q^2 + 11q - 10}$

$\dfrac{18q + 6}{q}$

8. $\dfrac{4y + 17}{2y - 3} \cdot (32y^2 - 22y - 39)$

$64y^2 + 324y + 221$

9. $(12v^2 + 18v - 84) \cdot \dfrac{v}{4v^3 - 49v}$

$\dfrac{6v - 12}{2v - 7}$

10. $(10x^2 - 7x + 2) \cdot \dfrac{6x^2 - 13x - 63}{3x + 7}$

$20x^3 - 104x^2 + 67x - 18$

11. ¿Cuál de las siguientes opciones es el recíproco de $x^2 - 2x - 8$? B
  A. $(x + 2)(x - 4)$ B. $\dfrac{1}{(x + 2)(x - 4)}$ C. $\dfrac{1}{x - 8}$

Halla el recíproco de cada expresión.

12. $x^2 - 4x + 18$

$\dfrac{1}{x^2 - 4x + 18}$

13. $\dfrac{3q^2}{2q^2 - 13}$

$\dfrac{2q^2 - 13}{3q^2}$

Página 316

11-2 Práctica (continuación)
Multiplicar y dividir expresiones racionales
Modelo G

Divide.

14. $\dfrac{5y + 7}{3y + 19} \div \dfrac{5y + 7}{y - 6}$

$\dfrac{y - 6}{3y + 19}$

15. $\dfrac{25i^2 - 36}{56i} \div \dfrac{5i - 6}{8i}$

$\dfrac{5i + 6}{7}$

16. $\dfrac{12j - 36}{2j + 4} \div \dfrac{3j - 9}{4j^2 - 16}$

$8j - 16$

17. $\dfrac{12x^2 + 4x - 13}{45x^2 - 20x - 25} \div \dfrac{x - 1}{9x + 5}$

$\dfrac{12x + 13}{5x - 5}$

18. $(72k^2 + 29k - 21) \div \dfrac{9k^2 - 92k - 77}{6k - 1}$

$\dfrac{(8k - 3)(6k - 1)}{k - 11}$

Simplifica cada fracción compleja.

19. $\dfrac{1 + 1}{\frac{x}{9}}$

$\dfrac{18}{x}$

20. $\dfrac{\frac{a}{b} + 1}{\frac{x}{b} + 3}$

$\dfrac{a + b}{x + 3b}$

21. $\dfrac{\frac{1}{a} + \frac{b}{a}}{\frac{1}{b}}$

$\dfrac{b + b^2}{a}$

22. El área de la base de un prisma rectangular es $3x^2 + 21x - 24$ y su altura es $\dfrac{x}{33x - 33}$. ¿Cuál es el volumen del prisma?

$\dfrac{x(x + 8)}{11}$ unidades^3

23. Tu amigo corre durante $(x^2 - 225)$ segundos a una velocidad de $\dfrac{1}{2x - 30}$ metros por segundo. ¿Qué distancia corre tu amigo?

$\dfrac{x + 15}{2}$ metros

24. **Escribir** ¿Cómo simplificas una fracción compleja?

Multiplica el numerador por el recíproco del denominador. Luego, extrae como factor común la mayor cantidad posible de términos semejantes para simplificar.

Página 317

11-2 Preparación para el examen estandarizado
Multiplicar y dividir expresiones racionales

Opción múltiple

Escoge la letra que contiene la respuesta correcta para los Ejercicios 1 a 3.

1. ¿Cuál es el cociente de $\dfrac{x^2 - 16}{2x^2 - 9x + 4} \div \dfrac{2x^2 + 14x + 24}{4x + 4}$? C
  A. $\dfrac{1}{x + 3}$ B. $\dfrac{2x + 2}{x + 3}$ C. $\dfrac{2x + 2}{2x^2 + 5x - 3}$ D. $\dfrac{2(x + 1)}{2x^2 - 5x - 3}$

2. ¿Cuál es la forma simplificada del producto de $\dfrac{x + 1}{x^2 - 25} \cdot \dfrac{x + 5}{x^2 + 8x + 7}$? H
  F. $\dfrac{x + 1}{(x + 5)(x + 7)}$ H. $\dfrac{1}{(x - 5)(x + 7)}$
  G. $\dfrac{1}{(x + 5)(x + 7)}$ I. $\dfrac{1}{(x - 5)(x - 7)}$

3. ¿Cuáles son las coordenadas de los interceptos en x de la gráfica de $y = 2x^2 + 6x - 20$? A
  A. $(-5, 0), (2, 0)$ B. $(5, 0), (-2, 0)$ C. $(-4, 0), (10, 0)$ D. $(4, 0) (-10, 0)$

Respuesta breve

4. Se patea una pelota de fútbol americano con una velocidad ascendente de $25\frac{\text{pies}}{s}$ desde una altura inicial de 0.5 pies. ¿Cuánto tiempo permanece la pelota en el aire si nadie la atrapa? Usa la fórmula $h = -16^2 + vt + c$, donde h es la altura de la pelota en el tiempo t, v es la velocidad ascendente inicial y c es la altura inicial. ¿Cuál es la altura de la pelota cuando el tiempo es 1 segundo? ¿Cómo cambia la altura a medida que el tiempo aumenta? ¿Qué ocurre a los 5 segundos?
9.5 pies; A medida que el tiempo aumenta, aumenta la altura, alcanza su máximo y luego comienza a disminuir; A los 5 s la altura es un valor negativo y esto no es posible; por tanto, significa que la pelota ya ha llegado al suelo.

[2] La respuesta es correcta.
[1] La respuesta está incompleta.
[0] La respuesta es incorrecta.

Página 318

11-3 Pensar en un plan
Dividir polinomios

Geometría El volumen del prisma rectangular que se muestra a la derecha es $m^3 + 8m^2 + 19m + 12$. ¿Cuál es el área de la base del prisma?

Comprender el problema

1. ¿Qué es un prisma rectangular?

   Un prisma rectangular es un objeto sólido (tridimensional) compuesto por seis caras que son rectángulos.

2. ¿Cuál es la fórmula literal para el volumen de un prisma rectangular?

   $V = l \times a \times h$

3. ¿Cuál es la fórmula para el volumen del prisma rectangular que se muestra?

   $V = la(m + 3) = m^3 + 8m^2 + 19m + 12$

Planear la solución

4. Usando la información dada del Paso 3, ¿a qué es igual el área de la base del prisma rectangular?

   $B = la = \dfrac{m^3 + 8m^2 + 19m + 12}{m + 3}$

Hallar una respuesta

5. Divide $(m^3 + 8m^2 + 19m + 12)$ por $(m + 3)$ para hallar el área de la base del prisma.

   $m^2 + 5m + 4$

6. ¿A qué es igual $m^2 + 5m + 4$?

   Al área de la base del prisma (B).

Página 319

11-3 Práctica
Dividir polinomios
Modelo G

Divide.

1. $(c^2 - c - 1) \div c$
   $c - 1 - \frac{1}{c}$

2. $(j^4 - 4j^3 - 8j^2) \div j^2$
   $j^2 - 4f - 8$

3. $(3p^3 - 27p^2) \div 3p^2$
   $p - 9$

4. $(2m^2 - 5m + 2) \div 2m$
   $m - \frac{5}{2} + \frac{1}{m}$

5. $(3b^5 - 9b^4 + 3b^2) \div 6b^2$
   $\frac{b^3}{2} - \frac{3b^2}{2} + \frac{1}{2}$

6. $(7x^4 - 28x^3) \div 4x^3$
   $\frac{7x}{4} - 7$

7. $(6t^5 - 3t^4 + 18t^3 - 9t^2) \div 3t$
   $2t^4 - t^3 + 6t^2 - 3t$

8. $(-104d^8 + 64d^7 - 86d^6 + 96d^5) \div 2d^4$
   $-52d^4 + 32d^3 - 43d^2 + 48d$

9. $(-27q^4 + 51q^3 - 9q^2) \div 3q^2$
   $-9q^2 + 17q - 3$

10. $(-1040r^{12} - 500r^{11} - 620r^{10} + 1600r^9 + r^8) \div 20r^7$
    $-52r^5 - 25r^4 - 31r^3 + 80r^2 + \frac{r}{20}$

11. $(-3u^6 - 105u^5 + 147u^4) \div (-3u^3)$
    $u^3 + 35u^2 - 49u$

12. $(11y^{26} - 132y^{25} + 121y^{24}) \div (-11y^{24})$
    $-y^2 + 12y - 11$

13. $(p^2 + 3p + 2) \div (p + 1)$
    $p + 2$

14. $(x^2 + 7x + 12) \div (x + 4)$
    $x + 3$

15. $(p^2 - 5p - 36) \div (p + 4)$
    $p - 9$

16. $(2q^2 - 4q - 240) \div (q - 12)$
    $2q + 20$

17. $(6x^2 + x - 1) \div (3x - 1)$
    $2x + 1$

18. $(20a^2 + 2a - 4) \div (2a + 1)$
    $10a - 4$

19. $(4t^2 - 64) \div (t + 4)$
    $4t - 16$

20. $(z^2 - 9) \div (z - 3)$
    $z + 3$

21. $(3x^2 - x^3 + x - 3) \div (-x + 1)$
    $x^2 - 2x - 3$

22. $(c^4 - 16) \div (c - 2)$
    $c^3 + 2c^2 + 4c + 8$

23. El área de un rectángulo es $x^2 - x - 2$ y la longitud del rectángulo es $x + 1$.

   a. Halla el ancho del rectángulo. $x - 2$

   b. Halla el área del rectángulo si el ancho es 4 m. 28 m^2

Página 320

11-3 Práctica (continuación)
Dividir polinomios
Modelo G

Divide.

24. $(28n^2 - 17n - 3) \div (4n - 3)$
    $7n + 1$

25. $(2t^2 - 8t + 6) \div (t - 3)$
    $2t - 2$

26. $(3c^2 - 5c - 2) \div (6c + 2)$
    $\frac{1}{2}c - 1$

27. $(3c^2 - 5c - 2) \div (3c + 1)$
    $c - 2$

28. $(2j^2 - 3j - 9) \div (j - 3)$
    $2j + 3$

29. $(4j^2 - 6j - 18) \div (j - 3)$
    $4j + 6$

30. $(-3x^2 + x^3 - x + 3) \div (x - 1)$
    $x^2 - 2x - 3$

31. $(3x^2 - x^3 + x - 3) \div (-x + 1)$
    $x^2 - 2x - 3$

32. $9d^4 - 729 \div (-3 + d)$
    $9d^3 + 27d^2 + 81d + 243$

33. $(-3x^2 + 6x^3 + x - 40) \div (-2 + x)$
    $6x^2 + 9x + 19 + \frac{-2}{x - 2}$

34. Halla la altura de un trapecio si el área del trapecio es $2x^2 + 11x + 5$, la longitud de una base es x y la longitud de la otra base es $x + 10$. La fórmula para el área A de un trapecio que tiene una altura h y bases b_1 y b_2 es $A = \frac{b_1 + b_2}{2} \cdot h$.
    $2x + 1$

35. El área del rectángulo es $x^4 - 9x^3 - 7x^2 - 8x + 2$. Se da la longitud. ¿Cuál es el ancho?
    $x^2 - 10x + 2$

    $x^2 + x + 1$

36. **Escribir** Si el área de un rectángulo es un polinomio y la longitud de uno de sus lados es un polinomio, ¿la medida del ancho del rectángulo puede ser un cociente que sea un polinomio con un residuo? Explica tu respuesta.
    Sí; La división de un polinomio por otro polinomio puede dar como resultado un polinomio con o sin residuo.

Página 321

11-3 Preparación para el examen estandarizado
Dividir polinomios

Opción múltiple

Escoge la letra que contiene la respuesta correcta para los Ejercicios 1 a 4.

1. ¿Cuál es el residuo de $(x^3 - 6x^2 - 9x + 3) \div (x - 3)$? **A**

   A. -51 B. $\frac{-51}{x - 3}$ C. $\frac{-17}{x}$ D. $\frac{-17}{x - 3}$

2. Si el área de un rectángulo es $x^2 - 9$, ¿la longitud puede ser $x - 1$? **H**

   F. Sí; se divide perfectamente.
   G. No; la longitud sería mayor.
   H. Sí; pero el ancho tendrá un residuo.
   I. No; las medidas del rectángulo se deben multiplicar y dividir exactamente.

3. Si una recta pasa por los puntos $(2, 0)$ y $(-2, -3)$, ¿cuál es el intercepto en y de la recta? **A**

   A. $\frac{-3}{2}$ B. $\frac{3}{2}$ C. $\frac{3}{4}$ D. $\frac{-3}{4}$

4. ¿Qué coordenadas satisfacen la ecuación de la recta $y = -\frac{7}{8}x + 2$? **G**

   F. $(-8, 11)$ G. $\left(-4, \frac{11}{2}\right)$ H. Tanto F como G   I. $\left(4, \frac{11}{2}\right)$

Respuesta breve

5. ¿Cuáles son los factores de la expresión $x^2 + 12x - 64$? ¿Qué números cambiarías para convertirla en un cuadrado perfecto? Explica tu respuesta.
   $(x + 16), (x - 4)$; Cambiaría -64 a 36; por tanto, los factores serían $(x + 6), (x + 6)$.

   [2] La respuesta es correcta.
   [1] La respuesta está incompleta.
   [0] La respuesta es incorrecta.

Página 322

11-4 Pensar en un plan
Sumar y restar expresiones racionales

Remo Un equipo de remo practica remar 2 mi río arriba y 2 mi río abajo. El equipo puede remar río abajo un 25% más rápido que río arriba.
a. Sea a la velocidad del equipo cuando rema río arriba. Escribe y simplifica una expresión que incluya a para la cantidad total de tiempo que rema el equipo.
b. Sea b la velocidad del equipo cuando rema río abajo. Escribe y simplifica una expresión que incluya b para la cantidad total de tiempo que rema el equipo.
c. Razonamiento ¿Las expresiones que escribiste en las partes (a) y (b) representan el mismo tiempo? Explica tu respuesta.

Lo que sabes

1. ¿Qué distancia rema el equipo río arriba? _____2 mi_____

2. ¿Qué distancia rema el equipo río abajo? _____2 mi_____

3. ¿Cuánto más rápido rema el equipo río abajo? _____25% ó 0.25 más rápido_____

Lo que necesitas

4. ¿Cuál es la fórmula para el tiempo escrita en función de la distancia d y la velocidad v? $t = \frac{d}{v}$

5. Escribe expresiones para el tiempo que reman río arriba y el tiempo que reman río abajo sustituyendo la distancia por sus valores y la velocidad por las variables en la fórmula del Ejercicio 4.
a. Tiempo que reman río arriba $= \frac{2}{a}$
b. Tiempo que reman río abajo $= \frac{2}{b}$

Planea

6. Escribe una ecuación que relacione a y b.
$b = 1.25a$

7. Vuelve a escribir las expresiones que escribiste en el Ejercicio 6 en función de a.
a. $\frac{2}{a}$
b. $\frac{2}{1.25a}$

8. ¿Las expresiones que escribiste en el Ejercicio 7 representan el mismo tiempo? Explica por qué.

No; La distancia es la misma, pero el viaje río abajo es a una velocidad mayor; entonces, llevará menos tiempo. Por tanto, $\frac{2}{1.25a} < \frac{2}{a}$.

Página 323

11-4 Práctica
Sumar y restar expresiones racionales

Modelo G

Suma o resta.

1. $\frac{1}{a} + \frac{1}{a}$
$\frac{2}{a}$

2. $\frac{11}{2y} + \frac{27}{2y}$
$\frac{19}{y}$

3. $\frac{m}{m+4} + \frac{4}{m+4}$
1

4. $\frac{t-1}{t} - \frac{t+1}{t}$
$\frac{-2}{t}$

5. $\frac{n}{1-n} + \frac{1}{n-1}$
-1

6. $\frac{1-m}{m-4} - \frac{-2m+1}{m+4}$
$\frac{m^2-12m+8}{m^2-16}$

7. $\frac{2}{y} - \frac{3y}{8}$
$\frac{16-3y^2}{8y}$

8. $\frac{4x}{3} - \frac{3}{4x}$
$\frac{16x^2-9}{12x}$

9. $\frac{2a+1}{2} + \frac{a+2}{2a}$
$\frac{a^2+6a+2}{2a}$

Halla el m.c.m. de cada par de expresiones.

10. $6x; \frac{1}{3}$
$2x$

11. $40x^2y^2; 8y^2$
$40x^2y^2$

12. $3a-3; 3$
$3a-3$

13. $z^2-4; z+2$
z^2-4

14. $4d^2-64; 4$
$4d^2-64$

15. $10a^2b^4c^4; 5ab^3c^2$
$10a^2b^4c^4$

16. ¿Es importante si usas primero el m.c.d. o el M.C.D. cuando sumas o restas una expresión racional con distinto denominador y simplificas? Justifica tu afirmación con un ejemplo.

Se debe obtener el mismo resultado sin importar qué técnica se usa primero; Revise el trabajo de los estudiantes.

17. ¿Hay alguna ocasión en la que sea correcto sumar o restar los denominadores cuando se suma o resta una expresión racional? Explica tu respuesta.

No; El denominador debe ser igual para poder sumar o restar el numerador.

Simplifica. Suma o resta.

18. $\frac{x-3}{2(x+5)} + \frac{1}{x}$
$\frac{x^2-x+10}{2x^2+10x}$

19. $\frac{3x}{2x} - 2x$
$\frac{3-4x}{2}$

Página 324

11-4 Práctica (continuación)
Sumar y restar expresiones racionales

Modelo G

Suma o resta.

20. $\frac{3}{a} + \frac{4}{x}$
$\frac{3x+4a}{ax}$

21. $\frac{2}{x-1} + 10$
$\frac{10x-8}{x-1}$

22. $\frac{-x}{2} + 3$
$\frac{-x+6}{2}$

23. $1 + \frac{a}{b}$
$\frac{b+a}{b}$

24. $\frac{m}{x} + \frac{4}{m(x-1)}$
$\frac{m^2x - m^2 + 4x}{mx^2 - mx}$

25. $\frac{a}{b} + \frac{x}{y}$
$\frac{ay+bx}{by}$

26. $\frac{21.5}{4x} - \frac{5.5}{3x}$
$\frac{42.5x}{12x}$

27. $\frac{1+2}{x} - \frac{12}{5x}$
$\frac{3}{5x}$

28. $\frac{1}{x-1} + \frac{-x+1}{x^2}$
$\frac{2x-1}{x^3-x^2}$

29. Un amigo compró $n + 8$ conjuntos y su hermana compró $\frac{n+2}{n+3}$ conjuntos. ¿Cuántos conjuntos compraron en total?
$\frac{n^2+12n+26}{n+3}$

30. ¿Cuál es el perímetro de un jardín rectangular que tiene $\frac{5+x}{2}$ pies de longitud y $\frac{2x-1}{3}$ pies de ancho?
$\frac{7x+13}{3}$

31. Tu hermano fue a la escuela corriendo a una velocidad de 6 mi/h. Volvió a casa caminando a una velocidad de 4 mi/h. ¿A qué distancia está la escuela si el viaje de ida y vuelta lleva 1 hora?
$2\frac{2}{5}$ mi

32. Sumar dos expresiones racionales lleva a una solución de $\frac{5x}{6}$. Una expresión es $\frac{x}{6}$. ¿Cuál es la otra? Muestra tu trabajo.
$\frac{5x}{6} - \frac{x}{6} = \frac{5x-2x}{6} = \frac{3x}{6} = \frac{x}{2}$

33. **Escribir** Explica cómo se usan opuestos para hallar la suma de $\frac{8}{1-2x} + \frac{x}{2x-1}$.
Puedes multiplicar $1 - 2x$ por -1 para obtener $-1(2x - 1)$; por tanto, el común denominador es $-1(2x - 1)$.

34. **Respuesta de desarrollo** Escribe un problema en el que se use la suma de expresiones racionales.
Las respuestas variarán. Ejemplo: Un jardín tiene $\frac{2+x}{x}$ pies de longitud y $\frac{3}{x-1}$ pies de ancho. ¿Cuál es el perímetro del jardín?

Página 325

11-4 Preparación para el examen estandarizado
Sumar y restar expresiones racionales

Opción múltiple

Escoge la letra que contiene la respuesta correcta para los Ejercicios 1 a 5.

1. ¿Cuál es la diferencia de $\frac{5x-2}{4x} - \frac{x-2}{4x}$? A
A. 1
B. $\frac{x-1}{x}$
C. 0
D. $\frac{3}{2}$

2. ¿Cuál es la suma de $\frac{1}{2b} + \frac{b^2}{2}$? I
F. $\frac{b+1}{2b+2}$
G. $2b$
H. $\frac{1}{4}$
I. $\frac{b^2+1}{2b}$

3. ¿Cuál es la suma de $\frac{1}{g+2} + \frac{3}{g+1}$? C
A. $\frac{3}{g+3}$
B. $\frac{g+3}{(g+1)(g+2)}$
C. $\frac{4g+7}{(g+1)(g+2)}$
D. $\frac{2g+3}{(g+1)(g+2)}$

4. ¿Cuál es la diferencia de $\frac{r+2}{r+4} - \frac{3}{r+1}$? H
F. $\frac{-1}{r+3}$
G. $\frac{r^2-1}{(r+1)(r+4)}$
H. $\frac{r^2-10}{(r+1)(r+4)}$
I. $\frac{r^2+14}{(r+1)(r+4)}$

5. ¿Cuál es la suma de $\frac{a-1}{abc^3} + \frac{3-b}{abc^3}$? B
A. $\frac{a-b-3}{abc^3}$
B. $\frac{a-b+2}{abc^3}$
C. $\frac{a-4+b}{abc^3}$
D. $\frac{-3}{c^3}$

Respuesta breve

6. Elena realizó una caminata de 6 millas. Completó la primera mitad de la caminata 1 mi/h más rápido de lo habitual y la segunda mitad de la caminata 2 mi/h más lento que la primera mitad.
a. Si le llevó 7.2 h completar la caminata, ¿cuál es su velocidad habitual? 1.5 mi/h
b. ¿Cuál es la fórmula que se necesita para resolver el problema? $7.2 = \frac{3}{x+1} + \frac{3}{x-1}$

[2] Las respuestas de ambas partes son correctas.
[1] La respuesta de una parte es correcta.
[0] Ninguna respuesta es correcta.

Página 326

11-5 Pensar en un plan
Resolver ecuaciones racionales

Correr Tardas 94 min en completar una carrera de 10 mi. El promedio de tu velocidad durante la primera mitad de la carrera es 2 mi/h mayor que el promedio de tu velocidad durante la segunda mitad. ¿Cuál es el promedio de tu velocidad durante la primera mitad de la carrera?

Comprender el problema

1. ¿Cuál es la distancia de la primera mitad de la carrera? **5 mi**

2. ¿Cuál es la distancia de la segunda mitad de la carrera? **5 mi**

3. ¿Cuánto tiempo en total lleva completar la carrera? **94 min**

Planear la solución

4. Vuelve a escribir la fórmula de distancia $d = vt$ para hallar el tiempo t en función de la distancia d y la velocidad v. $t = \frac{d}{v}$

5. Usa tu respuesta del Ejercicio 4 para escribir una expresión para el tiempo que lleva correr cada parte de la carrera.

    a. Tiempo para la primera mitad de la carrera $= \frac{5}{v+2}$

    b. Tiempo para la segunda mitad de la carrera $= \frac{5}{v}$

6. Compara las unidades del tiempo dado que lleva completar la carrera con las unidades de la descripción de los promedios de velocidad. Escribe el tiempo de modo que coincida con las unidades de las velocidades.
    Los promedios de velocidad están en mi/h y el tiempo dado está en min; $\frac{94}{60}$ h.

Hallar una respuesta

7. Escribe una ecuación para el tiempo total que lleva completar la carrera. Resuelve la ecuación. ¿Cuál es la velocidad para la primera mitad de la carrera?
    $\frac{5}{v+2} + \frac{5}{v} = \frac{94}{60}$; Aproximadamente 7.5 mi/h

Página 327

11-5 Práctica
Resolver ecuaciones racionales

Modelo G

Resuelve cada ecuación. Comprueba tus soluciones.

1. $\frac{1}{2} - j + 2 = \frac{4}{2-j}$
    $\frac{1}{2}$

2. $\frac{8}{c+2} - 6 = \frac{4}{c+2}$
    $-\frac{4}{3}$

3. $\frac{3}{2p-2} - 1 = \frac{4}{p-1} + 2$
    $\frac{1}{6}$

4. $\frac{2}{x-2} + \frac{3}{4} = \frac{2}{x-2}$
    2

5. $\frac{5}{d+2} + \frac{d}{5} = \frac{d+5}{5}$
    3

6. $-\frac{3}{a} - \frac{3}{a-3} = \frac{3}{2}$
    -2

7. $\frac{4}{n} - 1 = \frac{2}{n+2} - 1$
    -4

8. $\frac{x}{x-3} + \frac{2}{x+3} = 1$
    $-\frac{3}{5}$

9. $\frac{p+7}{p+2} - 2 = \frac{2-p}{p+4}$
    8

10. $\frac{2}{p+3} = \frac{7}{28p}$
    $\frac{3}{7}$

11. $\frac{a}{a+6} = \frac{2}{a+6}$
    2

12. $\frac{-6}{4-d} = \frac{2d}{d-2}$
    1 ó 6

13. Tardas aproximadamente una hora en preparar una receta de galletas. Tu hermano tarda 42 minutos en preparar la misma receta. ¿Cuánto tiempo tardan en preparar juntos esa receta de galletas?
    Aproximadamente 24.7 minutos

14. Tu padre puede limpiar la casa en 2 horas y 10 minutos. Tu madre puede limpiarla en una hora y 45 minutos. ¿Cuántas horas tardan en limpiar la casa si lo hacen juntos?
    Aproximadamente 0.97 horas

Resuelve cada ecuación. Comprueba tus soluciones. Si no hay solución, escribe *sin solución*.

15. $\frac{x-1}{x+2} + \frac{4x}{2x^2-2x-12} = 2$
    $-\sqrt{15}, \sqrt{15}$

16. $\frac{t-1}{3t^2-t-2} - \frac{2t-3}{3t+2} = \frac{-4}{2t-2}$
    0, 6

17. $\frac{2-2p}{p^2-6p+8} + \frac{3p}{p-4} = \frac{p}{p-2}$
    Sin solución

18. $\frac{d-4}{d+4} = \frac{4+d}{d-2} - \frac{d+8}{d^2+2d-8}$
    0

Página 328

11-5 Práctica (continuación)
Resolver ecuaciones racionales

Modelo G

19. Tardas 12 horas en pintar una casa, tu hermano tarda 14 horas y tu hermana tarda 10 horas. ¿Cuánto tardarán en pintar una casa si trabajan los tres juntos?
    3.93 h

20. María, LaShawn y Mike son estudiantes. María tarda 8 horas en escribir la mitad de su trabajo para la clase de historia. LaShawn tarda $2x$ horas en escribir un tercio de su trabajo y Mike tarda $(x - 2)$ horas en escribir la mitad de su trabajo. Si el maestro les dice que pueden hacer el trabajo en grupo, ¿cuánto tiempo tardarán en completarlo? $\frac{1}{3x^2+26x-16}$ h

21. **Analizar errores** Edward resolvió la ecuación racional $\frac{3x(x-2)}{x} - x\left(\frac{96}{3x}\right) = 3x\left(\frac{1}{3}\right)$ y obtuvo una respuesta de $x = -19$. ¿Cuál fue su error?
    Cuando resolvió y llegó al punto en que $-2x = -38$, no canceló los signos negativos a ambos lados de la ecuación. Debió haber obtenido $x = 19$.

22. **Escribir** Escribe una ecuación racional que tenga como respuesta $n = 10$. Incluye por lo menos 3 términos en tu ecuación, uno de los cuales debe ser una ecuación cuadrática o un cuadrado perfecto.
    Las respuestas variarán. Ejemplo: $(n^2 - 4)/(n + 2) + 2/3 \, (3n) = 2(n + 4)$

23. Una piscina tiene 2 cañerías, una para llenarla y otra para vaciarla. La Sra. Simon quiere llenar la piscina, pero por error abre ambas cañerías a la vez. La cañería que lleva agua a la piscina puede llenarla en 6 horas y la que vacía la piscina puede hacerlo en 10 horas. ¿Cuánto tiempo tardará en llenarse la piscina si ambas cañerías la llenan y la vacían a la vez? 15 horas

24. ¿Cuál es el m.c.d. de la ecuación $\frac{t(t-2)}{2t-3} - 4\left(\frac{1}{t}\right) = 5t - \frac{3(t+4)}{t+1}$? $t(2t-3)(t+1)$

Resuelve cada ecuación. Comprueba tus soluciones.

25. $\frac{c}{c+4} + \frac{3}{c-3} = \frac{16}{c^2+c-12}$ 2 ó -2

26. $\frac{12}{y+1} - \frac{(y+4)(y-4)}{y-2} = -1$ 5

Página 329

11-5 Preparación para el examen estandarizado
Resolver ecuaciones racionales

Opción múltiple

Escoge la letra que contiene la respuesta correcta para los Ejercicios 1 a 4.

1. ¿Cuál es el valor excluido de la ecuación $y = \frac{2}{x-1} + 1$? **C**
    A. -1 B. 0   C. 1   D. 2

2. Un autobús que viaja por la costa toma una ruta para el viaje de ida, que tiene un total de 1024 millas, y otra ruta para el viaje de vuelta, que tiene un total de 896 millas. Si el autobús viaja a una velocidad constante de 65 mi/h, ¿qué distancia recorre el autobús por segundo en el viaje de vuelta? **I**
    F. 0.07 mi/s   G. 13.8 mi/s   H. 896 mi/s   I. 0.0181 mi/s

3. ¿Cuál es el m.c.d. de la ecuación $\frac{6-x}{2x^2y} - \frac{2x}{3xy} = \frac{x}{x^3y^2}$? **A**
    A. $6x^2y^2$ B. x^2y^2 C. $12x^2y^2$ D. $6xy$

4. ¿Cuál es el valor excluido de la expresión racional? Incluye todas las soluciones posibles. **I**
    $$y = \frac{1}{x^2 + 2x - 24}$$
    F. 0, 24   G. 6, -4 H. 4, 6   I. 4, -6

Respuesta breve

5. Todas las mañanas, Diana corre 6 millas en aproximadamente una hora. ¿Cuál es su velocidad en pies por segundo? ¿Qué ecuaciones usarías para resolver el problema? Explica y muestra tu trabajo.
    Uso los factores de conversión $\frac{5280 \text{ pies}}{1 \text{ mi}}$ y $\frac{1 \text{ h}}{3600 \text{ s}}$; 8.8 pies/s.

    [2] Las respuestas de ambas partes son correctas.
    [1] La respuesta de una parte es correcta.
    [0] Ninguna respuesta es correcta.

Página 330

11-6 Pensar en un plan
Variación inversa

Escribir Explica cómo la variable y cambia en cada situación.
a. La y varía directamente con la x. El valor de la x se duplica.
b. La y varía inversamente con la x. El valor de la x se duplica.

Comprender el problema

1. ¿Cuál es la fórmula para una variación directa que incluye los valores de x y y? ¿Cuál es la constante de variación en esa fórmula?

   $\frac{y}{x} = k$ ó $y = kx$; k es la constante de variación.

2. ¿Cómo cambia el valor de y cuando aumenta el valor de x en una variación directa?

   A medida que x aumenta, y aumenta.

3. ¿Cuál es la fórmula para una variación inversa que incluye los valores de x y y? ¿Cuál es la constante de variación?

   $xy = k$ ó $y = \frac{k}{x}$; k es la constante de variación.

4. ¿Cómo cambia el valor de y cuando aumenta el valor de x en una variación inversa?

   A medida que x aumenta, y disminuye.

Planear la solución

5. Escoge una constante de variación y escribe las fórmulas de variación directa y variación inversa usando esa constante de variación. Luego, halla valores de x y y que satisfagan cada ecuación. Asegúrate de duplicar los valores de x que escojas.

   Las respuestas variarán. Ejemplo: Variación directa: $y = 2x$;
   Variación inversa: $y = \frac{1}{2x}$

x	$2x$	$\frac{1}{2x}$
2	4	$\frac{1}{4}$
4	8	$\frac{1}{8}$
8	16	$\frac{1}{16}$

Hallar una respuesta

6. Explica cómo cambia la variable y.
   a. En una variación directa, cuando la x se duplica, la y _se duplica_ .
   b. En una variación inversa, cuando la x se duplica, la y _disminuye en $\frac{1}{2}$_ .

Página 331

11-6 Práctica
Variación inversa   *Modelo G*

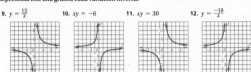

Supón que y varía inversamente con x. Escribe una ecuación para la variación inversa.

1. $y = 20$ cuando $x = 5$
   $xy = 100$ ó $y = \frac{100}{x}$
2. $y = 16$ cuando $x = -2$
   $xy = -32$ ó $y = \frac{-32}{x}$
3. $y = \frac{3}{5}$ cuando $x = 15$
   $xy = 9$ ó $y = \frac{9}{x}$
4. $y = 1.2$ cuando $x = -4$
   $xy = -4.8$ ó $y = \frac{-4.8}{x}$
5. $y = \frac{2}{3}$ cuando $x = \frac{4}{5}$
   $xy = \frac{8}{15}$ ó $y = \frac{8}{15x}$
6. $y = -0.5$ cuando $x = -2.4$
   $xy = 1.2$ ó $y = \frac{1.2}{x}$

7. Si y varía inversamente con x y $y = 12$ cuando $x = 11$, halla la constante de variación k.
   132

8. Si y varía inversamente con x, halla el valor de y si la constante de variación $k = 8$ y $x = \frac{2}{3}$.
   12

Representa con una gráfica cada variación inversa.

9. $y = \frac{12}{x}$ 10. $xy = -6$ 11. $xy = 30$ 12. $y = \frac{-10}{x}$

13. Dos estudiantes de quinto grado juegan en un subibaja. Uno de los estudiantes pesa 75 lb y el otro pesa 90 lb. Para equilibrar el subibaja de modo que ambos puedan jugar, ¿a qué distancia del centro tiene que estar el estudiante que pesa 90 lb si el estudiante que pesa 75 lb está a 6 pies del centro? El peso y la distancia varían inversamente.
    5 pies

14. En el Ejercicio 13, ¿qué ocurriría si el estudiante que pesa 75 lb y un amigo de igual peso se sientan a 4 pies del centro del subibaja para mantenerse en equilibrio con el estudiante que pesa 90 lb? ¿A qué distancia del centro debe ubicarse el estudiante que pesa 90 lb?
    $6\frac{2}{3}$ pies ó 6 pies 8 pulgs.

15. La velocidad es igual a $\frac{distancia}{tiempo}$. Si un carro viaja a una velocidad constante de 60 $\frac{km}{h}$, ¿cuántos minutos tardará en recorrer 20 km y luego 40 km? ¿Es una variación directa o una variación inversa? ¿Cómo lo sabes?
    20 min; 40 min; Variación directa; Cuando x se duplica, y se duplica.

16. En una ecuación dada, C varía inversamente con D. Si C es 50 cuando $D = 11.5$, halla C cuando D es 20. 28.75

Página 332

11-6 Práctica (continuación)
Variación inversa   *Modelo G*

17. Representa con una gráfica las ecuaciones $xy = 4$ y $xy = -4$. ¿En qué se parecen estas gráficas? ¿En qué se diferencian?

    $xy = 4$ $xy = -4$

18. Representa con una gráfica la ecuación $xy = \frac{1}{4}$. ¿En qué se parece a la gráfica de $xy = 4$? ¿En qué se diferencia?

    $xy = -4$ parece el opuesto de $xy = 4$; La gráfica está en los cuadrantes 2 y 4 y en lugar de estar en los cuadrantes 1 y 3 porque k es negativo.

    Las gráficas de $xy = 4$ y $xy = \frac{1}{4}$ están en los mismos cuadrantes y tienen la misma forma; La gráfica de $xy = \frac{1}{4}$ está más cerca del origen.

¿Los datos de cada tabla representan una *variación directa* o una *variación inversa*? Escribe una ecuación para representar los datos de cada tabla.

19.
x	y
-2	-6
3	4
6	2

Variación inversa; $y = \frac{12}{x}$

20.
x	y
-2	-6
3	9
6	18

Variación directa; $y = 3x$

21.
x	y
-8	6
-2	24
12	-4

Variación inversa; $y = -\frac{48}{x}$

Indica si cada situación representa una *variación directa* o una *variación inversa*.

22. Compras fresas por $2.99/pt.
    Variación directa

23. Ganas $7.25/hora.
    Variación directa

24. Tu grupo de estudio reparte un pastel de 10 pulgs. en partes iguales.
    Variación inversa

Indica si cada tabla representa una *variación directa* o una *variación inversa*. Escribe una ecuación para representar los datos. Luego, completa cada tabla.

25.
x	y
-24	-2
12	1
36	3

Variación directa; $y = \frac{x}{12}$

26.
x	y
-72	8
36	-4
63	-7

Variación directa; $y = -\frac{x}{9}$

27.
x	y
-5	-5
1	25
$\frac{1}{2}$	50

Variación inversa; $y = \frac{25}{x}$

Página 333

11-6 Preparación para el examen estandarizado
Variación inversa

Respuesta en plantilla

Resuelve cada ejercicio y marca tus respuestas en la plantilla.

1. Supón que y varía inversamente con x y $y = 16$ cuando $x = 4$. ¿Cuál es la constante de variación k? 64

2. Si 9 estudiantes le sacan punta a 18 lápices en 2 minutos, ¿cuántos estudiantes se necesitarán para sacarle punta a 18 lápices en 1 minuto? 18

3. Si y varía inversamente con x y $y = -16$ cuando $x = -64$, ¿cuál es la constante de variación? 1024

4. El par de puntos $(3, 8)$ y $(x, 6)$ están en la gráfica de una variación inversa. ¿Cuál es el valor que falta? 4

5. El peso que se necesita para equilibrar una palanca varía inversamente con la distancia desde el punto de apoyo de la palanca hasta el peso. Se coloca un peso de 120 lb en una palanca, a 5 pies del punto de apoyo. ¿Qué peso, en libras, debe colocarse a 8 pies del punto de apoyo para equilibrar la palanca? 75

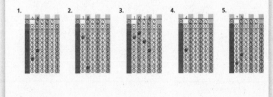

Página 334

11-7 Pensar en un plan
Representar con una gráfica funciones racionales

Física A medida que las señales de radio se alejan de un transmisor, se vuelven más débiles. La función $f = \frac{1600}{d^2}$ da la fuerza f de una señal a una distancia de d millas desde un transmisor.

a. **Calculadora gráfica** Representa la función con una gráfica. ¿Para qué distancias es $f \le 1$?

b. Halla la fuerza de la señal a 10 mi, 1 mi y 0.1 mi.

c. **Razonamiento** Supón que pasas con un carro por el transmisor de una estación de radio, mientras la radio de tu carro está sintonizada en una segunda estación. La señal del transmisor puede interferir y oírse en tu radio. Usa tus resultados de la parte (b) para explicar por qué sucede esto.

Comprender el problema

1. ¿Qué tipo de ecuación es $f = \frac{1600}{d^2}$? __Variación inversa.__

2. ¿Qué representa f? ¿Qué representa d? f = fuerza de la señal; d = distancia

3. A medida que d aumenta, ¿qué ocurre con f? A medida que d disminuye, ¿qué ocurre con f? ¿Puede ser $d \le 0$? A medida que d aumenta, f disminuye; A medida que d disminuye, f aumenta; No; La distancia debe ser un valor positivo.

Planear la solución

4. Para la parte (a): Antes de representar con una gráfica en la calculadora gráfica, establece que $f = 1$ y resuelve la ecuación manualmente. ¿A qué es igual d? $1 = \frac{1600}{d^2}$; $d = 40$ mi

5. Para la parte (b): Ahora que hallaste que $f = 1$, ¿a qué es igual f cuando $d = 0$? ¿Cómo cambia la gráfica de f entre $d = 0$ y $d = 1$? _____ f no tiene un valor en $d = 0$ porque si $d = 0$ la función es indefinida; La gráfica de $f = \frac{1600}{d^2}$ se dirige hacia el infinito entre $d = 0$ y $d = 1$ con una asíntota vertical en $d = 0$ y la gráfica se acerca a esa asíntota vertical.

Hallar una respuesta

6. Para la parte (a): Usa la calculadora gráfica para representar la función con una gráfica. Revise las gráficas de los estudiantes.

7. Para la parte (b): Resuelve manualmente. Sustituye d por los valores 10 mi, 1 mi y 0.1 mi en la ecuación. ¿Cuál es el valor de f en cada valor? _____ $f = \frac{1600}{10^2} = 16$; $f = \frac{1600}{1^2} = 1600$; $f = \frac{1600}{0.1^2} = 160{,}000$

8. Para la parte (c): Usa los valores de f a 10 mi, 1 mi y 0.1 mi de la parte (b) para responder la parte (c). ¿Cuál es el patrón? ¿Por qué esto es importante para responder la parte (c)? Por cada potencia de 10 que aumenta la distancia, la fuerza de la señal tiene una disminución de 100; Las fuerzas de las señales se superponen. A medida que una señal aumenta, puede interferir con la señal inicial.

Página 335

11-7 Práctica
Modelo G

Representar con una gráfica funciones racionales

Identifica el valor excluido de cada función racional.

1. $y = \frac{2}{x}$
$x \neq 0$

2. $f(x) = \frac{-3}{x + 1}$
$x \neq -1$

3. $y = \frac{10}{2x + 2}$
$x \neq -1$

4. $f(x) = \frac{-4}{x + 6}$
$x \neq -6$

5. $y = \frac{9}{x}$
$x \neq 0$

6. $y = \frac{x}{4x + 8}$
$x \neq -2$

Identifica las asíntotas de la gráfica de cada función. Luego, representa la función con una gráfica.

7. $y = \frac{2.5}{x}$ Asíntota vertical: $x = 0$;
Asíntota horizontal: $y = 0$

8. $f(x) = \frac{4}{3 + x}$ Asíntota vertical: $x = -3$;
Asíntota horizontal: $y = 0$

9. Halla el dominio de x en la ecuación $xy = 1$.
$\{x \mid x$ es un número real; $x \neq 0\}$

10. Representa con una gráfica la ecuación $xy = 1$. ¿Qué ocurre con los valores de y a medida que x se acerca a 0 desde la izquierda y desde la derecha?
y se acerca al eje de las x a medida que x se acerca al infinito positivo o negativo y y se acerca al eje de las y a medida que x se acerca a 0.

11. Identifica la asíntota horizontal de la gráfica de la ecuación $y = \frac{-2.5}{x + 17} + 3$.
¿Cuántas unidades se trasladó verticalmente la gráfica de $y = \frac{-2.5}{x}$?
$y = 3$; 3 unidades hacia arriba.

12. Identifica las asíntotas horizontal y vertical de $y = \frac{1}{x} + 1$ sin representar con una gráfica ni hacer una tabla. Explica cómo calculaste cuáles eran.
Asíntota vertical: $x = 0$; Asíntota horizontal: $y = 1$; Para hallar la asíntota vertical, se iguala el denominador a 0; Para hallar la asíntota horizontal, se fija $y = $ el intercepto en y.

Describe de qué manera la gráfica de cada función es una traslación de la gráfica de $y = \frac{-1}{x}$.

13. $y = \frac{-1}{x + 4} + 3$
Traslada la gráfica de $y = \frac{-1}{x}$ 4 unidades a la izquierda y 3 unidades hacia arriba.

14. $y = \frac{-1}{x - 4} + 3$
Traslada la gráfica de $y = \frac{-1}{x}$ 4 unidades a la derecha y 3 hacia arriba.

15. $y = \frac{-1}{x + 4} - 3$
Traslada la gráfica de $y = \frac{-1}{x}$ 4 unidades a la izquierda y 3 hacia abajo.

Página 336

11-7 Práctica (continuación)
Modelo G

Representar con una gráfica funciones racionales

Describe la gráfica de cada función.

16. $y = 5x$
Una recta que tiene mayor pendiente que $y = x$

17. $f(x) = 2^x$
A medida que x aumenta, y tiene un incremento exponencial.

18. $f(x) = |x - 3|$
Una gráfica en forma de V con un único punto mínimo en $x = 3$

19. $y = \sqrt{x + 5}$
Una curva descendente cóncava que comienza en $x = -5$ con $y \geq 0$

20. $g(x) = \frac{4x + 1}{2}$
Una recta con intercepto en y en 0.5

21. $y = -x + 6$
Una recta con pendiente negativa e intercepto en y de 6

22. $y = x^2 - 16$
Una parábola que se abre hacia arriba con un intercepto en y de -16 e interceptos en x de 4 y -4

23. $g(x) = \frac{2}{x + 7} - 3$
Una hipérbola con asíntota vertical en $x = -7$ y asíntota horizontal en $y = -3$

24. **Calculadora gráfica** María invita a 14 amigos a comer un pastel que horneó y que contiene 3000 calorías. Además, todos beben un vaso de leche de 100 calorías cada uno, pero dos amigos no comen pastel. Escribe una ecuación para hallar cuántas calorías consume cada persona que come pastel. Resuelve la ecuación. Luego, usa tu calculadora gráfica para representarla con una gráfica. Halla la cantidad de calorías que consumiría cada persona si fuesen sólo 8 amigos a la casa.
$y = \frac{3000}{x - 2} + 100$; 331 cal; 433 cal

25. **Respuesta de desarrollo** Escribe un ejemplo de una función racional con una asíntota vertical en $x = 1$ y una asíntota horizontal en $y = -5$.
Las respuestas variarán. Ejemplo: $y = \frac{1}{x - 1} - 5$

26. Representa con una gráfica y describe las semejanzas y diferencias entre cada una de estas funciones.

a. $f(x) = \frac{1}{x}$

$f(x) = \frac{1}{x}$ es la función de variación inversa más básica con los ejes de las x y los ejes de las y como asíntotas.

b. $f(x) = \frac{1}{x - 1}$

$f(x) = \frac{1}{x - 1}$ traslada la gráfica de $f(x) = \frac{1}{x}$ 1 unidad a la derecha y desplaza la asíntota vertical a $x = 1$.

c. $f(x) = \frac{1}{x + 1} + 5$

$f(x) = \frac{1}{x + 1} + 5$ traslada la gráfica de $f(x) = \frac{1}{x}$ 1 unidad a la derecha y 5 unidades hacia arriba. La asíntota horizontal es $y = 5$ y la asíntota vertical es $x = 1$.

Página 337

11-7 Preparación para el examen estandarizado
Representar con una gráfica funciones racionales

Opción múltiple

Escoge la letra que contiene la respuesta correcta para los Ejercicios 1 a 4.

1. Un filántropo entrega $50,000 a estudiantes que hayan ayudado a la comunidad. El dinero se divide en partes iguales entre estos estudiantes. No hay un límite para la cantidad de estudiantes x. Todos los estudiantes con buenos proyectos comunitarios recibirán una parte del dinero. Además, estos estudiantes recibirán $2000 directamente de otro fondo. ¿Qué ecuación muestra la cantidad de dinero que recibe cada estudiante? B

A. $y = \frac{50{,}000}{x + 2000}$ B. $y = \frac{50{,}000}{x} + 2000$ C. $y = \frac{50{,}000}{x - 2000}$ D. $y = \frac{50{,}000}{x} - 2000$

2. Tienes $1200 en una cuenta bancaria. La tasa de interés simple anual es del 4%. ¿Cuánto interés se suma a la cuenta después de 9 meses? I

F. $48   G. $96   H. $30   I. $36

3. Un viaje de Ohio a Nueva York equivale a 529 mi. ¿Qué ecuación muestra el tiempo, t, que se tarda en ir en carro si v es el promedio de velocidad durante el viaje? A

A. $t = \frac{529}{v}$ B. $t = 529v$ C. $v = 529t$ D. $t = \frac{v}{529}$

4. ¿Cuál es una ecuación de la gráfica que pasa por los puntos $\left(2, 2\frac{1}{4}\right)$ y $\left(-2, 1\frac{3}{4}\right)$? G

F. $y = \frac{-1}{4x} + 4$ G. $y = \frac{1}{2x} + 2$ H. $y = \frac{1}{4x} + 2$ I. $y = \frac{1}{2x} + 4$

Respuesta breve

5. Tracey quiere comprar una casa. Necesita un salario de $3600 por mes para poder solicitar un préstamo. Tracey trabaja en el banco por $20/h durante 160 horas cada mes. Después del trabajo, tiene un segundo empleo en el centro comercial, donde gana $16/h. ¿Cuántas horas debería trabajar en el centro comercial para ganar suficiente dinero como para poder solicitar el préstamo? Muestra tu trabajo. 25; $3600 = 20(160) + 15x$

[2] La respuesta es correcta.
[1] La respuesta está incompleta.
[0] La respuesta es incorrecta.

Página 338

12-1 Pensar en un plan
Organizar datos usando matrices

Política En la siguiente tabla se muestran los resultados de una elección para alcalde en una ciudad. Si ningún candidato recibe más del 50% de los votos, se organizará una segunda vuelta entre los dos candidatos más populares de esa ciudad. ¿Debería organizarse una segunda vuelta? De ser así, ¿qué candidatos deberían estar en la segunda vuelta? Explica tu razonamiento.

Votos por distrito

Candidato	Distrito			
	1	2	3	4
Greene	373	285	479	415
Jackson	941	871	114	97
Voigt	146	183	728	682

Comprender el problema

1. ¿Qué representa cada columna de la tabla? Los votos por distrito.

2. ¿Qué representa cada fila de la tabla? Los votos por candidato.

Planear la solución

3. ¿Cómo hallarás cuántos votos recibió cada candidato en total?
Sumando los números de la fila del candidato.

4. ¿Cómo hallarás la cantidad total de votos?
Sumando el número de votos de todos los candidatos.

5. ¿Cómo hallarás el porcentaje de los votos de cada candidato?
Dividiendo el número total de votos del candidato por el total de votos.

Hallar una respuesta

6. ¿Cuántos votos recibió cada candidato?
Greene: 1552, Jackson: 2023, Voigt: 1739

7. ¿Qué porcentaje de votos recibió cada candidato?
Greene: 29%, Jackson: 38%, Voigt: 33%

8. ¿Algún candidato recibió más del 50% de los votos totales? No.

9. ¿Quiénes son los dos candidatos más votados? Jackson y Voigt.

10. ¿Debería organizarse una segunda vuelta entre los dos candidatos más votados? Sí.

Página 339

12-1 Práctica
Organizar datos usando matrices
Modelo G

Halla cada suma o diferencia.

1. $\begin{bmatrix} 2 & 3 \\ -2 & -3 \end{bmatrix} + \begin{bmatrix} 1 & -5 \\ 3 & 2 \end{bmatrix}$
$\begin{bmatrix} 3 & -2 \\ 1 & -1 \end{bmatrix}$

2. $\begin{bmatrix} 0 & 4 \\ 5 & -2 \end{bmatrix} + \begin{bmatrix} -2 & 2 \\ -6 & 1 \end{bmatrix}$
$\begin{bmatrix} -2 & 6 \\ -1 & -1 \end{bmatrix}$

3. $\begin{bmatrix} 3 & -5 \\ 0 & -2 \end{bmatrix} - \begin{bmatrix} -2 & -1 \\ 3 & 3 \end{bmatrix}$
$\begin{bmatrix} 5 & -4 \\ -3 & -5 \end{bmatrix}$

4. $\begin{bmatrix} 9 & 2 \\ -4 & 3 \\ 0 & -5 \end{bmatrix} - \begin{bmatrix} -3 & 1 \\ -1 & 0 \\ 6 & 5 \end{bmatrix}$
$\begin{bmatrix} 12 & 1 \\ -3 & 3 \\ -6 & -10 \end{bmatrix}$

5. $\begin{bmatrix} 1 & 9 \\ -1 & 0 \\ -3 & 3.5 \end{bmatrix} - \begin{bmatrix} 1.3 & -2 \\ 1 & -3 \\ 4 & 2 \end{bmatrix}$
$\begin{bmatrix} -0.3 & 11 \\ -2 & 3 \\ -7 & 1.5 \end{bmatrix}$

6. $\begin{bmatrix} 2.1 & 4 \\ 3.5 & 3 \\ 0 & 6.7 \end{bmatrix} + \begin{bmatrix} 3.4 & -8 \\ -3 & 2.2 \\ -4.1 & -0.7 \end{bmatrix}$
$\begin{bmatrix} 5.5 & -4 \\ 0.5 & 5.2 \\ -4.1 & 6 \end{bmatrix}$

7. $\begin{bmatrix} 0.1 & -3 & 2.3 \\ 0 & 1.2 & -1 \\ 3 & 3.5 & -2.6 \end{bmatrix} + \begin{bmatrix} 3.2 & 0 & -2 \\ 4.7 & 8 & -8 \\ 3.4 & -2 & 6.1 \end{bmatrix}$
$\begin{bmatrix} 3.3 & -3 & 0.3 \\ 4.7 & 9.2 & -9 \\ 6.4 & 1.5 & 3.5 \end{bmatrix}$

8. $\begin{bmatrix} 0.1 & -3 & 2.3 \\ 0 & 1.2 & -1 \\ 3 & 3.5 & -2.6 \end{bmatrix} - \begin{bmatrix} 3.2 & 0 & -2 \\ 4.7 & 8 & -8 \\ 3.4 & -2 & 6.1 \end{bmatrix}$
$\begin{bmatrix} -3.1 & -3 & 4.3 \\ 4.7 & -6.8 & 7 \\ -0.4 & 5.5 & -8.7 \end{bmatrix}$

9. $\begin{bmatrix} -2 & 1.3 & 4.4 \\ 0 & 1.2 & -2 \\ 4 & 2 & -2.6 \end{bmatrix} - \begin{bmatrix} 3.4 & 0 & -0.5 \\ 5.2 & 8 & -1.2 \\ 3.2 & 2 & 1 \end{bmatrix}$
$\begin{bmatrix} -5.4 & 1.3 & 4.9 \\ -5.2 & -6.8 & -0.8 \\ 1.7 & 4 & -3.6 \end{bmatrix}$

10. $\begin{bmatrix} 5 & -1.5 & 3.1 \\ 8 & 1.2 & -1 \\ 5.4 & -2.6 \end{bmatrix} + \begin{bmatrix} 3.2 & 0 & -2 \\ -4.9 & -3.5 & 1.9 \\ 0.5 & -2.4 & 2.6 \end{bmatrix}$
$\begin{bmatrix} 8.2 & -1.5 & 1.1 \\ 3.1 & -2.3 & 0.9 \\ 6.5 & 3 & 0 \end{bmatrix}$

Halla cada producto.

11. $3\begin{bmatrix} 2 & -1 \\ 6 & 0 \end{bmatrix}$
$\begin{bmatrix} 6 & -3 \\ 18 & 0 \end{bmatrix}$

12. $-5\begin{bmatrix} -1 & 3 \\ 2 & -2 \end{bmatrix}$
$\begin{bmatrix} 5 & -15 \\ -10 & 10 \end{bmatrix}$

13. $6\begin{bmatrix} 0.5 & 1.2 & -2 \\ 3.2 & -0.4 & 0 \end{bmatrix}$
$\begin{bmatrix} 3 & 7.2 & -12 \\ 19.2 & -2.4 & 0 \end{bmatrix}$

14. $4\begin{bmatrix} 8 & -2 \\ 0 & 4 \end{bmatrix}$
$\begin{bmatrix} 32 & -8 \\ 0 & 16 \end{bmatrix}$

15. $\begin{bmatrix} -2 & 7 \\ -5 & 3 \end{bmatrix}$
$\begin{bmatrix} 0 & 0 \\ 0 & 0 \end{bmatrix}$

16. $-3\begin{bmatrix} 0.4 & 6.6 & -5 \\ 2.7 & -0.3 & 0 \end{bmatrix}$
$\begin{bmatrix} -1.2 & -19.8 & 15 \\ -8.1 & 0.9 & 0 \end{bmatrix}$

17. $-1\begin{bmatrix} 4 & 9 \\ -3 & -6 \end{bmatrix}$
$\begin{bmatrix} -4 & -9 \\ 3 & 6 \end{bmatrix}$

18. $3\begin{bmatrix} 7 & -5 \\ 3 & 1 \end{bmatrix}$
$\begin{bmatrix} 21 & -15 \\ 9 & 3 \end{bmatrix}$

19. $-4\begin{bmatrix} 1.2 & -3.4 & -2 \\ 3.1 & -0.7 & 3 \end{bmatrix}$
$\begin{bmatrix} -4.8 & 13.6 & 8 \\ -12.4 & 2.8 & -12 \end{bmatrix}$

Página 340

12-1 Práctica (continuación)
Organizar datos usando matrices
Modelo G

20. A continuación, se muestran las precipitaciones por estación, en pulgadas, de cuatro ciudades. ¿Qué ciudad tuvo el mayor incremento en las precipitaciones de verano entre 2006 y 2010? Halla la respuesta usando matrices. Lafayette.

Precipitaciones en 2006

	Primavera	Verano
Franklin	6.32	7.21
Eugene	4.19	6.97
Millerville	1.24	5.46
Lafayette	5.51	7.19

Precipitaciones en 2010

	Primavera	Verano
Franklin	6.41	7.52
Eugene	4.18	7.02
Millerville	1.67	4.24
Lafayette	6.01	7.94

21. A continuación, se muestran los tiempos de una carrera, en segundos, de cuatro miembros de un equipo de atletismo. ¿Qué corredor mostró la mayor mejoría, en segundos, entre la carrera preliminar y la carrera final? Halla la respuesta usando matrices.

Carrera preliminar

	200 m	400 m
Haddock	24.69	57.02
Romano	25.53	61.16
Chandra	25.56	59.67
Moore	24.81	58.11

Carrera final

	200 m	400 m
Haddock	24.61	58.08
Romano	25.52	60.38
Chandra	25.63	57.72
Moore	24.72	58.52

200 m: Moore; 400 m: Chandra.

Simplifica cada expresión. (*Pista:* Multiplica antes de sumar o restar).

22. $\begin{bmatrix} 1 & -2 \\ 1 & 2 \end{bmatrix} + 6\begin{bmatrix} 0 & 3 \\ -1 & 1 \end{bmatrix}$
$\begin{bmatrix} 1 & 16 \\ -5 & 8 \end{bmatrix}$

23. $-3\begin{bmatrix} 2 & -2 \\ 6 & 4 \end{bmatrix} - \begin{bmatrix} 0 & 1 \\ -4 & -5 \end{bmatrix}$
$\begin{bmatrix} -6 & 5 \\ -14 & -1 \end{bmatrix}$

24. $\begin{bmatrix} -8 & 3 \\ 1 & 4 \end{bmatrix} + 1.5\begin{bmatrix} -6 & 4 \\ 6 & 0 \end{bmatrix}$
$\begin{bmatrix} -17 & 9 \\ 10 & 4 \end{bmatrix}$

25. $\begin{bmatrix} 0 & -3 \\ 3 & 5 \end{bmatrix} - 2\begin{bmatrix} -1 & 4 \\ 3 & 0 \end{bmatrix}$
$\begin{bmatrix} 2 & -11 \\ -3 & 5 \end{bmatrix}$

26. $-4\begin{bmatrix} 3 & 0 \\ 2 & 0.5 \end{bmatrix} - \begin{bmatrix} 11 & -5 \\ -6 & -2 \end{bmatrix}$
$\begin{bmatrix} -23 & 5 \\ 14 & 0 \end{bmatrix}$

27. $\begin{bmatrix} 0 & 5 \\ 1.2 & 3 \end{bmatrix} + 0.5\begin{bmatrix} -8 & 6 \\ 1.2 & 8 \end{bmatrix}$
$\begin{bmatrix} -4 & 8 \\ 1.8 & 7 \end{bmatrix}$

28. $3\begin{bmatrix} 5 & 2 \\ -3 & 2 \\ -1 & 1 \end{bmatrix} - 2\begin{bmatrix} 5 & 0 \\ 2 & 4 \\ -2 & 3 \end{bmatrix}$
$\begin{bmatrix} 5 & 6 \\ -13 & -2 \\ 1 & -3 \end{bmatrix}$

29. $2\begin{bmatrix} -1 & -1 & 3 \\ 4 & 6 & 1.5 \\ 0 & -2 & 2.5 \end{bmatrix} + (-0.1)\begin{bmatrix} 2.2 & -4 & 10 \\ -1.6 & 3 & -1 \\ 0 & 4 & 6.6 \end{bmatrix}$
$\begin{bmatrix} -2.22 & -1.6 & 5 \\ 8.16 & 11.7 & 3.1 \\ 0 & -4.4 & 4.34 \end{bmatrix}$

Página 341

12-1 Preparación para el examen estandarizado
Organizar datos usando matrices

Opción múltiple

Escoge la letra que contiene la respuesta correcta para los Ejercicios 1 a 5.

1. ¿Cuál es la suma de $\begin{bmatrix} 3 & -2 \\ 4 & -3 \end{bmatrix} + \begin{bmatrix} -5 & -4 \\ 3 & -2 \end{bmatrix}$? D

A. $\begin{bmatrix} -8 & 2 \\ 1 & 6 \end{bmatrix}$
B. $\begin{bmatrix} -2 & 2 \\ 7 & -1 \end{bmatrix}$
C. $\begin{bmatrix} 2 & 6 \\ -7 & 5 \end{bmatrix}$
D. $\begin{bmatrix} -2 & -6 \\ 7 & -5 \end{bmatrix}$

2. ¿Cuál es la diferencia de $\begin{bmatrix} 3 & -2 \\ 4 & -3 \end{bmatrix} - \begin{bmatrix} 2 & -5 \\ 7 & 12 \end{bmatrix}$? G

F. $\begin{bmatrix} -3 & 3 \\ -1 & 7 \end{bmatrix}$
G. $\begin{bmatrix} 1 & 3 \\ -3 & 15 \end{bmatrix}$
H. $\begin{bmatrix} -3 & -3 \\ 3 & 15 \end{bmatrix}$
I. $\begin{bmatrix} -1 & 3 \\ 3 & -15 \end{bmatrix}$

3. ¿Qué matriz es igual a $-6\begin{bmatrix} 2 & -7 \\ -3 & 4 \end{bmatrix}$? C

A. $\begin{bmatrix} -4 & -13 \\ -9 & -2 \end{bmatrix}$
B. $\begin{bmatrix} -8 & 1 \\ -3 & -10 \end{bmatrix}$
C. $\begin{bmatrix} -12 & 42 \\ 18 & -24 \end{bmatrix}$
D. $\begin{bmatrix} 12 & -42 \\ -18 & 24 \end{bmatrix}$

4. ¿Cuál es el valor de x en la ecuación $2\begin{bmatrix} -6 & 9 \\ -3 & 1 \end{bmatrix} - \begin{bmatrix} -4 & -6 \\ -5 & -1 \end{bmatrix} = \begin{bmatrix} -8 & x \\ -1 & -1 \end{bmatrix}$? I

F. -24
G. -12
H. 12
I. 24

5. ¿Cuál es el valor de x en la ecuación $-x\begin{bmatrix} 5 & 12 \\ -2 & -3 \end{bmatrix} = \begin{bmatrix} -35 & -84 \\ 14 & 21 \end{bmatrix}$? C

A. -40
B. -7
C. 7
D. 16

Respuesta breve

6. En la tabla de la derecha se muestran las ventas de teléfonos celulares y televisores en una tienda de productos electrónicos los viernes, sábados y domingos de junio y julio. Durante esos dos meses, ¿qué día se vendieron más televisores? Halla la respuesta usando matrices.

[2] Matriz correcta y día correcto.

[1] Matriz incorrecta O día incorrecto.

[0] Matriz incorrecta y día incorrecto.

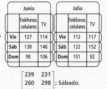

	Junio		Julio	
	Teléfonos celulares	TV	Teléfonos celulares	TV
Vie	127	114	Vie 112	117
Sáb	138	146	Sáb 122	152
Dom	98	106	Dom 101	92

$\begin{bmatrix} 239 & 231 \\ 260 & 298 \\ 199 & 198 \end{bmatrix}$; Sábado.

Página 342

12-2 Pensar en un plan
Frecuencia e histogramas

Analizar errores Un estudiante hizo la tabla de frecuencia de la derecha con los siguientes datos. Describe y corrige el error que cometió.

40 21 28 53 24 48 50 55 42 29 22 52 43 26 44

Intervalo	Frecuencia
20–29	6
40–49	5
50–59	4

Comprender el problema

1. ¿Qué representa la primera columna? ¿Qué errores podrían cometerse en la primera columna?
   Los intervalos en los que se agrupan los datos; Se podrían superponer los intervalos o se podrían excluir valores.

2. ¿Qué representa la segunda columna? ¿Qué errores podrían cometerse en la segunda columna?
   El número de valores en cada intervalo; Se podría contar mal o se podrían colocar valores en el intervalo incorrecto.

Planear la solución

3. ¿Cuál es el valor mínimo? ¿Cuál es el máximo? 21; 55

4. ¿Qué tamaño de intervalo escogerías para comprobar el trabajo del estudiante? 10

5. ¿Cuántos intervalos de ese tamaño se necesitan? 4

Hallar una respuesta

6. ¿Qué error cometió el estudiante?
   El estudiante no incluyó un intervalo para 30–39.

7. ¿Qué cambio harás para corregir la tabla de frecuencia del estudiante?
   Insertar una fila para el intervalo 30–39 con una frecuencia de 0.

Página 343

12-2 Práctica
Modelo G
Frecuencia e histogramas

Usa los datos para hacer una tabla de frecuencia. Las respuestas variarán. Se dan ejemplos.

1. carreras por partido: 5 4 3 6 1 9 3 4 2 2 0 7 5 1 6

2. peso (lb): 10 12 6 15 21 11 9 11 8 8 13 10 17

1.

Intervalo	Frec.
0–1	3
2–3	4
4–5	4
6–7	3
8–9	1

2.

Intervalo	Frec.
5–9	4
10–14	7
15–19	2
20–25	1

Usa los datos para hacer un histograma. Las respuestas variarán. Se dan ejemplos.

3. cantidad de páginas: 452 409 355 378 390 367 375 514 389 438 311 411 376

4. precio por yarda: $9 $5 $6 $4 $8 $9 $12 $7 $10 $4 $5 $6 $6 $7

3.
Cantidad de páginas

4.
Precio por yarda

Indica si cada histograma es *uniforme, simétrico* o *asimétrico*.

5.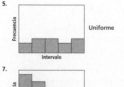
Uniforme

6.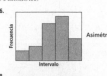
Asimétrico

7.
Asimétrico

8.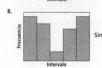
Simétrico

Página 344

12-2 Práctica (continuación)
Modelo G
Frecuencia e histogramas

Usa los datos para hacer una tabla de frecuencia cumulativa. Las respuestas variarán. Se dan ejemplos.

9. duración de llamadas (min): 3 5 12 39 12 3 15 23 124 2 1 1 7 19 11 6

10. peso del paquete (kg): 1.25 3.78 2.2 12.78 3.15 4.98 3.45 9.1 1.39

9.
Duración de llamadas (min)	Frec.	Frec. cum.
1 – 20	13	13
21 – 40	2	15
41 – 60	0	15
61 – 80	0	15
81 – 100	0	15
101 – 120	0	15
121 – 140	1	16

10.
Peso paq. (kg)	Frec.	Frec. cum.
0 – 1.99	2	2
2 – 3.99	4	6
4 – 5.99	1	7
6 – 7.99	0	7
8 – 9.99	1	8
10 – 11.99	0	8
12 – 13.99	1	9

Usa los siguientes datos sobre las precipitaciones de nieve en pulgadas.

10 2.5 1.5 3 6 8.5 9 12 2 0.5 1 3.25 5 6.5 10.5 4.5 8 8.5

11. ¿Cómo sería un histograma de los datos con intervalos de 2?

Pulgadas de nieve

12. ¿Cómo sería un histograma de los datos con intervalos de 4?

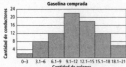
Pulgadas de nieve

A continuación, se muestra la cantidad de gasolina que compraron 80 conductores para llenar el tanque de gasolina de sus carros.

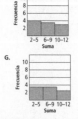
Gasolina comprada
Cantidad de galones

13. ¿Qué intervalo representa la mayor cantidad de conductores? 9.1–12

14. ¿Cuántos conductores compraron más de 12 galones? 36

15. ¿Cuántos conductores compraron 9 galones o menos? 22

Página 345

12-2 Preparación para el examen estandarizado
Frecuencia e histogramas

Opción múltiple

Escoge la letra que contiene la respuesta correcta para los Ejercicios 1 a 3.

Intervalo

1. ¿Cuál es la forma del histograma de la derecha? D
   A. Simétrica   C. Asimétrica
   B. Proporcional   D. Uniforme

2. Un estudiante lanzó varias veces dos cubos numéricos de 6 caras. Los siguientes números son las sumas de los números que obtuvo. ¿Qué histograma representa los datos?
   7 11 2 6 7 9 12 3 7 4 8 3 5 10 7 8 11 5 4 12 H

F.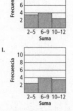
Suma

H.
Suma

G.
Suma

I.
Suma

Respuesta breve

3. A continuación, se muestra la cantidad de mensajes de correo electrónico que recibió una amiga cada día durante los últimos 20 días. ¿Qué tabla de frecuencia cumulativa podría representar los datos? ¿Durante cuántos días recibió 19 mensajes o menos por día?
   15 22 18 9 32 35 14 10 34 45 21 25 6 12 7 14 16 20 5 37

Mensajes	Frec.	Frec. cum.
0 – 9	4	4
10 – 19	7	11
20 – 29	4	15
30 – 39	4	19
40 – 49	1	20

[2] Las respuestas de ambas partes son correctas.
[1] La respuesta de una parte es correcta.
[0] Ninguna respuesta es correcta.

Página 346

12-3 Pensar en un plan
Medidas de tendencia central y de dispersión

Administración de la fauna y la flora Un veterinario midió y puso identificaciones a doce cocodrilos adultos machos. A la derecha se muestran los datos que recopiló. El veterinario estima que los cocodrilos crecerán 0.1 m por año. ¿Cuál será la media, la mediana, la moda y el rango de las longitudes de los cocodrilos después de 4 años?

Longitudes de los cocodrilos (m)			
2.4	2.5	2.5	2.3
2.8	2.4	2.3	2.4
2.1	2.2	2.5	2.7

Comprender el problema

1. ¿Qué representan los datos de la tabla? Las longitudes de los cocodrilos.

2. ¿Cómo estimarías las longitudes de los cocodrilos después de 1 año?
Sumaría 0.1 a cada longitud de la tabla.

3. ¿Cómo estimarías las longitudes de los cocodrilos después de 4 años?
Sumaría 0.4 a cada longitud de la tabla.

Planear la solución

4. ¿Cómo cambiará la media debido al crecimiento de los cocodrilos? Aumentará 0.4 m.

5. ¿Cómo cambiará la mediana debido al crecimiento de los cocodrilos? Aumentará 0.4 m.

6. ¿Cómo cambiará la moda debido al crecimiento de los cocodrilos? Aumentará 0.4 m.

7. ¿Cómo cambiará el rango debido al crecimiento de los cocodrilos? No cambiará.

Hallar una respuesta

8. ¿Cuál será la media de las longitudes de los cocodrilos después de 4 años? 2.8 m

9. ¿Cuál será la mediana de las longitudes de los cocodrilos después de 4 años? 2.8 m

10. ¿Cuál será la moda de las longitudes de los cocodrilos después de 4 años? 2.8 m y 2.9 m

11. ¿Cuál será el rango de las longitudes de los cocodrilos después de 4 años? 0.7 m

Página 347

12-3 Práctica
Modelo G
Medidas de tendencia central y de dispersión

Halla la media, la mediana y la moda de cada conjunto de datos. Explica qué medida de tendencia central describe mejor los datos.

1. anotaciones marcadas:
1 3 4 4 3
3, 3, 3 y 4; Media o mediana

2. distancia desde la escuela (mi):
0.5 3.9 4.1 5 3
3.3, 3.9, no hay moda; Mediana

3. promedio de velocidad (mi/h):
36 59 47 56 67
53, 56, no hay moda; Media o mediana

4. precio por libra:
$30 $8 $2 $5 $6
10.2, 6, no hay moda; Mediana

5. temperatura máxima diaria (°F):
74 69 78 80 92
78.6, 78, no hay moda; Media o mediana

6. cantidad de voluntarios:
24 22 35 19 35
27, 24, 35; Media

Halla el valor de x tal que el conjunto de datos tenga la media dada.

7. 11, 12, 5, 3, x; media 7.4 6

8. 55, 60, 35, 90, x; media 51 15

9. 6.5, 4.3, 9.8, 2.2, x; media 4.8 1.2

10. 100, 112, 98, 235, x; media 127 90

11. 1.2, 3.4, 6.7, 5.9, x; media 4.0 2.8

12. 34, 56, 45, 29, x; media 40 36

13. Los puntajes de un golfista durante la temporada son 88, 90, 86, 89, 96 y 85. Los puntajes de otro golfista son 91, 86, 88, 84, 90 y 83. ¿Cuáles son el rango y la media de los puntajes de cada golfista? Usa tus resultados para comparar las destrezas de los golfistas.
Rango: 11, media: 89; Rango: 8, media: 87; El segundo golfista juega mejor al golf.

Halla el rango y la media de cada conjunto de datos. Usa tus resultados para comparar los dos conjuntos de datos.

14. Conjunto A: 5 4 7 2 8
Conjunto B: 3 8 9 2 0
A: rango 6, media 5.2; B: rango 9, media 4.4; El rango de B es mayor y la media es menor.

15. Conjunto C: 1.2 6.4 2.1 10 11.3
Conjunto D: 8.2 0 3.1 6.2 9
C: rango 10.1, media 6.2; D: rango 9, media 5.3; El rango de D es menor y la media es menor.

16. Conjunto E: 12 12 0 8
Conjunto F: 1 15 10 2
E: rango 12, media 8; F: rango 14, media 7; El rango de F es mayor y la media es menor.

17. Conjunto G: 22.4 20 33.5 21.3
Conjunto H: 6.2 15 50.4 28
G: rango 13.5, media 24.3; H: rango 44.2, media 24.9; El rango de H es mucho mayor y la media es ligeramente mayor.

18. Las alturas de las escaleras de un pintor son 12 pies, 8 pies, 4 pies, 3 pies y 6 pies. ¿Cuál es la media, la mediana, la moda y el rango de las alturas de las escaleras? 6.6, 6, no hay moda, 9.

Página 348

12-3 Práctica (continuación)
Modelo G
Medidas de tendencia central y de dispersión

Halla la media, la mediana, la moda y el rango de cada conjunto de datos después de efectuar la operación dada en cada valor.

19. 4, 7, 5, 9, 5, 6; sumar 1
7, 6.5, 6, 5

20. 23, 21, 17, 15, 12, 11; restar 3
12, 13, no hay moda, 12

21. 1.1, 2.6, 5.6, 5, 6.7, 6; sumar 4.1
8.6, 9.4, no hay moda, 5.6

22. 5, 2, 8, 6, 11, 1; dividir por 2
2.75, 2.75, no hay moda, 5

23. 12.1, 13.6, 10, 9.7, 13.2, 14; dividir por 0.5
24.2, 25.3, no hay moda, 8.6

24. 3.2, 4.4, 6, 7.8, 3, 2; restar −4
8.4, 7.8, no hay moda, 5.8

25. Las duraciones de las últimas seis llamadas telefónicas que hizo Ana fueron 3 min, 19 min, 2 min, 44 min, 120 min y 4 min. Las últimas seis llamadas que hizo Gregorio duraron 5 min, 12 min, 4 min, 80 min, 76 min y 15 min. Halla la media, la mediana, la moda y el rango de las llamadas que hicieron Ana y Gregorio. Usa tus resultados para comparar los hábitos de cada uno al hacer llamadas telefónicas.
Ana: 32, 11.5, no hay moda, 118; Gregorio: 32, 13.5, no hay moda, 76; En promedio, las llamadas de Ana son más cortas que las de Gregorio.

26. En la tabla se muestran los puntos que anotó un jugador de básquetbol en cinco partidos. ¿Cuántos puntos debe anotar el jugador en el próximo partido para lograr un promedio de 13 puntos por partido?   17

Partido	Puntos
Westlake	10
Davis	14
Mason	8
Leeberg	18
Warren	11

27. Un amigo y tú pesan sus mochilas llenas todos los días durante una semana. Los resultados se muestran en la tabla. Halla la media, la mediana, la moda y el rango de los pesos de tu mochila y de la mochila de tu amigo. Usa tus resultados para comparar los pesos de las mochilas.
12.2, 12.2, no hay moda, 3; 12.5, 12.6, no hay moda, 1.4; En promedio, tu mochila pesó menos que la de tu amigo.

Día	Peso (lb)	
	Tu mochila	Mochila de tu amigo
Lunes	13.5	12.6
Martes	12.2	13
Miércoles	13.2	12.8
Jueves	11.6	11.6
Viernes	10.5	12.5

28. Durante seis meses, las cuentas de consumo eléctrico de una familia sumaron en promedio $55 por mes. Las cuentas de los primeros cinco meses fueron $57.60, $60, $53.25, $50.75 y $54.05. ¿Cuál fue la cuenta de consumo eléctrico del sexto mes? Halla la mediana, la moda y el rango de las seis cuentas de consumo eléctrico. $54.35, $54.20, no hay moda, $9.25.

Página 349

12-3 Preparación para el examen estandarizado
Medidas de tendencia central y de dispersión

Opción múltiple

Escoge la letra que contiene la respuesta correcta para los Ejercicios 1 a 5.

1. ¿Cuál es la media del conjunto de datos 23, 36, 42, 33, 27, 32, 42, 28 18 y 39?   B
A. 23   B. 32   C. 35   D. 42

2. Se trazaron seis segmentos de recta en intervalos iguales a lo ancho de un dibujo del estanque Jackson. Usando las longitudes de los segmentos de recta, ¿cuál es la media del ancho del estanque Jackson?   H
F. 190 pies   H. 301.67 pies
G. 300 pies   I. 375 pies

325 pies
300 pies
375 pies
375 pies
250 pies
185 pies

3. ¿Cuál es el rango del conjunto de datos 125, 236, 185, 125, 201 y 155?   C
A. 62.5   B. 111   C. 125   D. 171.17

4. Un corredor de primer nivel es el entrenador del equipo de atletismo de una escuela secundaria. Hay 52 miembros en el equipo de atletismo. El entrenador registra el tiempo de todos los miembros del equipo, incluido él mismo, cuando corren la carrera de 100 metros. ¿Qué medida se verá más afectada por la inclusión del tiempo del entrenador?   I
F. Media   G. Mediana   H. Moda   I. Rango

5. ¿Cuál es la moda del conjunto de datos 87, 78, 42, 97, 78, 92, 78, 48, 87, 94 y 59?   C
A. 55   B. 76.36   C. 78   D. 87

Respuesta breve

6. En la tabla de la derecha se muestra la cantidad de victorias que obtuvo un equipo de béisbol en sus primeras cinco temporadas. ¿Cuál es la media de la cantidad de victorias que obtuvo el equipo por temporada? ¿Cuál es la mediana de la cantidad de victorias que obtuvo el equipo por temporada?   77; 76

Temporada	Victorias
1	68
2	89
3	76
4	59
5	93

[2] Las respuestas de ambas partes son correctas.
[1] La respuesta de una parte es correcta.
[0] Ninguna respuesta es correcta.

Página 350

12-4 Pensar en un plan
Gráficas de caja y bigotes

Básquetbol Las estaturas de los jugadores de un equipo de básquetbol son 74 pulgs., 79 pulgs. 71.5 pulgs., 81 pulgs., 73 pulgs., 76 pulgs., 78 pulgs., 71 pulgs., 72 pulgs. y 73.5 pulgs. Cuando se reemplaza al jugador de 76 pulgs. de estatura por otro jugador, el valor percentil del jugador de 73.5 pulgs. de estatura se convierte en 60. Escribe una desigualdad que represente las estaturas posibles del jugador de reemplazo.

1. ¿Cuántos jugadores hay? **10**

2. Antes de que se haga el reemplazo, ¿cuántos jugadores tienen una estatura menor que o igual a 73.5 pulgs.? **5**

3. Antes de que se haga el reemplazo, ¿cuál es el valor percentil del jugador de 73.5 pulgadas? Muestra tu trabajo. **50**

4. Si el jugador de 76 pulgadas se reemplaza por un jugador que tiene una estatura menor que o igual a 73.5 pulgs., ¿cómo afecta esto al valor percentil del jugador de 73.5 pulgadas de estatura?

   El valor percentil aumenta.

5. Si el jugador de 76 pulgadas de estatura se reemplaza por un jugador que mide más de 73.5 pulgs. de estatura, ¿cómo afecta esto al valor percentil del jugador de 73.5 pulgadas de estatura?

   El valor percentil permanece igual.

6. Escribe una desigualdad que represente la estatura del jugador de reemplazo si el valor percentil del jugador de 73.5 pulgadas pasa a ser 60. $h \leq 73.5$

Página 351

12-4 Práctica
Gráficas de caja y bigotes
Modelo G

Halla el mínimo, el primer cuartil, la mediana, el tercer cuartil y el máximo de cada conjunto de datos.

1. 220 150 200 180 320 330 300
   150, 180, 220, 320, 330

2. 14 18 12 17 14 19 18
   12, 14, 17, 18, 19

3. 33.2 45.1 22.3 76.7 41.9 39 32.2
   22.3, 32.2, 39, 45.1, 76.7

4. 5 8 9 7 11 4 9 4
   4, 4.5, 7.5, 9, 11

5. 1.4 0.2 2.3 1 0.8 2.4 0.9 2.1
   0.2, 0.85, 1.2, 2.2, 2.4

6. 90 47 88 53 59 72 68 62 79
   47, 56, 68, 83.5, 90

Haz una gráfica de caja y bigotes para representar cada conjunto de datos.

7. precios de refrigerios: $0.99 $0.85 $1.05 $3.25 $1.49 $1.35 $2.79 $1.99
   Precios de refrigerios
   0.5 1.5 2 2.5 3 3.5

8. compradores de boletos: 220 102 88 98 178 67 42 191 89
   Compradores de boletos
   40 80 120 160 200 240

9. corredores que terminan un maratón: 3,869 3,981 3,764 3,786 4,310 3,993 3,258
   Corredores que terminan un maratón
   3200 3400 3600 3800 4000 4200 4400

10. tiempos ganadores (min): 148 148 158 149 164 163 149 156
    Tiempos ganadores (min)
    146 150 154 158 162 166

11. precios de boletos: $25.50 $45 $24 $32.50 $32 $20 $38.50 $50 $45
    Precios de boletos ($)
    15 20 25 30 35 40 45 50

12. circunferencia de la cabeza (cm): 60.5 54.5 55 57.5 59 58.5 58.5 57 56.75 57
    Circunferencia de la cabeza (cm)
    50 52 54 56 58 60 62

Página 352

12-4 Práctica (continuación)
Gráficas de caja y bigotes
Modelo G

13. Usa la siguiente gráfica de caja y bigotes. ¿Qué te indica acerca de las calificaciones de cada clase? Explica tu respuesta.

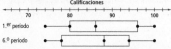
Calificaciones
70 80 90 100
1.ᵉʳ período
6.⁰ período

La mediana de las calificaciones de la clase del 6.⁰ período es más alta, pero la distribución de las calificaciones de las dos clases es similar.

14. De 200 puntajes de golf obtenidos en un torneo de la ciudad, 32 son menores que o iguales a 90. ¿Cuál es el valor percentil de un puntaje de 90? **16**

15. De 25 perros, 15 pesan más de 35 libras. ¿Cuál es el valor percentil de un perro que pesa 35 libras? **40**

16. En la tabla se muestra cuántos votos recibió cada estudiante que se postuló para presidente de la clase. ¿Cuál es el valor percentil de Lidia? **60**

Estudiante	Votos
Bruno	112
Lidia	100
Samuel	118
Gregorio	98
Graciela	98

17. Diez estudiantes obtuvieron las siguientes calificaciones en un examen: 89, 90, 76, 78, 83, 88, 91, 93, 96 y 90. ¿Qué calificación tiene un valor percentil de 90? ¿Qué calificación tiene un valor percentil de 10? **93; 76**

Haz gráficas de caja y bigotes para comparar los conjuntos de datos.

18. Calificaciones:
    De Andrés: 79 80 87 87 99 94 77 86
    De Daniel: 93 79 78 82 91 87 80 99

    La mediana de las calificaciones de Andrés es mayor, pero ambos tienen aproximadamente el mismo rango.
    Calificaciones
    76 80 84 88 92 96 100
    Andrés
    Daniel

19. Ventas mensuales:
    De Carla: 17 50 26 39 6 49 62 40 8
    De Pablo: 18 47 32 28 12 49 60 28 15

    La mediana de las ventas de Carla es mayor y el rango de las ventas de Carla también es mayor.
    Ventas mensuales
    10 20 30 40 50 60
    Carla
    Pablo

Página 353

12-4 Preparación para el examen estandarizado
Gráficas de caja y bigotes

Respuesta en plantilla

Resuelve cada ejercicio y marca tus respuestas en la plantilla.

1. Durante una temporada regular de ocho partidos, un corredor de fútbol americano llevó la pelota 125, 82, 105, 155, 98, 68, 111 y 95 yardas. ¿Cuál es el tercer cuartil del conjunto de datos? **118**

2. Durante las últimas dos semanas de trabajo, una vendedora vendió 14, 22, 31, 7, 14, 15, 34, 42, 10 y 17 artículos por día. ¿Cuál es el primer cuartil del conjunto de datos? **14**

3. Este año, una colecta de juguetes para donar a una organización de beneficencia duró 15 días. La organización recibió 55, 63, 44, 110, 99, 67, 88, 75, 53, 47, 64, 76, 92, 56 y 110 juguetes por día durante la colecta. ¿Cuál es la mediana de los datos? **67**

4. Usando la siguiente gráfica de caja y bigotes, ¿cuál es el rango entre cuartiles de los datos? **30**

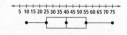
5 10 15 20 25 30 35 40 45 50 55 60 65 70 75

5. De los 32 estudiantes de una clase, 12 miden 5 pies y 5 pulgadas o menos. ¿Cuál es el valor percentil de un estudiante que tiene una estatura de 5 pies y 5 pulgadas? **37.5**

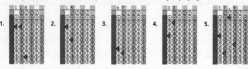

Página 354

12-5 Pensar en un plan
Muestras y encuestas

Viajes Un agente de viajes quiere determinar si viajar a Francia es una propuesta de vacaciones atractiva para los adultos jóvenes. ¿De qué manera los factores que se describen a continuación podrían hacer que los resultados de la encuesta sean sesgados?

a. El agente encuesta a personas en un aeropuerto internacional.
b. El agente pregunta: "¿Preferirías ir de vacaciones a Francia o Italia?".
c. El 86% de las personas encuestadas asistieron a clases de francés en la escuela secundaria.

1. ¿Qué razones podría tener una persona para estar en un aeropuerto internacional? ¿De qué manera estas razones podrían hacer que los resultados de la encuesta sean sesgados?
Viajes internacionales; Es más probable que viajen a Francia las personas que están en un aeropuerto internacional que las que están en un aeropuerto de vuelos de cabotaje.

2. Nombra tres lugares en los que el agente podría hacer la encuesta para que haya menos probabilidades de que los resultados sean sesgados.
Las respuestas variarán. Ejemplo: un centro comercial, un supermercado, la acera de una calle muy transitada.

3. ¿Cuántas respuestas diferentes puede esperar recibir el agente a la pregunta "¿Preferirías ir de vacaciones a Francia o Italia?"? ¿De qué manera el conjunto de respuestas posibles podría hacer que los resultados de la encuesta sean sesgados?
Hay sólo dos respuestas; Las personas tal vez prefieran otros destinos que no se incluyen entre las opciones.

4. Escribe tres preguntas para la encuesta del agente que tengan menos probabilidades de generar resultados sesgados.
Las respuestas variarán. Ejemplo: ¿Cuál es su destino preferido para ir de vacaciones? Si pudiera viajar a cualquier parte, ¿a dónde iría? ¿A qué país le gustaría viajar para unas vacaciones soñadas?

5. ¿De qué manera tener conocimientos de un idioma extranjero podría hacer que los resultados de una encuesta acerca de viajar al exterior sean sesgados?
Es más probable que alguien que estudia francés quiera viajar a Francia que alguien que no sabe francés.

6. ¿De qué manera el agente de viajes podría reducir el sesgo que causan los conocimientos de francés de los posibles clientes?
Las respuestas variarán. Ejemplo: Hablar con más personas que no sepan francés.

Página 355

12-5 Práctica
Muestras y encuestas

Modelo G

Determina si cada conjunto de datos es *cualitativo* o *cuantitativo*.

1. precio de teléfonos celulares
Cuantitativo
2. ventas de videojuegos
Cuantitativo
3. marca de ropa favorita
Cualitativo
4. edad al graduarse
Cuantitativo
5. onzas por paquete
Cuantitativo
6. mes de cumpleaños
Cualitativo

Determina si cada conjunto de datos es *univariado* o *bivariado*.

7. edades y género de tus vecinos
Bivariado
8. pesos de las mascotas de tus amigos
Univariado
9. cantidad de programas de televisión que miran tus amigos
Univariado
10. distancias recorridas
Univariado
11. cantidad de juegos jugados
Univariado
12. ancho y profundidad de distintos lagos
Bivariado

Determina si el método de muestreo es *aleatorio*, *sistemático* o *estratificado*. Indica si el método dará una buena muestra.

13. Un fabricante de botellas comprueba la calidad de una de cada tres botellas que produce.
Sistemático; Sí.
14. Un encuestador llama a uno de cada cuatro republicanos registrados en el estado para averiguar qué candidato a senador prefieren.
Estratificado; No.
15. A todos los estudiantes cuyas licencias de conducir terminan en un número impar se les pide que completen una encuesta sobre hábitos de manejo seguros.
Sistemático; Sí.
16. Preguntas a 15 personas que viven en tu cuadra si apoyan la emisión local de bonos para la construcción de un centro comunitario al otro lado del pueblo.
Estratificado; No.

Determina si cada pregunta es sesgada. Explica tu respuesta.

17. ¿Cuál es tu programa de televisión favorito?
No; No influye en la elección de una persona.
18. ¿Preferirías ir a un museo aburrido o a un increíble parque de diversiones?
Sí; Implica que una persona es aburrida si quiere ir a un museo.

Página 356

12-5 Práctica (continuación)
Muestras y encuestas

Modelo G

19. Quieres averiguar cuánto gastan por mes en espectáculos las familias de tu comunidad. Encuestas a una de cada diez personas en el cine local. ¿De qué manera este método podría hacer que tus resultados sean sesgados?
Es posible que las personas que van al cine gasten más en espectáculos.

20. Quieres averiguar cuánto tiempo dedican por semana los estudiantes de tu escuela a hacer la tarea de matemáticas. Preguntas a uno de cada cuatro estudiantes en tu clase de matemáticas. ¿De qué manera este método podría hacer que tus resultados sean sesgados? Es probable que los estudiantes que están en esa clase dediquen más tiempo a hacer la tarea de matemáticas que aquellos que no están en esa clase.

21. El dueño de una heladería quiere determinar si a sus clientes les gustará un sabor nuevo, el café moca. ¿De qué manera los siguientes factores podrían hacer que los resultados de la encuesta sean sesgados?
a. El dueño encuesta a clientes que se encuentran afuera de una cafetería local.
Es más probable que las personas que están en una cafetería prefieran un helado con sabor a café.
b. El dueño encuesta a sus clientes adultos.
Es más probable que beban café los adultos que los adolescentes o los niños.
c. El dueño pregunta: "¿Qué sabor preferiría: café moca o chocolate?".
El dueño da sólo dos opciones, una de las cuales es el sabor que le interesa.

En cada situación, identifica la población y la muestra. Indica si cada muestra es *aleatoria*, *sistemática* o *estratificada*.

22. En una tienda en línea, se le pide a uno de cada diez compradores que complete una encuesta en línea.
Todos los compradores; Uno de cada diez compradores; Sistemática.
23. Envías un mensaje de texto a todas las personas de la lista de contactos de tu teléfono celular y les preguntas cuál es su sitio Web favorito. Todos los usuarios de Internet; Las personas de la lista de contactos de tu teléfono celular; Estratificada.

Clasifica los datos como *cualitativos* o *cuantitativos* y como *univariados* o *bivariados*.

24. edad de las personas que van al cine a ver una película popular un martes por la tarde
Cuantitativo; univariado
25. nombres de senadores estadounidenses y cuántos mandatos han cumplido
Cuantitativo; bivariado
26. longitud y peso de los peces capturados en un concurso de pesca
Cuantitativo; bivariado
27. horas de luz por día en Anchorage, Alaska
Cuantitativo; univariado
28. cantidad de caramelos de cada color en un frasco de cinco galones
Cuantitativo; bivariado
29. nombres de jugadores de béisbol y sus promedios de bateo en tres temporadas Cuantitativo; bivariado

Página 357

12-5 Preparación para el examen estandarizado
Muestras y encuestas

Opción múltiple

Escoge la letra que contiene la respuesta correcta para los Ejercicios 1 a 6.

1. Cuando los estadísticos recopilan información para hallar las características de un grupo numeroso de personas, encuestan a una parte del grupo. ¿Cómo se denomina esta parte del grupo? D
A. Espécimen
B. Parte
C. Población
D. Muestra

2. Quieres averiguar cuál es el almuerzo caliente favorito en la cafetería de la escuela entre los estudiantes de la escuela secundaria. En una reunión de toda la escuela, decides encuestar a todos los estudiantes que se sientan al final de cada fila del auditorio. ¿Qué tipo de encuesta haces? H
F. Sesgada
G. Aleatoria
H. Sistemática
I. Estratificada

3. Se hace una encuesta para determinar las películas favoritas de personas de diversas edades. ¿Cuál de las siguientes opciones describe mejor esta encuesta? B
A. Cualitativa y univariada
B. Cualitativa y bivariada
C. Cuantitativa y univariada
D. Cuantitativa y bivariada

4. En un pueblo quieren saber el número de teléfonos celulares que hay en cada vivienda. Se divide la población por vecindario y se encuesta a un número aleatorio de viviendas en cada vecindario. ¿Qué tipo de encuesta es? I
F. Sesgada
G. Aleatoria
H. Sistemática
I. Estratificada

5. Para averiguar cuál es el mejor restaurante del pueblo, llamas de manera aleatoria a 25 amigos. ¿Qué tipo de encuesta es? C
A. Estratificada
B. Sistemática
C. Sesgada
D. No sesgada

6. Los dueños de una tienda quieren saber qué es importante para sus clientes. Escogen de manera aleatoria a uno de cada 50 clientes para hacer una encuesta. ¿Qué tipo de encuesta es? H
F. Sesgada
G. Aleatoria
H. Sistemática
I. Estratificada

Respuesta breve

7. Una encuestadora intenta determinar quién será el mejor candidato a senador según la población del estado. Su equipo llama a 1000 personas en las 4 ciudades principales del estado. ¿Este plan dará una buena muestra? Explica tu respuesta.
No; La encuesta será sesgada, favorecerá a las personas que viven en la ciudad y no tendrá en cuenta a aquellos que viven fuera de estas ciudades.
[2] La respuesta es correcta. [1] La respuesta es parcialmente correcta. [0] La respuesta es incorrecta.

Página 358

12-6 Pensar en un plan
Permutaciones y combinaciones

Medios de comunicación Las siglas de las emisoras de radio y televisión en los Estados Unidos generalmente comienzan con la letra W al este del río Mississippi y con la letra K al oeste del Mississippi. La repetición de letras está permitida.
  a. ¿Cuántas siglas diferentes es posible armar si cada emisora usa una W o una K seguida de 3 letras?
  b. ¿Cuántas siglas diferentes es posible armar si cada emisora usa una W o una K seguida de 4 letras?

1. ¿Cuántas siglas diferentes es posible armar si una emisora usa una W seguida de 3 letras? Usa la fórmula para realizar permutaciones. **17,576**

2. ¿Cuántas siglas diferentes es posible armar si una emisora usa una K seguida de 3 letras? Compara esta respuesta con la anterior. **17,576; Los valores son los mismos.**

3. ¿Cómo combinarías las respuestas anteriores para determinar cuántas siglas diferentes es posible armar si cada emisora usa una W o una K seguida de 3 letras? **Las sumaría.**

4. ¿Cuántas siglas diferentes es posible armar si cada emisora usa una W o una K seguida de 3 letras? **35,152**

5. ¿Cuántas siglas diferentes es posible armar si una emisora usa una W seguida de 4 letras? Usa la fórmula para realizar permutaciones. **456,976**

6. ¿Cuántas siglas diferentes es posible armar si cada emisora usa una W o una K seguida de 4 letras? **913,952**

Página 359

12-6 Práctica
Permutaciones y combinaciones

Modelo G

1. Un número de placa de matrícula de seis caracteres puede comenzar con dos letras y terminar con cuatro números de un dígito.
  a. ¿Cuántas opciones posibles hay para los dos primeros caracteres? ¿Y para los últimos cuatro caracteres? **676; 10,000**
  b. ¿Cuántos números de placa de matrícula de seis caracteres diferentes es posible armar? **6,760,000**

2. Usa el mapa de la derecha y el principio de conteo en la multiplicación para hallar lo siguiente:
  a. el número de rutas de Piketon a Dublín **3**
  b. el número de rutas de Piketon a Blaise **6**
  c. el número de rutas de Blaise a Piketon **6**

3. Hay seis corredores para participar de la competencia de relevos de 400 metros. Se necesitan cuatro corredores para cada tramo de 100 m, en un orden específico. ¿Cuántas alineaciones de corredores diferentes puede considerar el entrenador para la competencia con cada uno de los corredores? **360**

4. El menú de un restaurante ofrece 8 sándwiches diferentes y 5 platos acompañantes. ¿Cuántas combinaciones de almuerzo puedes pedir? **40**

Halla el valor de cada expresión.

5. $_5P_2$ **20**   6. $_4P_3$ **24**   7. $_9P_3$ **504**   8. $_{10}P_3$ **720**

9. $_9P_4$ **3024**   10. $_6P_3$ **120**   11. $_5P_3$ **60**   12. $_{11}P_2$ **110**

13. $_8P_5$ **6720**   14. $_5P_3$ **60**   15. $_6P_5$ **720**   16. $_{100}P_2$ **9900**

17. Hay 100 canciones en tu reproductor de música. ¿De cuántas maneras diferentes puedes ordenar 20 canciones para escuchar mientras corres? Aproximadamente 1.3×10^{39}.

Halla el valor de cada expresión.

18. $_5C_2$ **10**   19. $_{10}C_8$ **45**   20. $_5C_4$ **5**   21. $_9C_4$ **126**

22. $_6C_3$ **20**   23. $_7C_5$ **21**   24. $_4C_3$ **4**   25. $_8C_4$ **70**

26. $_6C_5$ **6**   27. $_5C_4$ **5**   28. $_7C_3$ **35**   29. $_{10}C_3$ **120**

Página 360

12-6 Práctica (continuación)
Permutaciones y combinaciones

Modelo G

30. Hay 15 trozos de papel en un frasco. Cada uno tiene un nombre diferente. ¿De cuántas maneras puedes sacar 5 nombres del frasco? **3003**

Halla la cantidad de combinaciones de números que se pueden formar si se toman cuatro números por vez de cada grupo de tarjetas.

31. [23] [24] [25] [26] [27] **5**   32. [10] [11] [12] [13] [14] [15] **15**

33. [9] [11] [13] [15] [17] [19] **15**   34. [5] [6] [7] [8] **1**

Explica si cada situación es un problema de combinación o un problema de permutación.

35. Tus amigos alquilaron 6 videojuegos diferentes. ¿En cuántos órdenes diferentes pueden jugar a los 6 videojuegos? **Permutación**

36. Hay 20 juegos para escoger de una tienda de juegos local. ¿Cuántos grupos diferentes de 4 juegos puedes escoger para alquilar? **Combinación**

37. La puerta del garaje de la familia Aluru se abre con un código de 4 dígitos. La familia decide basar el código en el día del cumpleaños de la Sra. Aluru: 24/01/63. ¿Cuántos códigos se pueden formar con cuatro de los dígitos del cumpleaños de la Sra. Aluru? **Permutación**

38. Tienes 10 fotografías entre las que puedes escoger. ¿De cuántas maneras diferentes puedes ordenar 5 fotografías en una sola fila sobre el sofá? **Permutación**

39. Hay 6 horas de clase en el día lectivo. Hay 10 materias para escoger. ¿Cuántos horarios de clase diferentes es posible armar? **Permutación**

Determina qué valor es mayor.

40. $_9P_6$ ó $_6P_3$
    $_9P_6$

41. $_9C_6$ ó $_9C_5$
    $_9P_5$

42. $_{10}C_4$ ó $_{10}C_6$
    Los valores son iguales.

43. $_{10}P_4$ ó $_6P_6$
    $_{10}P_4$

Página 361

12-6 Preparación para el examen estandarizado
Permutaciones y combinaciones

Opción múltiple

Escoge la letra que contiene la respuesta correcta para los Ejercicios 1 a 7.

1. ¿Cuál es el valor de $_5P_3$? **C**
   A. 20   B. 40   C. 60   D. 120

2. ¿Cuál es el valor de $_{10}C_6$? **F**
   F. 210   G. 5040   H. 151,200   I. 3,628,800

3. Hay 12 personas en el equipo de básquetbol. ¿Cuántas alineaciones iniciales diferentes de 5 jugadores pueden escogerse? **B**
   A. 120   B. 792   C. 95,040   D. 3,991,680

4. El entrenador de un equipo de béisbol debe escoger a 9 de entre 15 jugadores para el orden de bateo. ¿De cuántas maneras diferentes puede ordenar a los jugadores en la alineación? **I**
   F. 5005   G. 362,880   H. 3,603,600   I. 1,816,214,400

5. Para un viaje en carro, una amiga va a colocar 5 CD en su reproductor. Tiene 9 CD entre los que escoger. ¿Cuántas selecciones diferentes de CD puede hacer? **A**
   A. 126   B. 3024   C. 15,120   D. 362,880

6. Se presentaron 8 estudiantes como candidatos para el consejo estudiantil. Se seleccionarán cuatro estudiantes para el consejo. ¿Cuántos grupos diferentes de estudiantes pueden seleccionarse para el consejo? **G**
   F. 24   G. 70   H. 1680   I. 40,320

7. Para acceder a un sitio Web, se necesita una contraseña numérica de 4 dígitos que no pueden repetirse. ¿Cuántas contraseñas se pueden formar? **B**
   A. 24   B. 5040   C. 151,200   D. 3,628,800

Respuesta breve

8. En un restaurante se sirven 4 sándwiches diferentes, 3 platos acompañantes distintos y 3 bebidas diferentes para el almuerzo. ¿Cuántas comidas se pueden formar? Muestra tu trabajo.
   $4! + 3! + 3! = 36$
   [2] La respuesta es correcta y se mostró el trabajo.
   [1] La respuesta es incorrecta o no se mostró el trabajo.
   [0] La respuesta y el trabajo son incorrectos.

Página 362

12-7 Pensar en un plan
Probabilidad teórica y probabilidad experimental

Transporte De los 80 trabajadores encuestados en una empresa, 17 caminan hasta el trabajo.

a. ¿Cuál es la probabilidad experimental de que un trabajador de esa empresa escogido de manera aleatoria camine hasta el trabajo?

b. Predice aproximadamente cuántos trabajadores caminan hasta el trabajo del total de 3600 trabajadores de la empresa.

Comprender el problema

1. Escribe una fracción que represente la probabilidad de que un trabajador de la empresa escogido de manera aleatoria camine hasta el trabajo.

$$P(\text{camina hasta el trabajo}) = \frac{\text{número de encuestados que caminan hasta el trabajo}}{\text{número total de encuestados}} = \frac{\boxed{17}}{\boxed{80}}$$

Planear la solución

2. Sea t la letra que representa el número de trabajadores que caminan hasta el trabajo. Escribe una ecuación que podría usarse para predecir el número total de trabajadores que caminan hasta el trabajo.

$$t = \frac{\boxed{17}}{\boxed{80}} \times \boxed{3600}$$

Hallar una respuesta

3. Resuelve la ecuación.
765 trabajadores caminan hasta el trabajo.

4. ¿Es razonable tu respuesta? Explica tu respuesta.

Las respuestas variarán. Ejemplo: Sí; Un poco menos que un cuarto de los trabajadores encuestados caminan hasta el trabajo y 765 es un poco menos que un cuarto del número total de trabajadores.

5. La probabilidad experimental es $\frac{17}{80}$ y predigo que aproximadamente 765 trabajadores caminan hasta el trabajo.

Página 363

12-7 Práctica
Modelo G

Probabilidad teórica y probabilidad experimental

Haces girar una rueda con flecha giratoria que está dividida en 15 partes iguales numeradas del 1 al 15. Halla la probabilidad teórica de que la flecha se detenga en la(s) parte(s) indicada(s) de la rueda.

1. $P(15)$ $\frac{1}{15}$

2. $P(\text{número impar})$ $\frac{8}{15}$

3. $P(\text{número par})$ $\frac{7}{15}$

4. $P(\text{no } 5)$ $\frac{14}{15}$

5. $P(\text{menor que } 5)$ $\frac{4}{15}$

6. $P(\text{mayor que } 8)$ $\frac{7}{15}$

7. $P(\text{múltiplo de } 5)$ $\frac{1}{5}$

8. $P(\text{menor que } 16)$ 1

9. $P(\text{número primo})$ $\frac{2}{5}$

10. Lanzas un cubo numérico. ¿Cuál es la probabilidad de obtener un número menor que 5? $\frac{2}{3}$

11. La probabilidad de que una flecha giratoria se detenga en una sección roja es $\frac{1}{6}$. ¿Cuál es la probabilidad de que la flecha no se detenga en una sección roja? $\frac{5}{6}$

Escoges de manera aleatoria una canica de una bolsa que contiene 2 canicas rojas, 4 canicas verdes y 3 canicas azules. Halla las probabilidades.

12. probabilidades a favor de escoger rojo
2 : 7

13. probabilidades a favor de escoger azul
1 : 2

14. probabilidades en contra de escoger verde
5 : 4

15. probabilidades en contra de escoger rojo
7 : 2

16. probabilidades a favor de escoger verde
4 : 5

17. probabilidades en contra de escoger azul
2 : 1

18. Lanzas un cubo numérico. ¿Cuáles son las probabilidades de obtener un número par? 1 : 1

Página 364

12-7 Práctica (continuación)
Modelo G

Probabilidad teórica y probabilidad experimental

Se les pidió a ciento veinte estudiantes de la escuela secundaria Roosevelt escogidos de manera aleatoria que nombren su deporte favorito. Los resultados se muestran en la tabla. Halla la probabilidad experimental de que un estudiante escogido de manera aleatoria dé la respuesta indicada.

Encuesta sobre deportes favoritos	
Deporte	Cantidad de respuestas
Básquetbol	30
Béisbol	22
Fútbol americano	34
Fútbol	20
Otro	14

19. $P(\text{básquetbol})$ $\frac{1}{4}$

20. $P(\text{fútbol})$ $\frac{1}{6}$

21. $P(\text{béisbol})$ $\frac{11}{60}$

22. $P(\text{fútbol americano})$ $\frac{17}{60}$

23. Un meteorólogo dice que la probabilidad de que hoy llueva es 35%. ¿Cuál es la probabilidad de que no llueva? 65%

24. Enrique suele embocar 11 de cada 20 tiros libres. ¿Cuál es la probabilidad de que no emboque el próximo tiro libre? $\frac{9}{20}$

25. Hay 250 estudiantes de primer año en la escuela secundaria Central High School. Encuestas a 50 estudiantes de primer año escogidos de manera aleatoria y hallas que 35 planean asistir a la fiesta escolar el viernes. ¿Cuántos estudiantes de primer año es probable que vayan a la fiesta? 175 estudiantes de primer año.

26. La empresa Widget escoge de manera aleatoria los aparatos que vende y comprueba que no tengan defectos. Si 5 de cada 300 aparatos escogidos son defectuosos, ¿cuántos aparatos defectuosos esperarías hallar entre los 1500 que se fabricaron hoy? 25 aparatos defectuosos

Página 365

12-7 Preparación para el examen estandarizado
Probabilidad teórica y probabilidad experimental

Opción múltiple

Escoge la letra que contiene la respuesta correcta para los Ejercicios 1 a 5.

1. Se escoge de manera aleatoria una letra de la palabra *MISSISSIPPI*. ¿Cuál es la probabilidad de que esa letra sea la *I*? C
   A. $\frac{2}{11}$ B. $\frac{1}{5}$ C. $\frac{4}{11}$ D. $\frac{2}{5}$

2. Haces girar la flecha giratoria de una rueda que está dividida en 8 partes iguales numeradas del 1 al 8. ¿Qué evento tiene menos probabilidades de ocurrir? I
   F. El número es par.   H. El número es menor que 3.
   G. El número es mayor que 3.   I. El número es un múltiplo de 5.

3. Lanzas un cubo numérico. ¿Cuáles son las probabilidades en contra de obtener un número menor que 3? A
   A. 2 : 1   B. 1 : 2   C. 3 : 1   D. 1 : 3

4. Un meteorólogo dice que la probabilidad de que nieve hoy es del 45%. ¿Cuál es la probabilidad de que *no* nieve? H
   F. $\frac{2}{11}$ G. $\frac{9}{20}$ H. $\frac{11}{20}$ I. $\frac{9}{11}$

5. ¿Cuál es la probabilidad de que un número escogido del conjunto $\{-4, -3, -2, -1, 0, 1, 2, 3, 4, 5\}$ sea una solución de $2x + 5 > 1$? C
   A. 20%   B. 30%   C. 70%   D. 80%

Respuesta breve

6. Se hace un concurso en una pizzería. Se anuncia que uno de cada 25 clientes ganará una pizza pequeña.
   a. ¿Cuál es la probabilidad de que un cliente gane? $\frac{1}{25}$
   b. Si la pizzería tiene 275 clientes el lunes, ¿cuántos ganadores esperarías que haya?
   11 ganadores.

   [2] Las respuestas de ambas partes son correctas.
   [1] La respuesta de una parte es correcta.
   [0] Ninguna respuesta es correcta.

Página 366

12-8 Pensar en un plan
Probabilidad de eventos compuestos

Encuesta telefónica Un encuestador realiza una encuesta por teléfono. La probabilidad de que la persona a la que llama no responda la encuesta es 85%. ¿Cuál es la probabilidad de que el encuestador haga 4 llamadas y ninguna persona responda la encuesta?

Comprender el problema

1. ¿Cuál es la probabilidad de que en la primera llamada la persona no responda la encuesta? 0.85

2. ¿Cuál es la probabilidad de que en la segunda llamada la persona no responda la encuesta? 0.85

3. ¿La primera y la segunda llamada son eventos *independientes* o *dependientes*? Independientes.

4. ¿Cómo podrías hallar la probabilidad de que en las dos primeras llamadas las personas no respondan la encuesta? Multiplica 0.85 por 0.85.

Planear la solución

5. Escribe una expresión para hallar la probabilidad de que el encuestador haga 4 llamadas y ninguna persona responda la encuesta.
$0.85 \times 0.85 \times 0.85 \times 0.85$ ó $(0.85)^4$

Hallar una respuesta

6. Evalúa la expresión que escribiste en el Ejercicio 5. Aproximadamente 0.52

7. Explica si es más probable que el encuestador haga 4 llamadas y ninguna persona responda la encuesta o que al menos una persona responda la encuesta.
Dado que 0.52 es mayor que 0.50, es más probable que ninguna de las 4 personas responda la encuesta.

Página 367

12-8 Práctica
Probabilidad de eventos compuestos

Modelo G

Haces girar la flecha giratoria de una rueda dividida en 12 partes iguales numeradas del 1 al 12. Halla cada probabilidad.

1. $P(3 \text{ ó } 4)$ $\frac{1}{6}$

2. $P(\text{par ó } 7)$ $\frac{7}{12}$

3. $P(\text{par o impar})$ 1

4. $P(\text{múltiplo de 3 ó impar})$ $\frac{2}{3}$

5. $P(\text{impar o múltiplo de 5})$ $\frac{7}{12}$

6. $P(\text{menor que 5 ó mayor que 9})$ $\frac{7}{12}$

7. $P(\text{par o menor que 8})$ $\frac{5}{6}$

8. $P(\text{múltiplo de 2 ó múltiplo de 3})$ $\frac{2}{3}$

9. $P(\text{impar o mayor que 4})$ $\frac{5}{6}$

10. $P(\text{múltiplo de 5 ó múltiplo de 2})$ $\frac{7}{12}$

11. **Razonamiento** ¿Por qué usas $P(A \text{ ó } B) = P(A) + P(B) - P(A \text{ y } B)$ tanto para eventos mutuamente excluyentes como para eventos traslapados?
Las respuestas variarán. Ejemplo: La ecuación para eventos traslapados es $P(A \text{ ó } B) = P(A) + P(B) - P(A \text{ ó } B)$. La ecuación para eventos mutuamente excluyentes es $P(A \text{ y } B) = 0$; por tanto, $P(A \text{ ó } B) = P(A) + P(B) - P(A \text{ ó } B)$ se convierte en $P(A \text{ ó } B) = P(A) + P(B) - 0$ ó $P(A) + P(B)$ que es la ecuación para eventos mutuamente excluyentes.

Lanzas un cubo numérico rojo y un cubo numérico azul. Halla cada probabilidad.

12. $P(\text{rojo 2 y azul 2})$ $\frac{1}{36}$

13. $P(\text{rojo impar y azul par})$ $\frac{1}{4}$

14. $P(\text{rojo mayor que 2 y azul 4})$ $\frac{1}{9}$

15. $P(\text{rojo impar y azul menor que 4})$ $\frac{1}{4}$

16. $P(\text{rojo 1 ó 2 y azul 5 ó 6})$ $\frac{1}{9}$

17. $P(\text{rojo 6 y azul par})$ $\frac{1}{12}$

18. $P(\text{rojo mayor que 4 y azul mayor que 3})$ $\frac{1}{6}$

Página 368

12-8 Práctica (continuación)
Probabilidad de eventos compuestos

Modelo G

19. La probabilidad de que Roberto emboque un tiro libre es $\frac{2}{5}$. ¿Cuál es la probabilidad de que Roberto acierte los próximos dos tiros libres? $\frac{4}{25}$

Escoges de manera aleatoria una canica de una bolsa que contiene 3 canicas azules, 5 canicas rojas y 2 canicas verdes. Vuelves a colocar la canica en la bolsa y, luego, vuelves a escoger otra canica. Halla cada probabilidad.

20. $P(\text{las dos azules})$ $\frac{9}{100}$

21. $P(\text{las dos rojas})$ $\frac{1}{4}$

22. $P(\text{azul luego verde})$ $\frac{3}{50}$

23. $P(\text{rojo luego azul})$ $\frac{3}{20}$

24. $P(\text{verde luego rojo})$ $\frac{1}{10}$

25. $P(\text{las dos verdes})$ $\frac{1}{25}$

Escoges de manera aleatoria una ficha cuadrada de una bolsa que contiene 2 fichas con la letra X, 6 fichas con la letra Y y 4 fichas con la letra Z. Escoges otra ficha sin volver a colocar la primera en la bolsa. Halla cada probabilidad.

26. $P(\text{X luego Y})$ $\frac{1}{11}$

27. $P(\text{las dos Y})$ $\frac{5}{22}$

28. $P(\text{Y luego X})$ $\frac{1}{11}$

29. $P(\text{Z luego X})$ $\frac{2}{33}$

30. $P(\text{las dos Z})$ $\frac{1}{11}$

31. $P(\text{Y luego Z})$ $\frac{2}{11}$

32. Hay 12 niñas y 14 niños en la clase de matemáticas. El maestro coloca los nombres de los estudiantes en un sombrero y escoge uno de manera aleatoria. Luego, escoge otro nombre sin volver a colocar el primero en el sombrero. ¿Cuál es la probabilidad de que los dos estudiantes escogidos sean niños? $\frac{7}{25}$

Página 369

12-8 Preparación para el examen estandarizado
Probabilidad de eventos compuestos

Opción múltiple

Escoge la letra que contiene la respuesta correcta para resolver los Ejercicios 1 a 5.

1. Haces girar la flecha giratoria de una rueda que está dividida en 10 partes iguales numeradas del 1 al 10. ¿Qué evento compuesto tiene más probabilidades de ocurrir? D
   A. Un 2 ó un 3
   B. Un 1 ó un número mayor que 8
   C. Un número impar o un 7
   D. Un número par o un 5

2. ¿Qué tipo de evento compuesto se representa al lanzar dos cubos numéricos? H
   F. Eventos dependientes
   G. Eventos traslapados
   H. Eventos independientes
   I. Eventos mutuamente excluyentes

3. Escoges de manera aleatoria una canica de una bolsa que contiene 3 canicas anaranjadas, 4 canicas verdes y 3 canicas amarillas. Vuelves a colocar la canica en la bolsa y, luego, escoges otra canica. ¿Cuál es la probabilidad de escoger una canica verde las dos veces? C
   A. $\frac{6}{50}$
   B. $\frac{2}{15}$
   C. $\frac{4}{25}$
   D. $\frac{8}{45}$

4. Siete de cada 28 fichas de dominó tienen el mismo número de puntos de cada lado. Estas fichas se llaman *dobles*. Escoges de manera aleatoria una ficha de dominó. Luego, escoges otra ficha sin reemplazar la primera. ¿Cuál es la probabilidad de que las dos fichas sean dobles? G
   F. $\frac{3}{56}$
   G. $\frac{1}{18}$
   H. $\frac{1}{16}$
   I. $\frac{7}{648}$

5. Hay 8 caramelos en una bolsa. La probabilidad de escoger de manera aleatoria dos caramelos anaranjados sin volver a colocarlos en la bolsa es $\frac{3}{14}$. ¿Cuántos caramelos anaranjados hay en la bolsa? B
   A. 3 caramelos anaranjados
   B. 4 caramelos anaranjados
   C. 5 caramelos anaranjados
   D. 6 caramelos anaranjados

Respuesta desarrollada

6. Hay 20 canicas en una bolsa. La probabilidad de que escojas de manera aleatoria una canica roja es $\frac{1}{5}$. ¿Cuál es la probabilidad de que escojas dos canicas rojas de manera consecutiva si no vuelves a colocar la primera en la bolsa? Explica tu respuesta.
   $\frac{3}{95}$; Las respuestas variarán. Ejemplo: Dado que $\frac{1}{5} = \frac{4}{20}$, hay 4 canicas rojas en la bolsa. La probabilidad de escoger 2 canicas rojas sin volver a colocar la primera en la bolsa es $\frac{4}{20} \times \frac{3}{19}$ ó $\frac{3}{95}$.
   [2] La respuesta es correcta.
   [1] La respuesta está incompleta.
   [0] La respuesta es incorrecta.

Álgebra 1, de Prentice Hall • Cuaderno de práctica y resolución de problemas Guía del maestro